LA STORIA DELLA TERRA DI MEZZO / 6

La storia della Terra di Mezzo

IL LIBRO DEI RACCONTI PERDUTI – PRIMA PARTE
IL LIBRO DEI RACCONTI PERDUTI – SECONDA PARTE
I LAI DEL BELERIAND
LA FORMAZIONE DELLA TERRA DI MEZZO
LA STRADA PERDUTA E ALTRI SCRITTI
IL RITORNO DELL'OMBRA
IL TRADIMENTO DI ISENGARD
LA GUERRA DELL'ANELLO
LA DISFATTA DI SAURON
L'ANELLO DI MORGOTH
LA GUERRA DEI GIOIELLI
I POPOLI DELLA TERRA DI MEZZO

JOHN RONALD REUEL TOLKIEN

LA STORIA DELLA
TERRA DI MEZZO

A cura di CHRISTOPHER TOLKIEN

IL RITORNO DELL'OMBRA

LA STORIA DEL SIGNORE DEGLI ANELLI
PARTE PRIMA

Traduzione di Stefano Giorgianni
e Edoardo Rialti
Edizione italiana a cura
dell'Associazione Italiana Studi Tolkieniani

BOMPIANI

Giunti Editore si impegna per uno sviluppo sostenibile
con l'utilizzo di carta certificata FSC proveniente
da fonti gestite in maniera responsabile.

www.giunti.it
www.bompiani.it

Originally published in the English language
by HarperCollins Publishers Ltd. under the title
The History of Middle Earth
The Return of The Shadow. The History of The Lord of the Rings (part one)

Traduzione di Stefano Giorgianni e Edoardo Rialti

Cura redazionale: Roberto Arduini, Giampaolo Canzonieri,
Barbara Sanguineti, Norbert Spina e Claudio A. Testi

Via Bolognese 165 – 50139 Firenze – Italia
Via G.B. Pirelli 30 – 20124 Milano – Italia

ISBN 978-88-301-1847-8

Prima edizione "La storia della Terra di Mezzo": maggio 2024 *a Rayner Unwin*

Lungo la strada ho incontrato molte cose che mi hanno sorpreso. Tom Bombadil, già lo conoscevo; ma non ero mai stato a Brea. Grampasso [Passolungo] seduto in un angolo della locanda fu una sorpresa, e non avevo idea di chi fosse più di quanta ne avesse Frodo. Le Miniere di Moria erano solo un nome; e di Lothlórien le mie orecchie mortali non avevano mai sentito parlare prima che ci giungessi. Sapevo che lontano, ai confini di un antico Regno di Uomini, c'erano i Signori dei Cavalli, ma la Foresta di Fangorn fu un'avventura imprevista. Non avevo mai sentito della Casa di Eorl, né dei Sovrintendenti [Castaldi] di Gondor. Più inquietante di tutto, Saruman non mi era noto, e rimasi sconcertato come Frodo quando Gandalf non arrivò il 22 settembre.

J.R.R. Tolkien, da una lettera a
W.H. Auden, 7 giugno 1955

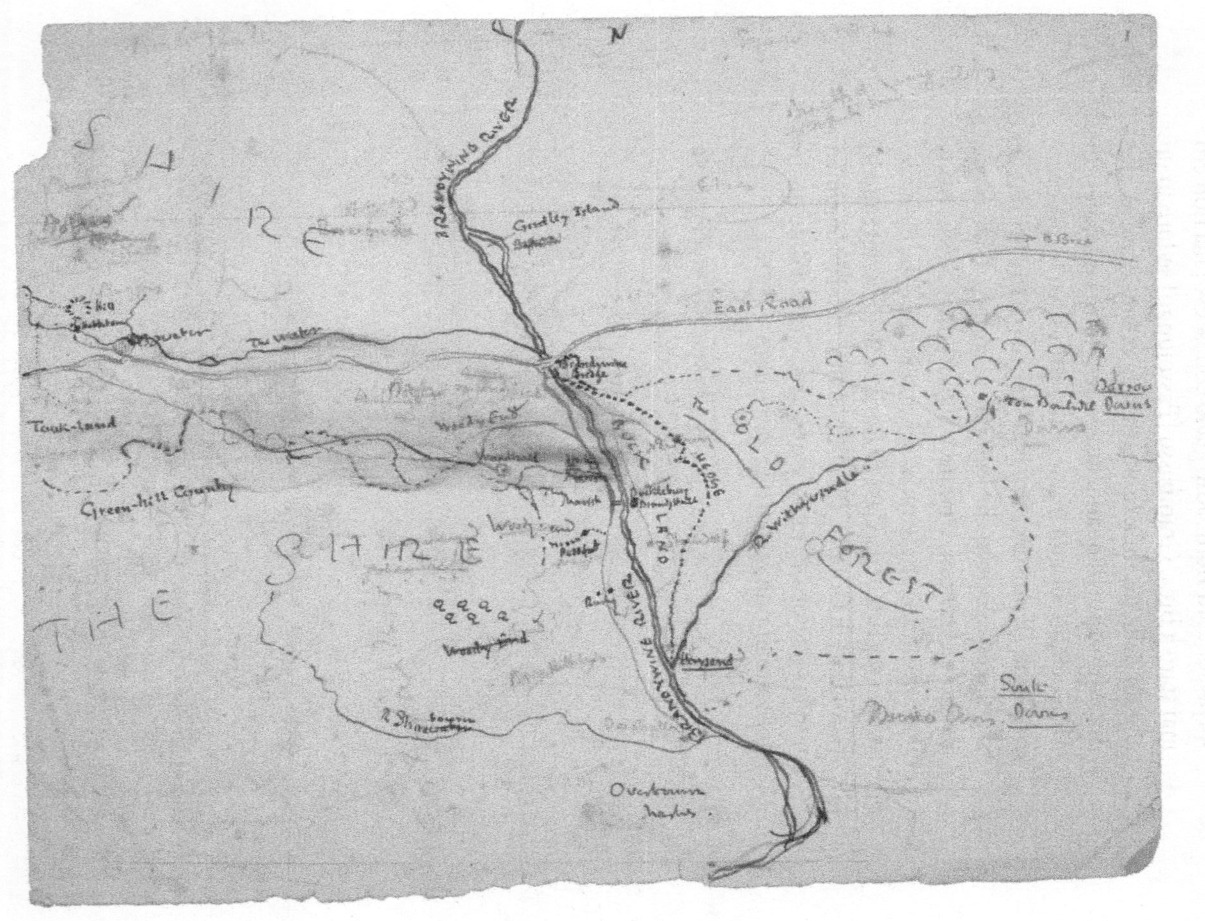

N
BRANDYWINE RIVER
Girdley Island
East Road
The Water
Tuck-land
Green-hill Country
THE SHIRE
OLD FOREST
BUCK LAND
HEDGE
R. Withywindle
Barrow Downs
South Downs
Overbourn Marshes

PREFAZIONE

Come è ben noto, i manoscritti e i dattiloscritti del *Signore degli Anelli* furono venduti da J.R.R. Tolkien alla Marquette University di Milwaukee alcuni anni dopo la sua pubblicazione, assieme a quelli dello *Hobbit* e del *Cacciatore di Draghi*, così come di *Mr. Bliss*. Tra la spedizione di questi ultimi documenti, che raggiunsero la Marquette nel luglio del 1957, e quella del *Signore degli Anelli*, che pervenne solo l'anno successivo, trascorse molto tempo. Il motivo è che mio padre si era impegnato a ordinare, annotare e datare i numerosi manoscritti del *Signore degli Anelli* stesso, ma si trovò nell'impossibilità di svolgere il lavoro richiesto. È chiaro che non lo realizzò mai e che alla fine lasciò partire le carte così com'erano; quando queste arrivarono alla Marquette fu annotato che non erano "in ordine". Se l'avesse fatto, si sarebbe necessariamente reso conto allora che la raccolta di manoscritti, per quanto vasta, era comunque incompleta.

Sette anni dopo, nel 1965, mentre lavorava alla revisione del *Signore degli Anelli*, scrisse al direttore generale delle biblioteche della Marquette, domandando se fosse possibile trovare un certo schema di date ed eventi nella narrazione, dal momento che non aveva "mai redatto uno schema completo o nota delle carte a voi consegnate". In quella lettera egli spiegava che la consegna era avvenuta in un periodo in cui le sue carte erano sparpagliate tra la sua casa di Headington (Oxford) e le sue stanze al Merton College; e aggiungeva che allora egli si trovava ancora in possesso di "materiale scritto" che "dovrebbe appartenere a voi": una volta terminata la revisione del *Signore degli Anelli* avrebbe esaminato il problema. Ma non lo fece.

Tali documenti passarono a me alla sua morte, otto anni dopo; ma sebbene Humphrey Carpenter vi abbia fatto riferimento nella sua *Biografia* (1977) e ne abbia citato alcuni appunti originali, io li ho trascurati per molti anni, assorbito dal lungo lavoro per tracciare l'evoluzione delle narrazioni dei Giorni Antichi, le leggende del Beleriand e di Valinor. La pubblicazione del terzo volume della "Storia della Terra di Mezzo" si approssimava già prima che avessi una qualche idea che la "Storia" potesse estendersi a un resoconto della stesura del *Signore degli Anelli* medesimo. Negli ultimi tre anni, tuttavia, sono stato impegnato a singhiozzo nella decifrazione e analisi dei manoscritti del *Signore degli Anelli* in mio possesso (un compito ancora lungi dall'essere completato). Ne è emerso che i fogli lasciati indietro nel 1958 consistono in gran parte nelle prime fasi della composizione, sebbene in alcuni casi (soprattutto nel primo capitolo, riscritto più volte) le versioni successive rinvenute tra questi fogli portino la narrazione a uno stato avanzato. In generale, tuttavia, solo gli appunti iniziali e le prime bozze, con le linee guida per il prosieguo della storia, rimasero in Inghilterra quando la maggior parte dei documenti passò alla Marquette.

Naturalmente non so come sia stato possibile che questi manoscritti in particolare siano stati esclusi dalla spedizione alla Marquette; tuttavia credo che una spiegazione in termini generali possa essere scovata abbastanza facilmente. Mio padre era immensamente prolifico ("Non poter usare una penna o una matita è frustrante quanto per una gallina lo sarebbe la perdita del becco," scrisse a Stanley Unwin nel 1963, quando patì di un disturbo al braccio destro); egli rivedeva, riutilizzava, ricominciava in continuazione, ma non buttava mai via nulla dei suoi scritti, e le sue carte divennero inestricabilmente complesse, disorganizzate e frammentarie. Non sembra probabile che al momento della spedizione alla Marquette egli si sia occupato o abbia ricordato con precisione le prime bozze, alcune delle quali erano state messe da parte e superate addirittura vent'anni prima; e non c'è dubbio che fossero state da tempo accantonate, dimenticate e sepolte.

In ogni caso, è chiaramente auspicabile che i manoscritti separati siano nuovamente accorpati e l'intero corpus conservato in un'unica sede. Tale doveva essere l'intenzione di mio padre al momento della cessione originale; di conseguenza, i manoscritti attualmente in mio possesso saranno consegnati alla Marquette University. La maggior parte del materiale citato o descritto in questo libro si trova nelle carte rimaste; tuttavia la terza sezione del libro (denominata "La Terza Fase") ha costituito un problema difficile, perché in questo caso specifico i manoscritti erano divisi.

La maggior parte dei capitoli di tale "fase" della composizione pervenne alla Marquette nel 1958, ma sezioni sostanziali di alcuni di essi non lo fecero. Tali parti erano separate perché mio padre le aveva scartate, mentre aveva utilizzato le rimanenti come elementi costitutivi per nuove versioni. L'interpretazione di questa parte della storia sarebbe stata del tutto impossibile senza la piena collaborazione della Marquette, di cui ho beneficiato copiosamente. Soprattutto, il signor Taum Santoski si è impegnato con grande abilità e cura in una complessa operazione durante la quale ci siamo scambiati per svariati mesi copie annotate dei testi; in questo modo è stato possibile determinare la storia testuale e ricostruire i manoscritti originali che mio padre stesso aveva scorporato quasi mezzo secolo fa. Riporto con piacere e profonda gratitudine la generosa assistenza che ho ricevuto da lui, così come da Charles B. Elston, archivista della Memorial Library della Marquette, John D. Rateliff e miss Tracy Muench.

Il presente tentativo di fornire un resoconto delle prime fasi della stesura del *Signore degli Anelli* si è scontrato con altre difficoltà, al di là del fatto che i manoscritti fossero stati così ampiamente separati; difficoltà riscontrate soprattutto nell'interpretazione della sequenza di scrittura, ma anche nella presentazione dei risultati medesimi in un volume a stampa.

In breve, la scrittura procedette in una serie di "ondate" o (come le ho chiamate in questo libro) "fasi". Il primo capitolo fu riassemblato tre volte prima che gli hobbit lasciassero Hobbiton, ma poi la storia arrivò di slancio fino a Valforra prima che tale impulso si esaurisse. Mio padre ricominciò quindi dall'inizio (la "seconda fase"), e poi ancora (la "terza fase"); e man mano che emergevano nuovi elementi narrativi e nuovi nomi e relazioni tra i personaggi, questi venivano inseriti nelle bozze precedenti, in tempi diversi. Parti di un testo venivano rimosse e utilizzate altrove. Versioni alternative venivano incorporate nello stesso manoscritto, in modo che la storia potesse essere letta in più di una modalità a seconda delle indicazioni fornite.

È praticamente impossibile determinare la sequenza di questi movimenti estremamente complessi con una precisione dimostrabile punto per punto. Le poche date inserite da mio padre non sono sufficienti a fornire più che un sostegno limitato, e i riferimenti al progresso del lavoro nelle sue lettere risultano poco chiari e di difficile interpretazione. Le differenze nella scrittura possono risultare estremamente fuorvianti. Perciò la determinazione della storia della composizione deve basarsi in gran parte sugli indizi forniti dall'evoluzione dei nomi e dei motivi nella narrazione stessa; ma in tutto questo c'è la concreta possibilità di sbagliare le date relative delle aggiunte e delle modifiche. Esempi di siffatti problemi si trovano in tutto il volume. Non credo di essere riuscito a determinare correttamente la storia in ogni suo punto: rimangono difatti diversi casi in cui le prove paiono contraddittorie e io non sono in grado di offrire alcuna soluzione. La natura dei manoscritti è tale che probabilmente essa ammetterà sempre interpretazioni diverse. Tuttavia la sequenza di composizione che propongo, dopo aver saggiato svariate teorie alternative, mi sembra quella che meglio si adatta alle evidenze presenti.

Le prime trame e bozze narrative spesso risultano appena leggibili e diventano sempre più indecifrabili man mano che il lavoro procede. Facendo ricorso negli anni della guerra a qualsiasi pezzo di carta economica che gli capitava a portata di mano – talvolta scrivendo non solo sul retro delle prove d'esame, ma sulle prove medesime – mio padre annotava ellitticamente i suoi pensieri per la storia a venire e le sue prime formulazioni narrative, a velocità frenetica. Nella grafia che usava per le bozze e gli abbozzi frettolosi, non destinati a durare a lungo prima che li riprendesse in mano e desse loro una forma più effettiva, le lettere sono tracciate in modo così lasco che una parola che non può essere dedotta o indovinata dal contesto o da versioni successive può risultare assolutamente oscura persino dopo un lungo esame; e se, come spesso accadeva, egli aveva usato una matita morbida, molti tratti sono ora sbavati o sbiaditi. Ciò va sempre tenuto presente: le prime stesure vennero redatte frettolosamente su carta appena le prime parole venivano in mente e prima che il pensiero si dissolvesse, mentre il testo stampato (a parte una scia di puntini e punti interrogativi a fronte dei passaggi illeggibili) comunica inevitabilmente un'aria di composizione calma e ordinata, il fraseggio pesato e voluto.

Per quanto riguarda il modo in cui il materiale è presentato in questo libro, il problema più arduo risiede nello sviluppo della storia nel corso di stesure successive, sempre mutevoli sebbene strettamente dipendenti dalle precedenti. Nel caso piuttosto estremo del capitolo d'apertura "Una festa attesa a lungo", in questo libro ci sono sei testi principali da considerare e una serie di inizi poi abbandonati. Una presentazione completa di tutto il materiale di tale capitolo costituirebbe quasi un libro a sé, per non parlare della massa di ripetizioni identiche o quasi. D'altra parte, una successione di testi ridotti a estratti e brevi citazioni (quando le versioni differiscono in modo significativo dalle precedenti) non sarebbe facile da seguire, e se lo sviluppo fosse seguito nel dettaglio, tale metodo richiederebbe molto spazio. Non esiste una soluzione veramente soddisfacente. Il curatore deve assumersi la responsabilità di selezionare ed evidenziare gli elementi che ritiene più interessanti e significativi. In generale, in ogni capitolo riporto la prima narrazione completa, o quasi, come base cui fare riferimento per gli sviluppi successivi. Il diverso trattamento dei manoscritti richiede una diversa disposizione del piano editoriale: dove i testi sono riportati più o meno integralmente si fa ampio uso di note numerate (che possono costituire una parte importante della presentazione d'un testo complesso), mentre dove così non è, il capitolo procede piuttosto come un'analisi accompagnata da citazioni.

Mio padre si è dedicato con immensa dedizione alla creazione del *Signore degli Anelli*, e la mia intenzione è stata quella di far sì che questo resoconto dei suoi primi anni di lavoro riflettesse tali sforzi. La prima parte della storia, prima che l'Anello lasciasse Valforra, ha richiesto di gran lunga il maggior impegno (di qui la lunghezza del presente volume rispetto all'intera storia); e vi sono registrati i dubbi, le indecisioni, i ripensamenti, le ristrutturazioni e le false partenze. Il risultato non può che rivelarsi estremamente intricato; ma anche se sarebbe possibile raccontare la storia in forma assai ridotta e abbreviata, sono convinto che omettere dettagli complessi o semplificare eccessivamente problemi e spiegazioni priverebbe lo studio del suo interesse essenziale.

Il mio obiettivo è stato quello di fornire un resoconto della *stesura* del *Signore degli Anelli*, per mostrare il sottile processo di cambiamento, capace di trasformare il significato degli eventi e l'identità dei personaggi, pur conservando le scene e le parole pronunciate fin dalle prime bozze. Per questo motivo (ad esempio) mi occupo in dettaglio della storia dei due hobbit che alla fine si trasformano in Peregrino Took e Fredegario Bolger, ma solo dopo le più straordinarie permutazioni e fusioni di nome, carattere e ruolo; d'altro canto, mi astengo da ogni discussione che non sia direttamente rilevante per l'evoluzione della narrazione medesima.

Vista la natura del libro, do per scontata la conoscenza della *Compagnia dell'Anello*, e in tutto il volume viene stabilito un raffronto con l'opera effettivamente pubblicata. I riferimenti alle pagine della *Compagnia dell'Anello* (abbreviati in CdA) si riferiscono all'edizione rigida in tre volumi del *Signore degli Anelli* (SdA) pubblicata da George Allen & Unwin (ora Unwin Hyman) e Houghton Mifflin Company,* che costituisce l'edizione comune sia in Inghilterra sia in America, tuttavia ritengo che si scoprirà come quasi tutti questi riferimenti possono essere facilmente rintracciati in qualsiasi altra edizione, dato che il punto preciso cui ci si richiama nella forma finale della storia è quasi sempre evidente dal contesto.

Nella "prima fase" della stesura, che faceva progredire la storia fino a Valforra, la maggior parte dei capitoli era sprovvista di titolo, e in seguito vi furono molti cambiamenti nella suddivisione della vicenda in capitoli, con variazioni nei titoli e nella numerazione. Ho ritenuto quindi di evitare la confusione attribuendo a molti dei miei capitoli dei titoli semplici e descrittivi, come "Da Hobbiton a Fondo Boschivo", che ne indicassero il contenuto piuttosto che collegarli ai titoli dei capitoli della *Compagnia dell'Anello* stessa. Come titolo per il libro mi è sembrato adatto riprendere uno dei titoli suggeriti da mio padre per il primo volume del *Signore degli Anelli*, ma poi abbandonati. In una lettera a Rayner Unwin dell'8 agosto 1953 (*Lettere*, p. 270) egli propose *Il ritorno dell'ombra*.

In questo libro non viene raccontata la storia della stesura dello *Hobbit* fino alla sua pubblicazione originale nel 1937, sebbene, per la natura del suo

* Ciò non vale, ovviamente, per la presente edizione italiana, per la quale è stata usata la traduzione Bompiani di Ottavio Fatica (2020) come testo finale di riferimento.

rapporto con *Il Signore degli Anelli*, si faccia costantemente riferimento all'opera pubblicata. Tale relazione è curiosa e complessa. Mio padre espresse più volte il suo punto di vista al riguardo, ma il modo più completo e (credo) più accurato fu nel corso di una lunga lettera a Christopher Bretherton scritta nel luglio 1964 (*Lettere*, pp. 546-553).

Sono tornato a Oxford nel gennaio 1926, e quando *Lo Hobbit* fu pubblicato (1937) questa "materia dei Giorni antichi" aveva una forma coerente. Nelle intenzioni, *Lo Hobbit* non avrebbe dovuto averci nulla a che fare. Quando i miei figli erano piccoli, avevo l'abitudine di inventare e raccontare, a volte mettere per iscritto, "storie per bambini" per il loro divertimento, basandomi sulle idee che allora avevo, e che molti ancora hanno, su come tali storie dovrebbero essere per stile e atteggiamento. *Lo Hobbit* doveva essere un'altra di quelle. Non aveva alcuna connessione necessaria con la "mitologia", ma naturalmente fu attirata da quella costruzione dominante nella mia mente, e il racconto divenne più ampio ed eroico man mano che procedeva. Anche così sarebbe potuto restare a sé, tranne per i riferimenti (non necessari, anche se donano una sensazione di profondità storica) alla Caduta di Gondolin [...], alle stirpi degli Elfi [...], e al contrasto di Re Thingol, padre di Lúthien, con i Nani [...].

L'anello magico era l'unica cosa dello *Hobbit* che potesse collegarsi con la mia mitologia. Per diventare il punto centrale di una storia lunga doveva essere della massima importanza. Allora lo associai al riferimento (originalmente) casuale al Negromante, alla fine del cap. VII e nel cap. XIX, la cui funzione era solo quella di fornire un motivo per cui Gandalf se ne andasse, lasciando Bilbo e i Nani a badare a loro stessi, che era necessario per la trama. Dallo *Hobbit* vengono anche la storia dei Nani, Durin il loro primo antenato, e Moria; ed Elrond. Il passo nel cap. III che lo identifica con il mezzelfo della mitologia fu una fortunata coincidenza, dovuta alla difficoltà di inventare in continuazione buoni nomi per nuovi personaggi. Gli ho dato il nome Elrond casualmente, ma poiché l'avevo preso dalla mitologia (Elros ed Elrond i due figli di Eärendel), ne feci un mezzelfo. Solo nel *Signore* viene identificato con il figlio di Eärendel, e quindi il bis-nipote di Lúthien e Beren, figura potente e possessore di un anello.

Il modo in cui mio padre considerava *Lo Hobbit* – in particolare in relazione al *Silmarillion* – al momento della sua pubblicazione è mostrato chiaramente nella lettera che scrisse a G.E. Selby il 14 dicembre 1937:

Io stesso non approvo molto *Lo Hobbit*, preferendo la mia mitologia (che è appena accennata) con la sua nomenclatura coerente – Elrond, Gondolin ed Esgaroth ne sono scappati fuori – e la sua storia organizzata, a questa marmaglia di Nani dai nomi eddici usciti dalla Völuspá, Hobbit e Gollum di nuova concezione (inventati in un'ora di ozio) e rune anglosassoni.

L'importanza dello *Hobbit* nella storia dell'evoluzione della Terra di Mezzo risiedeva quindi, in quella fase, nel fatto che esso fu pubblicato e che ne fu richiesto un seguito. Di conseguenza, a causa dell'evoluzione del *Signore degli Anelli*, *Lo Hobbit* fu *trascinato* nella Terra di Mezzo stessa – e la trasformò; ma per com'era nel 1937, esso non ne faceva ancora parte. La sua importanza per la Terra di Mezzo risiede in ciò che avrebbe operato in essa, non in ciò che già era.

In seguito, *Il Signore degli Anelli* retroagì a sua volta sullo *Hobbit* medesimo, nelle revisioni pubblicate e in quelle (molto più ampie) non pubblicate del testo; ma tutto ciò si situa ovviamente in un futuro molto lontano rispetto a dov'è giunta questa Storia.

Nei manoscritti del *Signore degli Anelli* c'è un'estrema irregolarità su questioni come l'uso delle maiuscole e dei trattini e la separazione degli elementi nei nomi composti. Nella mia presentazione dei testi non ho introdotto alcuna standardizzazione al riguardo, pur utilizzando forme coerenti nelle mie discussioni.

Le citazioni e i rimandi fanno riferimento alle edizioni del *Signore degli Anelli* (Bompiani 2023), del *Silmarillion* (Bompiani 2022), delle *Lettere 1914/1973* (Bompiani 2018) e dei *Racconti incompiuti* (Bompiani 2013).

È stato necessario distinguere le parti di questo libro dovute all'autore da tutte le altre, dovute al curatore Christopher Tolkien.

I testi originali di J.R.R. Tolkien sono stampati in Garamond.

Il resto del volume è in Verlag.

LA PRIMA FASE

I.
UNA FESTA ATTESA A LUNGO

(i)

La prima versione

Il punto di partenza originale nella scrittura del *Signore degli Anelli* – il suo "primo germe", come mio padre annotò sul testo molto tempo dopo, è tuttora conservato: un manoscritto di cinque pagine intitolato *Una festa attesa a lungo*. Ritengo che mio padre si riferisse a esso (piuttosto che a una seconda stesura incompiuta che lo seguì di lì a poco) quando il 19 dicembre 1937 scrisse a Charles Furth di Allen & Unwin: "Ho scritto il primo capitolo di una nuova storia sugli hobbit: 'Una festa attesa a lungo'." Solo tre giorni prima aveva scritto a Stanley Unwin:

Mi pare evidente che, a parte tutto questo, un seguito o un erede dello Hobbit sia necessario. Prometto di dedicarmici con attenzione. Ma sono certo che converrà con me quando dico che la costruzione di una mitologia elaborata e consistente (e di due lingue) mi occupa abbastanza la mente, e i Silmaril sono nel mio cuore. Così, solo il cielo sa cosa succederà. Il sig. Baggins è iniziato come un racconto comico in mezzo a nani convenzionali e inconsistenti presi dalle fiabe dei Grimm, ed è stato trascinato fino al limite: tanto che dall'orlo è spuntato perfino Sauron il terribile. E cos'altro possono fare gli hobbit? Possono essere comici, ma la loro commedia è provinciale se non si proietta sullo sfondo di cose più fondamentali.

first version

A long expected party

When N

When Bilbo, son of Bungo of the family of Baggins, prepared to celebrate his seventieth birthday there was for a day or two some talk in the neighbourhood. He had once had a little fleeting fame among the people of Hobbiton and Bywater — he had disappeared after breakfast one April 30th and not reappeared until lunchtime on June 22nd in the following year. A very odd proceeding for which he had never given any good reason, and of which he wrote a nonsensical account. After that he returned to normal ways; and the shaken confidence of the district was gradually restored, especially as Bilbo seemed by some unexplained method to have become more than comfortably off, if not positively wealthy. Indeed it was the magnificence of the party rather than the fleeting fame that at first caused the talk — after all that other odd business had happened some twenty years before and was becoming decently forgotten. The magnificence of the prepar-

La pagina d'apertura originale del *Signore degli Anelli*

Da ciò risulta chiaro che il 16 dicembre non solo lui non aveva iniziato a scrivere, ma con ogni probabilità nemmeno pensato alla sostanza d'"una nuova storia sugli Hobbit". Non molto tempo prima aveva consegnato il manoscritto della terza versione del *Silmarillion* ad Allen & Unwin; questo era incompiuto e lui vi era ancora profondamente immerso. In un post scriptum alla stessa lettera a Stanley Unwin, infatti, dava riscontro della restituzione del *Silmarillion* (e di altre cose) più tardi, quello stesso giorno. Ciononostante, doveva aver iniziato il nuovo racconto proprio in quel momento.

Al momento di posare per la prima volta la penna su carta egli scrisse a grandi lettere "Quando M", ma si fermò prima di completare l'ultimo tratto della M e scrisse invece "Quando Bilbo...". Il testo inizia in una grafia chiara, tuttavia la scrittura diventa sempre più veloce per ridursi infine a un rapido scarabocchio non del tutto leggibile. Il manoscritto presenta numerose modifiche. Il testo che segue rappresenta la forma originale a mio giudizio, fermo restando che quanto sia "originale" e quanto no non può essere perfettamente stabilito. Alcuni cambiamenti furono verosimilmente apportati al momento della stesura medesima, e vengono ripresi nel testo; altri invece sono anticipazioni caratteristiche della versione successiva, e vengono dunque ignorati. In ogni caso è assai probabile che mio padre abbia scritto le versioni di questo capitolo iniziale in rapida successione. Le note a questa versione seguono immediatamente alla fine del testo (p. 26).

Una festa attesa a lungo[1]

Quando Bilbo, figlio di Bungo della famiglia Baggins, [ebbe festeggiato >] si accinse a festeggiare il suo settantesimo compleanno, per un giorno o due ci furono un po' di chiacchiere nel vicinato. In passato egli aveva goduto di una qualche fugace notorietà presso gli abitanti di Hobbiton e Acquariva: era scomparso dopo la colazione di un 30 aprile e riapparso solo all'ora di pranzo del 22 giugno dell'anno successivo. Un comportamento molto strano invero, per il quale non aveva mai fornito alcuna ragione soddisfacente e di cui aveva persino scritto un assurdo racconto.

In seguito egli tornò a comportarsi normalmente e la scossa fiducia del vicinato fu gradualmente ristabilita, soprattutto perché Bilbo sembrava, in virtù di qualche mezzo inspiegabile, essere diventato ben più che agiato, se non addirittura ricco sfondato. In effetti, fu la magnificenza della festa, piuttosto che tale fama fugace, a far parlar di sé: dopo tutto, quell'altra stramba faccenda era avvenuta circa vent'anni prima ed era già sul punto di essere dimenticata. La magnificenza dei preparativi per la festa, dicevamo. Il campo a sud della sua porta di casa era stato coperto di padiglioni. Inviti erano stati spediti a tutti i Baggins e tutti i Took (suoi parenti da parte di madre), così come agli Scavieri (solo remotamente imparentati); ai Covaccioli, Boffin, Paciocchi e Pededegni: nessuno di costoro minimamente relato alla memoria degli storici locali – alcuni vivevano dall'altra parte della Contea; ma, ovvio a dirsi, eran tutti hobbit. Anche i Sackville-Baggins, suoi cugini da parte di padre, non erano stati dimenticati. C'era stata faida tra loro e il signor Bilbo Baggins, come alcuni di voi magari ricorderanno. Ma il biglietto d'invito, tutto vergato in oro, era così splendido che essi furono indotti ad accettare; per giunta il cugino da anni si andava specializzando in fatto di cibo e la sua tavola godeva di una grande reputazione, persino in quell'epoca e in quel paese ove il cibo era ancora cibo come si deve e sufficientemente abbondante da godersi senza restrizioni.

Tutti pregustavano un piacevole banchetto, pur paventando il discorso postprandiale dell'anfitrione. Era tipo da riesumare brani di, a dir suo, poesia e a volte, dopo un paio di bicchieri, alludere alle assurde avventure che diceva di aver vissuto tempo addietro nel corso della sua ridicola sparizione. Il banchetto fu *davvero* piacevole, una vera goduria. Nella settimana successiva l'acquisto di cibarie si ridusse quasi a zero in tutta la Contea ma la cosa ebbe scarso peso perché per gli approvvigionamenti Bilbo aveva dato fondo a quasi tutti i negozi, le cantine e i magazzini del circondario per miglia e miglia. Dopo arrivò il discorso. La maggior parte dei commensali hobbit a quel punto si mostrava accomodante, dimentichi dei loro timori. Erano pronti ad ascoltare qualsiasi cosa e ad applaudire a ogni pausa. Tuttavia non erano pronti a essere spaventati. E invece lo furono, dalla testa ai piedi e come mai era occorso prima; alcuni fecero addirittura indigestione.

"Miei cari," attaccò il Signor Baggins. "Silenzio! Silenzio!" risposero in coro. "Miei cari Baggins," proseguì lui, a quel punto alzandosi sulla seggiola, di modo che la luce delle lanterne che illuminavano l'enorme padiglione balenasse su tutti i bottoni d'oro del suo panciotto ricamato. "E miei cari Took, e Scavieri, e Paciocco, e Covacciolo, e Boffin, e Pededegno."[2] "PedeDEGNI!" sbraitò un anziano hobbit dal fondo. Si chiamava, ovviamente, Pededegno, e a buon diritto: i piedi erano grossi, straordinariamente pelosi e posati tutti e due sulla tavola. "Nonché i miei bravi Sackville-Baggins, ai quali torno a dare finalmente il benvenuto a Casa Baggins," proseguì Bilbo. "Oggi è il mio settantesimo compleanno." "Urrà! Urrà! Tanti auguri!" urlarono gioiosamente. Era questo il genere di cose che apprezzavano: ovvio e conciso e senza controversie.

"Spero che vi stiate divertendo tutti come me." Acclamazioni assordanti. Grida di sì (e di no). Rumor di trombe e flauti. Molti giovani hobbit, come si è detto, erano presenti, giacché gli hobbit sono permissivi con i loro figlioli, specie quando c'era modo di nutrirli con un pasto extra. Avevano fatto scoppiare centinaia di paccotti musicali col botto. La maggior parte riportava il marchio VALLEA. Cosa significasse lo sapevano solo Bilbo e alcuni dei suoi nipotini Took; ma erano paccotti davvero meravigliosi. "Vi ho qui tutti riuniti," riattaccò Bilbo quando l'ultimo applauso si spense, e nella sua voce c'era qualcosa per cui alcuni Took drizzarono le orecchie. "Prima di tutto per dirvi che voglio un bene immenso a tutti voi e che settanta anni di vita in mezzo a hobbit così eccellenti e ammirevoli sono troppo pochi." – "silenzio, ascoltate!" "Metà di voi non la conosco neanche per metà come mi piacerebbe; e meno della metà di voi la metà di quanto merita." Nessun applauso, qualche battimano – la maggior parte di loro ancora cercavano di capire. "Secondo, per celebrare il mio compleanno e il ventesimo anno del mio ritorno" – un brusio infastidito. "Ultimo, desidero fare un *ANNUNCIO*." Pronunciò quest'ultima parola così forte e improvvisa che tutti quelli che ce la facevano balzarono in piedi. "Addio! Parto dopo cena. Inoltre mi sposerò."

Sedette. Il silenzio che seguì fu sbalorditivo. Fu rotto solo dal signor Pededegno, che fece ribaltare il tavolo con i piedi; la signora Pededegno si strozzò nel bel mezzo di un brindisi.

Questo è quanto. Serve solo a spiegare che Bilbo Baggins si sposò ed ebbe numerosi figlioli, perché quella che mi accingo a raccontarvi è la storia di uno dei suoi discendenti, e se aveste letto le sue memorie solo fino alla visita di Balin – dieci anni prima almeno di questa festa di compleanno – avreste potuto rimanere perplessi.[3]

In effetti Bilbo Baggins scomparve silenziosamente e senza farsi notare – l'anello era nella sua mano pure mentre teneva il discorso – nel bel mezzo del confuso scoppio di voci che seguì il silenzio sconcertato. Nessuno lo vide mai più a Hobbiton. Quando arrivarono le carrozze per gli ospiti, non c'era nessuno da salutare. Una dopo l'altra quelle se ne andarono cariche di hobbit satolli ma stranamente insoddisfatti. (Come d'accordo) vennero i giardinieri a portar via in carriola chi inavvertitamente era rimasto indietro. La notte venne e passò. Si alzò il sole. Venne gente e cominciò a sgombrare i padiglioni, i tavoli e le sedie, le lanterne, gli arbusti in fiore nelle cassette, cucchiai, coltelli, piatti e forchette, le briciole e il cibo avanzato – davvero poco. Si presentò parecchia altra gente. Baggins e Sackville-Baggins e Took, e persone che c'entravano ancor meno. A mezzogiorno (quando anche chi si era rimpinzato di più era tornato in circolazione), davanti a Casa Baggins si era radunata una gran folla, non invitata ma non inattesa. "ENTRATE" era dipinto su una grossa lavagna bianca fuori dalla grande porta d'ingresso. Questa era aperta. Ogni articolo all'interno aveva un'etichetta. "Per Mungo Took, con affetto da Bilbo"; "Per Semolina Baggins, con affetto dal nipote", su un cestino della cartastraccia – costei gli aveva scritto parecchie lettere (per lo più con consigli edificanti). "Per Caramella Took, in affettuoso ricordo dallo zio", su un orologio dell'ingresso. Sebbene poco puntuale, ella era stata una nipote che gli era sempre andata a genio, finché un giorno, presentandosi in ritardo per il tè, aveva dichiarato che l'orologio dell'anfitrione andava troppo spedito. Gli orologi di Bilbo non filavano né lenti né veloci, ed egli non dimenticò. "Per Obo Took-Took, dal suo pronipote", su un letto di piume; Obo si svegliava raramente prima delle 12 o dopo il tè, e russava della grossa. "Per Gorboduc Scavieri coi migliori auguri da parte di B. Baggins", su una stilografica d'oro; questi non rispondeva mai alla corrispondenza. "Per Angelica" su uno specchio – ella era una giovane Baggins che si reputava assai graziosa.[4] "Per Inigo Scavieri-Took", su un servizio da tavola completo – questi era lo hobbit più ingordo che la storia ricordi. "Per Amalda Sackville-Baggins *in regalo*", su un astuccio di cucchiai d'argento. Costei era la moglie del cugino di Bilbo, che lui anni prima aveva scoperto al proprio ritorno mentre misurava la sua sala da pranzo (ricorderete i suoi sospetti sulla sparizione dei cucchiai: in ogni caso né lui né Amalda avevano scordato la faccenda).[5]

Naturalmente in casa di Bilbo di oggetti ce n'erano mille e più, e tutti recavano etichette, la maggior parte provviste di commento (il cui significato si coglieva dopo un po'). L'intero arredamento della casa fu spazzolato via, tuttavia non si scovò un centesimo di denaro, né un singolo anello d'ottone. Amalda era stata l'unica Sackville-Baggins rammentata con un'etichetta – ma poi ci fu un avviso nell'atrio che comunicava che il signor Bilbo Baggins cedeva l'ambita proprietà o buca hobbit nota come Casa Baggins Sottocolle, assieme a tutte le terre che le appartenevano o risultavano annesse, a Sago Sackville-Baggins e sua moglie Amalda, perché ne godessero il possesso, l'occupassero o ne disponessero comunque a loro piacere e discrezione a partire dal 22 settembre successivo. Era allora il 21 settembre (il compleanno di Bilbo cadeva il 20 di quel mese ameno). E così i Sackville-Baggins dimorarono infine a Casa Baggins, sebbene avessero dovuto aspettare circa vent'anni. E incapparono in parecchie difficoltà nello smaltire tutta la roba sotto targa: certi strappavano e mischiavano le etichette, qualcuno nell'atrio cercava di fare scambi e affari, e alcuni di portare via quanto non fosse sorvegliato a dovere; e varie personcine indiscrete cominciarono a fare dei buchi nei muri e a scavare nelle cantine prima d'essere cacciate fuori. Erano ancora fissati col denaro e i gioielli. Come se la sarebbe risa Bilbo. In effetti, aveva proprio previsto come sarebbe andata a parare e si stava godendo lo scherzetto in segreto.

Ecco, credo che il tutto risulti fin troppo chiaro. Il fatto è che, nonostante il discorso dopo cena, tutti costoro gli erano improvvisamente venuti in uggia. Il suo "lato Took" (non che tutti i Took abbiano sempre posseduto siffatta natura così capricciosa) era tornato a galla, subitaneo e inquieto. Inoltre, c'era un altro segreto: dopo aver sperperato i suoi ultimi cinquanta ducati per la festa, *non gli erano rimasti né soldi né gioielli*, a parte l'anello e i bottoni d'oro del panciotto. Aveva speso tutto nel corso dei vent'anni precedenti (persino il ricavato della sua magnifica......... che aveva venduto qualche anno addietro).[6]

Come poteva sposarsi, dunque? Non aveva alcuna intenzione di farlo – si limitò ad annunciare: "Mi sposerò." Non so dire bene perché. Gli era venuto in mente all'improvviso. Per di più pensava che magari potesse davvero capitargli in futuro, se avesse viaggiato di nuovo tra altra gente, o fosse incappato da qualche parte in una genìa hobbit più rara e graziosa. Ciò forniva anche una spiegazione di qualche sorta. Nei matrimoni gli hobbit si attenevano a una curiosa abitudine. Mantenevano (sempre ufficialmente e assai frequentemente di fatto) un segreto di piombo per anni su chi avrebbero effettivamente sposato, pure quando lo sapevano eccome. Poi, d'improvviso, si sposavano e sparivano senza uno straccio di recapito per una o due settimane (o anche più). Quando Bilbo scomparve, fu proprio a questo che i suoi vicini pensarono subito. "È andato a sposarsi. E chi sarà mai, la prescelta? Nessun'altra è scomparsa, a quel che ne sappiamo." Persino dopo un anno sarebbero rimasti meno sorpresi se si fosse effettivamente ripresentato con una consorte. Per parecchio tempo certuni pensarono che ne tenesse una nascosta, e per un po' si sviluppò una sorta di leggenda sulla povera signora Bilbo, troppo brutta per essere vista.

Ecco perché Bilbo, prima di scomparire, disse: "Mi sposerò." Pensava che questo, assieme a tutto il trambusto per la casa (o il buco) e i mobili, li avrebbe tenuti impegnati e soddisfatti per un bel pezzo, così per qualche tempo nessuno si sarebbe curato di cercarlo. E aveva ragione, o quasi. Perché nessuno si curò mai di mettersi sulle sue tracce. Decisero che era ammattito e fuggito fino a incappare in qualche pozza o un fiume o un dirupo, ed ecco a voi un Baggins di meno. La maggior parte, voglio dire. Naturalmente alcuni dei suoi amici più giovani lo rimpiansero profondamente (......... Angelica e Sar ....). Eppure egli non aveva detto addio a tutti loro – O no. Questo si spiega facilmente.

[1] Il titolo fu scritto in seguito, ma indubbiamente prima che il capitolo fosse terminato, dal momento che mio padre si riferisce a esso nella sua lettera del 19 dicembre 1937 (p. 19).

[2] Dopo "Covaccioli" seguiva "e Quercicovi", ma questo fu cancellato, quasi certamente al momento della stesura. "Pededegni" era stato scritto inizialmente "Pededegno", come in precedenza nel capitolo, ma come si evince dalla frase successiva fu poi cambiato in fase di scrittura.

[3] Il riferimento è alla conclusione dello *Hobbit*, quando Gandalf e Balin si recarono a Casa Baggins "qualche anno dopo".

[4] A questo punto veniva menzionato il regalo a Inigo Baggins di un astuccio di spazzole per capelli, ma venne cancellato, evidentemente al momento della stesura medesima, dato che il regalo a un altro Inigo (Scavieri-Took) segue subito dopo.

[5] Varie modifiche furono apportate ai nomi e ad altri dettagli di questo passaggio, non tutti ripresi nella terza versione (la seconda termina prima di questo passaggio). Il regalo di Mungo Took (un ombrello) viene specificato; e Caramella Took mutava da nipote a cugina. Gorboduc Scavieri diventa Orlando Scavieri. Le proposte a matita per il nome della signora Sackville-Baggins, in sostituzione di Amalda, sono Lonicera (Caprifoglio) e Griselda, e suo marito Sago (nominato nel paragrafo successivo del testo) era diventato Cosmo.

[6] Vedi la fine dello *Hobbit*: "L'oro e l'argento lo spese per la maggior parte [*poi modificato in* in gran parte] per far regali, sia utili che bizzarri." La parola illeggibile qui potrebbe essere *cotta di maglia*, ma non parrebbe, e vedi lo stesso passaggio nello *Hobbit*: "Sistemò la cotta di maglia su un trespolo all'ingresso (finché non la prestò a un museo)."

***

Scrivendo di questa bozza nella sua *Biografia*, Humphrey Carpenter dice (p. 280):

> La ragione di questa scomparsa, così come viene data nella prima stesura, è che Bilbo "non ha più soldi né gioielli" e parte in cerca di altro oro di drago. A questo punto la prima versione del capitolo iniziale si ferma, incompiuta.*

Tuttavia si può sostenere che in realtà essa fosse conclusa: difatti la successiva stesura completata del capitolo (la terza – la seconda pare certamente incompiuta e si interrompe in un punto molto precedente) termina solo poco più avanti nella narrazione (p. 47), e poco prima della fine riporta:

> Ma non tutti gli avevano detto addio. Questo è facile a spiegarsi, e presto lo sarà.

* Vedi Humphrey Carpenter, *J.R.R. Tolkien. La biografia*, Lindau 2009 (d'ora in avanti *La biografia*). (*N.d.R.*)

E tale spiegazione non viene fornita, ma riservata al capitolo successivo. Nella prima stesura non è nemmeno esplicitato il fatto che Bilbo stesse partendo "in cerca di altro oro di drago". Che la mancanza di denaro fosse una motivazione sufficiente per lasciare la sua casa è certamente vero, ma viene anche sottolineata l'improvvisa insofferenza Took verso la monotonia e convenzionalità degli altri hobbit; e in effetti non compare nemmeno un accenno a ciò che Bilbo avesse davvero intenzione di fare. È ben possibile che il 19 dicembre 1937 mio padre non ne avesse alcuna idea. La rapida conclusione del testo suggerisce nettamente una direzione incerta (e, in effetti, in precedenza nel capitolo egli aveva dichiarato che la storia sarebbe stata incentrata su uno dei discendenti di Bilbo stesso).

Tuttavia, sebbene non vi sia ancora traccia di Gandalf, la maggior parte degli elementi essenziali e molti dei dettagli della festa vera e propria, così come viene descritta nella *Compagnia dell'Anello* (CdA), emergono fin dall'inizio, e persino talune frasi sono rimaste. I Paciocco (o Paciocchi, p. 22), i Boffin e i Pededegni compaiono già – le famiglie Covacciolo (Covaccioli in CdA) e Scavieri erano state menzionate alla fine dello *Hobbit*, tra i nomi dei banditori alla vendita di Casa Baggins; e la terra degli hobbit viene chiamata per la prima volta "la Contea" (vedi, però, p. 44). Tuttavia i nomi propri degli hobbit erano solo l'inizio delle loro proteiformi variazioni: nomi come Sago e Semolina sarebbero stati scartati come inadatti, altri (Amalda, Inigo, Obo) non avrebbero trovato posto nelle genealogie finali, e altri ancora (Mungo, Gorboduc) sarebbero stati attribuiti a persone diverse; solo la vanesia Angelica Baggins sarebbe sopravvissuta.

***

(ii)

La seconda versione

Il manoscritto successivo, pur essendo strettamente basato sul primo, introduce numeroso nuovo materiale, in particolare l'arrivo di Gandalf e i fuochi d'artificio. Questa versione si interrompe alle parole "Trascorse la mattinata" (CdA, p. 47).

Il manoscritto subì molte correzioni, e risulta assai difficile distinguere le modifiche apportate al momento della composizione da quelle successive: in ogni caso la terza versione ha indubbiamente seguito a ruota la seconda, sostituendola prima che fosse completata. Riporto integralmente anche questo secondo testo, per quanto possibile, ma in questo caso includo praticamente tutte le modifiche apportate (in alcuni casi la versione originale è riportata nelle note che seguono il testo a p. 36).

Capitolo 1

Una festa attesa a lungo

Quando Bilbo, figlio di Bungo, della rispettabile famiglia dei Baggins, si accinse a festeggiare il suo settantunesimo compleanno,[1] ci furono un po' di chiacchiere nel vicinato, e la gente diede una spolverata ai ricordi.[2] Bilbo aveva goduto di una breve notorietà presso gli hobbit di Hobbiton e Acquariva: era scomparso dopo colazione un 30 aprile e riapparso solo all'ora di pranzo del 22 giugno dell'anno successivo. Un comportamento strano invero, di cui non aveva mai fornito alcuna spiegazione soddisfacente. Naturalmente egli scrisse un libro al riguardo, ma pure coloro che lo avevano letto non lo presero mai sul serio. Non serve a niente parlare di draghi agli hobbit: o questi non ti credono, o si sentono a disagio; e in entrambi i casi da allora in poi son soliti girarti alla larga. Il signor Baggins, tuttavia, aveva ripreso presto a comportarsi più o meno normalmente; e sebbene la fiducia scossa del vicinato non fosse mai pienamente ristabilita, col tempo gli hobbit accettarono di perdonare il passato e Bilbo fu di nuovo in buoni rapporti con tutti i suoi parenti e vicini, eccetto ovviamente i Sackville-Baggins. In primo luogo, Bilbo sembrava, in virtù di qualche mezzo inspiegabile, essere diventato ben più che agiato, se non ricco sfondato. In effetti, fu la magnificenza della festa, piuttosto che quella precedente e fugace notorietà, a far parlare di sé: dopotutto, quell'altra stramba faccenda era accaduta circa vent'anni prima ed era già sul punto di essere dimenticata; la festa si sarebbe svolta quello stesso mese di settembre. Il tempo era bello e si vociferava d'uno spettacolo di fuochi d'artificio come non se ne vedevano dai tempi del Vecchio Took.

Il momento si avvicinava. Carri dall'aria curiosa con pacchi dall'aria altrettanto curiosa presero a trascinarsi su per la Collina fino a Casa Baggins (dimora del sig. Bilbo Baggins). Giunsero di sera e la gente sbigottita si affacciò sulle soglie per rimirare a bocca aperta. Alcuni erano guidati da gente forestiera che cantava strane canzoni, elfi o nani avvolti da pesanti cappucci. C'era un enorme carro scricchiolante, con a bordo grossi omaccioni con zazzere incolte, che causò un certo scompiglio. Recava una grande B sotto una corona.[3] Non riuscì a traversare il ponticello nei pressi del mulino e gli Uomini trasportarono la merce a spalla su per la collina, arrancando lungo il viottolo hobbit come altrettanti elefanti. Quando ridiscesero, tutta la birra della locanda sparì come giù per una grondaia. In seguito quella stessa settimana un altro carro giunse al trotto in pieno giorno. Alla guida c'era un vecchio tutto solo. Indossava un cappello a punta azzurro e un lungo mantello grigio. Bimbi e bimbe hobbit corsero dietro al carro per tutta la strada su per la collina. Portava un carico di fuochi d'artificio, com'ebbero modo di notare quando iniziò a scaricare. Grossi fasci di quest'ultimi, contrassegnati da una G rossa.

"G come Grandioso," urlavano, ed era la migliore ipotesi che potessero azzardare sul suo significato. Non molti degli adulti avevano indovinato di più: di solito gli hobbit hanno una memoria piuttosto corta. Quanto al vecchietto,[4] costui sparì dentro la porta di casa di Bilbo per non ricomparire più.

Qualche protesta avrebbe potuto anche levarsi in difesa dei "prodotti locali", ma tutto a un tratto da Casa Baggins cominciarono a fioccare ordinazioni per ogni negozio nel vicinato (misurato per giunta con criteri generosi). La gente smise d'essere incuriosita e cominciò a farsi euforica. Iniziarono a spuntare i giorni dal calendario fino al compleanno di Bilbo e a occhieggiare con ansia il postino nella speranza di un invito.

Poi gli inviti cominciarono a fioccare, intasando l'ufficio postale di Hobbiton e subissando quello di Acquariva: si dovette ricorrere a postini volontari per la distribuzione. Una fiumana ininterrotta di questi risaliva la Collina fino a Casa Baggins portando centinaia di cortesi variazioni su *Grazie, non mancherò d'intervenire*. Durante tutto quel tempo, per giorni e giorni, in effetti [dal 10>] dall'8 settembre, Bilbo non era stato più visto da anima viva. O non rispondeva al campanello, o s'accostava alla porta e vociava da dietro di essa: "Scusate, sono occupato!" Pensavano che fosse preso a stilare biglietti d'invito, ma si sbagliavano di grosso. Infine il campo a sud della porta di casa – delimitato dall'orto su un lato e dal viottolo della Collina sull'altro – cominciò a essere coperto di tende e padiglioni. Le tre famiglie hobbit di Vico Scarcasacco, appena sotto, erano eccitate che più non si può. C'era un padiglione particolarmente vasto, così grande che l'albero che cresceva nel campo c'era finito dentro e si ergeva con orgoglio nel mezzo.[5] Appesero lanterne ovunque. Più promettente ancora risultava l'installazione di un'enorme cucina all'aperto in un angolo del campo medesimo. Un contingente di cuochi sopraggiunse. L'eccitazione era alle stelle. Poi il cielo si rannuvolò. Questo il venerdì, vigilia della Festa. L'apprensione era fortissima. Poi sabato [20 >] 22 settembre[6] finalmente giunse. Spuntò il sole, le nuvole svanirono, si spiegarono le bandiere ed ebbe inizio lo spasso.

Bilbo Baggins la chiamava una festa, ma in realtà si trattava di vari spettacoli accorpati. In pratica tutti coloro che abitavano nelle vicinanze erano stati invitati in un modo o nell'altro, pochissimi erano stati dimenticati (per caso) e, siccome si presentarono lo stesso, la cosa non aveva importanza. Bilbo riceveva gli ospiti (e gli imbucati) di persona davanti al cancello. Distribuiva doni a dritta e a manca – c'era chi usciva dal retro per ripresentarsi all'ingresso per un secondo giro. Cominciò dai più piccoli e giovani, per ripartire subito coi più giovani e piccoli. Il giorno del compleanno gli hobbit fanno regali agli altri, di norma non molto costosi, ma non era un cattivo sistema. In fondo, a Hobbiton e Acquariva, dato che non passava giorno senza che cadesse il compleanno di qualcuno, ciò comportava che ogni hobbit aveva una buona probabilità di ricevere un regalo (e talvolta più d'uno) quasi ogni giorno della vita. Non per questo ne erano stufi. In questa occasione specifica poi i bambini hobbit erano pazzamente eccitati, c'erano giocattoli che non avevano mai visto prima. Come avrete intuito, venivano da Vallea.

Quando tutti gli ospiti furono all'interno del campo, presero il via musiche, canti, balli, giochi e naturalmente si attaccò con cibo e bevande. Tre i pasti ufficiali: colazione, merenda e pranzo (o cena). A caratterizzare la colazione e la merenda era il fatto che gli invitati sedessero a tavola a mangiare tutti insieme. Il bere scorreva a cascata. Il desinare proseguì lietamente senza interruzione dalle undici alle sei e mezzo, quando iniziarono i fuochi d'artificio.

Ovviamente questi (come avrete intuito) erano stati portati da Gandalf in persona e accesi sempre da lui – quantomeno i più grandi: c'era gran copia di petardi, castagnole, stelle filanti, torce, candele nane, fontane elfiche, abbagliagoblin, tuoni. Tutti superbi, è ovvio. L'arte di Gandalf, ovviamente, migliorava con l'età. C'erano razzi simili al volo di scintillanti uccelli che cantavano con voci soavi. C'erano alberi verdi dal tronco di fumo a volute ritorte: le foglie si schiudevano come un'intera primavera sbocciata in pochi minuti e i rami splendenti lasciavano cadere sugli hobbit sbalorditi fiori scintillanti che sparivano con un profumo soave poco prima di sfiorare cappelli o cuffie. C'erano fontane di farfalle che svolazzavano in mezzo agli alberi; c'erano colonne di fuochi colorati che si levavano trasformandosi in aquile che sbattevano le ali o in velieri o in una falange di cigni; c'erano temporali rossi e acquazzoni di pioggia gialla; c'era una foresta di lance argentee che schizzò d'un tratto in aria con l'urlo di un esercito alla carica e ripiombò nell'Acqua con lo sfrigolio di cento serpi arroventate. E ci fu anche un'ultima cosa, in cui Gandalf davvero passò il segno – dopotutto, egli ne sapeva un bel po' riguardo agli hobbit e le loro credenze. Si spensero le luci. Si levò un gran fumo. Prese la forma di una montagna e cominciò a emettere bagliori sulla cima. Eruttava fiamme verdi e scarlatte. Ne scaturì un drago d'oro rosso – non a grandezza naturale ma spaventosamente realistico: sprigionava fuoco dalle fauci, gli occhi sfolgoranti; ci fu un ruggito e tre volte sfrecciò sibilando sulla testa della folla. Tutti si abbassarono e molti caddero lunghi distesi. Il drago passò come un treno espresso, fece un salto mortale e scoppiò sopra Acquariva con un boato assordante.

"È il segnale della cena!" disse Gandalf. Un'osservazione fausta, perché dolore e spavento svanirono come per magia. A questo punto occorre davvero tagliar corto, perché tutto questo non è così importante come sembrerebbe. La cena comprendeva tutti gli ospiti. Tuttavia si teneva anche un banchetto molto speciale nel grande padiglione con l'albero. Gli inviti per quella celebrazione specifica erano limitati a dodici dozzine, o una Grossa (oltre a Gandalf e all'anfitrione), composta da tutti gli hobbit di prestigio e dai loro figli maggiori, coi quali Bilbo era imparentato o connesso, o dai quali era stato trattato bene in questa o quella occasione, o per i quali nutriva un qualche affetto particolare. Quasi tutti i Baggins in vita erano stati invitati; una discreta quantità di Took (suoi parenti da parte di madre); un certo numero di Scavieri (parenti di suo nonno), dozzine di Brandaino (parenti di sua nonna), e vari Paciocchi e Covaccioli e Boffin e Pededegni – alcuni dei quali non avevano alcun legame con Bilbo, a memoria degli storici locali; certuni vivevano persino dalla parte opposta della Contea; ma ovviamente eran tutti hobbit. Persino i Sackville-Baggins, suoi cugini di primo grado da parte di padre, non erano stati dimenticati. Come ricorderete, c'era stato un certo raffreddamento tra loro e il signor Baggins, risalente a circa 20 anni addietro. Ma il biglietto d'invito, vergato tutto in oro, era così splendido che trovarono impossibile rifiutare. Per giunta il cugino Bilbo da anni si andava specializzando in fatto di cibo e la sua tavola godeva di una grande reputazione, anche in quel tempo e in quel paese, quando il cibo era ancora ciò che dovrebbe essere, e abbondante a sufficienza da consentire a tutti di praticare selezione e apprezzamento.

Tutti e 144 gli ospiti speciali pregustavano un piacevole banchetto, pur paventando il discorso postprandiale dell'anfitrione, tipo da riesumare brani di, a dir suo, "poesia" e a volte, dopo un paio di bicchieri, alludere alle assurde avventure che sosteneva di aver vissuto nel corso della sua ridicola sparizione. Gli ospiti non rimasero delusi: il banchetto fu *davvero* piacevole, una vera goduria: ricco, abbondante, vario e prolungato. Nelle settimane successive l'acquisto di cibarie si ridusse quasi a zero in tutta la regione; ma la cosa ebbe scarso peso perché per gli approvvigionamenti Bilbo aveva dato fondo a quasi tutti i negozi, le cantine e i magazzini del circondario per miglia e miglia.

Dopo il banchetto (più o meno) arrivò il Discorso. La maggior parte degli hobbit convenuti, però, ormai a quello stadio delizioso che chiamavano "rimpinzare gli angoletti", si mostrò accomodante. Dimentichi dei loro timori, centellinavano le bevande preferite e spiluzzicavano le leccornie preferite. Erano pronti ad ascoltare qualsiasi cosa e ad applaudire a ogni pausa. Tuttavia non erano pronti a essere spaventati. E invece lo furono, anzi, restarono completamente spiazzati: alcuni fecero addirittura indigestione.

Miei cari, attaccò Bilbo alzandosi in piedi.

"Silenzio! Silenzio! Ascoltate!" risposero in coro, quasi riluttanti a seguire il loro stesso avviso. Nel frattempo Bilbo lasciò il suo posto e si andò a piazzare su una sedia sotto l'albero illuminato. La luce delle lanterne cadeva sul viso raggiante; i bottoni dorati scintillavano sul panciotto ricamato a fiori. Potevano vederlo tutti. Teneva una mano in tasca. Sollevò l'altra.

Miei cari Baggins!, ripartì; *e miei cari Took e Brandaino e Scavieri e Paciocco e Covacciolo e Pancieri e Boffin e Pededegno.*

"PedeDEGNI!" sbraitò un anziano hobbit dal fondo del padiglione. Si chiamava, ovviamente, Pededegno, e a buon diritto: i piedi erano grossi, straordinariamente pelosi e posati tutti e due sulla tavola.

Nonché i miei bravi Sackville-Baggins, ai quali torno a dare finalmente il benvenuto a Casa Baggins. Oggi è il mio settantunesimo compleanno!

"Urrà! Urrà! Tanti auguri!" urlarono battendo gioiosamente le mani sulla tavola. Bilbo filava ch'era una meraviglia. Era questo il genere di cose che apprezzavano: ovvio, conciso e senza controversie.

Spero che vi stiate divertendo tutti come me. Acclamazioni assordanti. Grida di Sì (e di No). Rumor di trombe e corni, flauti e pifferi e altri strumenti musicali. Molti giovani hobbit erano presenti, giacché gli hobbit sono di larghe vedute coi loro bambini se si tratta di restare fino a tardi a cena – specialmente se si verificava l'occasione di ottenere loro un pasto gratis in sovrappiù (crescere i giovani hobbit richiedeva provviste a profusione). Centinaia di paccotti musicali col botto erano stati fatti scoppiare. La maggior parte riportava il marchio VALLEA, su qualche punto, all'interno o esterno che fosse. Cosa significasse era noto solo a Bilbo e pochi amici intimi (così come a voi, è ovvio); ma erano dei paccotti davvero meravigliosi. Contenevano strumenti piccoli ma di fattura perfetta e dalle note incantevoli. Tanto che in un angolo alcuni giovani Took e Brandaino, convinti che Bilbo avesse finito (dato che chiaramente aveva detto tutto il necessario), avevano messo su un'orchestra improvvisata e attaccato un allegro motivetto. Il giovane Prospero Brandaino[7] e Melba Took salirono su un tavolo e attaccarono a ballare la Spiccarola, gran bel ballo, non c'è che dire, ma gagliardo assai. Ma Bilbo *non* aveva finito.

Agguantato il corno di un giovincello accanto a lui, lanciò tre note acute. Il rumore si placò. *Non vi tratterrò a lungo*, gridò. Un'altra esplosione di acclamazioni. *MA vi ho qui tutti riuniti per un Motivo.*

Qualcosa nella sua voce fece drizzare le orecchie a qualche Took. *Anzi, per tre Motivi! Prima di tutto per dirvi che voglio un bene immenso a tutti voi e che settantuno anni di vita in mezzo a hobbit così eccellenti e ammirevoli sono troppo pochi.*

Assordante boato d'approvazione.

Metà di voi non la conosco neanche per metà come mi piacerebbe; e meno della metà di voi la metà di quanto merita. Niente acclamazioni stavolta: il tutto risultò alquanto ostico. Non mancò qualche applauso sporadico, ma i più non avevano avuto tempo ancora di capire se andava preso come un complimento.

Secondo, per celebrare il mio compleanno, e il ventesimo anniversario dal mio ritorno. Niente acclamazioni; qualche mormorio di disagio.

Ultimo, desidero fare un Annuncio. Pronunciò quest'ultima parola così forte e all'improvviso che tutti quelli che ce la facevano balzarono in piedi. *Mi rincresce annunciare che – pur se, come ho detto, settantun anni di vita in mezzo a voi son troppo pochi – questa è la FINE. Me ne vado. Parto dopo cena. Addio!*

Scese dalla sedia. Centoquarantaquattro hobbit sbigottiti ricaddero senza parole a sedere. Il Signor Pededegno tirò via i piedi dalla tavola. La Signora Pededegno deglutì un grosso tocco di cioccolata che le rimase nella strozza. Seguì un silenzio di tomba per almeno quaranta battiti di ciglia finché tutti i Baggins, Took, Brandaino, Paciocco, Scavieri, Covacciolo, Pancieri, Boffin e Pededegno attaccarono a parlare come un sol hobbit.

"Quello hobbit è suonato. Sempre detto, io. Che scherzi di pessimo gusto. Volerci spelare le dita dei piedi (un detto hobbit). Guastare una bella cena. Dov'è il mio fazzoletto. Col cavolo che bevo alla sua salute. Alla mia, ecco. Dov'è quella bottiglia. Ha intenzione di sposarsi? Non con qualcuna dei presenti. Chi se lo accolla, poi? Perché addio? E per andarsene *dove*? Cos'è che lascia?" E così via. Infine il vecchio Rory Brandaino[8] (ben rimpinzato ma pur sempre un cervello fino) fu udito esclamare: "E comunque adesso dov'è finito, lui? Dov'è Bilbo?"

Del loro anfitrione non c'era traccia, da nessuna parte.

In effetti, in mezzo a tutti quei discorsi, Bilbo Baggins era scomparso cheto cheto e inosservato. Mentre parlava, stava già giocherellando con un piccolo anello[9] nella tasca dei calzoni. Mentre scendeva se lo era infilato e a Hobbiton nessuno lo vide più.

Quando arrivarono le carrozze per gli ospiti, non c'era nessuno da salutare. Quelle se ne andarono, una dopo l'altra, cariche di hobbit satolli ma stranamente insoddisfatti. Vennero i giardinieri (come d'accordo) con le carriole a portar via chi inavvertitamente era rimasto indietro, assopito o inamovibile. Calò e trascorse la notte. Si alzò il sole. Gli hobbit si alzarono molto più tardi. Trascorse la mattinata.

[1] *Settantunesimo* correzione da *settantesimo*; tuttavia *settantunesimo* nel testo del discorso d'addio di Bilbo come scritto inizialmente.

[2] A questo punto mio padre inizialmente aveva scritto:

Prima di siffatta circostanza, già due volte era stato oggetto delle notizie locali: un risultato raro per un Baggins. La prima quando rimase orfano, ad appena quarant'anni, per la prematura dipartita di padre e madre (in un incidente di barca). La seconda era stata più notevole.

Un simile destino in serbo per Bungo Baggins e sua moglie parrebbe assai improbabile alla luce delle parole del primo capitolo dello *Hobbit*:

Non che Belladonna Took avesse mai avuto una qualsiasi avventura dopo aver sposato Bungo Baggins. Bungo, il padre di Bilbo, aveva costruito per lei il più lussuoso buco hobbit [...] e lì erano rimasti sino alla fine dei loro giorni.

Parrebbe una coppia che poco plausibilmente sarebbe andata a "trastullarsi in barca", secondo l'espressione del Veglio Gamgee, e l'accorgersene fu senza dubbio il motivo per cui mio padre eliminò immediatamente il passaggio; ma l'incidente in barca non fu dimenticato, e divenne il destino di (Rollo Bolger >) Drogo Baggins e della sua moglie Brandaino, Primula, per i quali costituiva una fine meno improbabile (vedi p. 50).

3 In questa fase solo 20 anni separavano l'avventura di Bilbo nello *Hobbit* dalla sua festa d'addio, e mio padre intendeva chiaramente che la B sul carro significasse Bard, Re di Vallea. Più tardi, quando gli anni erano notevolmente aumentati, sarà Bain, figlio di Bard, a regnare su Vallea in quel periodo.

4 Nello *Hobbit* originale Gandalf, alla sua prima apparizione, era descritto come "un vecchietto", ma in seguito il diminutivo fu rimosso. Vedi p. 392.

5 Il singolo albero nel campo sotto Casa Baggins era già presente nell'illustrazione di Hobbiton apparsa come frontespizio dello *Hobbit*, così come l'orto di Bilbo e le buche degli hobbit di Vico Scarcasacco (sebbene tale nome compaia qui per la prima volta).

6 Il 20 settembre era la data del compleanno di Bilbo nella prima versione (p. 25).

7 Prospero Brandaino era stato scritto dapprima Orlando Brandaino, secondo portatore del nome: nell'elenco dei regali di Bilbo nella prima versione (p. 27, nota 5) Gorboduc Scavieri era stato cambiato in Orlando Scavieri.

8 Un passaggio molto simile, che riporta i commenti indignati degli ospiti, fu aggiunto a questo punto al manoscritto della stesura originale, però con Inigo Scavieri-Took a esclamare: "E comunque adesso dov'è finito, lui?" Era il ghiottone Inigo Scavieri-Took a ricevere il servizio da tavola (p. 25), e in tal senso sopravvisse poi nella terza versione del capitolo.

9 *un piccolo anello*: correzione da *il suo famoso anello*.

***

Ho riportato questo testo per intero, perché assieme al primo costituisce una base di riferimento nel descrivere quelli successivi, di cui si riportano solo alcuni estratti; tuttavia si vedrà che la Festa – i preparativi, i fuochi d'artificio, il banchetto – aveva già raggiunto la forma che conserva in CdA (pp. 37-39), eccetto pochi e del tutto secondari tratti della narrazione (e qua e là nel tono). Ciò risulta tanto più sorprendente se comprendiamo come in questa fase mio padre avesse ancora ben poca idea su dove stesse andando: era un inizio senza una meta (tuttavia vedi le pp. 57-59).

Alcune modifiche apportate al manoscritto verso la fine non furono riprese nel testo sopra riportato. Nel discorso di Bilbo, le parole "Secondo, per celebrare il mio compleanno, e il ventesimo anniversario dal mio ritorno" e il commento "Niente acclamazioni; qualche mormorio di disagio" furono rimossi e sostituiti dal seguente passaggio ampliato:

"*Secondo, per celebrare i* NOSTRI *compleanni: il mio e quello del mio onorevole e valoroso padre.*" Silenzio imbarazzato e apprensivo. "*Io son solo la metà dell'uomo che è lui: io ho 72 anni, lui 144. I vostri numeri sono stati scelti per rendere onore a ciascuno dei suoi onorevoli anni.*" Davvero terribile, un vero rompicapo, e alcuni di loro si sentirono insultati, come dei giorni bisestili che fossero stati ficcati lì per riempire un calendario.

Questo cambiamento ha tutta l'aria di appartenere alla stesura del manoscritto stesso: è scritto a inchiostro ben leggibile e sembra distinto da vari scarabocchi disseminati a matita. Ma tale apparenza è fuorviante. Perché Bilbo dovrebbe fare riferimento al vecchio Bungo Baggins, sepolto da così tanti anni? Bungo era un puro Baggins, "solido e tranquillo" (come viene descritto nello *Hobbit*), e sicuramente era spirato placidamente nel suo letto a Casa Baggins. Definirlo "valoroso" suona strano, e per Bilbo dichiarare "io son solo la metà dell'uomo che è lui" e "lui 144" costituisce un po' un frizzo di cattivo gusto.

La spiegazione è in realtà semplice: non era Bilbo a dire tutto questo, ma suo figlio, Bingo Baggins, che fa il suo ingresso nella terza versione di "Una festa attesa a lungo". Il punto testuale non varrebbe la pena di essere menzionato se non fosse un esempio così eclatante del modo in cui mio padre usava un solo manoscritto come matrice della versione successiva, senza però correggerlo in modo coerente: in questo caso, egli non apportò alcuna modifica strutturale alla parte precedente della storia, ma inserì a matita il nome "Bingo" al posto di "Bilbo" nelle ultime pagine del manoscritto e (con grande confusione iniziale dell'editore) riscrisse accuratamente un passaggio del discorso di Bilbo per far sembrare che Bilbo avesse smarrito il lume. È chiaro, credo, che fu l'improvviso emergere di questa nuova concezione radicale a fargli abbandonare tale versione.

Altri cambiamenti frettolosi modificarono "settantunesimo" in "settantaduesimo" e "71" in "72" a ogni occorrenza, e anche questi appartengono alla nuova storia che stava emergendo. In questo testo, l'età di Bilbo nella frase iniziale era di 70 anni, come nella prima versione, ma fu cambiata in 71 nel corso del capitolo (nota 1). Il numero degli invitati alla cena era già 144 nella prima stesura del testo, ma tale cifra non ha particolare significato; che fosse stata scelta per un motivo particolare compare solo dal passaggio ampliato del discorso riportato sopra: "Io ho 72 anni, lui 144. I vostri numeri sono stati scelti per rendere onore a ciascuno dei suoi onorevoli anni." Sembra chiaro che il cambiamento da 71 in 72 sia stato operato perché 72 è la metà di 144. Il numero degli ospiti era arrivato prima, quando ancora si raccontava la storia di Bilbo, e all'inizio non aveva alcun significato, se non quello di costituire una dozzina di dozzine, una grossa.

Si possono notare alcuni altri punti. Gandalf era già presente al banchetto; il Veglio Gamgee non era ancora apparso, mentre il "vecchio Rory Brandaino" fa già la sua comparsa (al posto di Inigo Scavieri-Took, nota 8); e Bilbo non scompare con un lampo accecante. In ogni fase aumenta il numero dei clan hobbit nominati: così qui compaiono i Brandaino, e i Pancieri sono stati inseriti a matita, per poi comparire direttamente elencati nella terza versione.

***

(iii)

La terza versione

La terza stesura di "Una festa attesa a lungo" è completa e costituisce un bel manoscritto chiaro e con relativamente poche correzioni successive. In questa sezione le note numerate appaiono di nuovo alla fine (p. 47).

La discussione sul cambiamento apportato al discorso di Bilbo nella seconda versione ha già indicato la novità centrale della terza: la storia che adesso si racconta *non è di Bilbo, ma di suo figlio*. Su questa sostituzione Humphrey Carpenter ha osservato (*La biografia*, pp. 280-281):

> Tolkien non aveva ancora le idee chiare su ciò che sarebbe accaduto nella nuova storia. Aveva concluso *Lo Hobbit* scrivendo che Bilbo "visse felice e contento fino alla fine dei suoi giorni, che furono eccezionalmente lunghi". Perciò come potevano accadergli nuove avventure degne di questo nome senza che la frase precedente venisse contraddetta? E inoltre, non aveva già esplorato a sufficienza

il personaggio e il carattere di Bilbo? Fu così che decise d'introdurre un nuovo hobbit. Sarebbe stato il figlio di Bilbo, e avrebbe preso il nome da una famiglia di koala giocattolo dei suoi bambini: The Bingos.[1] Perciò fece una croce sopra il nome di Bilbo del primo abbozzo e vi scrisse sopra Bingo.[2]

Tale spiegazione è plausibile. Nella prima stesura, tuttavia, mio padre scrisse che la storia della festa di compleanno "Serve solo a spiegare che Bilbo Baggins si sposò ed ebbe numerosi figlioli, *perché quella che mi accingo a raccontarvi è la storia di uno dei suoi discendenti*" (nella seconda versione non ci viene fornita alcuna indicazione su cosa sarebbe successo dopo la festa – sebbene forse ci sia un accenno a qualcosa del genere nelle parole di p. 33, "A questo punto occorre davvero tagliar corto, perché tutto questo non è così importante come sembrerebbe"). D'altra parte, ci sono dichiarazioni esplicite nelle prime note (pp. 55-56) che per un certo periodo sarebbe stato Bilbo stesso a vivere la nuova "avventura".

La prima parte della terza versione è quasi completamente diversa dalle due precedenti e la riporto qui integralmente, con alcune modifiche iniziali incorporate.

Una festa attesa a lungo

Quando Bingo, figlio di Bilbo, della rinomata famiglia Baggins, si accinse a festeggiare il suo [cinquantacinquesimo >] settantaduesimo[3] compleanno, ci furono un po' di chiacchiere nel vicinato, e la gente diede una spolverata ai ricordi. Da quelle parti i Baggins erano assai numerosi, e generalmente rispettati; tuttavia Bingo apparteneva a un ramo della famiglia che risultava alquanto peculiare, e su di loro circolavano certe storie bizzarre. Il padre di Bingo, come alcuni rammentavano ancora, aveva suscitato un certo trambusto a Hobbiton e Acquariva – era scomparso dopo colazione un 30 aprile e riapparso solo all'ora di pranzo del 22 giugno dell'anno successivo. Un comportamento strano invero, di cui non aveva mai fornito alcuna spiegazione soddisfacente. Naturalmente egli scrisse un libro al riguardo, ma anche coloro che lo avevano letto non lo presero mai sul serio. Non serve a niente parlare di draghi agli hobbit: o questi non ti credono, o si sentono a disagio; e in entrambi i casi da quel momento son soliti girarti alla larga.

Bilbo Baggins, a onor del vero, tornò presto a comportarsi in modo normale (più o meno); e sebbene la sua reputazione non fu mai del tutto ristabilita, divenne una figura accettata nel vicinato. Forse non fu più considerato "uno hobbit a posto", ma indubbiamente un "benestante". In virtù di qualche mezzo inspiegabile, sembrava essere diventato ben più che agiato, di fatto ricco sfondato. Perciò, com'è ovvio, restava in contatto con tutti i suoi parenti e vicini, eccetto ovviamente i Sackville-Baggins. Combinò un altro paio di cosette che diedero fiato alle bocche: si sposò a settantun anni (un po' troppo tardi per uno hobbit), scegliendosi una moglie dalla parte opposta della Contea e dando un banchetto nuziale di memorabile splendore; scomparve (assieme alla moglie) poco prima del suo centoundicesimo compleanno e non lo si vide più. Gli abitanti di Hobbiton e Acquariva furono privati di un funerale (non che se lo aspettassero per molti anni ancora), e quindi ebbero molto da ridire. La sua residenza, la sua agiatezza, la sua posizione (e la dubbia considerazione del vicinato) furono ereditate dal figlio Bingo, poco prima del suo compleanno (che coincideva con quello del padre). Bingo era, ovviamente, un semplice ragazzo di 39 anni, che aveva appena messo i denti del giudizio; ma si accinse subito a proseguire la reputazione di stramberia del padre: non portò mai il lutto per i suoi genitori e dichiarò di non ritenere che fossero morti. All'ovvia domanda: "Dove sono allora?", si limitava a fare l'occhiolino. Viveva solo e spesso era via da casa. Di frequente si accompagnava coi membri meno ammodo della famiglia Took (quelli da parte di nonna e gli amici del padre), ed era pure affezionato ad alcuni Brandaino. Questi gli erano parenti da parte di sua madre. Costei era Primula Brandaino[4] dei Brandaino di Landaino, sull'altra sponda del Fiume Brandivino, dalla parte opposta della Contea e ai margini della Vecchia Foresta – una dubbia regione.[5] Di essa la gente di Hobbiton non sapeva gran che, e nemmeno dei Brandaino; sebbene alcuni avessero sentito che erano ricchi, e che lo sarebbero stati ancor più, non fosse stato per una certa "avventatezza" – ossia generosità, qualora ne aveste beneficiato in qualche modo.

In ogni caso, Bingo viveva a Casa Baggins Sottocolle da circa [16 >] 33 anni[6] senza dare scandalo alcuno. Talvolta magari le sue feste erano un po' chiassose, ma agli hobbit di quando in quando non spiaceva quel genere di fracasso. Spendeva i suoi soldi generosamente e soprattutto nei paraggi. A quel punto il vicinato intuì che, quanto a feste, egli stava organizzando qualcosa di piuttosto insolito. Naturalmente i loro ricordi fecero capolino e si diede stura alle chiacchiere, e le ricchezze di Bingo furono nuovamente ipotizzate e ricalcolate a occhio e croce presso ogni focolare. In effetti, la magnificenza dei preparativi mise in ombra i racconti degli anziani sulle sparizioni del genitore.

"Dopotutto," come osservò il Veglio Gamgee di Vico Scarcasacco,[7] "quelle faccende sono ormai acqua passata da un pezzo; la festa si terrà proprio questo mese, già." Era l'inizio di settembre e il tempo era il più bello che si potesse desiderare. Qualcuno mise in giro una voce sui fuochi d'artificio. E ben presto fu acclarato che ci sarebbero stati fuochi d'artificio come non se ne vedevano da oltre un secolo, da quando era morto il Vecchio Took.

È interessante assistere alla comparsa delle cifre 111 e 33, seppure in seguito si concretizzeranno in modo diverso: qui, Bilbo aveva 111 anni quando lasciò la Contea, e Bingo viveva a Casa Baggins da 33 anni prima della sua festa d'addio; in seguito, 111 sarebbe stata l'età di Bilbo al momento della festa – quando tornò a essere la sua festa – e 33 l'età di Bingo (Frodo) al contempo.

In questo passaggio notiamo anche l'emergere di un elemento molto importante di topografia e toponomastica: Landaino, il Brandivino e la Vecchia Foresta. Per i nomi scritti per la prima volta qui vedi nota 5.

Per il racconto in questa versione dei preparativi per la festa, della festa stessa e delle sue immediate conseguenze, mio padre seguì molto dappresso la seconda versione corretta (pp. 29-36), aggiungendo un dettaglio qua e là, ma in genere facendo poco più che ricopiare (e naturalmente mutando "Bilbo" con "Bingo" ove necessario). Riporto qui di seguito un elenco di cambiamenti interessanti – sebbene perlopiù davvero secondari – nella nuova narrazione. I riferimenti alle pagine sono quelli della seconda versione.

(30-32) La "B sotto una corona" sul carro guidato dagli Uomini diventa "B dipinta di giallo", e la "B" è stata corretta nel testo in "V" (cioè "Vallea").

Quando gli Uomini ridiscesero dalla Collina, si aggiunge che "gli Elfi e i Nani non ripartirono"; e "il drappello di cuochi" sopraggiunto era "per integrare Elfi e Nani (che sembravano soggiornare nella stessa Casa Baggins a compiere parecchie faccende misteriose)".

Compare a questo punto l'avviso che nega l'ingresso sulla porta di Casa Baggins e "nel pendio che portava alla casa avevano ricavato a bella posta un'entrata dove costruirono un grande cancello bianco e un'ampia scalinata" (come in CdA). Il Veglio Gamgee entra di nuovo in scena: "smise persino di fingere di dedicarsi al giardinaggio."

Il giorno della festa restava ancora un sabato (22 settembre).

Molti dei giocattoli ("alcuni magici, ovviamente") che erano arrivati da Vallea erano "di autentica fattura nanica".

(33) È Bingo, non Gandalf, che alla fine dei fuochi d'artificio dice: "È il segnale della cena!"; e nonostante all'inizio fosse stato detto, come nella seconda versione, che il totale dei 144 invitati non comprendeva il padrone di casa e Gandalf, ciò fu eliminato (vedi p. 134, nota 12).

Un nuovo nome di famiglia Hobbit compare nell'elenco degli ospiti: "e vari Paciocchi, Valprugni, Panceri, Boffin e Pededegni"; ma "Valprugni" fu poi cambiato in "Soffiacorni", e aggiunto al testo anche in punti successivi del capitolo. I Bolger appaiono in aggiunte a matita e sono presenti fin dall'inizio nella quarta versione. Nella sua lettera al giornale *Observer* pubblicata il 20 febbraio 1938 (*Lettere*, pp. 50-53) mio padre disse: "L'elenco completo delle loro famiglie più ricche è: Baggins, Boffin, [Bolger, Pancieri, Landaino, Paciocchi, Scavieri, Soffiacorno, Pededegno, Sackville] e Took." Gli Scavieri, imparentati col nonno di Bingo, sono diventati, con un cambiamento a matita, parenti di sua nonna; e i Paciocchi, con un mutamento inverso, sono definiti prima congiunti di sua nonna e poi di suo nonno.

Dove nella prima e nella seconda versione si dice che alcuni degli hobbit presenti alla festa provenivano "dalla parte opposta della Contea", adesso si afferma che alcuni di loro "non vivevano nemmeno in quella contea", cambiato in "in quella Contea"; e "in quella Contea" è stato mantenuto nella quarta versione. L'uso di "quella" piuttosto che di "la" suggerisce che l'uso successivo (vedi il *Prologo* a SdA, p. 15: "Gli Hobbit la chiamarono la Contea, in quanto regione sotto la potestà del loro Conte") stava ancora emergendo e nulla più.

La freddezza tra i Baggins di Casa Baggins e i Sackville-Baggins perdurava non da 20 anni come nelle prime due versioni, ma da "circa settantacinque anni e più": questa cifra dipende da 111 (l'età di Bilbo quando infine scomparve) meno 51 (aveva "all'incirca cinquant'anni" al momento della sua grande avventura, secondo *Lo Hobbit*), più i 16 anni di residenza solitaria di Bingo a Casa Baggins. "Settantacinque" è stato corretto in "novanta" (una cifra tonda), il che corrisponde al mutamento di 16 in 33 (p. 42).

(34) Bingo poteva alludere alle "assurde avventure del suo 'valoroso e famoso' padre".

(35) I due giovani hobbit che salgono sul tavolo e ballano sono sempre Prospero Brandaino e Melba Took, ma Melba è stata cambiata a matita prima in Arabella e poi in Amanda.

Bingo adesso dichiara, come Bilbo in CdA (p. 40), "e meno della metà di voi *mi piace* la metà di quanto merita".

Il "secondo motivo" di Bingo è espresso esattamente con le parole scritte nella seconda versione (vedi p. 38): "Per celebrare i NOSTRI compleanni: il mio e quello del mio onorevole e valoroso padre. Io son solo la metà dell'uomo che è lui: io ho 72 anni, lui 144" ecc.

Le ultime parole di Bingo, "Parto dopo cena", sono state corrette sul manoscritto in "Parto subito".

(36) I commenti raccolti dopo le osservazioni conclusive di Bingo adesso iniziano con: "Quello hobbit è pazzo. Sempre detto, io. E suo padre. È morto da 33 anni, lo so. 144, tutte sciocchezze." E Rory Brandaino esclama: "Dov'è Bilbo – chiedo scusa, Bingo intendo. Lui dov'è?"

Dopo "a Hobbiton nessuno lo vide più" viene aggiunto: "L'anello era il regalo d'addio di suo padre."

Dal punto in cui la seconda versione termina con le parole "Trascorse la mattinata", la terza torna alla stesura originale (p. 24) e la segue da presso fino alla fine, impiegando più o meno le stesse frasi e conservando in gran parte l'elenco originale (corretto, p. 27, nota 5) dei nomi e delle etichette dei destinatari dei regali di Casa Baggins – che ora sono, ovviamente, i regali di Bingo, il figlio di Bilbo.

Semolina Baggins è definita "zia o cugina di primo grado";

Caramella Took (cambiata in seguito in *Bolger*) "era stata la prediletta tra i cugini più giovani e più remoti di [Bingo]";

Obo Took-Took, che ricevette un letto di piume, rimane come prozio, mentre *Obo* fu modificato sul manoscritto in *Rollo*;

Gorboduc (> *Orlando*) *Scavieri* della prima stesura, destinatario di una penna stilografica d'oro, diventa *Orlando Covacciolo*;

Mungo Took, *Inigo Scavieri-Took* e *Angelica Baggins* rimangono; e due nuovi beneficiari sono nominati prima della signora Sackville-Baggins alla fine dell'elenco:

Per la collezione di Ugo Pancieri, da un donatore: su una libreria (vuota). Ugo era un grande imprestatore di libri, ma uno scarso restitutore.

Per Cosimo Paciocco, trattalo come tuo, Bingo: sul barometro. Cosimo ci picchiava sopra con un grosso dito grassoccio ogniqualvolta veniva in visita. Aveva paura di bagnarsi e portava tutto l'anno sciarpa e mantellina.

Per Grimalda [> *Lobelia*] *Sackville-Baggins, in regalo*: un astuccio di cucchiai d'argento. Bilbo Baggins credeva che proprio lei si fosse accaparrata molti dei suoi cucchiai mentre era via, novant'anni prima. Bingo aveva ereditato tale convinzione e Grimalda [> Lobelia] lo sapeva eccome.

Si menziona anche che "Bingo aveva disposto con grande cura dei suoi tesori: libri, quadri e una collezione di giocattoli. Per i suoi vini aveva trovato un'ottima (sebbene temporanea) sistemazione. La maggior parte di essi passò a Marmaduk Brandaino" (predecessore di Meriadoc). La bozza originale viene seguita pari pari nell'assenza di denaro o gioielli, e nella notifica legale che dispone la cessione di Casa Baggins ai Sackville-Baggins (ma il cugino di Bilbo adesso diventa Otho, e la loro residenza partirà dal 24 settembre) – "e così alla fine essi ottennero Casa Baggins, sebbene avessero dovuto aspettare 93 anni in più di quanto si aspettassero": 111 meno 51 più 33, vedi p. 44.[8] Appare Sancho Pededegno, che scava nella dispensa dove credeva di sentire un'eco (come in CdA, p. 50); aggredito da Otho Sackville-Baggins, viene espulso solo alla fine dagli avvocati, prima chiamati "Scavieri e Paciocco", come nello *Hobbit*, poi cambiati in "Signori Iago Scavieri e Folco Covacciolo (gli avvocati di Bingo)".

Riporto integralmente la conclusione della terza versione.

Il fatto è che il denaro di Bingo era diventato una leggenda e tutti erano perplessi e in ansia, sebbene comunque speranzosi al riguardo. Come ne avrebbe riso, lui. Anzi, in quel momento stava quasi per scoppiare a ridere, giacché si trovava in un grosso armadio fuori dalla porta della sala da pranzo e laggiù aveva sentito gran parte del baccano. Se ne stava lì dentro, è ovvio, non per nascondersi, ma per evitare di essere urtato, essendo completamente invisibile. Dovette ridersela in silenzio e da solo, ma comunque se la godette eccome: la burla stava svolgendosi proprio come se la aspettava.

Suppongo che il tutto adesso stia diventando fin troppo chiaro per tutti, eccetto quegli hobbit ansiosi e affamati. Il fatto è che (contrariamente ad alcune dichiarazioni nel suo discorso dopo cena) Bingo s'era improvvisamente stancato di tutti costoro. Un violento attacco di indole Took s'era impadronito di lui – non che tutti i Took abbiano sempre posseduto qualità così imprevedibili, dal momento che le loro madri erano Paciocchi, Soffiacorni, Bolger, Pancieri, Scavieri e così via; eppure a conti fatti i Took restavano gli hobbit più burloni e imprevedibili. Posso anche dirvi qualcosa di più, nel caso non l'abbiate capito: Bingo non aveva più né soldi né gioielli! Praticamente zero, ecco. Niente per cui valesse la pena di scavare in una bella buca hobbit. Il denaro faceva meraviglie in quei giorni, e si potevano ottenere molte cose anche senza di esso; lui però aveva sperperato i suoi ultimi 500 ducati per la festa di compleanno. Un gesto in stile Brandaino da parte sua. A quel punto non gli erano rimasti che i bottoni del panciotto, una piccola borsa d'argento e l'anello. Nel corso di 33 anni era riuscito a scialacquare tutto il resto – quanto gli era rimasto, cioè, da suo padre, che a sua volta aveva fatto qualche spesuccia in cinquant'anni[9] (e necessitato di alcune risorse per il viaggio).

Ebbene, così stanno le cose. Tutto finisce. Si fece sera. Casa Baggins rimase vuota e tetra. La gente se ne andò, la maggior parte bisticciando e discutendo. Dalla collina si udivano le voci levarsi nel crepuscolo. Pochi dedicarono ancora un qualche pensiero a Bingo. Decisero che era impazzito e scappato, e ciò voleva dire un Baggins di meno, e questo era quanto. Erano seccati circa il tesoro leggendario, ovvio, ma nel frattempo c'era il tè ad aspettarli. Qualcuno, naturalmente, rimpiangeva la sua scomparsa improvvisa: certi suoi amici più giovani erano davvero turbati. Ma non tutti gli avevano detto addio. Questo è facile a spiegarsi, e presto lo sarà.

Bingo sbucò dall'armadio. Si stava facendo buio. L'orologio segnava le sei. Aprì la porta, giacché s'era tenuto la chiave in tasca. Uscì, chiuse la porta (lasciandovi la chiave) e volse gli occhi al cielo. Cominciavano a spuntare le stelle.

"Sarà una bella notte," si disse. "Che bello scherzo! Be', non devo farli aspettare. Si parte. Addio!" Trotterellò giù per il giardino, saltò la staccionata e si avviò verso i campi, e penetrò nella notte come il fruscio del vento nell'erba.

1 Ho difficoltà a crederlo, ma in caso contrario la coincidenza è strana. Se Bingo Baggins ha preso il nome da questa fonte, posso solo supporre che il carattere demoniaco (fatto di dispotismo religioso monomaniacale e desiderio distruttivo a suon di esplosivi) del Bingo principale (per non parlare di quello della sua spaventosa consorte), con cui io e mia sorella li ricordiamo adesso, si sia sviluppato un po' più tardi.

2 La sostituzione non è stata operata nella prima stesura, ma nelle correzioni a matita alla fine della seconda versione (p. 38).

3 Il cambiamento di "cinquantacinquesimo" in "settantaduesimo" è stato operato nello stesso momento in cui i 16 anni in cui Bingo dimorò a Casa Baggins dopo la partenza

dei suoi genitori furono modificati in 33 (nota 6). Queste modifiche furono apportate prima che il capitolo fosse terminato, poiché più avanti, nel discorso d'addio di Bingo, le cifre alterate sono presenti fin dalla prima stesura. Quando all'inizio scrisse "cinquantacinquesimo compleanno" e "16 anni" mio padre intendeva presumibilmente eliminare l'idea, apparsa nella riscrittura della seconda versione (vedi p. 38), che il numero di 144 invitati fosse stato scelto per una ragione interna, dato che al 55esimo compleanno di Bingo suo padre Bilbo avrebbe compiuto 127 anni (avendo lasciato la Contea 16 anni prima all'età di 111 anni, quando Bingo ne aveva 39).

[4] *Primula* inizialmente era scritto *Amalda*. Nella prima versione (p. 25) Amalda era il nome della signora Sackville-Baggins. Nella quarta versione di "Una festa attesa a lungo", quando Bilbo era tornato allo stato di scapolo, Primula Brandaino, non più sua moglie, rimase la madre di Bingo.

[5] Mio padre inizialmente scrisse: "i Brandaino di Boscodaino, dall'altra parte della Contea, ai margini di Boscosotto – una dubbia regione." Per prima cosa cambiò (certamente al momento della stesura) il nome della sede principale dei Brandaino da Boscodaino (*Wood Eaton*, un villaggio nella valle del Cherwell, vicino a Oxford) a Borgosotto (da un elemento toponomastico inglese molto comune, derivato dall'antico inglese *byrig*, il dativo di *burg* "luogo fortificato, città"); poi introdusse il nome del fiume, sostituì Borgosotto con Landaino e Boscosotto con la Vecchia Foresta.

[6] Questo cambiamento fu operato contemporaneamente alla sostituzione di "55" con "72" per gli anni di Bingo al momento della festa di compleanno; vedi nota 3.

[7] Questa è la prima apparizione del Veglio Gamgee che dimora a Vico Scarcasacco (menzionato per la prima volta nella seconda versione, p. 31).

[8] Come menzionato nella nota 3, le cifre successive di 72 per 55 come età di Bingo in questo compleanno, e di 33 per 16 come numero di anni in cui visse da solo a Casa Baggins dopo la partenza di Bilbo, che appaiono quali correzioni nella parte iniziale del testo, sono nella parte finale del capitolo presenti dalla prima stesura.

[9] Ci si aspetterebbe "sessanta" (111 meno 51): vedi pp. 44, 319.

Nota sui nomi degli Hobbit

Si noterà che il diletto per i nomi e le parentele delle famiglie hobbit della Contea, da cui sarebbero nate le ramificate genealogie, era presente fin dall'inizio. Sotto nessun altro aspetto mio padre ha tagliato e modificato più copiosamente. Abbiamo già incontrato, oltre a Bilbo e Bungo Baggins e Belladonna Took che appaiono nello *Hobbit*:

Baggins: Angelica; Inigo; Semolina

Bolger: Caramella (in sostituzione di Caramella Took)

Pancieri: Ugo
Brandaino: Amalda > Primula; Marmaduk; Orlando > Prospero; Rory
Covaccioli: Folco; Orlando (in sostituzione di Orlando Scavieri)
Paciocchi: Cosimo
Scavieri: Gorboduc > Orlando; Iago
Scavieri-Took: Inigo
Pededegni: Sancho
Sackville-Baggins: Amalda > Lonicera o Griselda > Grimalda > Lobelia; Sago > Cosmo > Otho
Took: Caramella; Melba > Arabella > Amanda; Mungo
Took-Took: Obo > Rollo

***

(iv)

La quarta versione

Al manoscritto della terza versione furono apportate due ulteriori modifiche, che costituiscono un cambiamento importante. Sono state realizzate con cura, a inchiostro rosso, mentre non sono state apportate modifiche concomitanti più avanti. Nella prima frase del capitolo (p. 40) "Bingo, figlio di Bilbo" fu modificato in "Bingo Bolger-Baggins"; e nella terza frase "il padre di Bingo" fu modificato in "lo zio (e tutore) di Bingo, Bilbo Baggins".

Arriviamo quindi a una fase ulteriore, in cui la "festa attesa a lungo" è ancora di Bingo, non Bilbo, ma Bingo è suo nipote, non suo figlio, e il matrimonio di Bilbo (com'era inevitabile, credo) è stato accantonato.

La quarta versione è un dattiloscritto, realizzato da mio padre stesso. In seguito fu pesantemente modificata, tuttavia questi cambiamenti appartengono alla seconda fase della stesura della *Compagnia dell'Anello*, e in questa sede li ignoro. Le modifiche alla terza versione appena citate sono state incorporate nel testo (che quindi adesso inizia: "Quando Bingo Bolger-Baggins, della nota famiglia Baggins, si accinse a festeggiare il suo settantaduesimo compleanno..."), mentre per il resto procede come una copia esatta della terza versione fino a "restava in contatto con tutti i suoi parenti e vicini (eccetto ovviamente i Sackville-Baggins)" (p. 41). Qui essa si discosta.

Ma la gente non lo disturbava poi molto. Era sovente lontano da casa. E in caso contrario, non sapevi mai con chi si accompagnasse: hobbit di famiglie piuttosto indigenti, o gente proveniente da borghi lontani, nani e talvolta elfi persino.

Combinò un altro paio di cosette che diedero fiato alle bocche. All'età di novantanove anni adottò suo nipote – o a essere precisi (Bilbo elargiva il titolo di nipote in modo poco scrupoloso) suo cugino di primo grado, Bingo Bolger, un ragazzo di ventisette anni. Di lui si era sentito parlare poco, e non troppo favorevolmente (si diceva). In realtà Bingo era figlio di Primula Brandaino (e Rollo Bolger, che non era particolarmente degno di nota); e costei era figlia di Mirabella Took (e Gorboduc Brandaino, che invece degno di nota lo era e non poco) ed era una delle tre notevoli figlie del Vecchio Took, a lungo a capo degli hobbit che vivevano di là dell'Acqua. E così entrano nuovamente in scena i Took, un elemento sempre turbolento, soprattutto se commisto ai Brandaino. Primula difatti era una Brandaino di Landaino, di là del fiume Brandivino, dalla parte opposta della Contea e ai margini della Vecchia Foresta, una dubbia regione. Di essa la gente di Hobbiton non sapeva poi molto, e nemmeno dei Brandaino; sebbene alcuni avessero sentito che erano ricchi, e che lo sarebbero stati ancora di più, non fossero stati così avventati. A Hobbiton non si sapeva con certezza cosa fosse capitato a Primula e suo marito. Si vociferava di un incidente in barca sul fiume Brandivino, il genere di pasticci che i Brandaino sapevano combinare. Alcuni sostenevano che Rollo Bolger fosse morto ancor giovane per le troppe abbuffate; altri che era stato il suo peso ad affondare la barca.

In ogni caso, Bilbo Baggins adottò il signorino Bolger, annunciò che ne avrebbe fatto il proprio erede, ne cambiò il nome in Bolger-Baggins e offese così ulteriormente i Sackville-Baggins. Poco prima del suo centoundicesimo compleanno, Bilbo scomparve definitivamente e a Hobbiton non lo vide più nessuno. Parenti e vicini persero l'occasione di un funerale ed ebbero molto di cui sparlare. Ciò non fece alcuna differenza, però: la dimora di

Bilbo, la sua ricchezza, la sua posizione (e la dubbia considerazione degli hobbit più influenti) furono ereditate da Bingo Bolger-Baggins.

Bingo era un giovane di trentanove anni e aveva appena messo i denti del giudizio; ma iniziò subito a seguire la reputazione di stramberia dello zio. Si rifiutò di portare il lutto e nel giro di una settimana diede una festa di compleanno per sé e lo zio (i loro compleanni cadevano lo stesso giorno). Da principio la gente rimase esterrefatta, tuttavia lui continuò a mantenere tale usanza anno dopo anno, finché non si abituarono. Dichiarò che non riteneva che Bilbo Baggins fosse morto. E quando gli facevano l'ovvia domanda: "Dov'è allora?", si limitava a fare l'occhiolino. Viveva da solo ed era sovente lontano da casa. Frequentava spesso i membri meno ammodo della famiglia Took (parenti di sua nonna); era anche affezionato ai Brandaino (parenti di sua madre).

Ad ogni modo, a quel tempo Bingo Bolger-Baggins era stato il padrone di Casa Baggins, Sottocolle, da trentatré anni senza aver combinato alcunché di scandaloso. Talvolta le sue feste erano un po' chiassose...

Con Gorboduc Brandaino e Mirabella *Took* (una delle "tre notevoli figlie del Vecchio Took" già menzionate nello *Hobbit*) la genealogia diventa quella del SdA, eccetto che il marito di Primula Brandaino (Bilbo nella terza versione) è Rollo Bolger, non Drogo Baggins; e ricompare l'incidente in barca (vedi p. 36, nota 2).

Da questo punto alla fine il dattiloscritto segue molto dappresso la terza versione (corretta) e c'è poco altro da aggiungere. Bilbo diventa naturalmente lo "zio" di Bingo per tutto il tempo; Bingo poteva alludere alle "assurde avventure del suo 'valoroso e celebre' zio" (vedi p. 44). Con questo cambiamento, però, le osservazioni di Bingo nel discorso sull'età sua e dello zio e sul numero di invitati alla festa rimangono esattamente le stesse, e "l'anello era il regalo d'addio di suo zio" (*ibid.*).

Piccoli mutamenti di formulazione spostano il testo verso la forma finale di CdA; per esempio, laddove nella terza versione Rory Brandaino è descritto come "ben rimpinzato ma ancora più lucido di molti", adesso di lui si dice che il suo "cervello non era stato offuscato né dalla vecchiaia, né dalla sorpresa, né dall'enorme banchetto". Ciononostante, esporre anche solo una parte di questi cambiamenti espressivi tra versioni strettamente correlate sarebbe ovviamente del tutto impraticabile. Ci sono tuttavia alcuni piccoli spostamenti narrativi che raccolgo nelle note a seguire, con riferimenti alle pagine che indicano dove si trovano i relativi passaggi nelle versioni precedenti.

(42) Il Veglio Gamgee aveva ancora qualcosa da dire:

"... Il Signor Bolger-Baggins è un gentilhobbit ammodo, compitissimo, come ho sempre sostenuto." Era la pura verità: Bilbo lo trattava coi guanti, lo chiamava signor Gamgee e discuteva con lui di patate da dietro la siepe.

(31, 43) Il giorno della festa a questo punto diventa giovedì (e non sabato) 22 settembre (una modifica apportata al dattiloscritto, ma accuratamente sovrapposta a una cancellazione e chiaramente appartenente al momento della battitura).

(43) Dopo i fuochi d'artificio, non c'è più alcun riferimento a Gandalf nel capitolo.

(35, 44) I giovani hobbit che danzano sul tavolo sono Prospero Took e Melissa Brandaino.

(45) Vengono operate diverse modifiche sui nomi dei destinatari dei doni di Casa Baggins, Caramella (Took >) Bolger diventa Caramella Paciocco; il comatoso Rollo Took-Took diventa Fosco Bolger (zio di Bingo); Inigo Scavieri-Took il ghiottone, sopravvissuto dalla prima stesura, adesso è Inigo Scavieri; e Cosimo Paciocco lo scassa-barometri diventa Cosimo Soffiacorno.

(46) Viene aggiunto adesso che "gli hobbit più poveri se la cavarono assai bene, soprattutto il Veglio Gamgee, che ottenne circa mezza tonnellata di patate"; che Bingo possedeva una collezione di giocattoli *magici*; e che lui e i suoi amici hanno bevuto quasi tutto il vino, mentre il resto passava ancora a Marmaduk Brandaino.

(25, 46) L'avviso legale nella sala di Casa Baggins viene ampliato e seguito da un nuovo passaggio:

Bingo Bolger-Baggins Gentilhobbit. In partenza, col presente atto, egli elargisce e cede per libera donazione l'ambita proprietà e la casa o dimora hobbit nota come Casa Baggins Sottocolle, con tutte le terre a essa appartenenti e annesse, a Otho Sackville-Baggins, Gentilhobbit e a sua moglie Lobelia, perché congiuntamente la possiedano abitino concedano in affitto o ne dispongano altrimenti come loro più aggrada a partire dal ventiquattro settembre del settantaduesimo anno del suddetto Bingo Bolger-Baggins e del centoquarantaquattresimo anno di Bilbo Baggins, i quali, in qualità di precedenti legittimi proprietari, con la presente rinunciano a qualsivoglia rivendicazione sulla suddetta proprietà a partire dalla data suddetta.

L'avviso era firmato *Bingo Bolger-Baggins, a nome suo e dello zio*. Bingo non era un notaio e si limitò a disporre così le sue cose per compiacere Otho Sackville-Baggins, che notaio lo era eccome. Otho era indubbiamente soddisfatto, ma che ciò fosse da imputarsi al linguaggio o alla proprietà medesima è difficile a dirsi. Come che sia, appena lesse l'avviso esclamò: "Nostra finalmente!" Quindi suppongo che fosse tutto a posto, almeno per le nozioni legali degli hobbit. Ed è così che infine i Sackville-Baggins ottennero Casa Baggins, sebbene avessero dovuto aspettare novantatré anni in più di quanto si fossero aspettati.

(46) Gli avvocati che avevano espulso Sancho Pededegno non ricompaiono.

Nel passaggio che descrive il carattere dei Took viene fatta un'aggiunta: "e poiché avevano ereditato dal Vecchio Took sia enormi ricchezze che un coraggio non indifferente, talvolta si comportavano in modo alquanto arrogante."

(47) Il riferimento al fatto che Bilbo avesse "fatto qualche spesuccia in cinquant'anni" fu modificato; il testo a questo punto recita: "quello che gli

era stato lasciato dallo zio, cioè; perché Bilbo ne aveva fatte di spesucce a suo tempo."

"Taluni erano angosciati per la sua improvvisa scomparsa; uno o due no, perché ne erano al corrente, ma questi non si trovavano a Casa Baggins."

Non viene quindi mai spiegato perché Bingo (o Bilbo nella prima versione), per il quale il denaro costituiva ormai un serio problema (e una delle ragioni della sua partenza), abbia semplicemente ceduto "l'ambita proprietà nota come Casa Baggins" ai Sackville-Baggins "per libera donazione".

Ci furono ancora altri colpi di scena in questa evoluzione incredibilmente sinuosa prima di giungere alla struttura finale, ma il capitolo di apertura rimase così per qualche tempo e Bingo Bolger-Baggins, "nipote" o più propriamente cugino di primo grado di Bilbo Baggins, è presente in tutta la forma originale del libro I della *Compagnia dell'Anello*. Qui di seguito illustro brevemente i principali spostamenti e le fasi incontrate finora.

Una festa attesa a lungo

Versione I *Bilbo dà la festa*, all'età di 70 anni ("quella che mi accingo a raccontarvi è la storia di uno dei suoi discendenti").

Versione II *Bilbo dà la festa*, all'età di 71 anni.

Versione III Bilbo si sposò e scomparve da Hobbiton con la moglie (Primula Brandaino) all'età di 111 anni.
Suo figlio Bingo Baggins dà la festa all'età di 72 anni.

Versione IV Bilbo, non sposato, adottò il giovane cugino Bingo Bolger (figlio di Primula Brandaino), cambiò il suo nome in Bingo Bolger-Baggins e scomparve da Hobbiton a 111 anni.
Il cugino adottivo Bingo Bolger-Baggins dà la festa, all'età di 72 anni.

***

(v)

"La storia che va bollendo"

È alla quarta versione (la nota sul dattiloscritto indica che fu inviata ad Allen & Unwin) che mio padre fa riferimento in una lettera a Charles Furth del 1° febbraio 1938, sei settimane dopo aver iniziato il nuovo libro:

> Potrebbe chiedere al sig. Unwin se suo figlio [Rayner Unwin, allora dodicenne], un critico molto attendibile, si prenderebbe il disturbo di leggere il primo capitolo del seguito dello *Hobbit*? L'ho scritto a macchina. Non mi convince del tutto, ma se egli pensa che sia un inizio promettente, potrei aggiungerci la storia che [va bollendo].

Quale sarebbe la "storia che va bollendo"? I testi di "Una festa attesa a lungo" non forniscono alcun indizio, eccetto che la fine della terza versione (p. 47) chiarisce che quando Bingo lasciò Casa Baggins avrebbe incontrato e sarebbe partito con alcuni dei suoi amici più giovani – e ciò è accennato già alla fine della prima stesura (p. 26); nella quarta versione ciò viene ripetuto, e "uno o due" dei suoi amici erano "al corrente" – e "non si trovavano a Casa Baggins" (p. 54). Naturalmente risulta chiaro anche che Bilbo non è affatto morto e (sapendo cosa sarebbe successo) possiamo considerare i riferimenti a Landaino e alla Vecchia Foresta (pp. 41, 50) come indizi ulteriori.

Tuttavia ci sono alcune annotazioni di questo periodo, appuntate su due lati di un unico foglio di carta, che danno un'idea di ciò che stava "espandendosi". La prima recita:

> Bilbo se ne va con i 3 nipoti Took: Odo, Frodo e Drogo [*modificato in* Odo, Drogo e Frodo]. Porta con sé solo una piccola borsa di denaro. Camminano tutta la notte verso est. Avventure: simili ai troll: casa stregata sulla strada per Valforra. Ancora Elrond [*aggiunto:* (su consiglio di Gandalf?)]. Un racconto nella casa di Elrond.

Dov'è G[andalf] chiede Odo – disse che adesso ero abbastanza vecchio e sciocco per badare a me stesso, disse B. Ma oserei dire che si farà vivo, di solito fa così.

Segue una nota secondo cui, mentre Odo non credeva a più di un quarto delle "storie di B.", Drogo era meno scettico e Frodo vi credeva "del tutto o quasi". Il carattere di quest'ultimo nipote venne fissato presto, sebbene fosse poi destinato a scomparire (vedi pp. 89-90): *non* è il precursore di Frodo in SdA. Tutto questo sembra essere stato scritto nello stesso momento. A prima vista, deve appartenere alla seconda versione (incompiuta) di "Una festa attesa a lungo", poiché è Bilbo che "se ne va" (in seguito mio padre mise tra parentesi le parole "Bilbo se ne va con i 3 nipoti Took" e sopra scrisse "Bingo"). Presumibilmente, l'implicazione è che quando Bilbo partì con i nipoti Gandalf non fosse già più presente.

Segue poi, a matita: "Fare in modo che la restituzione dell'anello sia una motivazione." Questo si riferisce senza dubbio all'affermazione della terza versione secondo cui "L'anello era il regalo d'addio di suo padre [di Bingo]" (p. 45).

Dopo una nota che suggerisce l'arrivo di un drago a Hobbiton e un ruolo più eroico per gli hobbit, suggerimento respinto con un "No" redatto a matita, segue un testo chiaramente scritto tutto assieme (sebbene con un'intestazione successiva a matita, "Conversazione di Bingo e Bilbo"):

"Nessuno," diceva B., "può scamparla indenne dai draghi. L'unica cosa da fare è evitarli (se possibile) come fanno gli abitanti di Hobbiton, sebbene non necessariamente rifiutarsi di crederci (o di rammentarsene), sempre come fanno gli a[bitanti di Hobbiton]. Ormai ho speso tutti i miei soldi, che una volta mi parevano troppi, e i miei li hanno seguiti a ruota [*sic*]. E non mi piace trovarmi senza dopo [?aver] – difatti ci son cascato. Bene bene, due volte uno non è sempre due, come diceva mio padre. Ma in ogni caso penso che preferirei andarmene a spasso da poveraccio piuttosto che starmene seduto a tremar di freddo. E Hobbiton ti grava addosso in 20 anni, non credi? Troppo pesante da sopportare, voglio dire. Comunque, eccoci partiti – ed è autunno. Mi piace gironzolare in autunno."

Chiede a Elrond cosa può fare per guarire il suo desiderio di denaro e la sua irrequietudine. Elrond gli parla di un'isola. Britannia? Nel remoto occidente, ove gli Elfi regnano ancora. Viaggio verso l'isola perigliosa.

Voglio vedere ancora una volta un drago vivo.

Si tratta certamente di Bilbo, e il passo (ma non l'intestazione a matita) precede la terza versione, come dimostra il riferimento ai "20 anni" (vedi pp. 33, 44). – A piè di pagina si trovano questi appunti a matita frettolosi e leggeri:

Bingo va in cerca di suo padre.

Hai detto che.... finire i tuoi giorni felice e contento – *quindi spero di*

La parola illeggibile potrebbe essere "vuoi". – Sul retro della pagina c'è il seguente passo, coerente, a inchiostro:

L'Anello: da dove viene. Negromante? Non è molto pericoloso, se usato a fin di bene. Ma esige uno scotto. O lo si perde, o si perde se stessi. Bilbo non riesce a lasciare l'Anello. Parte per una vacanza [*cancellato*: con la moglie] affidando l'anello a Bingo. Tuttavia sparisce. Bingo è preoccupato. Resiste al desiderio di andare a cercarlo, sebbene intraprenda molti viaggi in cerca di notizie. Non vuole perdere l'anello perché sente che alla fine lo porterà da suo padre.

Finalmente incontra Gandalf. Consiglio di Gandalf. Devi inscenare una *sparizione*, e l'anello può essere ingannato per permetterti di seguire un simile percorso. Ma devi *sparire davvero* e rinunciare al passato. Di qui la "festa".

Bingo si confida coi suoi amici. Odo, Frodo e Vigo(?) insistono per andare anche loro. Gandalf è piuttosto dubbioso. Se provate l'anello, condividerete lo stesso destino di Bingo, disse. Guardate cosa è successo a Primula.

Sono state apportate un paio di modifiche a penna: sopra "Vigo(?)" mio padre ha scritto "Marmaduk"; e messo tra parentesi l'ultima frase. – Giacché Bingo qui è il figlio di Bilbo, questa nota appartiene alla terza versione. Ma la morte per affogamento di Primula Brandaino (non più moglie di Bilbo, ma sempre madre di Bingo) è registrata per la prima volta nella quarta versione (p. 50), e l'Anello non potrebbe essere associato a quell'evento; quindi il riferimento a "Primula" qui deve riferirsi a qualcos'altro di cui non v'è altra traccia.

Particolarmente degno di nota è il suggerimento che l'idea della Festa sia nata dal consiglio di Gandalf a Bingo riguardo all'Anello. È davvero significativo che già in questa fase, quando mio padre stava ancora lavorando al capitolo di apertura, fosse già presente in embrione tanta parte della natura dell'Anello stesso. – Le ultime due note sono a matita. La prima recita:

Bilbo si reca da Elrond per curare la malattia del drago e si stabilisce a Valforra. Di qui le frequenti assenze di Bingo da casa. La malattia del drago colpisce Bingo. Così pure la malia dell'anello.

Per quanto riguarda le "frequenti assenze di Bingo da casa", vedi "spesso era via da casa" nella terza versione (p. 41), e "resiste al desiderio di andare a cercarlo, sebbene intraprenda molti viaggi in cerca di notizie" nella nota sull'Anello riportata sopra. Ecco l'ultima:

Creare regioni infide – Vecchia Foresta sulla strada per Valforra. A sud del fiume. Fanno una deviazione per andare a prendere Frodo Br[andaino] [*scritto sopra:* Marmaduk], si perdono e vengono catturati dall'Uomo Salice e dagli Esseri dei Tumuli. Arriva T. Bombadil.

"Sud" sostituì "Nord" ed "Est" è scritto a margine.

Su una pagina a parte (in realtà sul retro della prima mappa della Contea tracciata da mio padre che si sia conservata) c'è un breve "abbozzo" che è strettamente associato a queste ultime note; in cima a esso mio padre scrisse poi *Genesi del "Signore degli Anelli"*.

B.B. parte con due nipoti. Si dirigono a S[ud] per prendere anche Frodo Brandaino. Si smarriscono nella Vecchia Foresta. Avventura con l'Uomo Salice e gli Esseri dei Tumuli. T. Bombadil.

Raggiungono Valforra e trovano Bilbo. Bilbo aveva provato un improvviso desiderio di visitare ancora una volta le Terre selvagge. Ma incontra Gandalf a Valforra. Viene a sapere [*sic; qui presumibilmente cambia l'idea narrativa*] che Gandalf si è presentato a Casa Baggins. Bilbo gli racconta del desiderio delle Terre selvagge e dell'oro. La maledizione del drago agisce. Si reca a Valforra tra i mondi e vi si stabilisce.

L'Anello alla fine deve tornare al suo Creatore, o attirarti verso di lui. Un trucco un po' scorretto cederlo?

È interessante notare come sia già presente l'idea che Bingo e i suoi compagni deviino per "prendere" o "convocare" un altro hobbit, inizialmente chiamato Frodo Brandaino, modificato poi in Marmaduk (Brandaino). Frodo Brandaino compare anche nella stesura iniziale del secondo capitolo (p. 61) come uno dei tre compagni di Bingo alla partenza da Hobbiton. Ci sono vari modi per combinare tutti questi riferimenti ai tre (o due) nipoti, in modo da presentare una serie di formulazioni successive, ma nomi e ruoli erano ancora del tutto fluidi e precari e non è possibile alcuna certezza. Solo nel primo testo completo del secondo capitolo la storia diventa chiara (per un certo periodo): Bingo partì con due compagni, Odo Took e Frodo Took.

Occorre notare come Tom Bombadil, l'Uomo-salice e gli Esseri dei Tumuli esistessero già anni prima che mio padre cominciasse *Il Signore degli Anelli*; vedi p. 148.

***

L'11 febbraio 1938 Stanley Unwin riferì a mio padre che suo figlio Rayner aveva letto il primo capitolo e ne era rimasto entusiasta. Il 17 febbraio mio padre scrisse a Charles Furth di Allen & Unwin:

Dicono che sia il primo passo a costare la fatica. Per me non è così. Sono sicuro che potrei scrivere un numero illimitato di "primi capitoli". In effetti ne ho scritti molti. Il seguito dello *Hobbit* è ancora al punto di partenza e ho solo le più vaghe idee su come procedere. Non avendo mai avuto intenzione di scrivere un seguito, temo di aver sprecato tutti i miei "motivi" e personaggi preferiti nello "Hobbit" originale.

E il giorno seguente rispose a Stanley Unwin:

Sono molto grato a suo figlio Rayner e mi sento incoraggiato. Allo stesso tempo trovo fin troppo facile scrivere capitoli iniziali – e per il momento la storia non si sta svolgendo. Purtroppo ho pochissimo tempo a disposizione, reso più breve da una vacanza natalizia piuttosto disastrosa. Ho sprecato così tanto per lo "Hobbit" originale (che non doveva avere un seguito) che è difficile trovare qualcosa di nuovo in quel mondo.

Tuttavia il 4 marzo 1938, nel corso di una lunga lettera a Stanley Unwin su un altro argomento, disse:

Il seguito dello *Hobbit* è arrivato fino alla fine del terzo capitolo. Tuttavia le storie tendono a sfuggire di mano, e questa ha preso una piega inaspettata. Il signor Lewis e il mio figlio più piccolo lo stanno leggendo a puntate. Esito a disturbare suo figlio, sebbene apprezzerei le sue critiche. In ogni caso, se vuole leggerlo a puntate, può farlo.

La "piega inaspettata", senza alcun dubbio, era la comparsa dei Cavalieri Neri.

II.
DA HOBBITON AL FONDO BOSCHIVO

Le bozze manoscritte originali del secondo capitolo del *Signore degli Anelli* non costituiscono una narrazione completa, per quanto approssimativa, ma piuttosto parti scollegate della narrazione stessa, in taluni punti in più di una versione, man mano che la storia si espandeva e mutava nel corso della scrittura. Il fatto che mio padre avesse battuto a macchina il primo capitolo il 1° febbraio 1938 (p. 55), mentre il 17 febbraio scrisse (p. 59) che mentre i primi capitoli gli venivano facilmente "il seguito de *Lo Hobbit* è ancora al punto di partenza", suggerisce nettamente che la stesura originale di questo secondo capitolo venne dopo la battitura della quarta versione di "Una festa attesa a lungo".

Seguiva un testo dattiloscritto, intitolato "Tre è il numero giusto e in quattro è di più", che verrà riportato integralmente, ma prima di ciò è necessario esaminare le fasi precedenti della storia (una delle quali di estremo interesse).

Il primo abbozzo di manoscritto inizia con Odo e Frodo Took (tuttavia Frodo è subito cambiato in Drogo) seduti su un cancello di notte a parlare degli eventi di Casa Baggins di quel pomeriggio, mentre "Frodo Brandaino stava seduto su una pila di tascapane e zaini e guardava le stelle". Frodo Brandaino, a quanto pare, è stato introdotto qui dal ruolo preparato per lui nelle note fornite alle pp. 57-58, in una delle quali era stato sostituito da Marmaduk (Brandaino). Bingo, giungendo alle loro spalle silenzioso e invisibile, aveva spinto Odo e Drogo giù dal cancello; e dopo le conseguenti prese in giro il testo prosegue così:

"Voi tre costì avete idea di dove stiamo andando?" disse Bingo.

"Nient'affatto," disse Frodo, "se intendi ove approderemo infine. Con una guida del genere indovinarlo sarebbe impossibile. Sappiamo tutti dove ci recheremo per prima cosa, però."

"Quel che non sappiamo," aggiunse Drogo, "è quanto tempo ci impiegheremo a piedi. Che mi dite, voialtri? Di solito ricorrete a un cavallino."

"Non risulta tanto più veloce, sebbene meno faticoso. Vediamo: non ho mai coperto questo tragitto in fretta e furia prima d'ora, e di solito ci impiegavo cinque settimane e mezzo (comprese parecchie soste). In effetti m'è *sempre* capitata qualche avventura, più o meno rilevante, ogni volta che ho intrapreso la strada per Valforra."

"Molto bene," disse Frodo, "stasera lasciamoci comunque un po' di strada alle spalle. È bello sotto le stelle e fa fresco."

"Meglio dormire presto e cominciare di buon'ora," disse Odo (che amava starsene a letto). "Domani copriremo di più se partiamo freschi."

"Io appoggio il consigliere di Frodo." dichiarò Bingo. Così si misero in marcia, zaini in spalla e lunghi bastoni in mano. Andarono molto silenziosamente per i campi e lungo le siepi e le bordure di piante cedue finché non scese la notte, e avvolti nei mantelli [?verdi] scuri erano del tutto invisibili anche senza anelli. E naturalmente, essendo hobbit, non potevano essere sentiti, nemmeno dagli altri hobbit. Alla fine Hobbiton divenne molto lontana e le luci alle finestre dell'ultima fattoria scintillavano sulla cima d'una collina remota. Bingo si voltò e agitò la mano in segno d'addio.

Ai piedi d'una bassa collina imboccarono la strada maestra verso est, che si dipanava grigio tenue nell'oscurità, tra alte siepi e alberi scuri mossi dal vento. Adesso marciavano a due a due, chiacchierando un poco, canticchiando di tanto in tanto, spesso camminando a tempo per circa un miglio senza dire nulla. Le stelle trascorsero in cielo e si fece notte inoltrata.

Odo aprì la bocca per un grosso sbadiglio e rallentò. "Ho talmente sonno," disse, "che tra poco crollerò in mezzo alla strada. Che ne dite di un posticino per la notte?"

Qui termina la bozza d'apertura originale. In particolare, gli hobbit partono espressamente per Valforra, ove Bingo è già stato diverse volte; vedi nota a p. 58: "Bilbo [...] si stabilisce a Valforra." Di qui "le frequenti assenze di Bingo da casa". Tuttavia non v'è alcuna indicazione, né n'è stata fornita alcuna in precedenza, sul perché dovrebbero avere particolare fretta.

È chiaro che, quando gli hobbit incrociarono la Strada Est, la imboccarono e la percorsero verso est. A questo punto non v'è alcun suggerimento di una strada secondaria per Landaino, né che questo esercitasse un ruolo nei loro piani.

Seguì un inizio rivisto. Drogo Took fu eliminato, lasciando Odo e Frodo come compagni di Bingo (Frodo con ogni probabilità è adesso un Took). Il passaggio relativo a Valforra è stato eliminato e al suo posto compare il piano di andare prima "a prendere Marmaduk". La descrizione della passeggiata da Hobbiton a questo punto è molto più completa, e raggiunge in gran parte la forma del testo dattiloscritto (pp. 67-68); è interessante osservare qui il punto in cui emerge la strada per Landaino:

Dopo una sosta sull'argine, sotto alcune betulle poco fitte, ripresero il cammino, fino a giungere a una stradina stretta. Si dipanava, grigia tenue nell'oscurità, su e giù, ma sempre in leggera salita verso sud. Era la strada per Landaino, che si inerpicava partendo dalla Strada Est principale nella Valle dell'Acqua e serpeggiava oltre le colline verdi verso l'angolo sud-orientale della Contea, il Fondo Boschivo come lo chiamavano gli hobbit. La percorsero, finché quella non s'immerse tra alte siepi e alberi scuri che facevano frusciare dolcemente le foglie secche nell'aria notturna.

Se si confronta questa descrizione con quella della Strada Est nella prima stesura ("si dipanava grigio tenue nell'oscurità, tra alte siepi e alberi scuri mossi dal vento") si capisce che l'una è derivata dall'altra. Forse per questo motivo, l'attraversamento della Strada Est viene omesso; si dice semplicemente che la strada di Landaino divergeva da essa (in contrasto CdA, p. 89).

Dopo le parole di Odo (testo dattiloscritto, p. 68) "Avete intenzione di dormire in piedi?" segue:

La Strada se n'va ininterrotta
a partire dall'Uscio onde mosse.
or dinanzi essa ha preso una rotta,
cui andar dietro, per come ci è noto,
perseguirla con passo sofferto,
fino a che perverrà a un gran snodo
ove affluiscono piste e trasferte.
e di poi? Non si sa a quale approdo.

Nel manoscritto non v'è alcuna indicazione su chi abbia pronunciato i versi (che comprendono anche una bella dose di revisione approssimativa); nel testo dattiloscritto (pp. 70-71) sono attribuiti a Frodo e spostati a un punto successivo della storia. La seconda stesura salta al giorno successivo e riprende a metà di una frase:

... in piano, tra gli alberi ad alto fusto che crescevano sparsi nelle distese d'erba, quando Frodo disse: "Sento un cavallo venire dietro di noi sulla strada!"

Si girarono ma le tortuosità della strada celavano il viaggiatore.

"Penso che sia meglio toglierci dalla vista," disse Bingo, "o voialtri quantomeno. Naturalmente non è che un'inezia, ma preferirei non essere incontrato da qualcuno che conosciamo."

Corsero [*scritto sopra nello stesso momento:* Odo e F] velocemente a sinistra in un piccolo affossamento non lontano dalla strada. E si stesero a terra. Bingo si infilò l'anello e si accucciò a pochi metri dal sentiero. Il rumore degli zoccoli si avvicinava. Da dietro la svolta sbucò un cavallo bianco, sul quale sedeva un involto di panni, o almeno così sembrava: un uomo minuto avvolto interamente in un ampio mantello e cappuccio che lasciava scorgere solo gli occhi, e gli stivali nelle staffe più in basso.

Arrivato all'altezza di Bingo, il cavallo si arrestò. La figura si scoprì il naso e annusò; poi rimase in silenzio, come in ascolto. All'improvviso una risata proruppe dal cappuccio.

"Bingo, ragazzo mio!" disse Gandalf, gettando indietro i panni. "Tu e i tuoi ragazzi siete qui da qualche parte. Vieni subito fuori, voglio scambiare due parole!" Voltò il destriero e cavalcò dritto verso la cavità ove giacevano Odo e Frodo. "Ehilà! Ehilà!" disse. "Già stanchi siete? Non proseguite quest'oggi?"

In quel momento Bingo riapparve. "Be', che fortuna," disse. "Cosa vai combinando su questa strada, Gandalf? Credevo fossi ripartito con gli Elfi e i Nani. E come facevi a sapere dov'eravamo?"

"Facile," disse Gandalf. "Nessuna magia. Vi ho scorti dalla cima della collina e sapevo quanto distavate. Appena girato l'angolo e visto che il rettilineo dinanzi era sgombro, ho capito che avevate svoltato da qualche parte, più o meno in questo punto. E avete lasciato una traccia nell'erba alta che io so notare eccome, almeno quando è mia intenzione cercarla."

Qui la bozza si interrompe, a piè di pagina, e se mio padre ha continuato oltre questo punto, il manoscritto è andato perduto; tuttavia ritengo molto più probabile che egli l'abbia abbandonato perché aveva scartato l'idea che il cavaliere fosse Gandalf non appena lo scrisse. È assai curioso notare come la descrizione di Gandalf sfociasse direttamente in quella poi del Cavaliere Nero – e che in origine l'annusare fosse quello di Gandalf stesso! In effetti, la conversione dell'uno nell'altro è stata effettuata prima con modifiche a matita sulla bozza del testo, così:

Da dietro la svolta sbucò un cavallo bianco [> nero], sul quale sedeva un involto, o almeno così sembrava: un uomo minuto [> basso] avvolto interamente in un grande mantello [*aggiunto:* nero] e in un cappuccio da cui trasparivano solo gli occhi [> così che il viso, in ombra, era invisibile]...

Se si confronta la descrizione di Gandalf nella bozza con quella del Cavaliere Nero nel testo dattiloscritto (p. 72), si vedrà che, pur con un ulteriore perfezionamento, l'uno rimane ancora molto simile all'altro. La nuova svolta della storia era davvero "imprevista" (p. 60).

Un'ulteriore stesura di massima inizia daccapo con l'elaborazione della canzone *Rosso è il fuoco nel caminetto* e continua comprendendo la seconda apparizione del Cavaliere Nero e l'arrivo degli Elfi fino al termine del capitolo. Questo materiale è stato ricalcato molto da vicino nel testo dattiloscritto e non è necessario considerarlo ulteriormente (uno o due punti di interesse minore nello sviluppo della narrazione sono menzionati nelle note). C'è tuttavia una sezione separata nel manoscritto che non è stata ripresa nel dattiloscritto, e questo passaggio molto interessante sarà riportato a parte (vedi p. 95).

Riporto qui il testo dattiloscritto – che divenne un documento estremamente complesso e adesso risulta in pessime condizioni. È chiaro che appena o subito prima di averlo terminato mio padre iniziò a rivederlo, in alcuni casi riscrivendo le pagine (quelle rifiutate furono conservate), inserendo anche molti altri cambiamenti qua e là, la maggior parte dei quali costituivano modifiche minime di formulazione.[1] Nel testo che segue riprendo tacitamente tutte queste revisioni, ma alcune versioni precedenti di interesse sono dettagliate nelle note alla fine del testo (pp. 85 ss.)

II

Tre è il numero giusto e quattro è di più[2]

Odo Took sedeva su un cancello e fischiettava dolcemente. Suo cugino Frodo Brandaino era sdraiato a terra accanto a una pila di tascapane e zaini, rimirando le stelle e inspirando l'aria fresca del crepuscolo autunnale.

"Spero che Bingo non si sia chiuso nell'armadio o qualcosa del genere," disse Odo. "È in ritardo: sono le sei passate."

"Non c'è da preoccuparsi," disse Frodo. "Si presenterà quando lo riterrà opportuno. Forse gli è venuto in mente un ultimo tiro irresistibile, o qualcosa del genere: è un tipo assai Brandainiano, lui. Ma verrà senz'altro; a conti fatti lo zio Bingo è molto affidabile."

Alle sue spalle s'udì una risatina. "Contento di sentirlo," disse Bingo diventando improvvisamente visibile, "perché questa sarà una Corsetta bella lunga. Allora, ragazzi, pronti a partire?"

"Non è giusto avvicinarsi di soppiatto con quell'anello," disse Odo. "Un giorno origlierai cosa penso davvero di te e non sarai più così compiaciuto."

"Lo so già," disse Bingo ridendo, "eppure resto piuttosto allegro. Dove sono il mio zaino e il mio bastone?"

"Ecco qua!" disse Frodo saltando in piedi. "Ecco la tua porzione: zaino, borsa, mantello, bordone."

"Scommetto che avete dato a me tutta la roba più pesante," sbuffò Bingo, infilandosi le bretelle con qualche sforzo. Era alquanto robustello.

"Forza!" disse Odo. "Non cominciare a fare come i Bolger. Hai soltanto quello che ci hai ordinato d'imballare. Sentirai meno il peso quando avrai smaltito un po' del tuo."

"Abbi pietà di un povero vecchio hobbit," rise Bingo. "Sarò secco come uno stecco di salice, poco ma sicuro prima che sia passata una settimana. Ma ora che si fa? Indiciamo un consiglio! Da dove cominciare?"

"Credevo fosse già deciso," disse Odo. "Per prima cosa dobbiamo andare a prendere Marmaduk, sicuro."

"Oh, certo! Non intendevo questo," disse Bingo. "Volevo dire: questa sera? Camminiamo poco o tanto? Tutta la notte o niente?"

"Sarà meglio trovare un angolino accogliente in un pagliaio, o da qualche parte, e andare a dormire presto," disse Odo. "Domani copriremo di più se partiamo freschi."

"Stasera lasciamoci comunque un po' di strada alle spalle," disse Frodo. "Voglio allontanarmi da Hobbiton. Inoltre, è bello sotto le stelle e fa fresco."

"Io voto per Frodo," disse Bingo. E così partirono, zaini in spalla, e i bastoni robusti in mano. Camminavano in gran silenzio nei campi e lungo le siepi e la bordura di piante cedue, finché la notte calò. Avvolti nei mantelli grigio-scuri erano invisibili senza l'aiuto di alcun anello magico. E da hobbit quali erano, neanche un altro hobbit (o perfino gli animali selvatici dei boschi e dei campi) avrebbe percepito il rumore che facevano.

Dopo un po' attraversarono l'Acqua, a ovest di Hobbiton, dove non era altro che un nastro nero serpeggiante, bordato da ontani reclini. Adesso erano in Tooklandia, e cominciarono a salire verso il Paese delle Verdi Colline a sud di Hobbiton.[3] Potevano vedere il borgo sfavillare in lontananza nella dolce vallata dell'Acqua. Ben presto disparve tra i rilievi della terra abbuiata e poi toccò ad Acquariva accanto al suo laghetto grigio.

Quando la luce dell'ultima cascina era ormai lontanissima, sbirciando tra gli alberi Bingo si girò e agitò la mano in segno d'addio.

"Adesso che siam partiti davvero," disse, "chissà se poserò mai più lo sguardo su quella valle."

Dopo circa due ore di cammino fecero sosta. La notte era limpida, fresca e stellata ma, dai rivi e dai prati profondi, fili di nebbia risalivano come fumo le pendici. Betulle quasi spoglie, oscillanti a una brezza fresca sul loro capo, formavano un nero reticolo contro il cielo chiaro. Dopo un pasto assai frugale (per uno hobbit) si rimisero in marcia. Odo era restio, ma il resto del consiglio rimarcò che quel fianco nudo di collina non era adatto a passarci la notte. Presto giunsero a una stradina. Andava su e giù sbiadendo grigiastra nell'oscurità dinanzi a loro: la strada per Landaino, risalendo lontano dalla Strada Maestra Est nella vallata dell'Acqua e serpeggiando oltre i confini delle Colline Verdi, verso l'angolo sud-orientale della Contea, il Fondo Boschivo come lo chiamavano gli Hobbit. Non erano molti di loro ad abitarvi.

Marciavano lungo la strada. Presto quella s'inoltrò in un sentiero tracciato a fondo in mezzo ad alti alberi dalle foglie secche che stormivano nella notte. Era molto buio. Sulle prime parlarono, o canticchiarono sottovoce un motivetto: poi procedettero in silenzio e Odo cominciò a restare indietro. Alla fine, si fermò e sbadigliò a tutta bocca.

"Ho talmente sonno," disse, "che tra poco crollerò in mezzo alla strada. Che ne dite di un posto per la notte? O voialtri avete intenzione di dormire in piedi?"[4]

"Per quando ci aspetta Marmaduk?" domandò Frodo. "Domani sera?"

"No," disse Bingo. "Non arriveremo domani sera, persino a marcia forzata, a meno di proseguire adesso per parecchie miglia ancora. E debbo ammettere che non me la sento. Si sta già facendo mezzanotte. Va tutto bene, però. Ho detto a Marmaduk di aspettarci per dopodomani sera, perciò non c'è fretta."

"Il vento soffia da ovest," disse Odo. "Se arriviamo dall'altra parte della collina che stiamo salendo, troveremo un posto abbastanza riparato e comodo."

In cima alla collina su cui correva la strada incapparono in un'abetaia, asciutta e odorosa di resina. Lasciata la strada penetrarono nella profonda oscurità degli alberi e raccolsero pezzi di legno e pigne per fare un fuoco. Presto ottennero un allegro crepitio di fiamme ai piedi di un enorme abete e si sedettero in circolo per un poco fino a che non cominciarono ad appisolarsi. Allora, ciascuno in un cantuccio in mezzo alle radici del grande albero, si raggomitolarono nei mantelli e nelle coperte e in breve si addormentarono profondamente.

Non v'era alcun pericolo, perché si trovavano ancora nella Contea. Quando il fuoco si spense qualche bestia si avvicinò a osservarli. Una volpe che attraversava il bosco per le sue faccende si fermò vari minuti ad annusare. "Hobbit!" pensò. "Questa poi! Avevo inteso parlar di strani affari in questo paese, ma mai e poi mai di uno hobbit che dorme all'addiaccio sotto un albero. E sono in tre! C'è sotto qualcosa di stranissimo." Aveva ragione da vendere, ma non ebbe mai modo di saperne di più.

Venne il mattino, pallido e umidiccio. Bingo si svegliò per primo e si accorse che una radice gli aveva bucato la schiena e che aveva il collo rigido. Non sembrava più l'opzione deliziosa del giorno prima. "Perché mai ho lasciato il letto di piume a quel vecchio grassone di Fosco?"[5] pensò. "La radici degli alberi avrebbero fatto assai più al caso suo!" "Sveglia, hobbit!" gridò. "È una bellissima mattina."

"Che cosa ci sarà di così bello?" disse Odo, sbirciando dall'orlo della coperta con un occhio. "È pronta l'acqua per il bagno caldo? Prepara la colazione per le nove e mezzo!"

Bingo gli strappò la coperta di dosso, ribaltandolo a pancia all'aria addosso a Frodo, e li lasciò a baruffare e poi si avviò fino al limitare del bosco. In lontananza, a oriente, il sole si levava rosso sulla fitta coltre di nebbia stesa sul mondo. Pittati d'oro e rosso, gli alberi autunnali distanti sembravano veleggiare privi di radici in un mare umbratile. Appena sotto di lui sulla sinistra la strada scendeva scoscesa in una bassura tra due pendii e spariva.

Quando tornò, gli altri avevano acceso un bel fuoco. "Acqua!" sbraitarono. "Dov'è l'acqua?"

"Non tengo acqua in tasca," disse Bingo.

"Credevamo che fossi andato a cercarla," disse Odo. "Faresti bene ad andarci adesso."

"Perché mai?" chiese Bingo. "Ne avevamo a sufficienza per la colazione, ieri sera. O così credevo."

"Be', credevi male," disse Frodo. "Odo si è scolato l'ultimo goccio, l'ho visto io."

"Allora può andare lui a trovarne un po', e non affibbiare la cosa allo zio Bingo. Ai piedi della collina c'è un ruscello. Il sentiero lo attraversa appena sotto la svolta che prendemmo ieri sera."

Alla fine, ovviamente, andarono tutti e portarono le borracce e il piccolo bollitore che avevano. Li riempirono a una cascatella dove l'acqua veniva giù per un paio di piedi o giù di lì da una grigia roccia affiorante. Era ghiacciata; e Odo sbuffò nel lavarsi il viso e le mani. Fortunatamente agli hobbit non cresce la barba (e comunque non se la raderebbero).

Quando finirono di fare colazione e di rimpacchettare ben bene i fagotti, erano le dieci e la giornata stava diventando più bella e calda del giorno del compleanno di Bingo, che sembrava già trascorso da tanto tempo. Scesero il pendio e attraversarono il ruscello, e risalirono il versante opposto, e a quel punto mantelli, coperte, acqua, cibo, vestiti di ricambio e attrezzatura varia sembravano già un fardello gravoso. La camminata si prospettava piuttosto diversa da una passeggiata in campagna.

Dopo un po' la strada smise di andare su e giù: s'inerpicò fino in cima a una ripida scarpata serpeggiando in misura sfiancante e poi si preparò a discendere per l'ultima volta. Di fronte a loro scorsero la piana costellata di cespi d'alberi che in lontananza si dissolvevano in una silvana caligine bruna. Guardarono oltre il Fondo Boschivo verso il Fiume Brandivino. La strada serpeggiava davanti a loro come uno spago.

"La strada prosegue ininterrottamente," disse Odo, "ma io non ce la faccio se non mi riposo. L'ora di pranzo è passata da un pezzo."

Frodo sedette sulla scarpata al bordo della strada e guardò a oriente dentro la foschia oltre la quale scorreva il Fiume e il confine della Contea dove aveva trascorso tutta la vita. All'improvviso parlò, a voce alta come fra sé:

La Strada se n'va ininterrotta
A partire dall'uscio onde mosse.

Or la Strada ha preso una rotta,
Che seguir dobbiam, come ci è noto,
Perseguirla con passo sofferto,
Fino a che perverrà a un gran snodo
Ove affluiscono piste e trasferte.
E di poi? Non si sa a quale approdo.[6]

“Si direbbero versi del Vecchio Bilbo,” disse Odo. “O è una delle imitazioni di Bingo? Non sembra poi così incoraggiante.”

“No, li ho composti *io*. O almeno mi sono venuti così,” disse Frodo. “Non li avevo mai sentiti prima, certamente,” disse Bingo. “Ma mi ricordano moltissimo il Bilbo degli ultimi anni, prima della partenza. Diceva spesso che c’è una sola Strada su tutta la terra; che è come un grande fiume: ha le sorgenti a ogni soglia e un affluente a ogni sentiero. ‘È una faccenda pericolosa uscir di casa, Bingo,’ mi ripeteva. ‘Scendi in Strada e se non badi a dove metti i piedi, finisce che ti ritrovi sbattuto chissà dove. Ti rendi conto che questo è proprio il sentiero che attraversa Boscuro e che, se lo lasci fare, potrebbe portarti fino a posti più lontani e peggiori della Montagna Solitaria?’ Di solito me lo diceva sul sentiero davanti al portone di Casa Baggins, specie al ritorno da una lunga passeggiata.”

“Be’, la Strada non mi sbatterà da nessuna parte almeno per un’ora,” disse Odo, sciogliendo le allacciature del fagotto. Gli altri seguirono l’esempio, mettendo il loro fagotto contro la scarpata, con le gambe allungate in mezzo alla strada. Dopo essersi riposati fecero pranzo (frugale), e poi riposarono un altro po’.

Il sole cominciava a calare e la luce pomeridiana era diffusa sul paesaggio mentre scendevano la collina. Fino a quel momento non avevano incontrato anima viva lungo il cammino. Quella strada non era molto frequentata, e la via ordinaria verso Landaino correva lungo la Via Est fino a incrociare l’Acqua e il Fiume Brandivino dove si trovava un ponte, per proseguire poi verso sud lungo il Fiume. Procedevano di buon passo da un’ora o più quando Frodo si fermò un istante come in ascolto. Si trovavano ormai sulla spianata e la strada, dopo molto serpeggiare, proseguiva diritta attraverso la prateria cosparsa di piante d’alto fusto, elementi staccati dai vicini boschi.

"Sento un cavallo o un cavallino venire dietro di noi sulla strada," disse Frodo.

Si girarono, ma una svolta della strada impediva di vedere lontano.

"Preferirei che ci levassimo dalla vista," disse Bingo. "Voi due quantomeno. Potrebbe essere un'inezia, ma al momento sento che non vorrei essere visto da nessuno."

Odo e Frodo corsero a sinistra in un piccolo affossamento non lontano dalla strada e si stesero a terra. Bingo si infilò l'anello e scivolò dietro un albero. Il rumore degli zoccoli si avvicinava. Da dietro la svolta sbucò un cavallo nero, non un cavallino hobbit ma un grosso animale; sopra giaceva un involto, o qualcosa che gli somigliava: un omaccione squadrato, avvolto in un ampio mantello nero col cappuccio che lasciava scorgere soltanto gli stivali infilati nelle alte staffe: il viso, in ombra, era invisibile.

Arrivato all'altezza di Bingo, il cavallo si arrestò. Il cavaliere rimase immobile, come in ascolto. Da sotto il cappuccio giunse il rumore di qualcuno che annusava come per cogliere un sentore sfuggente; la testa si girò da una parte all'altra della strada. Infine il cavallo ripartì, prima a rilento, per poi passare a un trotto leggero.

Bingo strisciò fino al bordo della strada e osservò il cavaliere finché non rimpicciolì in lontananza. Non ne era sicuro ma gli parve che d'un tratto, prima di sparire, il cavallo avesse preso a destra inoltrandosi fra gli alberi.

"Be', lo trovo assai curioso, e perfino un tantino inquietante," disse Bingo tra sé mentre si dirigeva verso i compagni. Questi erano rimasti stesi sull'erba e non avevano visto niente; sicché Bingo descrisse il cavaliere e il suo strano comportamento. "Non so dire perché ma avevo la certezza che cercasse me o meglio mi *fiutasse*; e avevo anche la certezza che era meglio non farmi scoprire. Non avevo mai visto né sentito alcunché di simile nella Contea prima di oggi."

"Ma che cosa ha a che fare uno della Grossa Gente con noialtri?" disse Odo. "E comunque che cosa ci fa in questa parte del mondo? Eccetto per gli Uomini di Vallea l'altro giorno,[7] erano anni che non vedevo uno di quella Schiatta nella Contea."[8]

"Io invece sì," disse Frodo, che aveva ascoltato con attenzione la descrizione del cavaliere nero fatta da Bingo. "Mi ricorda qualcosa che m'ero quasi scordato. Stavo camminando nelle Brughiere del Nord – sapete, proprio ai confini settentrionali della Contea – a inizio primavera scorsa, quando m'imbattei in un cavaliere simile. Cavalcava verso sud e si fermò a parlare, sebbene non sembrasse in grado di masticare gran che la nostra lingua; mi chiese se sapessi dove si trovava un posto chiamato Hobbiton e se laggiù vi fossero dei Baggins. In quel momento la cosa mi sembrò bizzarra assai e mi sentii persino a disagio, stranito. Non riuscivo a vedere un volto che fosse uno, sotto il cappuccio. Mai saputo se costui sia arrivato o meno a Hobbiton. Se non te l'ho detto, ne avevo tutta l'intenzione."

"Non me l'hai detto, e vorrei che l'avessi fatto," disse Bingo. "Ne avrei dovuto chiedere a Gandalf; e probabilmente avremmo dovuto fare più attenzione lungo la strada."

"Allora sai o immagini qualcosa sul conto di questo cavaliere?" disse Frodo. "Che cos'è?"

"Non so e preferisco non indovinare," disse Bingo. "Ma come che sia, non credo che nessuno di questi cavalieri (se sono due) fosse davvero uno della Grossa Gente, non come quelli di Vallea, intendo. Vorrei che Gandalf fosse qui, ma adesso ne passerà di tempo prima di trovarlo. In un certo senso credo che dovrei sentirmi soddisfatto; tuttavia non sono ancora pronto per le avventure, e non me ne aspettavo alcuna nella nostra Contea. Voi due avete intenzione di continuare il viaggio comunque?"

"Certo!" disse Frodo. "Non ho alcuna intenzione di tornare indietro, neppure per un esercito di goblin."

"Io andrò dove va lo Zio Bingo," disse Odo, "Ma nel frattempo però che cosa facciamo? Partiamo subito, o ci fermiamo e facciamo uno spuntino?[9] Non mi dispiacerebbe mangiare un boccone e bere un sorso, ma direi che sarebbe meglio allontanarci da qui. Sentirti parlar di cavalieri che annusano con nasi invisibili mi ha messo alquanto a disagio."

"Sì, direi che è ora di riprendere il cammino," disse Bingo, "ma non sulla strada... In caso il cavaliere dovesse tornare indietro o un altro lo seguisse. Oggi abbiamo un bel tratto da coprire. Landaino è ancora molto lontana."

Le ombre degli alberi erano lunghe e sottili sull'erba quando si rimisero in marcia. Adesso si tenevano a pochi passi sulla sinistra della strada, ma questo li rallentava, perché l'erba era fitta e cespugliosa, il terreno accidentato. Il sole era calato rosso dietro le colline alle loro spalle e si stava facendo sera, quando giunsero al termine del tratto in linea retta. La strada piegava a sud, e riprese a serpeggiare mentre s'addentravano in un boschetto di antiche querce rade.[10]

Nei pressi del sentiero s'imbatterono nell'enorme carcassa di un vecchio albero[11]: era ancora vivo e aveva foglioline sulle frasche cresciute intorno alle ceppaie dei grossi rami caduti ormai da tanto; ma era cavo e un'ampia fenditura sul lato opposto permetteva di entrarci. Gli hobbit strisciarono dentro e sedettero su un piancito di vecchie foglie e legno marcio. Riposarono e consumarono un pasto, parlando piano e tendendo ogni tanto l'orecchio.

Avevano appena finito e pensavano di ripartire, quando udirono chiaramente un rumore di zoccoli che procedevano adagio lungo la strada esterna. Non si mossero. Gli zoccoli s'arrestarono, a quanto potevano giudicare, sulla strada accanto all'albero, sebbene solo per un istante. Presto ripresero e si allontanarono, lungo la strada, in direzione di Landaino. Quando finalmente Bingo sgusciò fuori dall'albero e scrutò su e giù per la strada, non c'era nulla da vedere.

"Strano davvero!" disse, tornando dagli altri. "Credo sia meglio aspettare qua dentro per un po'."

Dentro al tronco d'albero si fece quasi buio. "Credo proprio che dovremmo proseguire," disse Bingo. "Per oggi abbiamo compicciato ben poco e di questo passo non arriveremo a Landaino per domani sera."

Quando uscirono di soppiatto, il crepuscolo li avvolse. Non c'era alcun rumore di vita, nemmeno un richiamo degli uccelli nel bosco. Il vento dell'ovest sospirava tra i rami. Si affacciarono sulla strada e scrutarono nuovamente avanti e indietro.

"È meglio rischiare la strada," disse Odo. "Lontano dal sentiero il terreno è troppo accidentato, soprattutto con la luce che vien meno. Mi sa che stiamo facendo molto rumore per nulla. È assai probabile che si tratti solo di un forestiero in giro che si è perso; se ci incontrasse, si limiterebbe a chiederci la strada per Landaino o per Ponte Brandivino, per poi proseguire."

"Spero tu abbia ragione," disse Bingo. "Ma in ogni caso qui non c'è altro che la strada principale. Per fortuna serpeggia un bel po'."

"E se quello si ferma e ci chiede dove abita il signor Bolger-Baggins?" disse Frodo.

"Rispondigli la verità: *Da nessuna parte*," disse Bingo. "Avanti!"

Stavano entrando nel Fondo Boschivo e la strada prese a declinare dolce ma costante verso sud-est, in direzione delle pianure del fiume Brandivino. A Oriente, che s'andava rabbuiando, una stella spuntò. Camminavano al passo, affiancati, e il loro morale si risollevò. Dopo un po', il senso d'inquietudine passò e smisero di tendere l'orecchio per cogliere un qualche rumore di zoccoli. Dopo un paio di miglia attaccarono a canticchiare sommessamente, com'è tipico degli hobbit quando si approssima il crepuscolo e spuntano le stelle. I più intonano un canto conviviale o una ninnananna; ma quella canticchiata da quegli hobbit era una marcetta (non senza accenni, beninteso, alla cena e al letto). Bilbo Baggins aveva scritto le parole (su un motivo vecchio come il cucco) e le aveva insegnate a Bingo mentre passeggiavano per i viottoli della Valle dell'Acqua e parlavano di Avventura.

Rosso è il fuoco nel caminetto,
E sotto il tetto aspetta un letto;
Ma non è mai il piede stanco,
Se verso la svolta arranca
Incontro a pianta o a monolito
Che tu per primo hai percepito.
Erba o pianta, foglia o fiore,
  Lascia andare! Lascia andare!
Acqua o colle sotto il firmamento,
  Passa accanto! Passa accanto!

Forse aspetta lì alla svolta
Strada nuova e porta occulta,
E se pur andando li oltrepasseremo,
Ove sian comunque noi sapremo

E se l'ascoso cammin correr suole
Incontro alla Luna o verso il Sole.
Mela o spina, noce o pruno,
Lascia andare ad uno ad uno!
Sabbia o sasso, valle o rio,
Questo è un addio! Questo è un addio!

La casa dietro, innanzi il mondo,
Molti i sentieri che poi affondano
Di tra le ombre in riva alla notte,
Finché le stelle lucono a frotte.
La casa innanzi e dietro il mondo,
A casa e focherello torniamo in tondo.
Ombra e vespro, nube e bruma,
Tutto via sfuma! Tutto via sfuma!
Fuoco e carne e pane a fette,
E poi a letto! E poi a letto![12]

La canzone finì. "E *ora* a letto! E *ora* a letto," cantò a voce alta Odo.

"Silenzio!" disse Frodo. "Mi è parso di sentir di nuovo rumore di zoccoli."

Si fermarono di botto, e silenziosi e immobili come ombre d'alberi si misero in ascolto. Dietro, a una certa distanza, si udiva un rumore di zoccoli sul viottolo più indietro, sebbene lento e chiaro, portato dal vento. In fretta e quatti quatti abbandonarono il sentiero e corsero a rifugiarsi nell'ombra più profonda sotto le querce.

"Non allontaniamoci troppo!" disse Bingo. "Non voglio essere visto ma stavolta voglio vedere io quel che posso."

"Benissimo!" disse Odo. "Ma non dimenticare che annusa!"

Gli zoccoli si avvicinarono. Non ebbero il tempo di cercare un nascondiglio[13] migliore dell'oscurità diffusa sotto gli alberi; così Odo e Frodo si acquattarono dietro un grosso fusto, mentre Bingo infilò l'anello e si riportò furtivo di qualche passo più vicino al viottolo. Grigio e pallido, quello tracciava una scia sbiadita attraverso il bosco. In alto le stelle erano fitte nel cielo buio, ma non c'era la luna.

Il rumore di zoccoli cessò. Bingo vide qualcosa di scuro attraversare lo spazio più chiaro tra due alberi e fermarsi. Sembrava la sagoma nera di un cavallo condotto per le briglie da un'ombra nera più piccola. L'ombra nera si fermò vicino al punto dove avevano lasciato il sentiero e oscillò da un lato all'altro. Bingo credette di sentirla annusare. L'ombra si chinò a terra e poi cominciò a strisciare verso di lui.

In quel mentre giunse un rumore, un miscuglio di canti e risate. Voci limpide e soavi si levarono e ricaddero nell'aria illuminata dalle stelle. L'ombra nera si raddrizzò e si ritrasse.[14] Montò in sella al cavallo tenebroso e parve svanire attraverso il viottolo nell'oscurità sull'altro lato. Bingo tornò a respirare.

"Gli Elfi!" disse Frodo alle sue spalle con un sussurro eccitato. "Gli Elfi! Che meraviglia! Ho sempre desiderato ascoltare gli Elfi cantare sotto le stelle, ma non sapevo che alcuni di loro vivessero nella Contea."

"Oh sì!" disse Bingo. "Il vecchio Bilbo sapeva che ve n'erano a Fondo Boschivo. Non dimorano veramente qui, però; traversano spesso il fiume in primavera e in autunno. E quanto ne sono felice, adesso!"

"Perché?" fece Odo.

"Voi non l'avete visto, ovvio," disse Bingo, "ma quel Cavaliere Nero (o un altro della stessa risma) si è fermato proprio qui e avanzava strisciando verso di noi quando ha attaccato la canzone. Non appena ha sentito le voci è filato via."

"Annusava?" domandò Odo.

"Sì," disse Bingo. "È un mistero, e puzza di brutta grana."

"Andiamo dagli Elfi, se riusciamo," disse Frodo.

"Ascolta! Stanno venendo da questa parte," disse Bingo. "Basta aspettare sulla strada."

Il cantò si avvicinò. Una limpida voce adesso si levava sulle altre. Cantava nella segreta lingua elfica, che Bingo conosceva assai poco, e gli altri due per niente. Eppure il suono delle parole, fondendosi col motivo, man mano che ascoltavano nella loro mente sembrava prender foggia di parole, che capivano solo in parte. In seguito Frodo e Bingo furono d'accordo che la canzone faceva più o meno così:

Bianca-neve! Bianca-neve! O Dama chiara!
Regina oltre i Mari d'Occidente!
Tu noi che qui vaghiamo adesso schiara
In mezzo a un mondo d'intricate piante!

Gilthoniel! O Elbereth!
Chiari i tuoi occhi, freddo il tuo respiro!
Bianca-neve! Bianca-neve! E noi qui a cantare
Te in una terra al di là del Mare.

O stelle che nell'Anno senza Sole
Lei seminò con mano rilucente,
Ora in campi ventosi chiari e puri
Vediamo in boccio i vostri fiori argentei!

O Elbereth! Gilthoniel!
Ricordiamo altresì, noi abitanti
Sotto gli alberi in sì distante terra
La tua luce stellar sui Mari d'Occidente.[15]

Gli hobbit sedettero all'ombra sul ciglio della strada. Dopo poco ecco arrivare gli Elfi sul viottolo che portava a valle. Passarono lentamente e gli hobbit videro la luce delle stelle scintillare negli occhi e sui capelli.[16] Non avevano luci con sé eppure, mentre procedevano, un luccichio come il lucore della luna sul contorno dei rilievi prima di spuntare sembrava aleggiare intorno ai loro piedi. A quel punto avevano smesso di cantare e quando furono passati tutti l'ultimo Elfo si girò, guardò in direzione degli hobbit e scoppiò a ridere.

"Salve, Bingo!" esclamò. "Sei fuori a tarda ora. Non ti sarai mica smarrito?" Poi chiamò a gran voce in elfico e tutta la compagnia si fermò e fece cerchio.

"Orbene, incredibile davvero!" dissero. "Tre hobbit di notte in un bosco! Cosa mai significa questo? Mai visto niente di simile da quando Bilbo è partito."

"Significa soltanto, miei buoni Elfi," disse Bingo, "che stiamo facendo la stessa strada. Sono stato cresciuto da Bilbo, così mi piace camminar sotto le stelle. E accetterei di accompagnarmi agli Elfi in mancanza di altra compagnia."

"Ma noi non abbiamo bisogno di compagnia, e gli hobbit sono così noiosi," risero. "Orsù, vieni con noi, raccontaci! Vediamo bene che trabocchi segreti che gradiremmo ascoltare. Sebbene alcuni già li conosciamo, è ovvio, e altri li indoviniamo. Tanti auguri per ieri – abbiam saputo tutto al riguardo, com'è ovvio che sia, dalla gente di Valforra."[17]

"Allora chi siete e chi è il vostro signore?" domandò Bingo.

"Io sono Gildor," rispose l'Elfo che per primo lo aveva salutato. "Gildor Inglorion della Casa di Finrod. Siamo Esuli, una delle poche compagnie che ancora indugiano a oriente del Mare, giacché la nostra stirpe è tornata in Occidente molto tempo fa. Siamo i Saggi-Elfi, e gli Elfi di Valforra appartengono alla nostra stirpe."[18]

"O Sagge Genti!" disse Frodo. "Parlateci del Cavaliere Nero!"

"Cavaliere Nero?" dissero a bassa voce. "Perché chiedi del Cavaliere Nero?"

"Perché oggi tre Cavalieri Neri ci hanno raggiunto o forse uno lo ha fatto per tre volte,"[19] disse Bingo. "Se l'è svignata solo un attimo fa al vostro arrivo."

Prima di rispondere gli Elfi confabularono nella loro lingua. Dopo un poco Gildor si rivolse agli hobbit. "Non è questo il luogo per parlarne," disse. "Ora secondo noi fareste meglio a seguirci. Non è nostra consuetudine, come sapete, ma in nome di Bilbo questa volta faremo la strada assieme e per stanotte, se volete, vi accamperete con noi."

"Ti ringrazio davvero, Gildor Inglorion," disse Bingo inchinandosi. "O Popolo Leggiadro! È una fortuna per me insperata," disse Frodo. Anche Odo s'inchinò, però non proferì nulla ad alta voce. "Buona fortuna davvero?" sussurrò a Bingo. "Suppongo che ci ritroveremo con un giaciglio e una cena come si comanda?"

"Potrete valutare la vostra fortuna domattina," disse Gildor, come se gli si fossero rivolti direttamente. "Faremo il possibile, sebbene abbiamo udito che gli hobbit son difficili da soddisfare."

"Domando scusa," balbettò Odo. Bingo rise: "Fa' attenzione alle orecchie degli Elfi, Odo!" "Ci consideriamo già fortunati," disse rivolto agli Elfi, "e credo che ci scoprirete assai facili da soddisfare (per degli hobbit)."

E aggiunse nella lingua elfica un saluto che Bilbo gli aveva insegnato: "Le stelle brillano sull'ora del nostro incontro."

"Attenti, amici," esclamò Gildor ridendo, "a non divulgar segreti! Qui abbiamo uno studioso del latino-elfico.[20] Bilbo è stato un buon maestro invero. Salve, Amico degli Elfi!" disse, inchinandosi a Bingo. "Ora venite e unitevi alla nostra compagnia![21] È meglio se camminate in mezzo a noi, per non smarrirvi. Prima della sosta sarete forse stanchi."

"Perché? Dov'è che andate?" domandò Bingo.

"Ai boschi vicino a Boscasilo giù nella valle. Sono parecchie miglia, ma abbrevierete il viaggio per Landaino di domani."

In silenzio si rimisero in marcia e trascorsero come ombre e lumicini: giacché quando volevano, Elfi e hobbit potevano camminare senza rumore. Non intonarono altre canzoni. Odo cominciò ad avere sonno e un paio di volte barcollò, ma ogni volta un Elfo alto che aveva al fianco allungò il braccio e gli impedì di cadere.

I boschi ai lati del viottolo s'infittirono; gli alberi adesso erano più giovani e più folti; e quando il viottolo cominciò a digradare, crescevano macchie profonde di noccioli. Alla fine gli Elfi deviarono a destra del sentiero: una pista verde correva quasi invisibile attraverso i boschetti; e quella seguirono finché sbucarono in un vasto spiazzo erboso, grigio nella notte. I boschi lo affiancavano su tre lati; ma a est il terreno scendeva a strapiombo e al livello dei piedi si ritrovarono la cima degli alberi oscuri che crescevano in fondo al pendio. Oltre si stendeva la pianura piatta e vaga sotto le stelle. Più vicine, poche luci baluginavano: il villaggio di Boscasilo.

Gli Elfi si sedettero sull'erba; sembravano ignorare gli hobbit. Conferivano a voci basse. Gli hobbit si avvolsero nei mantelli e nelle coperte e la sonnolenza scivolò su di loro. La notte avanzò e le luci della valle si spensero. Odo si addormentò su una verde montagnola che gli faceva da cuscino.

Lontano al di là delle brume a est, in alto, si levò un pallido lucore dorato. La luna sorse gialla, spuntando rapida dall'ombra per poi trascorrere rotonda e placida in cielo. Gli Elfi intonarono in coro una canzone. A un tratto, sotto gli alberi, un fuoco divampò con la sua luce rossa.

"Venite!" gridarono gli Elfi agli hobbit. "Venite! Ora è tempo di conversare e stare allegri!"

Odo si tirò su sfregandosi gli occhi. Rabbrividì. "Vieni, piccolo Odo!" disse un elfo. "C'è un fuoco nella sala e cibo per gli ospiti affamati."

All'estremità meridionale del prato il bosco si faceva più vicino. Ivi era un tappeto erboso, sebbene interamente adombrato dagli alberi alti. I grandi tronchi si susseguivano schierati come colonne ai lati e i loro rami intrecciati componevano un soffitto sopra la testa. Al centro ardeva un fuoco e ai lati dei pilastri-alberi bruciavano regolarmente torce d'oro e senza produrre fumo. Gli Elfi sedettero intorno al fuoco sull'erba o sui cerchi segati di vecchi tronchi. Alcuni andavano avanti e indietro portando tazze e versando da bere; altri arrivavano con piatti e scodelle stracolmi di cibo e li posavano sul prato.

"È un pasto misero," dissero agli hobbit. "Ci troviamo tra i boschi, lontano da casa. Se mai vi troverete a passare da noi, vi tratteremo meglio."

"Mi sembra un pasto degno di una festa di compleanno," disse Bingo.

A conti fatti fu Odo a mangiare di meno. La bevanda nella sua coppa pareva dolce e fragrante; la scolò e sentì ogni stanchezza scivolare via, eppure il sonno scese dolcemente su di lui. Mentre desinava era già mezzo avvolto nel tepore del sogno; e in seguito non ricordò altro che il sapore del pane, pane come il più sopraffino che hobbit abbia mai cucinato (e quello era Pane mica da ridere) e consumato dopo un lungo digiuno, solo che questo era migliore ancora. In seguito Frodo non ricordò molto del cibo o delle bevande, perché aveva la mente inondata dalla luce sotto gli alberi, i volti degli Elfi, e il suono delle voci era così variegato e bello da sembrargli un sogno a occhi aperti. Ricordava però di essersi scolato una coppa che aveva il calore di un dorato pomeriggio d'autunno e la freschezza d'una fonte limpida; e rammentava anche il sapore dei frutti dolci come bacche e più succosi dei frutti coltivati nell'orto degli hobbit (e quella era frutta mica da ridere).

Bingo sedeva, mangiava, beveva e conversava, e in seguito si rammentò semplicemente di aver assaggiato qualcosa di tutte le pietanze che gli piacevano di più; la sua attenzione però seguiva principalmente i discorsi degli Elfi. Capiva un po' la loro lingua e ascoltava avidamente. Ogni tanto si rivolgeva a quelli che lo servivano ringraziandoli in elfico. Loro gli sorridevano e dicevano ridendo: "Ma questo è una perla di hobbit!"[22]

Dopo un po' Odo e Frodo si addormentarono profondamente e li sollevarono di peso e li trasportarono sotto un pergolato in mezzo agli alberi; lì, stesi su un soffice letto, dormirono per il resto della nottata. Bingo invece rimase a lungo sveglio a chiacchierare con Gildor, il comandante degli Elfi.[23]

"Perché hai scelto proprio questo momento per partire?" domandò Gildor.

"Be', in realtà si è scelto da sé," rispose Bingo. "Avevo dato fondo al mio tesoro. Mi aveva sempre trattenuto dal Viaggio che metà del mio cuore desiderava, fin da quando Bilbo se ne è andato, ma adesso era bello che finito. Così ho detto alla mia metà casalinga: 'Non c'è nulla che ti trattenga qui. Il Viaggio *potrebbe* pure portarti qualche altro tesoro, come accadde al vecchio Bilbo; e comunque sulla strada sarai in grado di campare più facilmente senza. Naturalmente, se ti aggrada restare a Hobbiton e guadagnarti da vivere come giardiniere o falegname, fa' pure.' La metà casalinga si è data per vinta: non le andava di fabbricare sedie altrui o coltivare patate altrui. Si è fatta molle e grassa. Credo che il Viaggio le farà bene. Ma, naturalmente, l'altra metà non è davvero alla ricerca di un tesoro, bensì dell'Avventura, più dopo che prima. Al momento pure lei è molle e grassa, e si accontenta di andarsene a spasso per la Contea."

"Sì!" rise Gildor. "Hai ancora l'aspetto di uno hobbit comune!"

"Vorrei ben vedere," disse Bingo. "Eppure il mio compleanno, l'altro ieri,[24] pare già così lontano. Sono ancora uno hobbit tuttavia, e resterò sempre uno hobbit."

"Ho detto unicamente *l'aspetto*," rispose l'Elfo. "Mi sembri uno hobbit davvero insolito, proprio come Bilbo, e credo che a te e ai tuoi amici capiteranno cose strane invero. A mettersi in cerca d'Avventura, di solito se ne trova gran copia. E spesso avviene che, quando ritieni che essa ti aspetti dinanzi, quella ti giunge inaspettatamente alle spalle."

"Così pare," disse Bingo. "Ma non me l'aspettavo così presto, né davanti né dietro, non nella nostra Contea."

"Ma non è soltanto la vostra Contea, non per sempre," disse Gildor. "Il mondo intero è tutt'intorno a voi: potete chiudervi dentro, ma non avete modo di chiuderlo fuori per sempre."

"Come che sia, è inquietante," disse Bingo. "Desidero arrivare a Valforra, se riesco, sebbene abbia orecchiato che la strada non s'è fatta più facile negli ultimi anni. Puoi dirmi qualcosa che mi sia di guida o aiuto?"

"Non credo che la strada dovrebbe rivelarsi troppo ardua. Ma se stai pensando a quello che chiami il Cavaliere Nero, allora è un'altra faccenda. Mi hai davvero raccontato tutte le tue ragioni per partire in segreto? Gandalf non ti ha detto nulla al riguardo?"

"Nemmeno mezza parola, almeno che io abbia afferrato. Dopo la partenza di Bilbo l'ho visto di rado, al massimo due volte l'anno. L'ho rivisto la primavera scorsa, quando una sera s'è presentato senza preavviso; e allora gli ho raccontato del piano che iniziavo a buttar giù per il Viaggio. Sembrò soddisfatto e mi disse di non rimandare oltre l'autunno. Venne di nuovo per aiutarmi con la festa, ma eravamo troppo impicciati per parlare gran che, e poi lui se ne andò coi Nani e gli Elfi di Valforra appena finiti i fuochi d'artificio. Mi aveva accennato che avrei potuto incontrarlo di nuovo a Valforra e suggerito di recarmi per prima cosa laggiù."

"Non più tardi dell'autunno!" disse Gildor. "Mi dà da pensare. Può darsi che egli non fosse a conoscenza che essi erano nella Contea; eppure egli ne sa più di noi. Se non ti ha detto altro, io non mi sento di farlo, per timore di spaventarti riguardo al Viaggio. Giacché mi sembra chiaro che esso non è iniziato un istante troppo presto; per una strana fortuna vi siete messi in moto appena in tempo. Devi proseguire e non tornare indietro, sebbene tu abbia incontrato avventura e pericolo assai prima di quanto ti aspettassi. Dovresti procedere lesto, e tuttavia fare attenzione e guardarti non solo innanzi, ma anche alle spalle, e forse anche da ambo i lati."

"Vorrei che parlassi più chiaro," disse Bingo. "Però sono contento di sentirmi dire che debbo proseguire, perché è ciò che intendo fare. Solo che adesso mi chiedo se sia il caso di portare Odo e Frodo con me. Il piano originale non prevedeva altro che un viaggio, una sorta di vacanza prolungata (e forse permanente) da Hobbiton, e son sicuro che per molto tempo loro non si aspettavano altre avventure che inzupparsi e avere fame. Non avevamo idea di essere *inseguiti*."

"Oh, suvvia! Dovevano sapere che se si ha intenzione di vagare fuori dalla Contea nel Vasto Mondo, bisogna essere preparati a tutto. Non vedo che differenza ci sia, se *qualcosa* è saltato fuori così presto. Loro non son forse disposti a proseguire?"

"Sì, così dicono."

"Allora lasciali proseguire![25] Son fortunati a essere i tuoi compagni e tu sei fortunato ad averli appresso. Costituiscono una grande protezione per te."

"Cosa vuoi dire?"

"Penso che i Cavalieri non sappiano che loro ti accompagnano, e che la loro presenza abbia commisto l'odore e li abbia confusi."

"Oh, povero me! È tutto così misterioso. Come risolvere degli indovinelli. Ma ho sempre sentito dire che è quanto capita a conversare con gli Elfi."

"Così è, invero," rise Gildor. "E di rado gli Elfi danno consigli, ma quando lo fanno, è un bene. Ti ho suggerito di recarti a Valforra, lesto e accorto. Nient'altro che potrei aggiungere renderebbe migliore tale avviso.[26] Abbiamo le nostre cure e i nostri dolori, ed essi hanno poco a che spartire coi percorsi degli hobbit o di altre creature. Le nostre strade si incrociano di rado, e per lo più casualmente. Nel nostro incontro v'è forse qualcosa di più di un semplice caso, ma non credo di dover interferire. Tuttavia aggiungerò un altro consiglio: se un Cavaliere ti trovasse o ti rivolgesse la parola, non rispondere e non fare assolutamente il tuo nome. Inoltre, non ricorrere di nuovo all'anello per sfuggire alle sue ricerche. Non lo so,[27] ma credo che utilizzarlo aiuti più loro che te."

"Misteri a non finire!" esclamò Bingo. "Non so immaginare quale informazione possa essere più spaventosa delle tue allusioni; eppure suppongo che tu sappia ciò che dici."

"Lo so eccome," disse Gildor, "e non aggiungerò altro."

"Molto bene!" disse Bingo. "Ora son tutto un brivido, tuttavia ti sono molto obbligato."

"Abbi animo! Ora dormi! Al mattino saremo partiti; ma invieremo messaggi per tutta la regione. Le Compagnie itineranti saranno a conoscenza di te e del tuo Viaggio. Ti dichiaro Amico degli Elfi, e ti auguro ogni bene! Di rado ci ha fatto così piacere la compagnia di estranei, ed è bello udire parole della nostra lingua sulle labbra di altri giramondo."

Bingo sentì il sonno calare su di lui proprio mentre Gildor finiva di parlare. "Ora voglio dormire," disse; Gildor lo condusse sotto un pergolato accanto a Odo e Frodo, e lui si gettò su un letto e sprofondò all'istante in un sonno senza sogni.

1 Per correggere il dattiloscritto in questa fase mio padre fece ricorso all'inchiostro nero. Ciò si è rivelato essere una fortuna, perché altrimenti non sarebbe stato possibile dipanare storicamente il testo: in una fase successiva del lavoro egli vi tornò sopra e lo ricoprì di correzioni a inchiostro blu e rosso, gessetto blu e matita. In un caso, tuttavia, un'aggiunta in inchiostro nero appartiene chiaramente alla fase successiva. È quindi possibile che certune modifiche che ho adottato nel testo siano effettivamente posteriori; ma nessuna mi sembra tale, e in ogni caso tutti i cambiamenti di qualche significato narrativo sono dettagliati nelle note a seguire.

2 Il significato di questo titolo non è chiaro. L'espressione "Tre è il numero giusto, ma quattro è di più" viene comunque usata da Marmaduk Brandaino durante la conversazione a Landaino, in cui afferma che sarà sicuramente uno dei membri del gruppo (p. 131). È quindi plausibile che mio padre abbia dato questo titolo al secondo capitolo originale perché riteneva che si sarebbe esteso fino all'arrivo a Landaino. In seguito cancellò le parole "e quattro è di più", ma non è possibile stabilire quando apportò tale cambiamento.

3 Nella seconda bozza dell'apertura del capitolo, che aveva raggiunto di fatto la forma del testo dattiloscritto in questa fase, l'attraversamento della Strada Est fu omesso, e tale omissione rimane (vedi p. 63).

4 Nella bozza del testo, i versi della poesia *La Strada se n'va ininterrotta* sono collocati qui (vedi p. 64).

5 Fosco Bolger, zio di Bingo: vedi p. 52.

6 In CdA (pp. 85-86) il verso ha *io* al posto di *noi* nei versi 4 e 8, ma per il resto è lo stesso; ivi, però, costituisce un'eco del discorso di Bilbo nel capitolo 1 (CdA, p. 46). Per la forma più antica vedi p. 64; e vedi anche p. 313, nota 18.

7 *Uomini di Vallea*: vedi pp. 30, 42.

8 La parte successiva della narrazione, da "'Io invece sì,' disse Frodo" fino alla fine della canzone *Rosso è il fuoco nel caminetto* (p. 76), fu presto ribattuta per sostituire due pagine del dattiloscritto originale, e fu introdotta una sostanziale alterazione ed espansione della storia (vedi note 9 e 11).

9 La prima parte della sezione riformulata (vedi nota 8) non fu gran che modificata rispetto alla forma precedente. In quella Frodo descriveva quasi esattamente con le stesse

parole il suo incontro con un Cavaliere Nero "nella Brughiera del Nord" nella primavera precedente; la risposta di Bingo però era alquanto diversa:

> "Ciò lo rende più strano ancora," disse Bingo. "Son contento di aver avuto l'intuizione di non essermi fatto notare in strada. Ma, come che sia, non credo che nessuno di questi cavalieri fosse della Grossa Gente, non come gli Uomini di Vallea, voglio dire. Mi chiedo di che si tratti. Vorrei che Gandalf fosse qui. Ma, naturalmente, se n'è andato subito dopo i fuochi d'artificio con gli Elfi e i Nani, e passeranno secoli prima di rivederlo."
>
> "Proseguiamo adesso o restiamo a desinare?" chiese Odo...

Nelle versioni successive di "Una festa attesa a lungo" non c'è alcun riferimento a Gandalf dopo i fuochi d'artificio (vedi pp. 43, 52, 83).

10 *La strada piegava a sud*: sulla mappa della Contea in CdA la strada non curva verso sud alla fine del rettilineo; curva a sinistra o a nord, mentre una strada secondaria prosegue verso Boscasilo. Tuttavia in questa fase v'era una sola strada, e nel punto in cui gli hobbit incontrarono gli Elfi essa digradava costantemente, "verso sud-est, in direzione delle pianure del fiume Brandivino" (p. 75). Sicuramente per una svista, questo passaggio fu conservato con poche modifiche nella prima edizione di CdA (p. 89):

> Il sole era tramontato rosseggiando dietro le colline alle loro spalle, ed ecco sopraggiungere la sera prima che arrivassero alla fine della lunga spianata su cui la strada correva diritta. In quel punto voltava un poco a sud e riprendeva a serpeggiare, addentrandosi in un bosco di antiche querce.

Solo nella seconda edizione del 1966 mio padre modificò il testo per farlo coincidere con la mappa:

> In quel punto voltava a *sinistra* e scendeva nel bassopiano dello Yale puntando verso Magione; ma da lì, *sulla destra, si diramava un viottolo* che serpeggiava tra le vecchie querce di un bosco in direzione di Boscasilo. "Quella è la nostra via," disse Frodo. Non lontano dal *bivio* giunsero all'enorme carcassa di un albero...

Questo è anche il motivo del cambiamento, nella seconda edizione, di "strada" in "viottolo" (anche "sentiero", "stradina") in quasi tutte le numerose occorrenze successive in CdA, pp. 89-94: era il "viottolo" per Boscasilo che stavano percorrendo, non la "strada" per Magione.

11 L'intero passaggio da "Nei pressi del sentiero s'imbatterono nell'enorme carcassa di un vecchio albero" è un'espansione nel dattiloscritto sostitutivo (vedi nota 8) di alcune frasi presenti nel precedente:

> Dentro l'enorme carcassa vuota di un albero: con una fenditura e rami caduti, ma ancora vivo e con foglioline, si riposarono e consumarono un pasto. Quando sbucarono fuori apprestandosi a ripartire, li avvolgeva l'imbrunire. "Adesso ho intenzione di arrischiare la strada," disse Bingo, che aveva sbattuto i piedi diverse volte su radici e pietre nascoste nell'erba. "Mi sa che stiamo facendo un gran rumore per nulla."

Sebbene la descrizione ampliata dell'albero cavo sia stata conservata in CdA (p. 89), il secondo passaggio di un Cavaliere Nero non lo fu, e l'albero non ha alcuna importanza ulteriore oltre a costituire l'ambientazione del pasto degli hobbit. Nel terzo capitolo Bingo, parlando con Marmaduk a Landaino, fa riferimento a tale storia di un Cavaliere udito passare mentre sedevano all'interno dell'albero (pp. 130-131); vedi anche nota 19 più sotto.

12 La versione della canzone nel dattiloscritto rifiutato (vedi nota 8) presentava così la seconda e terza strofa:

La casa dietro, innanzi il mondo,
Molti i sentieri che poi affondano
E forse aspetta lì alla svolta
Strada nuova e porta occulta,
L'ascoso cammin che correr suole
Incontro alla Luna o verso il Sole.
Mela o spina, ecc.

Sotto colle, e sopra colle sempre se'n va la via
Dal sol che sorge al crepuscol di tenue signoria
Di tra le ombre in riva alla notte,
Finché le stelle lucono a frotte; ecc.

13 Nella stesura iniziale di questo brano, Bingo aveva proposto di riporre i loro fardelli nella cavità di una vecchia quercia fessa e poi di salirci, ma questa proposta fu scartata subito dopo la stesura. Senza dubbio fu qui che apparve per la prima volta il motivo dell'"albero cavo".

14 Nella bozza originale mio padre scrisse inizialmente: "D'un tratto giunse un rumore di risate e un cigolio di ruote sulla strada. L'ombra nera si raddrizzò e ritrasse." Questa frase fu presto sostituita, senza che lo scricchiolio delle ruote fosse spiegato; ma ciò suggerisce che egli avesse in mente un qualche intervento diverso rispetto agli Elfi.

15 Questa è un'altra parte che fu ribattuta. Il passaggio immediatamente precedente al canto degli Elfi era diverso nella forma originaria:

> Pareva cantare nella segreta lingua elfica. Eppure mentre ascoltavano il suono, o il suono e la melodia assieme, nella loro mente esso sembrava prender la forma di strane parole che capivano solo in parte. In seguito Frodo disse che gli era parso udire parole come queste:

La canzone comprendeva anche alcune differenze, tra cui una seconda strofa che fu rifiutata.

O Elbereth! O Elbereth!
Regina oltre i Mari d'Occidente!
O Luce per colui che vaga
In mezzo a un mondo d'intricate piante!

Stelle che nell'Anno senza il Sole
Dall'argentea sua man foste tutte accese
Perché di Notte l'ombra del Timore
Dalle lande fuggisse come ombre recise!

O Elbereth! Gilthonieth!
Chiari i tuoi occhi, puro il tuo respiro! ecc.

Nell'ultimo verso la forma è *Gilthoniel*. Si trovano anche estesi abbozzi, in cui il primo verso della canzone appare anche come *O Elberil! O Elberil!* (e il terzo *O Luce per noi che ancor vaghiamo*); dai quali si evince anche il significato dell'*Anno senza il Sole*, poiché mio padre scrisse prima gli *Anni in Fiore* (con riferimento ai Due Alberi; vedi il *Quenta Silmarillion* §19, V.267). – Sembrerebbe che proprio qui il nome Elbereth sia stato attribuito per la prima volta a Varda, essendo in precedenza quello di uno dei figli di Dior l'Erede di Thingol: vedi V.435.

16 Nella stesura originale era aggiunto che gli Elfi "erano coronati di foglie rosse e gialle"; scartato, senza dubbio, perché era buio ed essi non portavano luci.

17 In un punto precedente del capitolo (p. 70) il dattiloscritto recitava "un giorno ancor più bello e caldo del precedente (il compleanno di Bingo, che sembrava già trascorso da un pezzo)". Ovviamente Bingo e i suoi compagni si misero in viaggio la sera del giorno successivo alla festa di compleanno, e mio padre se ne rese conto cambiando semplicemente "precedente" con "del" e togliendo le parentesi, come nel testo stampato. In questo caso, però, aveva trascurato di modificare lo "ieri" (vedi anche nota 24). Questi errori sono strani, ma non sembrano rivestire un significato particolare.

Si capisce di conseguenza come questi Elfi possano aver "saputo tutto al riguardo dalla gente di Valforra", perché Bingo dice a Gildor (p. 83) che Gandalf "se ne andò coi Nani *e gli Elfi di Valforra* appena finiti i fuochi d'artificio". L'incontro fra i due è in effetti menzionato più avanti (p. 129).

18 Il dattiloscritto prosegue con *abbiam saputo tutto al riguardo, com'è ovvio che sia, dalla gente di Valforra* e *"O Sagge Genti!" disse Frodo*, e il passaggio che inizia con *"Allora chi siete e chi è il vostro signore?" domandò Bingo*, è un'aggiunta. Nel dattiloscritto così come fu scritto, il capo degli Elfi viene nominato solo verso la fine, quando, dopo che hanno desinato, "Bingo invece rimase a lungo sveglio a chiacchierare con Gildor, comandante degli Elfi" (p. 82); tutti i riferimenti a *Gildor* prima di quel punto sono correzioni a inchiostro.

19 Quando il testo fu battuto a macchina, Bingo diceva: "Perché oggi abbiam visto due Cavalieri Neri, o lo stesso cavaliere due volte." Il testo modificato accompagna la storia del Cavaliere che si arrestò un attimo accanto all'albero cavo (vedi nota 11).

20 Per il "latino-elfico" (*Qenya*) vedi il *Lhammas* §4, V.215-216.

21 Questo passaggio è una modifica del testo dattiloscritto, che recitava:

"... assai facili da accontentare (per degli hobbit). Per quanto mi riguarda, posso solo dire che il piacere di incontrarvi ha già reso questo giorno una luminosa Avventura."

"Bilbo è stato un buon maestro," disse l'elfo inchinandosi. "Vieni ora, unisciti alla nostra compagnia e andiamo. È meglio che voi camminiate nel mezzo..."

22 Questa frase sostituì la seguente:

"Attenti, amici," esclamò uno ridendo, "a non divulgar segreti! Qui abbiamo uno studioso del latino-elfico e di tutti i dialetti. Bilbo è stato un buon maestro invero."

Vedi nota 21 e il passaggio modificato cui si fa riferimento.

23 Questa è la prima occorrenza del nome *Gildor* nel testo dattiloscritto; vedi nota 18.

24 Per *Eppure il mio compleanno, l'altro ieri*, il testo dattiloscritto riportava *ieri*; vedi nota 17.

25 La conversazione tra Bingo e Gildor fino a questo punto, che inizia con *potete chiudervi dentro, ma non avete modo di chiuderlo fuori per sempre* (p. 83), è l'ultima delle pagine dattiloscritte sostitutive. Le differenze rispetto alla forma precedente sono in realtà minime, eccetto che nei punti seguenti. Bingo non dice che Gandalf gli aveva detto di non rimandare il suo viaggio oltre l'autunno, ma semplicemente: "Mi dette una mano e sembrò giudicarla una buona idea"; e la risposta di Gildor inizia quindi in modo diverso: "Ciò mi dà da pensare. Forse egli non sapeva che essi si trovavano nella Contea, eppure egli ne sa più di noi." E Bingo dice che Odo e Frodo "sanno solo che sono in viaggio, in una sorta di vacanza prolungata (e forse permanente) da Hobbiton, e che per prima cosa sono diretto a Valforra".

26 Qui, dal dattiloscritto, è stato tolto il testo: "e potrebbe impedirti di prenderlo."

27 Cancellato dal dattiloscritto: "(poiché tale questione non riguarda gli Elfi come noi)".

***

È caratteristico che, sebbene le *dramatis personae* non siano le stesse e la storia non abbia ancora la vastità, la gravità e il senso di immane pericolo del secondo capitolo della *Compagnia dell'Anello*, buona parte di "Tre è il numero giusto" fosse già in atto; infatti, una volta iniziato il viaggio, non solo è già presente la struttura della narrazione finale, ma anche gran parte dei dettagli, sebbene innumerevoli modifiche nell'espressione sarebbero avvenute in seguito, e in molti passaggi sostanziali il capitolo non fu quasi modificato.

Mentre "Bingo" è direttamente equiparabile al successivo "Frodo", le altre relazioni sono più complesse. È vero che, raffrontando il testo così com'era in questa fase con la forma finale in CdA, si può affermare semplicemente che "Odo" è diventato "Pippin" mentre Frodo Took è scomparso: dei singoli discorsi di questo capitolo rimasti in CdA quasi tutte le osservazioni fatte da Odo sono state poi attribuite a Pippin. Ma il modo in cui ciò avvenne fu in realtà stranamente tortuoso, e non costituì affatto una semplice sostituzione di un nome con un altro (vedi anche le pp. 402-403). Frodo Took è visto come una personalità meno limitata e più consapevole di Odo, più sensibile alla bellezza e all'alterità degli Elfi; è lui che declama *La Strada se n'va*, ed è a lui che viene attribuito per la prima volta il ricordo delle parole dell'inno a Elbereth (nota 15). Si può dire che qualche elemento di lui si sia conservato in Sam Gamgee (che naturalmente conferisce un'aria nuova e del tutto peculiare alla forma sviluppata del capitolo); era Frodo Took che col fiato sospeso sussurrava *Elfi!* quando furono udite per la prima volta le loro voci diffondersi dalla strada.

L'elemento più significativo è che, quando la storia dell'inizio del Viaggio, dell'arrivo dei Cavalieri Neri e dell'incontro con Gildor e la sua compagnia, fu scritta, e redatta in modo che il suo contenuto non potesse essere cambiato in seguito, Bingo non abbia il più pallido sentore di ciò che i Cavalieri vogliano da lui. Gandalf non gli ha ancora detto nulla. Egli non ha motivo di associare i Cavalieri al suo anello, né di considerarlo qualcosa di più di un dispositivo magico estremamente comodo – e ovviamente se lo infila ogni volta che passa un Cavaliere.

Naturalmente, il fatto che Bingo sia del tutto all'oscuro della natura della minaccia che lo insegue, assolutamente sconcertato dai cavalieri neri, non implica che lo fosse anche mio padre. Ci sono diversi accenni che suggeriscono come sullo sfondo fossero già sorte nuove idee, non esplicitamente trasmesse nella narrazione, ma deliberatamente ridotte a oscuri accenni di pericolo nelle parole di Gildor (che fosse in effetti così lo si vedrà con più chiarezza all'inizio del prossimo capitolo). È possibile che sia stata la conversione "imprevista" del cavaliere ammantato e infagottato che li sorpassò sulla strada da Gandalf al "cavaliere nero" (p. 64), combinata con l'idea già presente che l'anello di Bilbo fosse di origine oscura e dagli strani poteri (pp. 57-58), a fornire impulso alle nuove concezioni.

Dalla prima riscrittura della conversazione tra Gildor e Bingo (vedi pp. 82-83 e nota 25) emerge che Gandalf aveva avvertito Bingo di non ritardare la sua partenza oltre l'autunno (senza però, a quanto pare, fornirgli alcuna ragione per tale avvertimento), e in entrambe le forme del testo Gildor sa evidentemente qualcosa dei Cavalieri, affermando che "per una strana fortuna vi siete messi in moto appena in tempo", e li associa all'Anello stesso: mettendo in guardia Bingo dall'impiegarlo ancora per sfuggir loro, e suggerendo che l'uso di esso "aiuti più loro che te". (L'Anello non è stato menzionato nella loro conversazione, ma possiamo supporre che Bingo abbia detto a Gildor di averlo adoperato quando sono passati i Cavalieri.)

L'idea dei Cavalieri e dell'Anello si stava senza dubbio evolvendo man mano che mio padre scriveva. Ritengo assai probabile che, quando descrisse per la prima volta le soste dei cavalieri neri accanto agli hobbit nascosti, li immaginasse come attirati unicamente dall'odore (vedi p. 97); e in ogni caso non risulta chiaro in che modo l'utilizzo dell'Anello avrebbe aiutato "più loro che te". Come ho detto, è profondamente caratteristico che queste scene siano emerse subito nella forma chiara e memorabile che non sarebbe mai più stata modificata, ma che la loro portata e il loro significato siano stati in seguito enormemente ampliati. L'"evento" (si potrebbe dire) era fisso, ma il suo significato era in grado di estendersi indefinitamente; e questo si vede, più e più volte, come una caratteristica primaria della scrittura di mio padre. In CdA, dal capitolo intermedio "L'ombra del passato", abbiamo un'idea di cosa fosse quell'altro sentimento che lottava col desiderio di Frodo di nascondersi, del motivo per cui Gandalf gli aveva così categoricamente proibito di usare l'Anello e del motivo per cui fosse spinto irresistibilmente a infilarlo; e leggendo oltre avremmo saputo cosa sarebbe successo in tal caso. Le scene qui al confronto sono vuote di significato, eppure sono le stesse. Persino brevi osservazioni come il "Non so e preferisco non indovinare" di Bingo (p. 73) – nel contesto, una semplice espressione di dubbio e disagio, seppure con un'allusione al fatto che Gandalf dovesse aver detto *qualcosa*, o meglio, che mio padre stesse cominciando a pensare che Gandalf dovesse aver detto qualcosa – sono sopravvissute per assumere un significato molto più minaccioso in CdA (p. 96), dove abbiamo un'idea ben chiara di ciò che Frodo decise di non indovinare.

Il racconto di Frodo Took del suo incontro con un Cavaliere nelle brughiere a nord della Contea nella primavera precedente è il precursore dell'improvviso ricordo di Sam che un Cavaliere si era presentato a Hobbiton e aveva conferito col Veglio Gamgee la sera della loro partenza; tuttavia parrebbe strano che l'inizio della caccia a "Baggins" sia collocato così tanto tempo addietro (vedi p. 96 e nota 4).

È interessante l'eliminazione delle parole di Gildor "poiché tale questione non riguarda gli Elfi come noi" (nota 27). Da principio, credo, mio padre pensava a questi Elfi come "Elfi Scuri"; tuttavia a quel punto aveva deciso che essi (e anche gli Elfi di Valforra) fossero effettivamente "Alti Elfi d'Occidente", e aveva aggiunto le parole di Gildor a Bingo a p. 79 (vedi nota 18): essi erano "Elfi Saggi" (Noldor o Gnomi), "una delle poche compagnie che ancora indugiano a oriente del Mare", ed egli stesso è Gildor Inglorion della Casa di Finrod. Per queste parole di Gildor vedi il *Quenta Silmarillion* §28, in V.409:

Pure, non tutti gli Eldalië erano propensi ad abbandonare le Terre Interne dove avevano a lungo sofferto e a lungo dimorato; e alcuni rimasero per molte ere ancora nell'ovest e nel nord [...]. Ma frattanto che le ere passavano e il popolo degli Elfi sbiadiva sulla Terra, la sera essi continuavano a fare vela dalle coste occidentali di questo mondo; come tuttora fanno, sebbene ora s'attardino ovunque poche delle loro compagnie solitarie.

In quella fase Finrod era il nome del terzo figlio di Finwë (primo Sire dei Noldor). Fu poi mutato in Finarfin, quando Inglor Felagund suo figlio assunse il nome di Finrod (vedi I.65), tuttavia mio padre non cambiò "della Casa di Finrod" qui (CdA, p. 93) in "della casa di Finarfin" nella seconda edizione del *Signore degli Anelli*. Vedi anche pp. 239-240 (conclusione della nota 9).

La geografia della Contea a questo punto stava assumendo una forma più definita. In questo capitolo emergono le Brughiere del Nord, il Paese delle Verdi Colline a sud di Hobbiton, lo Stagno di Acquariva (descritto nella stesura approssimativa del passo come un "laghetto"), la Strada Est fino al Ponte Brandivino, laddove l'Acqua si univa al Brandivino, la strada che si diramava verso sud e portava direttamente a Landaino, e la frazione di Boscasilo nel Fondo Boschivo.

III.
SU GOLLUM E L'ANELLO

Ho suggerito che a questo punto mio padre sapesse molto di più sui Cavalieri e sull'Anello di quanto Bingo fosse a conoscenza o di quanto concedesse a Gildor di raccontare; e prova di ciò si trova nella bozza manoscritta citata a p. 66. Questa inizia, in ogni caso, come una bozza per una parte della conversazione tra Bingo e Gildor, tuttavia il discorso si sposta su argomenti che mio padre escluse dalla versione battuta a macchina (pp. 81-85). Gildor, difatti, non è ancora nominato e, a quanto pare, è in questo testo che emerge come individuo singolo: inizialmente la conversazione è tra Bingo e un "Loro" plurale indifferenziato.

Il brano si apre con una frase apparentemente sconnessa: "Poiché lui stesso non disse ai suoi compagni ciò che aveva scoperto, penso che non ve lo dirò neppure io" (si riferisce a ciò che Bingo aveva scoperto dagli Elfi?). Poi continua:

"Ovviamente," dissero, "sappiamo che sei in cerca di un'Avventura, ma spesso accade che quando ritieni che ti aspetti dinanzi, quella ti giunge inaspettatamente alle spalle. Perché hai scelto proprio questo momento per partire?"

"Be', in effetti il momento era inevitabile, sapete com'è," disse Bingo. "Avevo dato fondo al mio tesoro. E andandomene a zonzo credevo che *potessi* trovarne un altro po', come accadde al vecchio Bilbo; e che comunque vivere senza dovesse risultare più facile. Pensavo anche che avrebbe potuto farmi bene. Stavo diventando piuttosto molle e grasso."

"Sì!" risero. "Hai proprio l'*aspetto* di uno hobbit comune!"

"Ma sebbene sappia cavarmela con un paio di cosette – come falegnameria o giardinaggio – non mi sentivo particolarmente incline a fabbricare sedie altrui o coltivare patate altrui per guadagnarmi da vivere. Suppongo che qualche pizzico di malia del drago mi sia rimasta incollata. L'oro mi ha fatto pigro."

"Dunque Gandalf non ti ha detto nulla al riguardo? Non stavi davvero fuggendo."

"Cosa volete dire? Da cosa?"

"Orbene, da questo cavaliere nero," dissero.

"Non ho la più pallida idea di cosa si tratti."

"Dunque Gandalf non ti ha detto nulla?"

"Non su di loro. Aveva messo Bilbo in guardia sull'Anello, naturalmente, molto tempo fa.[1] 'Non usarlo troppo!' ripeteva sempre. 'E solo per scopi appropriati. Cioè, adoperalo solo per celia, o per sfuggire a pericoli e fastidi – mai per fare del male, o per scoprire i segreti altrui, e naturalmente non per rubare o cose peggiori ancora. Perché potrebbe avere la meglio su di te.' Io non capivo.

"Dopo che Bilbo partì, vidi raramente Gandalf. Tuttavia circa un anno fa egli giunse una sera e gli dissi del piano che stavo iniziando a buttar giù per lasciare Casa Baggins. 'E l'Anello?' mi chiese. 'Stai facendo attenzione? Sii prudente, altrimenti ne sarai sopraffatto.' In effetti non l'avevo quasi mai adoperato, e dopo quel discorso non l'ho più usato fino alla mia festa di compleanno."

"Qualcun altro ne è a conoscenza?"

"Non saprei, non credo, però. Bilbo lo teneva estremamente segreto. Mi ha sempre detto che ero l'unico a sapere della sua esistenza (nella Contea).[2] Non l'ho mai detto a nessun altro, eccetto a Odo e Frodo, che sono i miei migliori amici. Ho cercato di essere per loro quello che Bilbo è stato per me. Ma persino con loro non ho mai menzionato l'Anello, finché non hanno accettato di partire con me per questo Viaggio, qualche mese fa. E loro non l'hanno detto a nessuno, sebbene ne abbiamo parlato spesso fra noialtri. Ebbene, cosa ne pensate di tutto questo? Vedo che siete pieni di segreti, ma non riesco a indovinarne alcuno."

"Be"," disse l'Elfo. "Al riguardo non so gran che. Devi trovare Gandalf al più presto – e suppongo che il posto ove recarsi sia Valforra. Tuttavia credo che il Signore dell'Anello[3] ti stia cercando."

"Ed è un bene o un male?"

"Male; quanto male però non saprei. Male se egli desidera solo l'anello (cosa improbabile); peggio, se egli esige un pagamento; molto peggio se egli desidera anche te (cosa assai probabile). Pensiamo che infine, dopo tanti anni, abbia infine scoperto che Bilbo ne era in possesso. Ecco il perché delle domande su Baggins.[4] Ma in qualche modo la ricerca di Baggins è fallita, e allora dev'essere trapelato qualcosa su di te. Eppure, per uno strano colpo di fortuna, devi aver tenuto la tua festa ed essere sparito proprio quando avevano scoperto dove vivevi. Hai fatto perdere le tracce, ma adesso ne hanno di nuove."

"Chi sono?"

"Servitori del Signore dell'Anello – [?persone] che sono passate traverso l'Anello."

Ciò conclude un foglio, e il successivo non è in continuazione con il precedente; tuttavia, per come li ho trovati tra le carte di mio padre, sono stati messi insieme, e su entrambi egli aveva scritto (in seguito) "A proposito degli Spettri dell'Anello". Anche il secondo brano fa parte di una conversazione, ma non v'è alcuna indicazione su chi sia l'interlocutore (chiunque sia, sta ovviamente parlando con Bingo). È stato scritto molto velocemente e risulta estremamente difficile da decifrare.

"Sì, se l'Anello ha la meglio su di te, a tua volta divieni perennemente invisibile – ed è una sensazione di gelo orribile. Tutto diventa terribilmente sfocato, come immagini spettrali e grigie sullo sfondo nero in cui dimori; tuttavia puoi percepire gli odori più distintamente di quanto tu riesca a udire o vedere.[5] Non hai però il potere, come l'Anello, di rendere invisibili altre cose: sei uno spettro dell'Anello. Puoi indossare degli abiti. [> sei solo uno spettro dell'anello; e i tuoi panni restano visibili, a meno che il Signore non ti conceda un anello]. Tuttavia resti soggetto al dominio del Signore degli Anelli.[6]

Mi aspetto che uno (o più) di questi Spettri dell'Anello siano stati inviati per sottrarre l'anello agli hobbit.

Nei tempi più antichi il Signore degli Anelli creò molti di questi Anelli e li diffuse per il mondo a intrappolare i popoli. Egli li elargì a ogni sorta di genti – gli Elfi ne possedevano molti, e adesso nel mondo numerosi sono gli elfi-spettri, ma il Signore dell'Anello non può dominarli; i Goblin ne possedevano molti, e i goblin invisibili sono assai malvagi e interamente soggetti al Signore; i Nani non ritengo che ne avessero alcuno; certuni sostengono che gli anelli non agiscono su di loro: essi son troppo coriacei. Gli Uomini ne ottennero pochi, ma ne furono sopraffatti assai rapidamente e......... Gli Uomini-Spettri sono anch'essi servi del Signore. Altre creature li hanno ricevuti. Rammenti la storia di Gollum raccontata da Bilbo?[7] Non sappiamo da dove Gollum sbuchi fuori – di certo egli non è un Elfo, né un Goblin; probabilmente neppure un Nano; crediamo piuttosto che appartenga a un'antica stirpe di Hobbit. Giacché l'anello sembra agire allo stesso modo su di lui e su di te. Molto tempo fa [?apparteneva] .... a una famigliola saggia, intelligente e dai piedi posati. Ma egli disparve sottoterra e, sebbene usasse spesso l'anello, evidentemente il Signore ne perse le tracce. Finché Bilbo non lo riportò alla luce.

Naturalmente Gollum stesso potrebbe averne sentito parlare – tutte le montagne traboccavano di voci dopo la battaglia – e aver cercato di recuperare l'anello, o averne informato il Signore."

A questo punto il manoscritto si interrompe. Compare qui un primo scorcio di una storia precedente per Gollum; un accenno di come sia partita la caccia all'Anello; e un primo abbozzo dell'idea che l'Oscuro Signore distribuisse Anelli tra i popoli della Terra di Mezzo. Gli Anelli conferivano l'invisibilità e (quantomeno è implicito) tale invisibilità era associata al destino (o almeno al pericolo) dei portatori degli Anelli: diventare "spettri" e – nel caso di goblin e uomini – servi dell'Oscuro Signore.

In una fase molto precoce mio padre scrisse un capitolo, senza numero né titolo, in cui fece utilizzo del passaggio appena riportato; e questa è la prima stesura di (una parte di) quello che alla fine divenne il capitolo 2, "L'ombra del passato". Come ho già segnalato, nel secondo di questi due passaggi contrassegnati come "A proposito degli Spettri dell'Anello" non è chiaro chi stia parlando. Potrebbe essere Gildor, o Gandalf, o (più probabilmente forse) né l'uno né l'altro, tuttavia non è chiaro; in ogni caso credo che mio padre abbia deciso, durante la stesura della bozza del secondo capitolo, che non avrebbe fatto discutere Gildor di questi argomenti con Bingo (come certamente fece nel primo di questi passaggi sugli "Spettri dell'Anello", p. 97), ma li avrebbe riservati alle istruzioni di Gandalf, e che tale era il punto di partenza del capitolo che presento adesso, nel quale, come ho detto, egli fece uso del secondo passaggio "A proposito degli Spettri dell'Anello". Se abbia scritto questo testo in una sola volta, prima di passare al terzo capitolo (IV in questo libro), risulta impossibile a dirsi; ma il fatto che venga menzionato Marmaduk dimostra che esso precede "Nella casa di Tom Bombadil", ove compaiono per la prima volta "Meriadoc" e "Merry". Questo, in ogni caso, è un punto conveniente per inserirlo.

In seguito mio padre la definì una "prefazione" (vedi p. 287), ed è chiaro che fu scritta come un possibile nuovo inizio del libro, in cui Gandalf racconta a Bingo a casa Baggins, non molto prima della Festa, qualcosa della storia e della natura del suo Anello, del pericolo che rappresenta e della necessità di lasciare casa. È stato composto molto rapidamente e risulta di difficile lettura. Ho introdotto la punteggiatura laddove necessario e, talvolta, ho inserito tacitamente le congiunzioni indispensabili. Ci sono molte modifiche e aggiunte a matita che vengono qui ignorate, perché costituiscono anticipazioni di una versione successiva del capitolo; tuttavia le modifiche che appartengono al momento della composizione sono state adottate nel testo. Non c'è titolo.

Un giorno di tanto tempo fa, due persone sedevano a conversare in una stanzetta. Uno era un mago e l'altro uno hobbit, e la stanza in questione era il salottino della confortevole e ben arredata dimora hobbit nota come Casa Baggins, Sottocolle, nei dintorni di Hobbiton, nel cuore della Contea. Il mago naturalmente era Gandalf e aveva lo stesso aspetto di sempre, sebbene fossero passati novant'anni e più[8] dall'ultima volta che aveva fatto il suo ingresso in una storia che ancora si rammenta. Lo Hobbit era Bingo

Bolger-Baggins, nipote (o in realtà cugino di primo grado) del vecchio Bilbo Baggins e suo erede adottivo. Bilbo era scomparso silenziosamente molti anni prima, tuttavia a Hobbiton non era stato dimenticato.

Bingo, naturalmente, pensava sempre a lui; e quando Gandalf gli faceva visita, di solito i loro discorsi ricadevano su Bilbo. Era un bel pezzo che Gandalf non si recava a Hobbiton: da quando Bilbo era scomparso, le sue visite s'erano fatte più rade e furtive. Gli abitanti di Hobbiton, difatti, non lo avevano visto o comunque notato da parecchi anni: era solito accostarsi con discrezione alla porta di Casa Baggins al crepuscolo ed entrare senza bussare, e solo Bingo (e uno o due dei suoi amici più intimi) sapeva che egli era stato nella Contea. Quella sera s'era intrufolato alla solita maniera e Bingo era più contento che mai di vederlo. Questo perché egli era preoccupato e desiderava spiegazioni e consigli.[9] Adesso stavano parlando di Bilbo e della sua scomparsa, e in particolare dell'Anello (che egli aveva lasciato a Bingo), e di alcuni strani segni e presagi di problemi che andavano infittendosi dopo un lungo periodo di pace e tranquillità.[10]

"A conti fatti, è tutto così strano, inquietante e spaventoso," disse Bingo. Gandalf sedeva a fumare su un seggiolone e Bingo, vicino ai suoi piedi, stava rannicchiato su uno sgabello a scaldarsi le mani accanto al focherello, come se sentisse freddo, sebbene in realtà per quel periodo dell'anno [*scritto sopra:* alla fine di agosto][11] fosse una sera piuttosto tiepida. Gandalf bofonchiò qualcosa – un verso che poteva significare "Concordo, ma così stanno le cose" o forse "Che scempiaggine che hai detto". Ci fu un lungo silenzio. "Da quanto tempo lo sai?" domandò infine Bingo; "Ne hai mai parlato a Bilbo?"

"Intuii subito parecchio," rispose Gandalf adagio, come se frugasse addietro nella memoria. Già i giorni del viaggio, del Drago e della Battaglia dei Cinque Eserciti cominciavano a parergli remoti, in un passato quasi leggendario. Forse persino lui cominciava infine ad avvertire un poco la sua età; e in ogni caso da allora gli erano capitate molte avventure oscure e bizzarre. "Avevo intuito parecchio," disse, "ma presto scoprii di più, perché mi recai, come forse Bilbo ti disse, nella landa del Negromante."[12] Per un attimo la sua voce si ridusse a un sussurro. "Ma sapevo che tutto andava bene per Bilbo," proseguì. "Bilbo era al sicuro, perché quel tipo di potere era inefficace su di lui, o almeno così pensavo, e in un certo senso avevo ragione (sebbene non del tutto). Ho tenuto d'occhio lui e quella cosa, naturalmente, ma forse non son stato abbastanza cauto."

"Sono certo che hai fatto del tuo meglio," disse Bingo, volendo rassicurarlo. "O carissimo e migliore amico della nostra casa, che la tua barba non smetta mai di crescere! Dev'essere stato un duro colpo quando Bilbo è scomparso, però."

"Niente affatto," disse Gandalf, tornando di colpo al suo tono abituale. Emise un gran getto di fumo con uno sbuffo indignato e quello gli si attorcigliò intorno alla testa come una nuvola su una montagna. "La cosa non mi turbò. Bilbo sta bene. Siete tu e tutti gli altri cari, sciocchi, incantevoli, idioti, indifesi hobbit a preoccuparmi! Sarebbe un colpo mortale per il mondo se l'oscuro potere assoggettasse la Contea; se tutti questi bravi, allegri, stupidi Bolger, Baggins, Brandaino, Soffiacorno, Pededegni e compagnia bella fossero ridotti a Spettri."

Bingo rabbrividì. "Ma perché dovremmo esserlo?" domandò. "E perché il Signore dovrebbe mai volere tali servitori, e cosa c'entra tutto questo con me e l'Anello?"

"È l'unico Anello mancante," disse Gandalf. "E gli Hobbit restano l'unico popolo su cui il Signore non ha esercitato alcun dominio.

"Nei[13] tempi antichi l'Oscuro Signore creò molti Anelli e li elargì copiosamente, di modo che potessero diffondersi per intrappolare i popoli. Gli Elfi ne possedevano molti e adesso nel mondo molti sono gli elfi-spettri; i goblin ne possedevano alcuni, e i goblin-spettri sono assai malvagi e interamente soggetti al Signore. Si dice che i Nani ne possedessero sette, ma nulla potesse renderli invisibili. In loro si accendeva solo il fuoco dell'avidità, e alla fondazione di ciascuno dei sette tesori dei Nani d'un tempo v'era un anello d'oro. In tal modo il loro padrone li controllava comunque. Ma i loro tesori sono andati distrutti, i draghi li hanno divorati e gli anelli si sono fusi, o così sostengono alcuni.[14] Gli Uomini possedevano tre anelli, e altri li avevano scovati in luoghi segreti, gettati via dagli elfi-spettri; gli uomini-spettri divennero servi del Signore, e gli riconsegnarono tutti i loro anelli; finché infine egli raccolse di nuovo nelle sue mani quanti non erano stati distrutti dal fuoco – tutti tranne uno.

"Questo scivolò dalla mano di un Elfo mentre traversava a nuoto un fiume; l'anello lo tradì, poiché egli stava fuggendo da un inseguimento nelle antiche guerre, ed egli tornò visibile ai suoi nemici, e i Goblin lo uccisero.[15] Ma un pesce carpì l'anello e s'empì di follia, e nuotò controcorrente, saltando sulle rocce e sulle cascate, finché non si gettò su una riva, sputò l'anello e morì.

"Tanto tempo fa, viveva sulle sponde del ruscello una famigliola agile di mano e lesta di piede.[16] Doveva appartenere al ceppo hobbit, o essere affine ai padri dei padri degli hobbit stessi. Il più curioso e ficcanaso della famiglia si chiamava Dígol. S'interessava di radici e origini; si tuffava negli stagni profondi; scavava sotto gli alberi e le piante in crescita; apriva gallerie nei verdi tumuli; e aveva smesso di guardar ai fiori, alle cime dei monti o agli uccelli su nell'aria: teneva la testa e gli occhi rivolti in basso. Rinvenne l'anello nella mota della sponda sotto le radici d'un biancospino; ed egli se lo infilò, e quando tornò a casa nessuno in famiglia poteva vederlo mentre lo indossava. Contentissimo della scoperta, la tenne per sé; e se ne avvalse per scoprire segreti e sfruttò quanto veniva a sapere a fini malvagi. Pose l'occhio sempre più aguzzo e l'orecchio sempre più fine al servizio d'ogni spregevolezza. Non c'è da stupirsi se divenne inviso a tutti e se i parenti lo evitavano (quando era visibile). Lo prendevano a calci e lui mordeva loro i piedi. Si mise a borbottare tra sé e gorgogliare in gola. Perciò lo chiamarono Gollum, lo maledirono e gli dissero di andarsene lontano. Vagò in solitudine, risalì il fiume e con le dita prendeva i pesci negli stagni profondi e li mangiava crudi. Un giorno che faceva molto caldo, mentre era chino su una pozza, sentì un bruciore alla nuca e una luce abbagliante riflessa dall'acqua gli ferì gli occhi. Si chiese come mai, perché si era quasi dimenticato del sole. Allora per l'ultima volta alzò lo sguardo al cielo e mostrò il pugno. Ma abbassando gli occhi scorse in lontananza le cime dei Monti Brumosi, da dove sgorgava il torrente. E d'un tratto pensò: "Sotto quei monti sarebbe fresco e ombroso. Lì il sole non potrebbe scovarmi più. Le radici di quei monti sì che son radici; devono nascondere grandi segreti mai scoperti sin dal principio." Così viaggiò di notte verso le montagne e incappò in un piccolo antro dal quale scaturiva un torrente; e s'intrufolò come un verme nel cuore delle alture e sparì dalla faccia della terra. L'Anello penetrò nelle ombre con lui, e perfino il suo Padrone ne perse ogni traccia. Ma ogniqualvolta egli contava i suoi anelli, a parte i sette che i Nani avevano posseduto e perduto, ne mancava sempre uno."

"Gollum!" esclamò Bingo. "Vuoi dire quel Gollum che fu incontrato da Bilbo? Questa sarebbe la sua storia? È davvero orribile e miserabile. Detesto pensare che egli fosse legato agli Hobbit, seppure alla lontana."

"Eppure ciò risultava chiaro e indubitabile dal racconto di Bilbo stesso," disse Gandalf. "È l'unica cosa che spieghi gli eventi, o li spieghi in parte. Per molti versi mentalità e ricordi li accomunavano. Tra loro si capivano al volo (se ci pensi) molto meglio di quanto uno hobbit abbia mai capito nani, o elfi, o goblin."

"Tuttavia, Gollum avrebbe dovuto essere, o essere ancora, molto più vecchio del più vecchio Hobbit mai vissuto in campo o buca," disse Bingo.

"Ciò era a causa dell'Anello," disse Gandalf. "Naturalmente è una lunga vita ben grama quella che l'Anello conferisce, una specie di esistenza prolungata anziché uno sviluppo perpetuo, una sorta di continuo smagrimento. Un logorio spaventevole, Bingo, anzi uno strazio senza misura. Persino Gollum giunse infine ad avvertirlo, a sentire di non poterlo più sopportare e a comprendere vagamente la causa del tormento. Aveva persino deciso di disfarsene. Ma era troppo colmo di malizia. Se vuoi sapere come la penso, credo che egli avesse iniziato a elaborare un piano che non aveva più il coraggio di portare a termine. Non c'era nulla di nuovo da scoprire; non restava altro che oscurità, niente da fare eccetto cibo freddo e ricordi pieni di rimpianto. Voleva sgattaiolare via, lasciare le montagne e fiutare l'odore dell'aria aperta, pure se questo lo avrebbe ucciso, come pensava che probabilmente sarebbe successo. Ma ciò avrebbe comportato cedere l'Anello. E questo non è facile a farsi. Più a lungo ne detieni uno, più risulta arduo. Lo era particolarmente per Gollum, perché egli aveva un Anello da sempre, ed esso gli faceva male ed egli lo odiava, e desiderava, quando non riusciva più a sopportare la cosa, passarlo a qualcun altro per cui a sua volta sarebbe diventato un fardello – [?legandosi] come una benedizione per poi trasformarsi in maledizione.[17] Questo infatti è il modo migliore per disfarsi del suo potere."

"Perché non lasciarlo ai goblin, allora?" domandò Bingo.

"Non credo che Gollum l'avrebbe trovato abbastanza divertente," rispose Gandalf. "I goblin sono già così bestiali e miserabili per conto loro che nei loro confronti sarebbe stata cattiveria sprecata. Inoltre sarebbe risultato difficile sfuggire a eventuali cacciatori con un Goblin invisibile con cui fare i conti. Tuttavia suppongo che alla fine avrebbe potuto farlo trovare a loro (se avesse trovato il coraggio di fare effettivamente qualcosa), non fosse stato per l'arrivo inaspettato di Bilbo. Rammenti quanto egli ne fu sorpreso. Ma non appena iniziarono gli indovinelli, nella sua mente si delineò un piano – o un suo abbozzo. Oserei dire che le sue vecchie cattive abitudini avrebbero preso il sopravvento e si sarebbe mangiato Bilbo, se si fosse rivelato semplice. Ma c'era la spada, rammenti. In cuor suo, credo, non si aspettava davvero di riuscire a mangiare Bilbo."

"Ma l'anello lui non l'ha mai dato a Bilbo," disse Bingo. "Bilbo l'aveva già preso!"

"Lo so," disse Gandalf. "Per questo ho detto che le origini di Gollum spiegano solo in parte gli eventi. Dietro l'intera faccenda c'era, naturalmente, qualcosa di molto più misterioso, qualcosa che andava ben oltre il Signore degli Anelli stesso, specifico di Bilbo e della sua grande Avventura. Su tali anelli gravava uno strano destino, e in particolare su questo. Talvolta essi andavano perduti e venivano ritrovati in luoghi strani. In passato questo anello era già sfuggito a tradimento al suo proprietario. Sfuggì anche a Gollum. Ecco perché ho lasciato che Bilbo tenesse l'anello così a lungo.[18] Ma al momento sto cercando di spiegare il ruolo di Gollum."

"Capisco," disse Bingo dubbioso. "Tuttavia sai cosa successe in seguito?"

"Non troppo chiaramente," disse Gandalf. "Ho udito un po' di cose e sono in grado d'intuirne altre. Suppongo che alla fine Gollum avesse scoperto che in qualche modo Bilbo si era impadronito dell'Anello. Forse l'ha capito subito. Ma in ogni caso la notizia degli eventi successivi si diffuse in tutta Selvalanda e oltre ancora, a est e ovest, a sud e nord. Le montagne traboccavano di sussurri e racconti; e questo avrebbe dato a Gollum di che ruminare a sufficienza.[19] Comunque, quel che si vocifera è che Gollum lasciò le montagne – perché i Goblin erano diventati assai pochi laggiù, e i recessi profondi più che mai oscuri e solitari, e il potere dell'anello l'aveva abbandonato. Probabilmente si sentiva vecchio, molto vecchio, eppure meno timoroso. Non credo però che per questo sia diventato meno malvagio. Non vi sono notizie su quanto gli accadde in seguito. Certo, è assai probabile che il vento e la semplice ombra della luce del sole l'abbiano spacciato piuttosto in fretta. Tuttavia resta possibile che non sia andata così. Egli era scaltro. Avrebbe saputo nascondersi dalla luce del giorno o della luna finché non si fosse lentamente abituato. Difatti ho l'orribile sensazione che, adagio e furtivo, egli si sia accostato alla torre oscura, al Negromante, al Signore degli Anelli. Ritengo molto probabile che proprio Gollum sia la radice del nostro attuale problema; e che per mezzo suo il Signore abbia scoperto dove cercare l'ultimo, il più prezioso e potente dei suoi Anelli."

"Ma per pietà, perché Bilbo non ha trafitto quella creatura bestiale quando gli disse tanti saluti?" disse Bingo....

"Che scempiaggini che dici talvolta, Bingo," disse Gandalf. "Pietà! È stata la pietà a trattenerlo. Egli non poteva agir così senza commettere torto. Andava contro le regole. Se l'avesse fatto, non sarebbe stato lui a possedere l'anello, l'anello avrebbe posseduto lui senza indugio. Sarebbe potuto diventare uno spettro all'istante."

"Certo, certo," disse Bingo. "Che brutta cosa da dire su Bilbo. Caro vecchio Bilbo! Ma perché ha tenuto quell'affare, o perché tu gliel'hai permesso? Non l'hai messo in guardia?"

"Sì," disse Gandalf. "Ma persino su Bilbo esso esercitava *un certo* potere. Un sentimento......... Gli piaceva tenerlo come ricordo. Parliamoci francamente: continuava a essere orgoglioso della sua Grande Avventura, e rimirare l'anello di tanto in tanto gli ravvivava la memoria e lo faceva sentire un po' eroico. Difficilmente poi avrebbe potuto cederlo: se ci pensi un attimo, non è molto facile disfarsi di un Anello una volta che lo si è ottenuto."

"Perché no?" disse Bingo, dopo aver riflettuto un attimo. "Lo si può donare, buttare via o distruggere."

"Sì," disse Gandalf, "oppure consegnarlo: al suo Padrone. Sempre che tu voglia servirlo, cadere in suo potere e accrescere enormemente il suo potere."

"Ma nessuno vorrebbe questo," ribatté Bingo, inorridito.

"Nessuno che tu possa immaginare, forse," rispose Gandalf. "Non Bilbo, questo è certo. Ecco cosa rendeva spinosa la faccenda. Egli non osava gettarlo via per evitare che finisse in mani malvagie, venisse impiegato con malizia e tornasse al Padrone dopo aver operato grande malvagità. Per lo stesso motivo non lo avrebbe mai consegnato a gente malvagia; e non lo affidava a gente buona o a persone che conosceva e di cui si fidava, perché non voleva gravarle, non prima di quando ne fosse obbligato. Ed egli non poteva distruggerlo."

"Perché no?"

"Be', come lo distruggeresti? Ci hai mai provato?"

"No; ma suppongo che si possa spezzare col martello, o fondere, o tutte e due le cose."

"Provaci," disse Gandalf, "e scoprirai ciò che Bilbo scoprì molto tempo fa."

Bingo tirò fuori da un taschino l'Anello e lo guardò. Appariva liscio e regolare, senza segni o fregi visibili o rune. Ma era d'oro, e mentre lo guardava Bingo ne apprezzò la bellezza e l'intensità del colore, la perfetta rotondità. Era un oggetto mirabile e assolutamente prezioso. L'intenzione era di scagliarlo nelle braci roventi del camino. Ma si rese conto che adesso non ci riusciva, non senza mettercisi d'impegno. Soppesò l'Anello, e poi con uno sforzo di volontà fece un gesto, come per gettarlo nel fuoco – ma si accorse di averlo rimesso in tasca.

Gandalf rise. "Visto? L'hai sempre considerato un gran tesoro, e un lascito di Bilbo. Adesso non riesci già più a sbarazzartene. In effetti, pure lo posassi su un'incudine e chiamassi a raccolta abbastanza forza e lo prendessi a mazzate, non lo scalfiresti nemmeno. Il tuo fuocherello, certo, pure ci soffiassi tutta la notte col mantice, fonderebbe a malapena l'oro comune. Ma neppure il vecchio Adamo Soffiacorno, il fabbro in fondo alla strada riuscirebbe a disfarlo nella sua fornace. Hanno detto che solo il fuoco di drago può fonderli, ma mi domando se non sia una leggenda o se comunque ormai sulla terra non ci sia drago dall'antico fuoco abbastanza rovente; credo che dovresti trovare una delle Crepe della Terra negli abissi della Montagna Fiammea, e gettarlo nel Fuoco Segreto, se volessi distruggerlo per davvero."[20]

"Dopo tutto il tuo discorso," disse Bingo, per metà serio e per metà con fastidio simulato, "certo che voglio distruggerlo per davvero. Non riesco a capire come Bilbo abbia potuto sopportarlo per così tanto tempo, se era a conoscenza della faccenda... eppure talvolta lo usava e ne scherzava con me."

"L'unica cosa da fare con tesori così pericolosi che l'Avventura ti ha elargito è prenderli con leggerezza," sentenziò Gandalf. "Dal suo ritorno Bilbo non ricorse mai all'anello per uno scopo grave. Sapeva che era una faccenda troppo seria. E credo che ti abbia ammaestrato bene, dopo averti eletto quale suo erede tra tutti gli hobbit della sua stirpe."

Seguì ancora un lungo silenzio, mentre Gandalf tirava qualche boccata dalla pipa, all'apparenza soddisfatto così sebbene, da sotto le palpebre, i suoi occhi osservassero intensamente Bingo. Bingo aveva lo sguardo fisso sulle rosse braci, che presero come a raggiare mentre la luce sbiadiva e la stanza sprofondava lentamente nell'oscurità. Pensava alle favolose Crepe della Terra e al terrore della Montagna Fiammea.

"Insomma," disse infine Gandalf, "a che cosa stai pensando? Stai escogitando qualche piano o hai qualche idea?"

"No," disse Bingo, tornando in sé e scoprendo con stupore di essere lì nel buio. "O forse sì! Se ho ben capito, devo lasciare Hobbiton, lasciare la Contea, lasciare tutto e andarmene e tirarmi dietro il pericolo. Devo salvaguardare la Contea, potendo... anche se a volte l'ho trovata indicibilmente stupida e ottusa, e ho pensato che un bel botto o un'invasione di draghi le farebbe bene. Adesso però non la penso più così. Adesso penso che finché a sostenermi ci sarà la Contea, sicura e serena, troverò più sopportabili i vagabondaggi e le avventure: sentirò di avere un solido punto d'appoggio da qualche parte, anche se non avrò più modo di metterci piede. Ma ho idea che dovrò andar da solo. Mi sento molto piccolo, sai com'è, e molto sradicato e insomma... spaventato, credo. Aiutami, Gandalf, migliore degli amici."

"Su con la vita, Bingo, ragazzo mio," disse Gandalf, gettando due piccoli ceppi di legno sul fuoco e soffiandovi con la bocca. Immediatamente la legna divampò ed empì la stanza di luce danzante. "No, secondo me non hai bisogno di andar da solo. Perché non chiedere ai tuoi tre migliori amici di venire, pregarli, ordinarglielo (se proprio devi) – intendo i tre, gli unici tre a cui hai parlato (forse in modo poco cauto, o forse saggiamente) del tuo Anello segreto: Odo, Frodo e Marmaduk [*scritto sopra:* Meriadoc]. Ma devi agire in fretta – e farlo parere uno scherzo, Bingo, uno scherzo, uno scherzo enorme, uno scherzo colossale. Non mostrarti luttuoso e grave. Gli scherzi son proprio nel tuo stile. È questo che a Bilbo piaceva di te (fra le altre cose), se vuoi saperlo."

"E dove andremo, come procederemo, e quale sarà la nostra missione?" disse Bingo, senza la minima traccia d'un sorriso o un barlume scherzoso. "Quando l'enorme scherzo sarà concluso, cosa succederà?"

"Al momento non ne ho idea," disse Gandalf, assai grave e ciò con grande sorpresa e sgomento di Bingo. "Ma sarà esattamente l'opposto dell'avventura di Bilbo, almeno da principio. Partirai per un viaggio senza meta conosciuta; e per quanto riguarda il tuo obiettivo, non sarà quello di conquistare un nuovo tesoro, ma di sbarazzarti di un tesoro che ti appartiene (si potrebbe dire) inevitabilmente. Tuttavia non si può nemmeno mettersi in viaggio senza recarsi verso est, ovest, sud o nord; quale sceglieremo, dunque? Verso il pericolo, ma non troppo avventatamente o troppo dritti su di esso. Va' a est. Sì, sì, ci sono. Dirigiti prima verso Valforra, e poi vedremo. Sì, allora vedremo. Anzi, comincio già a capire!" Improvvisamente Gandalf prese a ridacchiare. Si strofinò le lunghe mani nodose e fece scrocchiare le articolazioni delle dita. Si chinò in avanti verso Bingo. "Ho pensato a uno scherzo," disse. "È solo un abbozzo, puoi raffinarlo col tuo ingegno comico." E la sua barba oscillò avanti e indietro mentre sussurrava a lungo all'orecchio di Bingo. Il fuoco ardeva nuovamente tenue, ma all'improvviso nell'oscurità riecheggiò un suono inaspettato. Bingo si torceva dalle risate.

[1] Il pensiero di mio padre in questo caso è certamente chiaro. Bingo introduce l'argomento dell'Anello come se questo avesse un qualche legame coi Cavalieri, mentre è ovviamente destinato ad apparire come del tutto incapace di intuirne il significato; e nelle bozze non c'è alcun accenno al fatto che l'Anello fosse stato menzionato prima di questo punto.

[2] (*nella Contea*): mio padre inizialmente aveva scritto "tranne Gandalf". Le parole "(*nella Contea*)" probabilmente non significano altro: cioè, nessuno a parte Bilbo e Bingo, e al di fuori della Contea solo Gandalf, e chiunque altro a cui Gandalf avrebbe potuto raccontarlo.

[3] Questa è probabilmente la prima volta che viene usata l'espressione *Il Signore dell'Anello*; e *Il Signore degli Anelli* ricorre più avanti (nota 6). (Mio padre fornì *Il Signore dell'Anello* come titolo della nuova opera in una lettera ad Allen & Unwin del 31 agosto 1938.)

[4] *Ecco il perché delle domande su Baggins*: questo non è menzionato nelle bozze del manoscritto, ma vedi la versione dattiloscritta, p. 72 e nota 9. La frase successiva, "Ma in qualche modo la ricerca di Baggins è fallita, e allora dev'essere trapelato qualcosa su di te", forse spiega la storia di Frodo Took che incontrò un Cavaliere Nero nella Brughiera del Nord già nella primavera precedente (vedi p. 92).

[5] Mio padre qui scrisse inizialmente che l'abbigliamento di chi è diventato così permanentemente invisibile risultava anch'esso invisibile, ma scartò l'affermazione appena scritta.

[6] Questa sembra essere la prima apparizione dell'espressione *Il Signore degli Anelli*; vedi nota 3.

[7] Dopo questa frase mio padre scrisse: "Ritengo che Gollum sia una sorta di lontano parente della specie dei goblin." Poiché questa frase è contraddetta dalla frase successiva, essa fu ovviamente rifiutata nell'atto stesso di scriverla; in seguito la cancellò.

[8] *novant'anni e più*: vedi pp. 43-46.

[9] In nessun punto del testo si fa più riferimento alla "preoccupazione" di Bingo, e il consiglio che chiede è interamente basato su ciò che Gandalf gli comunica adesso e che ovviamente gli risulta del tutto nuovo. Non c'è nemmeno alcun ulteriore riferimento agli "alcuni strani segni e presagi di problemi che andavano infittendosi" di cui si parla nella frase successiva, né alcuna spiegazione dell'osservazione di Gandalf (p. 105) secondo cui "Gollum sia la radice del *nostro attuale problema*".

[10] Così termina la prima pagina del manoscritto. In testa alla seconda pagina mio padre scrisse a matita: "Gandalf e Bingo discutono degli Anelli e Gollum", e "Bozza: Più tardi utilizzata nel capitolo II", e numerò le pagine (precedentemente non numerate) a lettere greche, iniziando da questo punto. Quindi la prima pagina fu omessa. Tuttavia queste annotazioni a matita sono state chiaramente inserite molto tempo dopo e, a mio avviso, non mettono in dubbio la validità della sezione iniziale come parte integrante del testo. Può darsi che a un certo punto sia stata separata e smarrita, ma quando le carte sono state ritrovate fu inserita assieme al resto.

[11] La diceria della Festa – decisa da Gandalf e Bingo alla fine di questo testo – cominciò a circolare a inizio settembre (p. 42).

[12] Nello *Hobbit* (capitolo I) Gandalf raccontava a Thorin a Casa Baggins di aver trovato suo padre Thrain "nelle segrete del Negromante". Nella *Conta degli Anni* dell'Appendice B di SdA questa, la seconda visita di Gandalf a Dol Guldur, avvenne nell'anno 2850, quarant'anni prima della nascita di Bilbo; fu allora che egli scoprì che il suo padrone "non era altri che Sauron" (vedi CdA, p. 270). Qui invece il significato è chiaramente che Gandalf si recò nella terra del Negromante *dopo* l'acquisizione dell'Anello da parte di Bilbo. Più tardi mio padre modificò il testo a matita perché vi si leggesse: "poiché tornai ancora una volta nella landa del Negromante".

13 Qui viene utilizzata la precedente stesura relativa agli Anelli: vedi p. 98.

14 Vedi CdA, p. 72 e SdA, Appendice A, pp. 1143-1150.

15 Questo è il primo germe del racconto della morte di Isildur.

16 Anche questo deriva dal testo di cui alla nota 13.

17 Questa frase, nella sua prima stesura, terminava con: "e voleva passarlo a qualcun altro". È a questo che si riferisce la frase seguente.

18 Il passaggio che inizia con "Gravava uno strano destino" è un'aggiunta, e "Ecco perché ho lasciato che Bilbo tenesse l'anello così a lungo" si riferisce alla frase che termina con "[...] specifico di Bilbo e della sua grande Avventura".

19 Vedi la bozza di passaggio riportata a p. 98: "Naturalmente Gollum stesso potrebbe averne sentito parlare – tutte le montagne traboccavano di voci dopo la battaglia – e aver cercato di recuperare l'anello."

20 La prima menzione della Montagna Fiammea e delle Crepe della Terra nelle sue profondità.

Si noterà che una parte dell'elemento "Gollum" nel capitolo "L'ombra del passato" (capitolo 2 in CdA) venne da subito largamente acquisita, sebbene qui Dígol* (poi Déagol) sia Gollum stesso, e non l'amico che avrebbe assassinato, sebbene Gandalf non l'abbia mai incontrato (e dunque non viene spiegato come faccia a conoscerne la storia, che per sua natura può essere cavata solo dalle parole di Gollum medesimo), e sebbene venga solo ipotizzato che infine egli si sia recato dall'Oscuro Signore.

È importante capire che quando mio padre scrisse questo libro, stava lavorando all'interno dei vincoli della storia originariamente raccontata nello *Hobbit*. Quando *Lo Hobbit* apparve per la prima volta, e fino al 1951, la storia era che Gollum, incontrando Bilbo sul bordo del lago sotterraneo, propose il gioco degli indovinelli a queste condizioni: "Se il Tesoro domanda e lui non risponde, lo mangiamo, mio caro. Se lui domanda e noi non rispondiamo, gli facciamo un regalo, Gollum!" Quando Bilbo vinse la gara, Gollum mantenne la promessa e tornò con la sua barchetta alla sua isola nel lago per trovare il suo tesoro, l'anello che doveva essere il suo regalo a Bilbo. Non riuscì a trovarlo, perché Bilbo lo aveva in tasca, e tornando da Bilbo gli chiese perdono più volte: "Continuava a dire: 'Ci dispiace: non volevamo imbrogliare, volevamo dargli il nostro unico regalo, se avesse vinto

* Antico inglese *dígol, déagol*, ecc. "segreto, nascosto"; vedi SdA, Appendice F, p. 1225.

la gara.'" "'Non importa!' disse lui [Bilbo]. 'L'anello sarebbe stato mio adesso, se l'avessi trovato; quindi l'avresti perso comunque. E ti lascerò andare a una condizione.' 'Sì, che cossss'è? Cosa vuole che facciamo, mio caro?' 'Aiutami a uscire da questi luoghi,' disse Bilbo." E Gollum lo fece; e Bilbo disse addio a quella brutta e miserabile creatura. Durante la risalita nei tunnel, Bilbo si infilò l'anello e Gollum lo perse subito, così Bilbo capì che l'anello era come gli aveva detto Gollum: ti rendeva invisibile.

Questo è il motivo per cui, nel testo attuale, Gandalf dice: "Suppongo che alla fine Gollum avesse scoperto che in qualche modo Bilbo si era impadronito dell'Anello"; e perché mio padre fece sviluppare a Gandalf una teoria secondo cui Gollum era in realtà pronto a cedere l'anello: "desiderava [...] passarlo a qualcun altro [...] suppongo che alla fine avrebbe potuto farlo trovare a loro [i goblin] [...] non fosse stato per l'arrivo inaspettato di Bilbo. [...] non appena iniziarono gli indovinelli, nella sua mente si delineò un piano." Tutto ciò è accuratamente concepito in relazione al testo dello *Hobbit* qual era allora, per far fronte a una formidabile difficoltà: se l'Anello era di tale natura quale mio padre lo concepiva adesso, come *poteva* Gollum avere davvero intenzione di cederlo a uno sconosciuto che aveva vinto una gara di indovinelli? – e il testo originale dello *Hobbit* non lasciava dubbi sul fatto che tale fosse seriamente la sua intenzione. Tuttavia è interessante notare come le osservazioni di Gandalf sull'affinità d'animo tra Gollum e Bilbo, sopravvissute in CdA (pp. 65-66), nacquero originariamente in questo contesto, per spiegare come mai Gollum fosse disposto a cedere il suo tesoro.

Dedicandoci adesso a ciò che viene raccontato degli Anelli in questo testo, l'idea originale (p. 98) che gli Elfi avessero molti Anelli, e che nel mondo ci fossero svariati "Elfi-Spettri", è ancora presente, mentre la frase "il Signore dell'Anello non può dominarli" no. I Nani, invece, che inizialmente si diceva non ne avessero, adesso ne hanno sette, ognuno a fondamento di uno dei "sette tesori dei Nani", e la loro risposta peculiare al potere corruttivo degli Anelli fa il suo ingresso (sebbene questo fosse già stato preannunciato nella prima bozza sull'argomento: "certuni sostengono che gli anelli non agiscono su di loro: essi son troppo coriacei"). Gli uomini, di cui inizialmente si diceva che ne avessero "pochi", adesso ne hanno tre, tuttavia "altri li avevano scovati in luoghi segreti, gettati via dagli Elfi-spettri" (consentendo l'esistenza di più di tre Cavalieri Neri). Invece la concezione centrale dell'Anello Dominante non è ancora presente, sebbene fosse, per così dire, in attesa: si dice infatti che l'Anello di Gollum non solo era l'unico che non era tornato all'Oscuro Signore (oltre a quelli persi dai Nani) – era il "*più prezioso e potente* dei suoi Anelli" (p. 105). Tuttavia non ci viene detto in che cosa risiedesse la sua particolare potenza; e non si viene nemmeno a sapere di più sulla relazione tra l'invisibilità conferita dagli Anelli, la tormentosa longevità (che fa la sua comparsa per la prima volta) e il decadere dei loro portatori a "spettri".

L'elemento di volontà morale richiesto a chi possiede un Anello per resistere al suo potere viene fortemente evidenziato. Lo si vede nel consiglio di Gandalf a Bilbo nella stesura originale (p. 96): "mai per fare del male, o per scoprire i segreti altrui, e naturalmente non per rubare o cose peggiori ancora. *Perché potrebbe avere la meglio su di te*" e ancora più esplicitamente nel suo rimprovero a Bingo, che definisce un peccato che Bilbo non avesse ucciso Gollum: "Egli non poteva agir così senza commettere torto. Andava contro le regole. Se l'avesse fatto, non sarebbe stato lui a possedere l'anello, *l'anello avrebbe posseduto lui senza indugio*" (p. 105). Questo elemento rimane in CdA (pp. 71-72), seppure espresso in modo più cauto: "Sta' pur certo che se il male lo ha appena scalfito e lui è riuscito infine a sottrarvisi, è perché è giunto a possedere l'Anello così."

La fine del capitolo – con Gandalf che propone egli stesso la festa di compleanno e lo "scherzo colossale" di Bingo – fu rapidamente scartata e non viene più menzionata.

IV.
VERSO LA FATTORIA DI MAGGOT E LANDAINO

Il terzo degli originali capitoli consecutivi esiste in forma completa solo in dattiloscritto, ove reca il numero "III" ma è sprovvisto di titolo; sono presenti tuttavia anche bozze manoscritte incomplete e assai approssimative, che sono state completate e migliorate nel dattiloscritto ma lasciate inalterate nelle loro linee essenziali. Verso la fine il dattiloscritto termina (nota 16), non a fondo pagina, e il resto del capitolo è scritto a mano; anche per questa parte esiste una stesura approssimativa.

Riporto ancora una volta il testo per intero, poiché in questo capitolo la narrazione originale era molto lontana da quella che poi sarebbe stata pubblicata. I cambiamenti successivi furono qui minimi. Riprendo nel testo alcune modifiche manoscritte che mi sembrano con ogni probabilità contemporanee alla stesura del dattiloscritto medesimo.

La fine del capitolo corrisponde al capitolo 5 di CdA "Una congiura smascherata"; in questa fase non v'era alcuna congiura.

III

Al mattino Bingo si svegliò riposato. Era steso sotto un pergolato composto da un albero vivo con i rami intrecciati e ricadenti al suolo; il giaciglio era di felci e d'erba, soffice e profondo e stranamente profumato. Il sole brillava attraverso le foglie tremolanti, ancora verdi sulla pianta. Balzò in piedi e uscì.

Odo e Frodo erano seduti sull'erba vicino al limitare del bosco. Degli Elfi nessuna traccia. "Ci hanno lasciato frutta, bevande e pane," disse Odo. "Vieni a fare colazione. Il pane è quasi buono come ieri sera."

Bingo si sedette accanto a loro. "Ebbene?" disse Odo. "Scoperto qualcosa?"

"No, niente," disse Bingo. "Solo allusioni ed enigmi. Ma per quanto son riuscito a capire, pare che Gildor creda che ci siano diversi Cavalieri; che stiano inseguendo *me*; che adesso li abbiamo davanti e dietro e su entrambi i nostri fianchi; che sia inutile tornare indietro (almeno per quanto mi riguarda); che dovremmo dirigerci a Valforra il più lesti possibile, e se laggiù troveremo Gandalf, tanto meglio; e che per arrivarci ci aspettano momenti eccitanti e pericolosi."

"Io questo lo chiamo tutt'altro che niente," disse Odo. "Ma perché quei tizi annusano?"

"Non ne abbiamo parlato," disse Bingo con la bocca piena.

"E invece avreste dovuto," disse Odo. "Sono sicuro che è molto importante."

"In tal caso sono sicuro che Gildor non mi avrebbe detto nulla al riguardo. Tuttavia ha detto che pensava che tanto valeva che veniste con me. Ho capito che i cavalieri non cercano pure voi e anzi gli siete di ostacolo."

"Splendido! Ci penseranno Odo e Frodo, allo Zio Bingo. Non permetteranno che venga fiutato."

"Bene!" disse Bingo. "Questo è deciso. Allora come procediamo?"

"Cosa vuoi dire?" disse Odo. "Saltiamo, trottiamo, corriamo, strisciamo a pancia in giù o camminiamo canticchiando?"

"Esatto. E seguiamo la strada o arrischiamo una scorciatoia? Non c'è scelta per quanto riguarda il tempo; dobbiamo procedere alla luce del giorno, perché Marmaduk ci aspetta stasera. In effetti dobbiamo partire il prima possibile. Ci siamo svegliati tardi; e ci aspettano almeno diciotto miglia."

"*Tu*, vuoi dire, ti sei svegliato tardi," disse Odo, "noi siamo già in piedi da un pezzo."

Finora Frodo non aveva detto nulla. Rimirava le cime degli alberi a oriente. A quel punto si voltò verso di loro. "Io voto per traversare la landa," disse. "Tra qui e il Fiume la regione non è così selvatica. Non dovrebbe essere difficile appuntare la nostra direzione prima di lasciare questa collina e mantenerla piuttosto accuratamente. Landaino è esattamente a sud-est di Boscasilo,[1] più o meno, laggiù tra gli alberi. Dovremmo tagliare un bel po' di strada, perché quella devia a sinistra – se ne intravede un po' laggiù – e poi svolta a meridione accostandosi al fiume.[2] Potremmo arrivare a Landaino prima che faccia buio per davvero."

"Le scorciatoie causano ritardi," disse Odo. "E non capisco perché sarebbe peggio imbattersi in un Cavaliere su una strada che in un bosco."

"Eccetto che lui non sarà in grado di scorgerti altrettanto bene, e potrebbe non cavalcare così lesto," disse Bingo. "Anch'io voto per mollare la strada."

"Va bene!" disse Odo. "Ti seguirò dentro ogni acquitrino e in ogni fosso. Siete due lestofanti come Marmaduk. Mi sa che finirò in minoranza per tre a uno, invece che per due a uno, quando lo prenderemo con noi, se mai ci riusciremo."

Adesso il sole aveva ripreso a scaldare; ma cominciavano a levarsi nuvole a Occidente. Minacciava di piovere, se calava il vento. Gli hobbit si scapicollarono giù per una ripida scarpata erbosa e si tuffarono nel folto della boscaglia sottostante. Avevano deciso di lasciarsi Boscasilo sulla sinistra e c'era un bosco piuttosto fitto proprio davanti a loro, sebbene dall'alto fosse sembrato che dopo un miglio o due il terreno diventasse più aperto. C'era parecchio sottobosco e non fecero grandi progressi. In fondo al pendio incapparono in un ruscello che scorreva in un letto profondamente scavato, con sponde ripide e scivolose, ricoperte di rovi. Non potevano saltare dall'altra parte e dovevano scegliere se tornare indietro e prendere un'altra strada o deviare a sinistra e seguire il ruscello fino al punto in cui traversarlo sarebbe risultato più semplice. Odo si girò a guardare. Attraverso un varco tra gli alberi intravidero la cima dell'argine che discendeva dalla scarpata erbosa appena lasciata. "Guardate!" disse, afferrando Bingo per il braccio. Sulla cima della scarpata, si stagliava un cavaliere nero a cavallo. Sembrava oscillare da parte a parte, come se con lo sguardo perlustrasse tutta la landa a est.

Gli hobbit rinunciarono a qualsivoglia idea di tornare indietro e si tuffarono rapidi e silenziosi tra i cespugli più folti lungo il torrente. Giù nella conca furono schermati dal vento dell'Ovest e ben presto si ritrovarono accaldati e stanchi. Cespugli, rovi, il terreno accidentato e i loro zaini facevano tutto il possibile per ostacolarli.

"Caspita!" disse Bingo. "Entrambe le fazioni avevano ragione! La scorciatoia si è fatta subito tortuosa; ma ci siamo nascosti appena in tempo. Hai l'orecchio fino, Frodo: senti – senti avvicinarsi *qualcosa*?"

Rimasero immobili e osservarono in ascolto; ma non giunsero segni o rumori d'inseguimento. Proseguirono, finché le sponde del torrente si appianarono e il letto divenne largo e poco profondo. Lo attraversarono e si addentrarono lesti nel bosco dall'altra parte, non essendo più sicuri sulla direzione da seguire. Non c'erano sentieri, tuttavia il terreno risultava abbastanza piano e sgombro. Intorno a loro s'ergeva un'alta vegetazione di giovani querceti, commisti a frassini e olmi, di modo che la vista non poteva spingersi molto avanti. Improvvise raffiche di vento sollevavano le foglie e cominciarono a cadere i primi goccioloni. Poi il vento cessò e la pioggia venne giù più fitta.

Scarpinarono in fretta in mezzo a folti mucchi di foglie; e tutt'intorno la pioggia grondava e tamburellava. Non parlavano, ma non facevano che guardarsi ai due lati e talora alle spalle. Circa un'ora più tardi Frodo disse: "Mica abbiamo girato troppo verso sud e stiamo tagliando questo bosco nel senso della lunghezza? Dall'alto pareva una fascia sottile, e ormai avremmo dovuto attraversarlo, direi."

"Non è il caso di procedere a zig-zag ora," disse Bingo. "Continuiamo nella stessa direzione. Sembra che le nuvole si stiano aprendo e tra poco potremo dare un'utile occhiata al sole."

Aveva ragione. Quand'ebbero percorso un altro miglio, il sole tornò a fare capolino dai brandelli di nuvole e si accorsero che in effetti stavano spingendosi troppo a sud. Deviarono un po' a sinistra, ma dopo poco decisero, sia per come si sentivano sia per il sole, che era giunto il momento di fare una sosta di mezzodì e buttare giù qualcosa.

La pioggia continuava a cadere a intervalli; perciò sedettero sotto un olmo: il fogliame era ancora folto, pur virando rapidamente al giallo.

Scoprirono che gli Elfi avevano riempito le borracce di una bevanda limpida, di un color oro: aveva il profumo, più che il gusto, di un miele ricavato da molti fiori ed era stupendamente rinfrescante. Godettero un pranzo allegro e di lì a poco eccoli ridere e farsi beffe della pioggia e dei cavalieri neri. Quanto alle ultime miglia, sentivano che se le sarebbero presto lasciate alle spalle. Poggiato al tronco Odo prese a canticchiare sommessamente tra sé:

Oh! Oh! Oh! Vo alla mia bottiglia
Scaccia il duolo e il cuore striglia.
Piove e il vento mi scompiglia
E mi restan molte miglia,
Ma sdraiato sotto l'olmo,
Lascio che le nubi salpino.

Oh! Oh! Oh!...

Non si saprà mai se la strofa successiva fosse migliore della prima, perché in quel momento s'udì un verso simile a uno sbuffo o sniffo. Odo non concluse mai la canzone. Il verso si ripeté: sniff, sniff, sniff; pareva essere molto vicino. Scattarono in piedi e si guardarono lesti attorno, ma nei pressi dell'albero non si vedeva alcunché.[3]

Odo non pensava più a starsene sdraiato a rimirare le nuvole che passavano. Fu il primo a fare i bagagli ed essere pronto a procedere. In pochi minuti da quell'ultima annusata erano già ripartiti a tutta birra. Il bosco terminò presto; eppure non ne furono particolarmente grati, perché il terreno divenne soffice e paludoso, e agli hobbit (pure durante un Viaggio) non piacciono fango e argilla sui piedi. Il sole splendeva di nuovo e si sentivano troppo accaldati ed esposti alla vista lontano dagli alberi. Alle loro spalle c'era l'alta piana erbosa dove avevano fatto colazione; ogni volta che guardavano indietro si aspettavano di scorgere a distanza la sagoma di un cavaliere sul crinale stagliarsi contro il cielo; tuttavia non comparve nessuno; man mano che proseguivano la campagna diventava sempre più curata. C'erano siepi, cancelli, canali di scolo. Tutto sembrava pacifico e sereno, solo un angolo qualsiasi della Contea.

"Mi sa che conosco questi campi!" disse Frodo di colpo. "Appartengono al vecchio Fattore Maggot,[4] a meno ch'io sia completamente fuori strada. Dovrebbe esserci un viottolo da qualche parte nelle vicinanze, da casa sua alla strada, un miglio o due sopra Landaino."[5]

"Vive in una buca o in una casa?" chiese Odo, che non conosceva quella parte della regione.

È curioso come per gli hobbit di quei tempi ciò costituisse una distinzione importante. Naturalmente in origine tutti gli hobbit vivevano nelle buche; ma adesso solo gli hobbit più abbienti e più poveri lo facevano ancora, di norma. Gli hobbit più rinomati dimoravano in versioni lussuose delle semplici buche d'un tempo; ma i siti per quelle veramente belle non si trovavano ovunque. Pure a Hobbiton, uno dei borghi più importanti, c'erano delle abitazioni. Queste erano particolarmente apprezzate da contadini, mugnai, fabbri, falegnami e gente siffatta. Si suppone che l'usanza di edificare case sia nata presso gli Hobbit delle regioni boscose lungo i fiumi, laddove il terreno era greve e umido e non disponeva di buone colline o argini adatti. Costoro presero a costruire buche artificiali di fango (e più tardi di mattoni), coperte di paglia a imitazione dell'erba naturale. Tutto ciò avvenne molto tempo addietro, ai margini della storia, tuttavia le case erano ancora considerate un'innovazione. Gli hobbit più poveri continuavano a dimorare in buche del tipo più antico, in effetti mere caverne, provviste d'una sola finestra o addirittura nessuna.[6] Odo però non stava pensando alla storia degli hobbit. Voleva solo sapere dove cercare la fattoria. Se il Fattore Maggot avesse vissuto in una buca, ci sarebbe stato un terreno innalzato da qualche parte nei paraggi; ma la terra davanti a lui sembrava perfettamente piana.

"Vive in una casa," rispose Frodo. "Ci sono pochissime buche da queste parti. Dicono che le case siano state inventate qui. Certo, i Brandaino hanno quella loro grande tana a Borgodaino, sull'alta riva di là del Fiume; ma la maggior parte della loro gente vive nelle case. Ce ne sono molte di quelle nuove, in mattoni – non troppo brutte, suppongo, a modo loro; anche se paiono assai spoglie, se mi seguite: senza una copertura di erba decente, tutte nude e ossute."

"Immaginate di salire al piano di sopra per andare a letto!" disse Odo. "Molto scomodo, direi. Gli hobbit non sono mica uccelli."

"Non so," disse Bingo. "Non è così male come sembra; anche se personalmente non mi è mai piaciuto guardare fuori dalle finestre del piano di sopra, mi dà sempre un po' di vertigini. Ci sono case che hanno tre livelli, camere da letto su camere da letto. Una volta, in vacanza, ho dormito in una di esse; il vento mi ha tenuto sveglio tutta la notte."

"Che seccatura, se ti abbisogna un fazzoletto o quel che è, e sei di sotto e vien fuori che quello è al piano di sopra," sentenziò Odo.

"Uno potrebbe tenere i fazzoletti al piano di sotto, semmai," disse Frodo.

"Potrebbe, ma credo che nessuno lo faccia."

"Non è colpa delle case," disse Bingo, "è solo la stupidità degli hobbit che ci abitano. Le vecchie storie raccontano che gli Elfi Saggi costruivano torri altissime e salivano le lunghe scale solo quando desideravano cantare o rimirare il cielo dalle finestre, o magari il mare. Tenevano tutto al piano di sotto, o in profonde sale scavate ai piedi delle torri stesse. Ho sempre pensato che l'idea di innalzare qualcosa provenisse in gran parte dagli Elfi, sebbene noi vi ricorriamo in modo assai diverso. Un tempo c'erano tre torri elfiche nella landa d'occidente, oltre il confine della Contea. Una volta le ho viste. Brillavano bianche alla Luna. La più alta era la più remota, tutta sola su una collina. Si diceva che dalla cima di quella torre si potesse vedere il mare; ma credo che nessuno hobbit vi sia salito.[7] Se mai vivrò in una casa, terrò tutto ciò che voglio al piano di sotto e salirò solo quando non mi occorre nulla; o magari mi godrò una cena fredda di sopra, al buio, in una notte stellata."

"E poi dovrai portare piatti e cose di sotto, se non farai un capitombolo," rise Odo.

"No!" disse Bingo. "Avrò piatti e ciotole di legno e li lancerò giù dalla finestra. Intorno alla mia casa avrò l'erba fitta."

"Però dovrai comunque portarti la cena al piano di sopra," obiettò Odo.

"Allora forse non dovrei cenare di sopra," disse Bingo. "Era solo un'idea. Non credo che vivrò mai in una casa. Per quanto ne so, sarò solo un mendico giramondo."

Questa conversazione, assai hobbitesca, andò avanti per un po'. Dimostra come i tre stessero cominciando a sentirsi di nuovo a proprio agio, dato che erano tornati in una landa tranquilla e familiare. Ma nemmeno quell'annusare invisibile poteva smorzare a lungo lo spirito di quegli hobbit eccellenti e particolarmente avventurosi, quale che fosse il paese. Mentre parlavano, procedevano senza sosta. Era già pomeriggio inoltrato quando scorsero il tetto di una casa spuntare da un gruppetto di alberi davanti a loro a sinistra.

"Ecco la casa del Fattore Maggot!" disse Frodo.

"Direi che è meglio aggirarla," disse Bingo, "e imboccare il viottolo sul lato opposto della casa. La gente crede che io sia sparito, e non vorrei essere visto sgattaiolare in direzione di Landaino, nemmeno dal buon Fattore Maggot."

Proseguirono, lasciando la fattoria alla sinistra, celata tra gli alberi a diversi campi di distanza. All'improvviso un cagnetto sbucò da una fessura della siepe e corse abbaiando verso di loro.

"Qui! Qui! Gip! Gip!" intimò una voce. Bingo si infilò l'anello. Gli altri non ebbero modo di nascondersi. Sopra la cima della bassa siepe comparve la grande faccia tonda di uno hobbit.

"Salve! Salve! E voi chi sareste, e che cosa mai stareste facendo?" domandò.

"Buon pomeriggio, Fattore Maggot," disse Frodo. "Solo un paio di Took che vengono di lontano e non portano guai, voglio sperare."

"Orbene, vediamo un po': tu sei il signor Frodo Took, figlio di Messer Folco Took, se non erro (e mi capita raramente: ho una memoria come poche per le facce). Eri solito passare il tempo col giovane signor Marmaduk. Ogni amico di Messer Marmaduk Brandaino è il benvenuto. Mi scuserai se ho parlato brusco, prima di riconoscerti. Ne sorbiamo di tipi strani da queste parti, a volte. Troppo vicini al Fiume," disse, rivolgendo indietro la testa. "Ne è capitato uno bizzarro assai giusto un'ora fa. Ecco perché son fuori qui col cane."

"Che tipo?" chiese Frodo.

"Un tipo strano e faceva strane domande," disse il Fattore Maggot scuotendo il capo. "Entrate in casa a farvi un goccio e chiacchiereremo con più comodo, se tu e i tuoi amici volete favorire, Messer Took."

Era evidente che il Fattore Maggot avrebbe comunicato tali nuove solo a suo tempo e luogo, e ritennero che potesse essere interessante; così Frodo e Odo lo seguirono. Il cane rimase indietro, saltando e frugando intorno a Bingo con suo grande fastidio.

"Che accidenti gli prende al cane?" disse il contadino, guardando indietro. "Qui, Gip! A cuccia!" chiamò. Con sollievo di Bingo, il cane obbedì, sebbene si voltasse indietro per abbaiare una volta.

"Cosa ti prende?" ringhiò il Fattore Maggot. "Sembra proprio che ne capitino delle belle, quest'oggi. Gip ha quasi dato di matto quando è arrivato quello sconosciuto, e adesso si direbbe che veda o annusi qualcosa che non c'è."

Entrarono nella cucina del fattore e si sedettero vicino al grande camino. La signora Maggot portò loro della birra in grandi boccali di terracotta. Era di ottima qualità, e Odo si sorprese a desiderare che laggiù trascorressero pure la notte.

"Ho sentito che ne sono capitate di belle, su a Hobbiton," disse il Fattore Maggot. "Fuochi d'artificio e compagnia cantante; e quel signor Bolger-Baggins che scompare e lascia baracca e burattini. La roba più stramba che abbia mai sentito raccontare in vita mia. Suppongo che tutto derivi dalla convivenza con quel signor Bilbo Baggins. Mia madre mi raccontava storie strane su di lui, quand'ero ragazzo: non che non sembrasse un gentilhobbit. L'ho visto parecchie volte gironzolare per questa strada quand'ero giovane, e il signor Bingo con lui. Adesso da queste parti ci interessiamo a costui, visto che appartiene a questa terra, essendo mezzo Brandaino, come si direbbe. Non abbiamo mai giudicato bene che fosse andato a Hobbiton, la gente è un po' strana da quelle parti, se mi consentite. Dimenticavo che voi siete di laggiù."

"Oh, la gente è abbastanza strana a Hobbiton e a Tooklandia, invero," disse Frodo. "La cosa non ci infastidisce. Ma conosciamo, voglio dire conoscevamo, Messer Bingo piuttosto bene. Non credo gli sia capitato niente di brutto. È stata davvero una festa meravigliosa e non vedo perché qualcuno abbia qualcosa da ridire." Fece al contadino un resoconto completo e divertente, e questi se lo godette assai. Agitò piedi e gambe, chiese altra birra e fece raccontare a sua moglie gran parte della storia, soprattutto quanto riguardava i fuochi d'artificio. Nessuno dei due Maggot ne aveva mai visti.

"Dev'essere una gioia per gli occhi," sentenziò il fattore.

"Niente draghi per me, grazie!" disse la signora Maggot. "Tuttavia mi sarebbe piaciuto partecipare alla cena. Speriamo che il vecchio signor Rory Brandaino accolga l'idea e dia una festa da queste parti per il suo compleanno venturo. E cosa dicevate che sarebbe capitato al signor Bolger-Baggins?" disse, rivolgendosi a Frodo.

"Be'... be', è scomparso, non lo sapete," disse Frodo. Gli parve di cogliere il fantasma di una risatina da qualche parte, non lontano dal suo orecchio, ma non era sicuro.

"Ecco, questo sì che mi ricorda qualcosa!" disse il Fattore Maggot. "Cosa credete che abbia detto quel tizio strambo?"

"Cosa?" dissero insieme Odo e Frodo.

"Be', è arrivato su un gran cavallo nero al cancello, e ha puntato dritto verso la porta di casa. Anche lui era tutto nero, avvolto in un mantello e incappucciato, quasi per non farsi riconoscere. 'Santo Cielo!' mi sono detto. 'Questo è uno della Grossa Gente! Che potrà mai volere qui nella Contea?' Non se ne vede molta di Grossa Gente da queste parti, sebbene certe volte vengano al Fiume, ma comunque non avevo sentito mai parlare di qualcuno come questo tipo nero. 'Buongiorno!' gli faccio. 'Questo viottolo non porta da nessuna parte e ovunque siate diretto la via più rapida è rimettervi sulla strada.' Il suo aspetto non mi piaceva; e quando Gip è uscito e lo ha annusato, ha ululato come se lo avessero morsicato: è schizzato via uggiolando con la coda tra le gambe.

"'Vengo da laggiù,' ha detto, lento e rigido, indicando alle sue spalle a occidente, oltre i *miei* campi, in direzione Boscasilo. 'Avete visto il signor Bol-ger Bagg-ins?' ha domandato con una voce strana chinandosi verso di me, ma non riuscivo a vedergli il viso, nascosto dal cappuccio; e un brivido mi è corso lungo la schiena. Ma non capivo perché dovesse cavalcare sulla mia terra con tanta impudenza. 'Andatevene!' gli faccio. 'Il signor Bolger-Baggins è sparito, andato, se capite cosa intendo: se n'è volato via, e voi potete seguirlo!'

"Ha emesso una specie di sibilo, sembrava adirato e sorpreso, o così mi è parso. Poi ha spronato il gran cavallo proprio contro di me. Me ne stavo presso al cancello però mi son scansato bello lesto, e quello si è lanciato sul viottolo verso la strada come un pazzo. Che cosa ne pensate?"

"Non so proprio che cosa pensare," disse Frodo.

"Allora ve lo dirò io," disse il fattore. "Codesto signor Bingo è rimasto coinvolto in qualche impiccio ed è scomparso *di proposito*. Chiaramente c'è gente che non vede l'ora di trovarlo. Date retta a me, è tutto dovuto a qualche traffico del vecchio signor Bilbo. Avrebbe dovuto rimanere coi Bolger e non impicciarsi con i Baggins. Gente strana quella di Hobbiton, per carità. È un Baggins che lo ha messo nei guai, date retta a me!"

"Questa sì che è un'idea," disse Frodo. "Molto interessante, quanto ci dite. Suppongo che non abbiate mai visto nessuno di questi... ehm... tizi neri prima d'ora?"

"Non che mi rammenti," disse il Fattore Maggot, "e non desidero vederne altri. Adesso mi auguro che te e il tuo amico vi fermiate a mangiare un boccone e bere qualcosa con me e mia moglie."

"Grazie mille!" disse Odo rammaricato, "ma temo che dobbiamo proseguire."

"Sì," disse Frodo, "abbiamo ancora un po' di strada prima di sera, e in realtà abbiamo già indugiato troppo. Ma è molto gentile da parte vostra."

"Orbene! Alla salute e alla fortuna!" disse il contadino, afferrando il boccale. Ma in quel momento la tazza lasciò il tavolo, si alzò, si inclinò in aria per poi tornarsene vuota al suo posto.

"Cielo, salvateci!" strillò il contadino saltando in piedi. "Avete visto? Questa è una giornata stramba davvero, no che non mi sbaglio. Prima il cane e poi ecco pure io che vedo cose che non ci sono."

"Oh, anch'io ho visto il boccale," disse Odo, senza riuscire a celare un sorriso.

"L'hai visto, l'hai visto!" disse il contadino. "Non capisco cosa ci sia da ridere." Saettò uno sguardo strano a Odo e Frodo, e adesso pareva fin troppo contento che levassero armi e bagagli. Salutarono educatamente, ma lesti, e si affrettarono giù per i gradini e uscirono dal cancello. Il Fattore

Maggot e la moglie rimasero a bisbigliare davanti alla porta e a osservarli finché disparvero.

"Perché hai voluto giocargli quello stupido scherzo?" disse Odo quando la fattoria era ormai alle spalle. "Il vecchio ti aveva reso un buon servizio con quel Cavaliere, o almeno così mi sembrava."

"Vorrei ben dire," fece una voce alle sue spalle. "Voialtri invece me ne avete reso uno pessimo davvero, andandovene dentro a bere e parlare e lasciandomi al freddo. Ho bevuto solo mezzo boccale. E ora siamo in ritardo. Dopo questa giocata vi farò trottare io."

"Facci vedere, allora!" disse Odo.

Bingo riapparve di colpo e si avviò più velocemente possibile lungo il viottolo. Gli altri si affrettarono a seguirlo. "Guardate!" disse Frodo indicando sul margine. Lungo il bordo, nel fango prodotto dalla pioggia del giorno, c'erano alcune profonde impronte di zoccoli.

"Non importa!" disse Bingo. "Sapevamo dai discorsi del vecchio Maggot che quel tipo andava da questa parte. Non possiamo farci niente. Proseguiamo!"

Sul viottolo non incontrarono alcunché. Il pomeriggio sbiadì e il sole scese tra le nuvole basse alle loro spalle. La luce stava già venendo meno quando giunsero al termine del viottolo e tornarono finalmente sulla strada.[8] Faceva freddo e sottili fili di nebbia strisciavano sui campi. Il crepuscolo era umido.

"Non ci è andata troppo male," disse Frodo. "Da qui all'imbarcadero dinanzi a Borgodaino sono quattro miglia. Arriveremo prima che faccia buio."

A quel punto svoltarono a destra sulla strada, che da laggiù in poi filava dritta, accostandosi sempre più al fiume. Lungo la via non v'era traccia di altri viaggiatori. Ben presto riuscirono a scorgere delle luci in lontananza, davanti a loro e sulla sinistra, oltre la linea tenue dei salici in ombra lungo i bordi del Fiume, dove la riva più lontana si ergeva quasi a diventare una bassa collina.

"Ecco Borgodaino!" disse Frodo.

"Grazie al cielo!" disse Odo. "Ho i piedi doloranti, appiccicosi e stanchi di tutto questo fango. E poi fa freddo." Inciampò in una pozzanghera e spruzzò uno schizzo d'acqua sporca. "Accidenti!" disse. "Ne ho abbastanza della camminata di oggi o poco ci manca. Credete ci sia la possibilità di un bagno stasera?" Senza aspettare risposta, attaccò di colpo una canzone da bagno hobbit:

O Acqua calda e bollente
O Acqua bollita in recipiente
O Acqua azzurra, verdechiara
O Acqua d'argento, tutta pura,
Il bagno canto a squarciagola!
O lodate il vapore, nari impazienti
O il tinello benedite, dituzze dolenti!
O dita gioiose, venite a giocare
O braccia e gambe, si può riposare
E crogiolarsi tutti in festicciola!
Via il pantano, tanti saluti allo sporco terriccio!
Bandita la notte, a nanna il dì ormai vecchio!
Con l'acqua a lambirci mento e ginocchia
Giacciamo oziosi a mollo come una ranocchia,
finché la cena è ormai pronta in pentola!

"Davvero, potresti aspettare di *fartelo*, il bagno!" disse Frodo.

"Ti avverto," aggiunse Bingo, "che sarai l'ultimo, o in caso contrario non ci sguazzerai a lungo."

"Molto bene," disse Odo, "però ti avverto che se vai per primo non devi arraffarti tutta l'acqua calda, altrimenti ti annegherò nel tuo stesso bagno. Lo voglio caldo e pulito, il mio."

"Potresti non averlo affatto," disse Bingo. Non so cosa abbia organizzato Marmaduk, né dove dormiremo. Non ho ordinato bagni e se li otterremo saranno gli ultimi per un po' di tempo, credo."

I loro discorsi si smorzarono. Erano ormai assai stanchi e procedevano col mento basso e gli occhi alle dita dei piedi. Rimasero allibiti quando, d'improvviso, una voce dietro di loro esclamò: "Ehilà," e poi proruppe in una canzone a tutto fiato.

A mio agio sedevo sulla via
Quando tre hobbit vidi a spasso
Uno era tonto, eh tuttavia,
Gli altri più muti d'un sasso.

"Buona sera!" dissi, "buonasera a voi!"
Col cavolo che quelli mi salutarono
Uno era sordo, come gli altri poi,
Davvero un incontro alla mano!

"Marmaduk!" gridò Bingo voltandosi. "Da dove sei sbucato?"

"M'avete superato che me ne stavo seduto sul ciglio della strada," disse Marmaduk. "Forse avrei dovuto sdraiarmici, così però mi avreste calpestato e sareste passati allegramente oltre."

"Siamo stanchi," disse Bingo.

"Così sembra. Ve l'avevo detto, ma eravate così tronfi e rigidi al riguardo. 'Cavallini! Puah!' dicevate. 'Solo una sgambettata prima di darci dentro davvero.'"

"Si dà il caso che i cavallini non sarebbero serviti gran che," disse Bingo. "Abbiamo avuto delle *avventure*." Si arrestò di colpo e guardò su e giù per la strada buia. "Ti racconteremo più tardi."

"Benedetto me!" disse Marmaduk. "Che cattiveria! Non dovreste vivere avventure senza il sottoscritto. E cosa andate sbirciando in giro? Ci sono dei brutti conigli cattivi?"

"Non essere così Marmaduk tutto in una volta! Non posso sopportarlo a fine giornata," disse Odo. "Mettiamo a nanna le gambe e mangiamo qualcosa, e poi udirai la storia. Posso farmi un bagno?"

"Cosa?" disse Marmaduk. "Un bagno? Ti metterebbe fuori allenamento daccapo. Un bagno! Sono sorpreso d'una simile richiesta. Ora drizzate il mento e seguitemi!"

Qualche metro più avanti c'era una svolta a sinistra. Scendeva lungo un sentiero, dritto, ben tenuto e costeggiato da grandi pietre imbiancate. Li condusse presto in riva al fiume. C'era un grosso pontile di legno, grande abbastanza per diverse imbarcazioni. Le bianche bitte brillavano al crepuscolo. La nebbia nei campi bassi cominciava a raccogliersi alta quasi come le siepi; ma, davanti, l'acqua era scura, con soltanto qualche voluta sparsa come vapore in mezzo alle canne lungo l'argine. Il fiume Brandivino scorreva lento e vasto. Dall'altra parte, due lampioni scintillavano su un altro pontile dai molti gradini che salivano sulla riva sopraelevata. Dietro di esso si stagliava la bassa collina, e di lassù, attraverso filamenti di nebbia, brillavano molte finestre rotonde hobbit, rosse e gialle. Erano le luci di Palazzo Brandy, l'antica dimora dei Brandaino.

Molto, molto tempo fa i Brandaino avevano attraversato il fiume (primo confine orientale della Contea da quel lato) attratti dall'argine elevato e dal terreno ondulato più secco retrostante. Ma la loro famiglia (una delle più antiche famiglie hobbit) crebbe a dismisura fino a che Palazzo Brandy occupò tutta la bassa collina, con tre portoni, parecchie porte di servizio e almeno un centinaio di finestre. I Brandaino e i loro numerosi dipendenti iniziarono allora a scavare e poi a costruire tutt'intorno. Questa l'origine di Borgodaino-LungoFiume. Gran parte della landa sulla sponda occidentale del corso apparteneva ancora alla famiglia, spingendosi quasi a Boscasilo, tuttavia la maggior parte dei Brandaino adesso dimorava a Landaino, un lembo di terra densamente popolato tra il Fiume e la Vecchia Foresta, una specie di colonia della vecchia Contea.

La gente della vecchia Contea, ovviamente, raccontava strane storie sui Landainesi; anche se, in realtà, non erano poi così diversi dagli altri hobbit di Nord, Sud o Ovest. Tranne che per una cosa: amavano le barche e alcuni sapevano nuotare. Per di più la loro terra era priva di protezioni a Est, eccetto che per uno strame: lo Strame. Piantato molte generazioni prima, adesso andava senza interruzioni da Ponte Brandivino, in una grande curva, fino a Finistrame, scostandosi dal fiume dietro Landaino, all'incirca per quaranta miglia da una estremità all'altra. Era alto e folto e curato costantemente. Ma tutto era meno che una protezione completa. I Landainesi chiudevano a chiave la porta, e anche questo era insolito per la Contea.

Marmaduk aiutò gli amici a salire su una barchetta ormeggiata accanto al pontile. Poi mollò gli ormeggi e con un paio di remi attraversò il fiume. Frodo e Bingo erano già stati spesso a Landaino. La madre di Bingo era una Brandaino. Marmaduk era cugino di Frodo, poiché sua madre Yolanda era sorella di Folco Took e Folco il padre di Frodo stesso. Marmaduk era quindi Took assommato a Brandaino, una miscela vivace.[10] Odo invece non s'era mai recato così a est. Mentre l'acqua trascorreva lenta e gorgogliante ebbe una strana sensazione, come se adesso avesse iniziato per davvero, come se stesse traversando un confine lasciandosi la sua vecchia vita sull'altra sponda.

Scesero in silenzio dal traghetto. Marmaduk lo stava ormeggiando quando Frodo disse con un sussurro: "Ehi, guardate indietro! Vedete qualcosa?"

Sulla lontana piattaforma, sotto le luci distanti, distinguevano a stento una figura: sembrava quella di un nero fardello abbandonato nel buio. Pareva scrutare, o annusare, da una parte all'altra lungo il terreno che essi avevano appena percorso.

"Che cos'è, in nome della Contea?" esclamò Marmaduk.

"La nostra Avventura, che abbiamo vissuto e lasciato sull'altra sponda; o almeno così spero," disse Bingo. "I cavalli possono guadare il Fiume?"

"Ma che cosa c'entrano i cavalli? Possono guadarlo, suppongo, se sanno nuotare; qui però non li ho mai visti farlo. Ci sono i ponti. Ma cosa c'entrano i cavalli?"

"Parecchio!" disse Bingo. "Ma andiamocene!" Prese Marmaduk per un braccio e lo tirò di corsa su per i gradini, fino al sentiero sopra la piattaforma. Frodo si guardò indietro, ma la riva lontana era ormai avvolta nella nebbia e non si scorgeva più nulla.

"Dove ci porti per la notte?" domandò Odo. "Non a Palazzo Brandy?"

"Certo che no!" disse Marmaduk. "È affollato. E in ogni caso, credevo che voleste mantenere il segreto. Vi porterò in una bella casetta ai margini di Borgodaino. È un miglio in più, temo, ma è piuttosto accogliente e fuori mano. Non credo che qualcuno ci noterà. Non vorrai incontrare il vecchio Rory in questo momento, Bingo! È ancora di cattivo umore per come ti sei comportato. La sera della festa l'hanno trattato male alla locanda di Acquariva (erano più zeppi che a Palazzo Landaino); e poi la sua carrozza si è rotta mentre tornava a casa, sulla collina sopra Boscasilo, e lui incolpa te anche per questi incidenti."

"Non voglio vederlo e non mi importa molto di quanto dice o pensa," disse Bingo. "Volevo lasciare la Contea senza essere visto, solo per completare la burla, ma adesso ho altre ragioni per voler rimanere celato. Sbrighiamoci."

Giunsero infine a una casetta bassa a un singolo piano. Era una costruzione all'antica, il più somigliante possibile a una buca hobbit: aveva una porta rotonda e finestre tonde e un tetto basso d'erba spianata. Vi si accedeva attraverso uno stretto viottolo d'erba ed era circondata da un prato verde e circolare, attorno al quale crescevano dei cespugli. Era immersa nel buio.

Marmaduk aprì la porta e ne uscì una luce accogliente. Sgattaiolarono rapidi in casa, chiudendosi dentro e chiudendo con loro la luce. Si trovarono in un grande atrio su cui davano diverse porte. "Eccoci qua!" disse Marmaduk. "Non è un brutto posticino. Lo usiamo spesso per gli ospiti, visto che Palazzo Brandy è così spaventosamente zeppo di Brandaino. L'ho preparato con calma nell'ultimo giorno o due."

"Splendido ragazzo!" disse Bingo. "Sono dispiaciuto assai che tu abbia dovuto perdere il banchetto."

"Anch'io," disse Marmaduk. "E dopo aver sentito i racconti di Rory e Melissa[11] (completamente diversi, ma credo ugualmente veritieri), lo sono ancora di più. Però ho fatto un'allegra cavalcata con Gandalf, i nani e gli Elfi.[12] Abbiamo incontrato altri Elfi lungo la strada,[13] e alla fine questi hanno intonato pure un canto. Non avevo mai sentito nulla di simile in vita mia."

"Gandalf ha lasciato qualche messaggio per me?" chiese Bingo.

"No, niente di speciale. Gli chiesi, quando arrivammo al Ponte Brandivino, se non volesse aspettarti con me, per farti da guida e aiuto. Mi ha risposto però che aveva fretta. In effetti, se volete saperlo, ha detto: 'Bingo è ormai abbastanza grande e sciocco per badare un po' a se stesso.'"[14]

"Spero che lui abbia ragione," disse Bingo.

Gli hobbit appesero i mantelli e bastoni e ammucchiarono i loro zaini sul pavimento. Marmaduk fece loro strada e spalancò una porta chiusa. Ne uscirono il bagliore del fuoco e un'ondata di vapore.

"Un bagno!" gridò Odo. "Benedetto Marmaduk!"

"In che ordine entreremo? Prima i più anziani o i più veloci? In ogni caso tu saresti l'ultimo, Odo," disse Frodo.

"Ah! Ah!" disse Marmaduk. "Per che razza di locandiere mi hai preso? In quella stanza ci sono tre vasche, e pure un calderone sopra un'allegra fornace che pare già a bollore. Troverete anche asciugamani, stuoie e sapone e quant'altro. Entrate!"

I tre si precipitarono dentro e chiusero la porta. Marmaduk andò in cucina e, mentre era occupato laggiù, colse stralci di canti a gara, misti al rumore di spruzzi e sguazzi. D'un tratto la voce di Odo si levò sopra le altre in una canzone:

Lodate l'acqua, mie dita e pie'!
Lodatela a modo, tutte e dieci assiem!
Loda l'acqua, Odo mio caruccio
Così come il nome di Marmaducco![15]

Marmaduk bussò alla porta. "Un poco ancora e tutta Borgodaino saprà che siete qui," disse. "E ci sarebbe pure una cosa chiamata cena. Non posso campare di lodi ancora a lungo."

Bingo uscì. "Accipicchia!" disse Marmaduk, buttando un occhio dentro. Il piancito di pietra navigava nell'acqua. Frodo si stava asciugando davanti al fuoco; Odo stava ancora sguazzando.

"Forza, Bingo!" disse Marmaduk. "Cominciamo a cenare e molliamoli qui!"

Cenarono in cucina su una tavola vicino al fuoco. Gli altri li raggiunsero presto. Odo fu l'ultimo, ma recuperò subito il tempo perso. Quand'ebbero finito, Marmaduk spinse indietro il tavolo e accostarono le sedie al fuoco.

"Sparecchieremo dopo," disse. "Adesso raccontatemi tutto!"[16]

Bingo allungò le gambe e sbadigliò. "È facile, qua dentro," disse, "e in qualche modo la nostra avventura pare piuttosto assurda, e non così importante come là fuori. Ma ecco cosa è successo. Un Cavaliere Nero ci è sopraggiunto alle spalle ieri pomeriggio (ormai sembra una settimana fa), e sono sicuro che stesse cercando noi, o me. Poi ha continuato a comparire ancora e ancora (sempre alle nostre spalle). Dunque, sì, l'abbiamo visto quattro volte in tutto, contando la figura sul pontile, in un'occasione abbiamo sentito il suo cavallo,[17] e in un'altra ci è parso di sentire solo annusare."

"Di che cosa state parlando?" disse Marmaduk. "Cos'è un cavaliere nero?"

"Un nero figuro in sella a un cavallo nero," disse Bingo. "Ma ti racconterò tutto." Dopo di che descrisse per filo e per segno il viaggio, con occasionali aggiunte e interruzioni a cura di Frodo e Odo. Solamente Odo restava convinto che l'annusare che credevano di aver sentito facesse effettivamente parte del mistero.

"Se non avessi visto quella strana sagoma questa sera, direi che vi state inventando tutto," disse Marmaduk. "Mi chiedo di cosa si tratti."

"Anche noi!" disse Frodo. "Che ne pensi delle congetture del Fattore Maggot, che il tutto abbia a che fare con Bilbo?"

"Be', come che sia la sua era solo un'ipotesi," disse Bingo. "Sono sicuro che il vecchio Maggot non sappia un bel nulla. Mi sarei aspettato che gli Elfi me lo avrebbero detto, se i Cavalieri c'entravano davvero qualcosa con le avventure di Bilbo."

"Il vecchio Maggot è un furbacchione," disse Marmaduk. "In quella testa tonda succedono un mucchio di cose che non trapelano dalle sue parole. Andava spesso nella Vecchia Foresta e ha fama di conoscere due o tre cosette fuori della Contea. Comunque non riesco a congetturare oltre. Che cosa hai intenzione di fare?"

"Non c'è niente da fare," disse Bingo, "se non tornare a casa. Il che è difficile per me, visto che adesso non ce l'ho più. Dovrò semplicemente proseguire, come mi hanno consigliato gli Elfi. Ma tu non sei tenuto a venire, naturalmente."

"Ovvio che no," disse Marmaduk. "Mi sono unito alla festa unicamente per spasso e non ho certo intenzione di mollarla adesso. Inoltre, avrete bisogno di me. Tre è il numero giusto, ma quattro è di più. E se le allusioni degli Elfi significano ciò che pensate, ci sono almeno quattro Cavalieri, per non parlare di quell'annusare invisibile e del fagottaccio nero sul pontile. Il mio consiglio è: domani partiamo ancor prima del previsto e vediamo di attaccare a dovere. Credo che i Cavalieri dovranno farsi il giro dei ponti per traversare il Fiume."

"Ma noi dovremo percorrere la stessa strada," disse Bingo. "Imboccare la Strada Est vicino a Ponte Brandivino."

"Non secondo il mio piano," disse Marmaduk. "Ritengo che al momento dovremmo evitare la strada. È una perdita di tempo. In realtà ci ritroveremmo indietro, a ovest, se ci dirigessimo verso lo sbocco con la strada, vicino al Ponte. Dobbiamo prendere una scorciatoia di nord-est attraverso la Vecchia Foresta. Vi guiderò io."

"E come potresti?" chiese Odo. "Ci sei mai stato?"

"Oh sì," disse Marmaduk. "Tutti i Brandaino ci vanno ogni tanto, quando l'estro li prende. Io ci sono stato varie volte: per lo più di giorno, beninteso, quando gli alberi sono assopiti e abbastanza tranquilli. Comunque conosco il mio modo di cavarcene fuori. Se partiamo presto e ci spingiamo avanti, dovremmo essere al sicuro e fuori dalla foresta prima di domani sera. Ci sono cinque cavallini che aspettano, piccole bestie robuste: non veloci, certo, ma buone per una lunga giornata di lavoro. Sono nella stalla nei campi accanto alla casa."

"Questa idea non mi piace affatto," disse Odo. "Preferirei incontrare questi Cavalieri (se proprio dobbiamo) sulla strada, dove c'è la possibilità di incappare anche in onesti viaggiatori comuni. Non mi piacciono i boschi e ho sentito storie strane sulla Vecchia Foresta. Ho l'impressione che i Cavalieri Neri vi si troverebbero molto più a loro agio di noi."

"Probabilmente ne saremo fuori prima che loro ci entrino, però," replicò Marmaduk. "Mi pare comunque sciocco, quando si intraprende un viaggio avventuroso, iniziare per poi tornarsene indietro a scarpinare lungo una noiosa strada che costeggia un fiume – sotto gli occhi delle frotte di Hobbit di Landaino.[18] A questo punto potreste pure salutare e prendere congedo dal vecchio Rory, su al Palazzo. Sarebbe educato e corretto; e lui potrebbe persino imprestarvi una carrozza."

"Sapevo che avresti proposto qualche mattata," disse Odo. "Ma non ho intenzione di discutere oltre, se gli altri sono d'accordo. Votiamo, sebbene mi senta già sicuro che finirò in minoranza."

E così fu, sebbene Bingo e Frodo ci misero un po' a decidere.

"Ecco qui!" disse Odo. "Cosa avevo detto stamattina? Tre a uno! Be', posso solo sperare che vada tutto bene."

"Ora che tutto è deciso," disse Marmaduk, "meglio andare a letto. Ma prima dobbiamo rassettare e preparare tutti i bagagli possibili. Forza!"

Occorse un po' di tempo perché gli hobbit finissero di mettere via le cose, riordinare e impacchettare ciò che serviva come provviste per il viaggio. Alla fine andarono a letto e per l'ultima volta dormirono in letti veri e propri (sebbene senza lenzuola) al termine d'una lunga giornata.[19] Per qualche tempo Bingo non riuscì ad addormentarsi: gli facevano male le gambe. Era contento di procedere a cavallo al mattino. Alla fine scivolò in un sogno vago, nel quale gli pareva di essere sdraiato sotto una finestra che dava su un mare d'alberi aggrovigliati: fuori s'udiva un verso, come di qualcosa intento a fiutare.

1 A prima vista è sconcertante che Frodo affermi che "Landaino è esattamente a sud-est di Boscasilo, più o meno", e subito dopo che potrebbero riprendere la strada "sopra Landaino", dato che più avanti in questo capitolo (p. 127) Landaino è descritta come "un lembo di terra densamente popolato tra il Fiume e la Vecchia Foresta", difesa dallo Strame lunga una quarantina di miglia – chiaramente un'area troppo vasta per essere descritta come "esattamente a sud-est di Boscasilo, più o meno". La spiegazione deve essere, tuttavia, che mio padre avesse cambiato il significato del nome *Landaino* nel corso del capitolo. All'inizio *Landaino* era un luogo, un villaggio, piuttosto che una regione (alla sua prima comparsa sostituiva *Borgosotto*, che a sua volta sostituiva *Boscodaino*, p. 48, nota 5), e così restava in questo caso; ma più avanti nel capitolo comparve il villaggio di Borgodaino-LungoFiume (p. 118), e Landaino divenne il nome della terra dei Brandaino Oltrefiume. Vedi nota 5 e nota sulla mappa della Contea, p. 135.

2 Vedi nota sulla mappa della Contea, pp. 135-136.

3 Una nota frettolosamente redatta a matita sul dattiloscritto recita: "Rumore di zoccoli poco lontano." Vedi p. 360.

4 *Maggot* fu successivamente cancellato a matita e sostituito da *Piedipozza*, ma solo in questo caso. Sulla prima mappa della Contea (vedi p. 136) la fattoria è segnata, a inchiostro, *Piedipozza*, poi cambiato a matita in *Maggot*. I Piedipozza di Magione sono menzionati in CdA, p. 105.

5 Anche in questo caso *Landaino* indica sempre il borgo (vedi nota 1); laddove *Borgodaino* compare poco dopo (p. 118), il nome è stato scritto a macchina sopra una cancellatura.

6 La sostanza di questo passaggio sulle buche e le case hobbit fu poi inserita nel *Prologo*. Vedi anche le pp. 369, 389.

7 Le torri costruite sulle coste occidentali della Terra di Mezzo dagli esuli di Númenor sono menzionate nella seconda versione della *Caduta di Númenor* (V.38, 41). – La

sostanza di questo passo è stata successivamente inserita anche nel *Prologo* (vedi nota 6), e anche in quel caso le torri sono chiamate "torri degli Elfi". Vedi *Gli Anelli del Potere* nel *Silmarillion*, p. 517: "Si dice peraltro che le torri degli Emyn Beraid non siano state in realtà erette dagli Esuli di Númenor, bensì da Gil-galad per il suo amico Elendil."

8 *tornarono finalmente sulla strada*: questa è ovviamente la strada che avevano percorso in origine, "la strada per Landaino"; a quel tempo non esisteva una strada rialzata che correva verso sud dal Ponte Brandivino sulla riva occidentale del fiume (né esisteva il villaggio di Magione).

9 In CdA (p. 114) la distanza è "da un capo all'altro più di venti miglia". Vedi p. 374.

10 In seguito tale genealogia fu completamente abbandonata, naturalmente, tuttavia la madre di Meriadoc (Marmaduk) rimase una Took (Esmeralda, che sposò Saradoc Brandaino, noto come "Spandioro").

11 Melissa Brandaino compare nella quarta versione di "Una festa attesa a lungo", in cui balla sul tavolo con Prospero Took (p. 52).

12 Bingo aveva detto a Gildor (p. 83) che Gandalf "se ne andò coi Nani e gli Elfi di Valforra appena finiti i fuochi d'artificio". Questa è la prima comparsa della storia che Marmaduk/Meriadoc si trovasse a Hobbiton ma fosse partito prima.

13 *Abbiamo incontrato altri Elfi lungo la strada*: erano gli Elfi della compagnia di Gildor, che quindi sapevano già della Festa quando Bingo, Frodo e Odo li incontrarono (p. 88, nota 17).

14 Vedi nota citata a p. 56: "Dov'è G[andalf] chiede Odo – disse che ero abbastanza vecchio e sciocco per badare a me stesso, disse B."

15 Questo "canto" fu così modificato nel dattiloscritto:

Lodate l'acqua, mie dita e pie'!
Lodate il bagno, tutte e dieci insiem!
Lodate l'acqua, spalle e ginocchia, alé!
Lodate il bagno, e gioite, costole, assiem
Possa Odo lodar la casa di Brandaino
E di Marmaducco il nome a puntino!

Questa nuova versione appartiene all'epoca della parte manoscritta alla fine del capitolo (nota 16).

16 Qui termina il dattiloscritto e il resto è manoscritto; vedi p. 138.

17 *in un'occasione abbiamo sentito il suo cavallo*: si tratta di un riferimento al passaggio rivisto del secondo capitolo, dove si racconta che un Cavaliere Nero arrestò per un attimo il cavallo sulla strada accanto all'albero in cui erano rintanati gli hobbit (p. 73 e nota 11).

18 Si tratta di un riferimento alla strada all'interno di Landaino. Vedi. p. 71: "la via ordinaria verso Landaino correva lungo la Via Est fino a incrociare l'Acqua e il Fiume Brandivino dove si trovava un ponte, *per proseguire poi verso sud lungo il Fiume*."

19 È chiaro che mio padre non aveva ancora previsto la visita degli hobbit alla casa di Tom Bombadil.

Nota sulla Mappa della Contea

Esistono quattro mappe della Contea realizzate da mio padre e due realizzate da me, ma solo una credo possa contenere un elemento o strato che risalga all'epoca in cui questi capitoli furono scritti (nei primi mesi del 1938). Questa costituisce comunque una sede opportuna per dare qualche indicazione su tutte loro.

I Una mappa estremamente approssimativa (riprodotta come frontespizio), realizzata per gradi e redatta a matita e inchiostro rosso, blu e nero, che si estende da Hobbiton a ovest fino ai Poggitumuli a est. Nella sua fase iniziale essa fu la prima, o almeno la prima che è perdurata. Alcuni elementi sono stati prima segnati a matita e poi sopra a inchiostro.

II Una mappa in scala ridotta, realizzata a matita e gessetti blu e rossi, che si estende fino ai Poggi Remoti a ovest, ma che mostra poco più dei corsi di strade e fiumi.

III Una mappa di strade e fiumi in scala maggiore rispetto alla II, che si estende da Gran Sterro a ovest fino allo Strame di Landaino, ma senza nomi (vedi la mappa V a seguire).

IV Una mappa in scala ridotta che si estende dal paese delle Verdi Colline a Bree, disegnata accuratamente a inchiostro e gessetti colorati, ma presto abbandonata e con pochi elementi.

V Un'elaborata mappa a matita e gessetti colorati che realizzai nel 1943 (vedi p. 255), per la quale la III (che mostrava solo i corsi di strade e fiumi) era chiaramente la base e che io seguii dappresso. Senza dubbio la III fu realizzata da mio padre a tale scopo.

VI La mappa che fu pubblicata nella *Compagnia dell'Anello*; la realizzai non molto tempo prima della sua pubblicazione (cioè circa dieci anni dopo la mappa V).

In quanto segue prenderò in considerazione solo alcune caratteristiche emerse nel corso di questo capitolo.

Borgodaino è esattamente a sud-est di Boscasilo, più o meno (p. 115). *Landaino* era ancora il nome del borgo (vedi nota 1); *Borgodaino* compare per la prima volta a p. 118. Sulla mappa I Borgodaino si trova effettivamente a sud-est (o rigorosamente a est-sud-est) rispetto a Boscasilo, mentre sulla mappa II il Traghetto si trova a est e sulla III a est-nord-est, da cui la rappresentazione sulle mie mappe V e VI. Nell'edizione originale di CdA (p. 101) il testo riportava "il Traghetto è a sud-est di Boscasilo", che fu corretto in "est" nell'edizione rivista (seconda versione, 1967) quando mio padre osservò la discrepanza con la mappa pubblicata. Lo spostamento era chiaramente avvenuto involontariamente. (Si può notare, per inciso, che tutte le mappe mostrano Boscasilo su una strada secondaria (il "viottolo") che si dirige verso Landaino; vedi p. 86, nota 10.)

La strada devia a sinistra... [...] *e poi svolta a meridione accostandosi al fiume* (p. 115). Questo spostamento verso sud è fortemente marcato sulla mappa I (e ripetuto sulla mappa II), dove la via di Landaino si unisce alla strada rialzata sopra il villaggio di Magione (come dice Frodo in CdA, p. 101: "Costeggia l'estremità settentrionale della Marcita per incontrare il sentiero rialzato che viene dal Ponte sopra Magione"). All'epoca in cui questo capitolo fu redatto non esisteva la strada rialzata (nota 8). Questo è un altro caso in cui il testo di CdA è in accordo con la mappa I, ma non con la mappa pubblicata (VI); in questo caso, tuttavia, mio padre non corresse il testo. Sulla mappa III la strada di Landaino non "svolta a meridione", ma dopo aver deviato a sinistra o a nord (prima di raggiungere Boscasilo) prosegue in linea retta verso est fino a incontrare la strada del Ponte. Ho seguito questa strada sulla mia mappa V; tuttavia il villaggio di Magione non era segnato sulla III, che mostra solo strade e fiumi, e ho collocato l'incrocio con la strada nel borgo medesimo, non a nord di esso. Sebbene, come rammento chiaramente, la mappa V sia stata realizzata nel suo studio e durante una conversazione con lui, mio padre non può aver notato il mio errore al riguardo. La mappa pubblicata segue semplicemente la V.

Qui è possibile notare un altro elemento. Marmaduk fa riferimento per due volte (pp. 128, 132) a dei "ponti" sul Brandivino, ma nessuna delle mappe mostra un altro ponte eccetto quello sulla Strada Est, il Ponte Brandivino.

***

La lettera di mio padre a Stanley Unwin citata a p. 60 dimostra che egli aveva terminato questo capitolo il 4 marzo 1938. Tre mesi dopo, il 4 giugno 1938, scrisse a Stanley Unwin dichiarando:

Da molto tempo desideravo ringraziare Rayner per essersi preso il disturbo di leggere i capitoli di prova e per la sua eccellente critica. È straordinariamente concorde con quella del sig. Lewis, che ne viene quindi confermata. Devo evidentemente chinare il capo di fronte ai miei due principali (e meglio disposti) recensori. Il problema è che personalmente (e fino a un certo punto anche mio figlio Christopher) trovo le "chiacchiere hobbit"* più divertenti delle avventure; ma su questo devo trattenermi rigorosamente. Sebbene desiderassi molto farlo, non ho avuto l'occasione di scrivere alcunché durante le vacanze di Natale.

E aggiunse che non riusciva a "trovare una via d'uscita ancora per mesi". Il 24 luglio, in una lettera a Charles Furth di Allen & Unwin, dichiarava:

Il seguito dello *Hobbit* è rimasto ove si era fermato. Non mi interessa più e non ho idea di cosa farne. Intanto, *Lo Hobbit* originale non era stato pensato per avere un seguito; Bilbo "visse felice e contento fino alla fine dei suoi giorni, che furono eccezionalmente lunghi": una frase che costituisce un ostacolo quasi insormontabile a trovare un collegamento soddisfacente. Inoltre, quasi tutti i "temi" che posso usare sono stati pigiati nel libro originale, per cui un seguito apparirebbe più "esile", o semplicemente ripetitivo. Terza cosa: personalmente, sono immensamente divertito dagli hobbit come sono, e potrei contemplarli mentre mangiano e si scambiano i loro fatui scherzi all'infinito; ma temo che non sia lo stesso nemmeno per i miei "fan" più devoti (come il sig. Lewis e ? Rayner Unwin). Il sig. Lewis dice che gli hobbit sono divertenti solo quando si trovano in situazioni non da hobbit. Infine: per quanto riguarda le "storie", la mia mente è in realtà occupata dalle fiabe o mitologie "pure" del *Silmarillion*, nelle

* Rayner Unwin aveva dichiarato: "trovo che il secondo e il terzo capitolo comprendano troppa conversazione e 'chiacchiere hobbit' che tendono a rallentarlo un po'."

quali perfino il sig. Baggins è stato trascinato contro la mia intenzione iniziale, e non penso che sarò in grado di allontanarmene, a meno che non vengano terminate (e forse pubblicate), cosa che potrebbe avere un effetto liberatorio.

All'inizio di questo estratto mio padre ripeteva quanto affermato nelle lettere del 17 e 18 febbraio citate alle pp. 59-60, quando non aveva scritto altro che "Una festa attesa a lungo". Tuttavia resta assai difficile capire perché abbia qui dichiarato che trovava la frase dello *Hobbit*, secondo cui Bilbo "visse felice e contento fino alla fine dei suoi giorni, che furono eccezionalmente lunghi", "un ostacolo quasi insormontabile a trovare un collegamento soddisfacente"; dal momento che quanto scritto in tale fase non si riferiva a Bilbo ma a suo "nipote" Bingo, e per quanto riguarda Bilbo non era stato dichiarato nulla che dimostrasse che non fosse rimasto felice fino alla fine dei suoi giorni straordinariamente lunghi.

A quel punto la narrazione si arrestò, e rimase ferma per circa sei mesi o più. Con abbondanti "chiacchiere hobbit" lungo la strada, egli aveva condotto Bingo, Frodo e Odo a Landaino sulla via di Valforra, dove Gandalf li aveva preceduti. Avevano incontrato i Cavalieri Neri, Gildor e la sua compagnia di Elfi, e il Fattore Maggot, dove la loro visita si era conclusa in modo assai meno soddisfacente di quanto sarebbe accaduto in seguito, in virtù d'uno scherzo oltraggioso da parte di Bingo (il cui potenziale comico non si era affatto esaurito); avevano attraversato il Brandivino per giungere alla casetta predisposta per loro da Marmaduk Brandaino. Nella lettera a Charles Furth appena citata egli disse che non aveva "idea di cosa farne"; ma Tom Bombadil, l'Uomo-salice e gli Esseri dei Tumuli erano già stati presi in considerazione quali possibilità (vedi p. 58).

Il 31 agosto 1938 egli scrisse di nuovo a Charles Furth, e a quel punto era avvenuto un grande cambiamento:

Negli ultimi due o tre giorni [...] ho iniziato di nuovo a lavorare al seguito dello "Hobbit", [Il Signore dell'Anello]. Ora scorre bene e mi sta sfuggendo di mano. È arrivato [circa] al capitolo VII e procede verso traguardi inattesi.

Egli dice "circa al capitolo VII" per via dell'incertezza sulla divisione in capitoli (vedi p. 172).

Il passaggio manoscritto alla fine del presente capitolo (vedi nota 16) fu (ne sono certo) aggiunto al dattiloscritto in questo periodo e costituì l'inizio di tale nuova esplosione di energia narrativa. Mio padre aveva ormai deciso che il viaggio degli hobbit li avrebbe condotti nella Vecchia Foresta, quella "dubbia regione" comparsa nella terza versione di "Una festa attesa a lungo" (p. 41), e dove aveva già inferito nelle prime note (p. 58) che gli hobbit si perdessero e venissero catturati dall'Uomo-salice. E "il seguito dello 'Hobbit'" riceve – per la prima volta, a quanto pare – un titolo: *Il Signore dell'Anello* (vedi p. 97 e nota 3).

V.
LA VECCHIA FORESTA
E IL CIRCONVOLVOLO

Nella lettera del 31 agosto 1938 citata alla fine del precedente capitolo mio padre dichiarava che "negli ultimi due o tre giorni" era tornato sul libro, che "scorre bene e mi sta sfuggendo di mano" ed "è arrivato [circa] al capitolo VII". È chiaro che in quei pochi giorni gli hobbit avevano attraversato la Vecchia Foresta passando per la valle di Circonvolvolo, soggiornato nella casa di Tom Bombadil, erano sfuggiti alla Creatura dei Tumuli e avevano raggiunto Bree.

Gli abbozzi preliminari del quarto capitolo originale sono molto scarsi e li riporto qui. C'è prima una pagina vergata a matita e adesso di lettura estremamente difficile; introduco alcuni segni di punteggiatura necessari e piccole parole connettive che erano state omesse, così come estendo le lettere iniziali per i nomi.

Montarono sui cavallini e si allontanarono nella nebbia. Dopo aver cavalcato per un'ora e più, giunsero allo Strame. Quella svettava tutta ricoperta di ragnatele argentate.

"Come faremo a traversarla?" disse Odo.

"C'è una strada," disse Marmaduk. Seguendolo lungo lo Strame, giunsero a un piccolo tunnel rivestito di mattoni. Scendeva in un canale e si tuffava proprio sotto lo Strame, sbucando una ventina di iarde più avanti sul lato opposto, dove era chiuso da un cancello con sbarre di ferro. Marmaduk lo aprì, li fece uscire e lo richiuse. Quando quello scattò, tutti provarono una fitta improvvisa.

"Ecco!" disse Marmaduk. "Avete lasciato la Contea e ora siete [?fuori], al limitare della Vecchia Foresta."

"Sono vere le storie che raccontano?" domandò Odo.

"Non so a quali storie ti riferisci – se ti riferisci alle storielle di paura che le bambinaie ci raccontavano, piene di goblin, lupi e cose del genere, direi di no. Ma per esser strana, la Foresta lo è. Tutto lì dentro è molto più vivo, più consapevole di quello che succede, se vogliamo, rispetto alle cose della Contea. E non amano gli estranei. Gli alberi ti tengono d'occhio. Ma non fanno molto altro, almeno durante il giorno. [?Ogni tanto] quelli più ostili lasciano cadere un ramo o cacciano fuori una radice o ti avvinghiano con un lungo rampicante. Ma è di notte, per quel che ne so, che le cose si fanno più che mai allarmanti. Io ci sono venuto solo una volta dopo il calar del sole, e anche allora son rimasto vicino allo Strame. Mi è parso di sentire tutti gli alberi sussurrare tra di loro, senza un filo di vento, e i rami oscillavano e brancolavano. Dicono che gli alberi si muovano sul serio e possano circondare gli estranei e bloccarli. Molto tempo fa assalirono lo Strame: si portarono a ridosso, piantarono proprio lì le radici per poi ricaderci sopra. Ma noi brucia[m]mo il terreno lungo tutto il lato est, per miglia, e ci rinunciarono. E parecchie cose strane vivono nel cuore della Foresta e sul margine opposto. Però non ho sentito dire che siano molto aggressive, non di giorno almeno. Qualcosa però schiude dei sentieri e li mantiene aperti. C'è l'inizio di uno grande e ampio che va più o meno nella nostra direzione. È quello che sto cercando."

Il terreno saliva con regolarità e, man mano che i cavallini andavano avanti, sembrava che gli alberi diventassero più alti, più scuri e più fitti. Non si udivano rumori, tranne una sporadica goccia di umidore che cadeva, ma avevano tutti la sgradevole sensazione di essere tenuti d'occhio con rimprovero, per non dire avversione. Marmaduk cercò di cantare, ma la sua voce si ridusse presto a un murmure e infine si spense. Un ramo cadde da un vecchio albero finendo rumorosamente sul terreno alle loro spalle. Si arrestarono, spaventati, e si guardarono intorno.

"Sembra che gli alberi non apprezzino il mio canto," disse Marmaduk gioviale. "Va bene, aspetteremo di arrivare in un punto più aperto."

Vista collinetta schiarita sole alto nebbia sparisce diventa caldo

Alberi sbarrano la strada. Girano [sempre?.........lato]

Uomosalice. Incontro con Tombombadil.
[*cancellato:* Esseri dei Tumuli]
Accampamento sui Poggi.

Mentre questo brano inizia come una narrazione vera e propria per sfociare poi in una serie di note, un'altra pagina costituisce chiaramente un "abbozzo" della storia da scrivere:

Il sentiero serpeggia ed essi si stancano. Non riescono a vedere lontano. Alfine scorgono davanti a sé una collinetta spoglia (coronata di qualche pino) che dà sul sentiero. Arrivati a questo punto, trovano che la nebbia si è diradata e il sole è assai intenso, quasi a mezzodì. Si riposano e mangiano. Riescono tuttavia a scorgere solo la foresta tutt'intorno, e non sanno distinguere né la siepe né la traccia della strada verso nord, mentre la nuda pianura a est e sud spicca grigio-verde in lontananza. Oltre la collinetta il sentiero svolta *verso sud*. Decidono di abbandonarlo e dirigersi a nord-est seguendo il sole. Gli alberi però sbarrano la strada. Scendono, e rovi e cespugli, noccioli e quant'altro li bloccano. Ogni......... [?apertura] li conduce a destra. Alla fine, quand'è già meriggio, si ritrovano sul margine di un fiume cinto di salici. Il Circonvolvolo.[1] Marmaduk sa che questo fiume attraversa la foresta dalle colline per unirsi al Brandivino presso Finistrame. Sembra che ci sia una specie di sentiero accidentato che risale il fiume. Ma una grande sonnolenza li assale. Odo e Bingo non possono proseguire senza riposare. Siedono poggiati a un grande salice, mentre Frodo e Marmaduk si occupano dei cavallini. L'Uomosalice intrappola Bingo e Odo. All'improvviso si ode un canto in lontananza. (Tom Bombadil non nominato.) Il Salice allenta la presa.

Arrivano al margine della foresta mentre fa sera e ascendono sui Poggi. Fa molto freddo: alla nebbia segue una pioggerellina gelida. Si riparano sotto un grande tumulo. Il guardiano del tumulo li carpisce dentro. Al risveglio si ritrovano sepolti vivi. Gridano. Infine Marmaduk e Bingo iniziano a cantare. Fuori in risposta si ode una canzone. Tom Bombadil apre la soglia di pietra e li fa uscire. Si recano a casa sua per la notte – due Esseri dei Tumuli li inseguono [?galoppando] dietro di loro, ma ogni volta che Tom Bombadil si volta a guardarli essi si arrestano.

In questa fase, quindi, il loro primo incontro con Tom Bombadil doveva essere assai breve e non sarebbero stati suoi ospiti finché non fossero fuggiti dal tumulo sulle colline; tuttavia non si trova alcun racconto in questa forma, e senza dubbio nessuno ne fu scritto.

È ovviamente possibile che altre stesure preliminari siano andate perdute, sebbene il primo testo esistente del quarto capitolo originale (numerato "IV" ma senza titolo) sembri una composizione *ab initio*, con molte parole e frasi e persino intere pagine scartate e sostituite al momento della stesura. Per la maggior parte della sua estensione, tuttavia, si tratta di un manoscritto ordinato e leggibile, sebbene steso in fretta, e sempre più rapidamente man mano che procede (vedi nota 3). Risulta poi degno di nota che questo testo raggiunga in un colpo solo la narrazione pubblicata in CdA (capitolo 6, "La Vecchia Foresta"), con differenze minime – a parte il diverso insieme dei personaggi (in gran parte una questione di nomi) e la differente attribuzione delle "parti", e spesso in tratti sostanziali con una formulazione pressoché identica a quella finale. Mio padre poteva affermare davvero che *Il Signore dell'Anello* "scorre[va] bene".

Ci sono alcuni punti particolari da notare. Innanzitutto, per quanto riguarda i personaggi, le "parti parlate" sono variamente distribuite fra la prima forma e quella definitiva. Fredegario Bolger non è ovviamente presente per accompagnarli all'ingresso del tunnel sotto lo Strame, e la sua domanda "Come farete a traversarla?" (CdA, p. 125) è affidata a Odo ("Come faremo a traversarla?"; vedi p. 141). Il verso *O! Vagabondi nel paese oscuro,*[2] di Frodo in CdA (p. 128), è qui di Marmaduk seppure modificato, probabilmente subito, in Frodo Took. L'obiezione di Pippin a prendere il sentiero del Circonvolvolo (CdA, pp. 129-130) è attribuita a Bingo; e nella scena col Vecchio Uomo Salice le parti sono ben distinte. Nella versione originale sono Bingo e Odo a essere completamente sopraffatti dal sonno e a sdraiarsi contro il tronco del salice, mentre è Marmaduk a risultare più resistente e allarmato all'insorgere della sonnolenza. Frodo Took ("più avventuroso") scende sulla riva del fiume (come Frodo Baggins in CdA) e, addormentatosi ai piedi del salice, viene rovesciato in acqua e trattenuto da una radice, mentre Marmaduk recita la parte che sarà poi di Sam, radunando i cavallini, salvando Frodo (Took o Baggins) dal fiume e discutendo con lui come liberare i prigionieri dall'albero. Tuttavia, nonostante la successiva ridistribuzione delle parti in questa scena e l'avvento di Sam Gamgee, il vecchio testo risulta molto vicino alla forma finale, come si può vedere da questo esempio (vedi CdA, p. 133).

Marmaduk lo [Frodo Took] agguantò per la giubba e lo tirò fuori da sotto la radice; e poi lo issò a riva. Lui si svegliò quasi all'istante, tossì e sputacchiò.

"Sai una cosa," disse, "quell'albero schifoso mi ha *scaraventato* in acqua! Me ne sono accorto. Con una semplice torsione la grossa radice mi ha spinto dentro!"

"Sognavi," disse Marmaduk. "Ti ho lasciato dormire, sebbene lo giudicassi un posto piuttosto sciocco cui appoggiarsi."

"E gli altri due?" domandò Frodo. "Chissà che razza di sogni staranno facendo *loro*."

Girarono sul lato a riva. Allora Marmaduk capì da dove veniva il clic. Odo era scomparso. La crepa accanto alla quale si era appoggiato si era richiusa e non si scorgeva neanche uno spiraglio. Bingo era intrappolato: un'altra crepa gli si era chiusa intorno alla vita...

Ci sono anche alcuni punti minori di topografia da menzionare. Nell'abbozzo (p. 143) si dice che la collina era coronata di pini, e questo è stato mantenuto: aveva "un groppo di pini sulla cima", sotto il quale sedettero gli hobbit. In CdA (p. 129) la collina viene trasformata in una cima spoglia e gli alberi che la circondano in "una folta chioma che s'interrompeva bruscamente in un cerchio intorno a una calotta rasata". Quando poi arrivarono alla fine del burrone e guardarono dagli alberi il Circonvolvolo, si trovarono in cima a un dirupo:

All'improvviso gli alberi del bosco finirono e la gola terminò in cima a un argine che era quasi un dirupo. Il torrente vi si tuffava e precipitava in una serie di cascatelle. Guardando in basso videro ai loro piedi un'ampia radura di erba e canne...

Marmaduk scese verso il fiume e disparve tra l'erba lunga e i cespugli bassi. Dopo un po' ricomparve e li chiamò da una zona erbosa una trentina di piedi più in basso. Riferì che tra la riva e il fiume il terreno era abbastanza solido...

In CdA (p. 131) è chiaro che gli hobbit, seguendo il piccolo ruscello lungo il burrone, avevano raggiunto il livello della valle del Circonvolvolo mentre si trovavano ancora nel folto del bosco:

Arrivando all'apertura, scoprirono che erano scesi attraverso una fenditura in un alto e ripido argine, quasi un precipizio. Ai suoi piedi c'era un ampio spazio di erba e di erbacce...

[Merry] emerse alla luce del sole e sparì nell'erba alta. Dopo un po' ricomparve, e riferì...

Successivamente, nella versione originale, c'è ansia per la discesa dei cavallini giù dalla rupe; in realtà questi scesero senza difficoltà, ma Frodo Took "mise troppo peso su una zolla erbosa che sporgeva come un gradino, e filò giù testa piede per gli ultimi quindici piedi circa; ma non si fece troppo male in fin dei conti, perché il terreno era soffice"; in CdA (p. 132) gli hobbit si limitarono a "uscire" dagli alberi.

L'ultima parte del capitolo, in cui compare Tom Bombadil, e che termina con le stesse parole di CdA ("una luce dorata li avvolse"), è così vicina alla forma finale[3] che è necessario menzionare solo una questione minore. È chiaro qui come in CdA che il sentiero che gli hobbit seguirono accanto al Circonvolvolo si trovava sul lato nord del fiume, quello da cui scesero dalla foresta, risulta quindi strano che l'avvicinamento alla casa di Tom Bombadil sia descritto così:

L'erba sotto i piedi era soffice e bassa, come se fosse falciata o rasata. Il limitar della foresta alle loro spalle era tosato e cimato come una siepe. Il sentiero era fiancheggiato di pietre bianche e, *scendendo bruscamente a sinistra, superava un ponticello*. Poi si snodava su per la cima di una collinetta tonda...

Eppure il sentiero si trovava già sul lato sinistro del fiume, mentre risaliva la corrente. In seguito, questo testo fu pesantemente corretto e la versione di CdA quasi completata; tuttavia fu mantenuto questo dettaglio: "Il sentiero era fiancheggiato di pietre bianche; e girando bruscamente a sinistra li condusse sopra un ponte di legno." In seguito, la parola "sinistra" fu cambiata in "destra", sottintendendo che la casa di Tom Bombadil si trovava sul lato sud del Circonvolvolo. In CdA non c'è alcuna menzione di un ponte. La mappa della Contea di mio padre (vedi p. 135, mappa I) mostra probabilmente come egli avesse cambiato idea al riguardo; difatti la matita sottostante mostra "TB", con un segno scuro accanto, sul lato sud, mentre la sovrapposizione a inchiostro mostra la casa a nord del torrente. Vedi anche le pp. 407-408.

[1] Prima occorrenza del nome *Circonvolvolo*.

[2] Il verso ha *paese scuro* per *paese oscuro* nel primo verso, mentre per il resto è come in CdA. Si trova anche un lavorio di prova per un verso in questo passaggio. Mio padre inizialmente scrisse: "O vagabondi nella terra degli alberi / non disperate perché non v'è bosco", ma ciò fu interrotto per proporre quanto segue:

al focolare non pensate che resta alle spalle
ma il cuore volgete alle colline lontane
di là del sole all'alba che appare.
Il viaggio appena deve cominciare
la via se'n va sempre avanti
oltre le case e le soglie, con noi vaganti
sull'acqua e sotto fronda, sempre innanzi.

[3] Verso la fine del capitolo il manoscritto diventa estremamente confuso. Dal punto in cui Marmaduk e Frodo Took scoprono che Bingo e Odo sono intrappolati dall'Uomo-salice, mio padre passa da inchiostro a matita, e riducendosi a rapido scarabocchio il capitolo sembra esaurirsi nel corso del loro salvataggio da parte di Tom Bombadil; tuttavia in seguito egli cancellò la maggior parte del testo scritto a penna, o lo sovrascrisse a inchiostro, per continuare così fino alla fine del capitolo. Questa parte conclusiva si discosta dallo schizzo preliminare riportato a p. 143, in cui gli hobbit, dopo il salvataggio, salgono verso i Poggi e vengono catturati dall'Essere dei tumuli; qui, come in CdA, Tom li invita a venire a casa sua e prosegue lungo il sentiero accanto al Circonvolvolo. L'ultima parte del manoscritto risulta, a rigore, una probabile aggiunta successiva; ma la questione è di scarsa importanza, poiché tutti questi scritti appartengono ovviamente al medesimo periodo di lavorazione, alla fine di agosto del 1938.

Nota su Tom Bombadil

Tom Bombadil, Baccadoro, il Vecchio Uomo Salice e l'Essere dei tumuli esistevano già da tempo, essendo apparsi in stampa sulle pagine dell'*Oxford Magazine* (vol. LII, n. 13, 15 febbraio 1934). In una lettera del 1954 mio padre disse:

> Io non penso che su Tom sia necessario filosofeggiare, o che farlo lo migliorerebbe. Tuttavia molti lo considerano un ingrediente strano o proprio discordante. In realtà l'ho inserito perché l'avevo già "inventato" indipendentemente (è apparso per la prima volta sull'Oxford Magazine) e volevo una "avventura" durante il viaggio.*

Su un piccolo pezzo di carta isolato si trovano i seguenti versi. In cima alla pagina mio padre scrisse: "Data sconosciuta – germe di Tom Bombadil, quindi evidentemente a metà degli anni trenta"; e questa nota fu scritta contemporaneamente al testo, che certamente è piuttosto tardo. Non v'è traccia del testo da cui venne copiata.

(Diss'io)
"Ho! Tom Bombadil
Ove a zonzo te ne vai
Con John Pompadoro
Lungofiume a remar, lo sai?"

(Disse lui)
"Traverso Long Congleby,
*Stoke Canonicorum,***
Di là da King's Singleton.
A Bumby Cocalorum –

A chiamar fuori Bill Willoughby,
Checché vada lui combinando,

* *Lettere*, p. 305. Alcune notazioni importanti su Tom Bombadil si trovano in questa lettera e nella n. 144 (pp. 275-287).

** Nome medievale di quella che adesso è Stoke Canon nel Devonshire.

E dar voce a Harry Larraby
Che birra a cateratte sta sfornando."

(E lui cantò)
"Vai, barchetta! Rema! I salici son curvi,
piegate le canne, fila il vento su tutta l'erba.
Scorri, ruscello! Su infinite crespe scorri
di verde lucore, che il tremolio serban.

Corri, bel Sole, traverso il cielo, per tutto il mattino,
rollando dorato! Allegra è questa nostra canzone!
Freschi gli stagni, sebben sia l'estate rovente camino;
nell'ombrose radure suonar fai risate e dolce evasione!"

La poesia pubblicata sull'*Oxford Magazine* nel 1934 portava il titolo *Le Avventure di Tom Bombadil* (in versioni precedenti *La Storia di Tom Bombadil*). Molti anni dopo (1962) mio padre la rese la prima poesia della raccolta cui dava il titolo (e aggiunse anche una nuova poesia, *Bombadil va in barca*, in cui incontra il Fattore Maggot nella Marcita). In questa versione successiva furono apportate varie modifiche e introdotti riferimenti al Circonvolvolo, ma la vecchia poesia fu in gran parte conservata. In essa si trova l'origine di molti elementi presenti in questo capitolo e in quelli successivi: la fessura che si chiude nel Grande Salice (anche se nel poema è Tom stesso a rimanervi impigliato), la cena a base di "crema gialla, miele, pane bianco e burro", i "rumori notturni" che includevano il picchiettio dei rami del Vecchio Uomo Salice sul vetro della finestra, le parole dell'Essere dei tumuli (che nel poema si trovava all'interno della casa di Tom) "Ti sto aspettando", e molto altro.

VI. TOM BOMBADIL

Un brevissimo abbozzo palesa i primi pensieri di mio padre riguardo alla tappa successiva del viaggio degli hobbit: la visita alla casa di Tom Bombadil.

Tom Bombadil li salva dall'Uomo Salice. Dice che è stata una fortuna che stesse passando da quelle parti: si era recato alla vasca delle ninfee a prenderne di bianche per Baccadoro (mia moglie).

Vien fuori che egli conosce il Fattore Maggot (non fare di Maggot uno hobbit, ma un genere diverso di creatura, non un Nano, ma un po' come Tom Bombadil stesso). Si fermano a casa sua. Dice che l'unica via d'uscita è il suo sentiero accanto al Circonvolvolo. Descrizione del banchetto e del fuoco [?di salice]. *Molti rumori durante la notte.*

Tom Bombadil li sveglia cantando *bel dol* e apre tutte le finestre (abita in una casetta sotto la discesa che s'affaccia sul limitare della foresta e sul [?margine orientale] del bosco). Dice loro di andare a nord, ma evitare gli alti Poggi e i tumuli. *Li mette in guardia dagli esseri dei tumuli*; insegna loro una canzone da intonare se gli esseri dei tumuli li spaventassero o

Una giornata fredda. La nebbia si addensa ed essi si perdono.

Questo schema fu buttato giù a matita a gran velocità. Come si vedrà tra breve, in questa fase gli hobbit trascorsero solo una notte con Tom Bombadil e ripartirono il mattino seguente. Un'altra serie di appunti, anch'essa ovviamente precedente al primo testo narrativo vero e proprio, risulta molto difficile da leggere:

Motivo delle ninfee – ultime ninfee dell'estate per Baccadoro.

Relazione tra Tom Bombadil e Fattore Maggot (Maggot non è uno hobbit?)

Tom Bombadil è un "aborigeno" – conosceva la terra prima degli uomini, prima degli hobbit, prima degli esseri dei tumuli, sì, prima del negromante – prima ancora che gli elfi giungessero in questo angolo di mondo.

Baccadoro dice che egli è "signore dell'acqua, del legno e della collina". Tutta questa terra gli appartiene? No! La terra e le cose appartengono solo a se stesse. Egli non è padrone ma signore, perché appartiene a se stesso.

Descrizione di Baccadoro, i suoi capelli biondi come gigli, la veste verde e i piedi leggeri.

Gli Esseri dei Tumuli sono legati ai Cavalieri Neri. I Cavalieri Neri sono in realtà Esseri dei Tumuli a cavallo?

Gli ospiti dormono – c'è rumore come di vento che si leva ai margini della foresta e .... attraverso i vetri, i timpani e le porte. Galoppo di [cavalli] intorno alla casa.

La prima narrazione vera e propria (incompleta) di questo capitolo è un manoscritto a inchiostro molto approssimativo e difficile, che diventa davvero molto approssimativo prima di arenarsi alla prima mattina trascorsa a casa di Bombadil. Non ha titolo, ma è numerato, piuttosto bizzarramente, "V o VI". Qui, ancor più che nell'ultimo capitolo, la forma definitiva – fino alla fine – è già presente in tutti i dettagli espressivi.

L'elemento più interessante è la storia dei sogni degli hobbit durante la notte, che viene narrata così:

A notte fonda Bingo si svegliò e udì dei rumori: una paura improvvisa lo assalì, [?tanto che] non aprì bocca e rimase ad ascoltare col fiato corto. Sentì un suono come di forte vento che si avvolgeva attorno alla casa e la scuoteva e nel vento giunse un rumore di zoccoli in arrivo al galoppo, al galoppo, al galoppo. Zoccoli parevano piombare tempestando giù dalla collina, da oriente; su per le pareti e poi intorno e intorno, gli zoccoli martellavano e il vento soffiava, per poi spegnersi lontano di nuovo su per la collina e via nell'oscurità.

"Cavalieri Neri," pensò Bingo. "Cavalieri Neri, un'armata nera di Cavalieri," e si domandò se avrebbe mai avuto il coraggio di lasciare il riparo di quelle pareti di pietra. Restò immobile, in ascolto per un po'; ma ora tutto taceva e dopo un po' si riaddormentò. Accanto a lui Odo sognava; si rigirò nel letto mugugnando, per poi svegliarsi nel buio, eppure il sogno proseguì. *Tap, tap, squik*: il rumore era quello di rami agitati dal vento, di fuscelli che grattavano contro la parete e la finestra... [*ecc. come in CdA, p. 143*]

Era il rumorio dell'acqua quello che Frodo sentiva colare nel sonno e destarlo delicata: acqua che da principio scorreva dolcemente per poi spandersi tutt'intorno alla casa, gorgogliando sotto i muri... [*ecc. come in CdA, p. 144*]

Meriadoc[1] dormì tutta la notte in un sonno profondo e appagante.

Così come viene raccontato qui, non sembra esserci motivo per non capire che i Cavalieri Neri (o Esseri dei Tumuli) giunsero effettivamente per girare attorno alla casa di Tom Bombadil durante la notte. Si noti che viene detto esplicitamente che Bingo *si svegliò* e dopo un po' *si addormentò*. Nel canovaccio iniziale riportato a p. 143 (dove gli hobbit si recano da Tom solo dopo la loro cattura da parte d'un Essere dei tumuli sui Poggi) "Due Esseri dei Tumuli li inseguono [?galoppando] dietro di loro"; vedi anche nota a p. 152: "Gli Esseri dei Tumuli sono legati ai Cavalieri Neri". "I Cavalieri Neri sono in realtà Esseri dei Tumuli a cavallo?" – seguito da "Galoppo di [?cavalli] intorno alla casa". In ogni caso, la fine del presente testo (purtroppo così insolitamente scarabocchiato da renderne estremamente difficile l'interpretazione) è esplicita. Qui, come nella storia successiva, Bingo sta guardando dalla finestra est della loro stanza l'orto grigio di rugiada.

Si aspettava quasi di vedere il prato che arrivava fino alla parete, un prato tutto bucherellato dai segni degli zoccoli. Di fatto, un alto filare di fagioli sui sostegni gli ostruiva la visuale; ma al di sopra e in lontananza la grigia sommità della collina si stagliava contro il sorgere del sole. Era una mattina pallida, con soffici nuvole dietro le quali spiccavano profondità di giallo e rosso tenue. La luce si diffondeva rapida e i fiori rossi dei fagioli cominciavano ad accendersi contro le verdi foglie umide.

Frodo guarda dalla finestra occidentale, come farà Pippin in CdA, e vede il Circonvolvolo scomparire nella nebbia sottostante e il giardino in fiore: "Niente salici in vista."

"Buongiorno, allegri amici!" gridò Tom, spalancando la finestra orientale. Entrò l'aria fresca. "Il sole vi [?riscalderà] all'invecchiar del giorno. Ho camminato a lungo, saltando in cima alle colline, da quando è [?giunta] l'alba grigia e la notte è scivolata via, con l'erba umida sotto i piedi........"

Quando si vestirono [*cancellato appena scritto:* Tom li portò sul pendio] il sole era già sorto sulla collina e le nuvole andavano diradandosi. Nella valle della foresta gli alberi spiccavano come alte teste che spuntassero dai cirri del mare di nebbia. Erano contenti di fare colazione, persino di essere di nuovo svegli, al sicuro e al principio d'una giornata allegra. Il pensiero di partire gravava su loro, e non solo per la paura della via. Fosse pure stata [?spensierata] e diretta a casa, avrebbero comunque voluto fermarsi laggiù.

Ma sapevano che non poteva andare così. Pure Bingo in cuor suo comprese che il rumore degli zoccoli non era stato semplicemente un sogno. Dovevano fuggire in fretta, altrimenti... [?inseguiti] qui. Così decise di chiedere l'aiuto e il consiglio che il [?vecchio] Bombadil poteva o voleva accordare loro.

"Signore," disse, "non abbiamo modo di ringraziarti per la tua gentilezza, poiché è stata più che gradita. Tuttavia dobbiamo proseguire, controvoglia, e in fretta. Stanotte ho sentito dei cavalieri e temo che essi ci inseguano."

Tom lo guardò. "Cavalieri," disse. "Uomini morti [?che cavalcano il vento. È da molto tempo che non si presentano da queste parti.] Cosa spinge mai gli Esseri a lasciare i loro vecchi tumuli? Siete gente strana voialtri che uscite dalla Contea [?più strana persino di quanto mi abbiano riferito le novelle], adesso è meglio che mi diciate tutto e io vi consiglierò al riguardo."

Qui finisce il testo, tuttavia seguono queste note a matita:

Rendere un improvviso giorno di pioggia. Lo trascorrono a casa di Tom e gli raccontano tutta la storia; lui narra loro dell'Uomo-salice e di ....[2] È preoccupato per i cavalieri, ma dice che penserà a un qualche consiglio. Il giorno seguente fa bel tempo. Li porta in cima alla collina. Loro .... i tumuli.

È qui che si inserisce la storia del secondo giorno piovoso trascorso a conversare a lungo con Bombadil; in precedenza il tempo era diventato subito bello e gli hobbit erano partiti dopo aver raccontato a Tom la loro storia e aver ricevuto il suo consiglio. In questa prima narrazione Bingo era così convinto della realtà di ciò che aveva sentito durante la notte che sottopose il problema a Tom, e questi pareva prenderlo sul serio; e in questo contesto le parole "Di fatto" (mantenute in CdA) in "Di fatto, un alto filare di fagioli sui sostegni gli ostruiva la visuale" suggerisce che se non fosse stato per questo avrebbe effettivamente visto il manto erboso "tutto bucherellato dagli zoccoli".

Segue una seconda narrazione, evidentemente scritta subito dopo la prima, e stavolta è completa. In questo caso il capitolo è numerato "V", ancora senza titolo. Il primo testo era ormai raffinato e ordinato nella resa espressiva, il mattino prometteva pioggia e la nuova versione diventa, fino al punto in cui terminava la prima, poco distinguibile da quella di CdA, eccetto la questione dei "sogni". Questi sono ancora raccontati con lo stesso linguaggio inequivocabile, come fossero eventi reali nel corso della notte; ma in seguito non viene detto nulla di più di quanto dichiarato anche in CdA. Nel racconto finale il sogno di Frodo è una visione di Gandalf in piedi sul pinnacolo di Orthanc e la discesa di Gwaihir per portarlo in salvo, ma tale visione è ancora accompagnata dal frastuono dei Cavalieri Neri che galoppano da est; ed era quel rumore a svegliarlo. Si dice ancora che al mattino trovò il terreno intorno alla casa segnato dagli zoccoli, ma questo non è altro che un modo per sottolineare la vividezza della sua esperienza notturna.

Il resto della seconda versione del capitolo si avvicina perlopiù in modo straordinario alla forma finale,[3] tuttavia non mancano alcune differenze interessanti.

Nel lungo discorso di Tom Bombadil con gli hobbit il secondo giorno, la sua voce è descritta come "sempre a cantilena o addirittura cantando davvero" (vedi CdA, p. 145: "Spesso la voce intonava una canzone"). Il passo relativo al Vecchio Uomo Salice fu scritto per la prima volta così:

Tra le sue chiacchiere menzionava talvolta il Vecchio Uomo Salice, e Merry apprese abbastanza da sentirsi soddisfatto[4] (anzi più che abbastanza, perché non era un sapere confortante), sebbene non abbastanza per fargli comprendere davvero come quello spirito della terra grigio e assetato fosse stato imprigionato nel più grande Salice della Foresta. L'albero non periva, sebbene il suo cuore fosse marcio, mentre la malizia del Vecchio Uomo Salice traeva vigore dalla terra e si diramava come sottili radici nel suolo e invisibili fuscelli nell'aria, fino ad avere sotto il suo dominio quasi tutti gli alberi su ambo i lati della valle.[5]

Il discorso di Bombadil sugli Esseri dei Tumuli è stato poi ripreso quasi parola per parola in CdA (pp. 145-146), con una differenza: per "Da luoghi oscuri e remoti emerse un'ombra" di CdA questo testo ha "Dal centro del mondo emerse un'ombra" mentre nel testo sottostante scritto a matita (vedi nota 3) si può leggere "dal Sud emerse un'ombra". Alla fine del suo discorso, dove CdA ha "e poi Tom risalì cantando ancora più indietro fino all'antica luce stellare", la versione attuale ha "e poi cantando Tom risalì a prima ancora del Sole e della Luna, all'antica luce stellare". Un dettaglio degno di nota è la frase della vecchia versione: "Se fossero trascorse mattina e sera di uno o molti giorni Bingo non avrebbe saputo dirlo (né lo scoprì mai con certezza)". Le parole tra parentesi furono presto rimosse, quando la datazione del viaggio a Bree divenne precisa: gli hobbit rimasero con Bombadil il 26 e il 27 settembre, e partirono la mattina del 28 (vedi p. 206).

La risposta di Tom Bombadil alla domanda di Bingo "Tu chi sei, Signore?" presenta alcune interessanti differenze rispetto alla forma conclusiva (CdA, p. 147):

"Eh, cosa?" disse Tom raddrizzandosi, gli occhi scintillanti nel buio. "Sono un Aborigeno, ecco cosa sono, l'Aborigeno di questa terra. [*eliminato subito:* "Ho parlato una miriade[6] di favelle e mi sono dato molti nomi."] Tenete bene a mente, amici miei, queste parole: Tom era qui prima del Fiume e degli Alberi; Tom ricorda la prima goccia di pioggia e la prima ghianda. Ha tracciato sentieri prima della Grossa Gente e visto arrivar la Piccola Gente. Era qui prima dei Re, delle tombe e degli [spettri>] Esseri dei Tumuli. Quando gli Elfi si trasferirono a occidente, Tom era già qui, prima che i mari si curvassero. Lui ha visto il Sole sorgere a Occidente e la Luna a seguire, prima che fosse stabilito il nuovo ordine dei giorni. Conosceva l'oscurità sotto le stelle quando non incuteva paura: prima che l'Oscuro Signore giungesse da Fuori."

In CdA Tom Bombadil si definisce "il più Anziano", non "Aborigeno" (vedi le note riportate a p. 152: "Tom Bombadil è un 'aborigeno'"); e il riferimento qui al fatto che abbia visto "il Sole sorgere a Occidente e la Luna a seguire" è stato abbandonato (anche se "Tom ricorda la prima ghianda e la prima goccia di pioggia", che è stato mantenuto, dica la medesima cosa). Queste parole sono estremamente sorprendenti; perché nel *Quenta Silmarillion*, che mio padre aveva messo da parte solo alla fine dell'anno precedente, si racconta che "Rāna [la Luna] fu per primo foggiato e preparato, e per primo si levò nella regione delle stelle, e fu il più antico a splendere, come fu Silpion per gli Alberi" (V.300); e "invero, quando la Luna sorse per la prima volta, Fingolfin pose piede nella Terra di Mezzo e gli Orchi furono ricolmi di stupore. Ma frattanto che la schiera di Fingolfin marciava verso il Mithrim, il Sole sorgeva fiammeggiante a Occidente" (V.311).

Tom Bombadil era "presente" durante le Ere delle Stelle, prima che Morgoth tornasse nella Terra di Mezzo dopo la distruzione degli Alberi; è a questo evento che si riferivano le sue parole (conservate in CdA) "Conosceva l'oscurità sotto le stelle quando non incuteva paura: *prima che l'Oscuro Signore giungesse da Fuori*"? Occorre segnalare che sembra improbabile che Bombadil con "Fuori" si riferisca a Valinor, al di là del Grande Mare, soprattutto perché questo avvenne molto tempo "prima che i mari si curvassero", quando Númenor fu sommersa; parrebbe molto più naturale interpretare la parola come "l'Oscurità Esterna", "il Vuoto" oltre i Muri del Mondo. Tuttavia nella mitologia per come era in quel periodo, quando mio padre iniziò *Il Signore degli Anelli*, Melkor faceva il suo ingresso nel "Mondo" con gli altri Valar, per non abbandonarlo fino alla sua sconfitta finale. Fu solo con il suo ritorno al *Silmarillion* dopo il completamento del *Signore degli Anelli* che fece il suo ingresso il racconto della Prima Guerra presente nell'opera pubblicata (pp. 75-77), secondo cui Melkor fu sconfitto da Tulkas e cacciato nell'Oscurità Esterna, da cui tornò in segreto mentre i Valar si riposavano dalle loro fatiche sull'Isola di Almaren, e rovesciò le Lampade, ponendo fine alla Primavera di Arda. Sembra quindi che Bombadil debba riferirsi al ritorno di Morgoth da Valinor alla Terra di Mezzo, in compagnia di Ungoliant e coi Silmaril, oppure che mio padre avesse già sviluppato una nuova concezione dell'originale storia di Melkor.

Dopo il riferimento al Fattore Maggot, da cui Tom Bombadil ha appreso la conoscenza della Contea e che egli "sembrava ritenere una persona più importante di quanto loro non immaginassero" (CdA, p. 148), questo testo aggiunge: "Siamo parenti, lui e io. In un certo senso: alla lontana e addietro nel tempo, ma abbastanza intimi quanto ad amicizia" (nella stesura originale: "Siamo affini, disse, lontani, molto lontani, ma abbastanza intimi perché la cosa abbia peso"). Vedi le note riportate a p. 152, relative alla possibilità che il Fattore Maggot non fosse affatto uno hobbit, ma una creatura completamente diversa e simile a Bombadil.[7] Alla fine di questo passaggio, il riferimento in CdA ai rapporti di Tom con gli Elfi e al fatto che avesse avuto notizie della fuga di Frodo (Bingo) da Gildor è assente dal testo attuale. (Tom aveva detto in precedenza, in CdA a p. 142, che lui e Baccadoro avevano sentito parlare del loro vagabondaggio e "che entro breve tempo saresti arrivato all'acqua", e ciò è presente in entrambi i testi originali).

Delle domande di Tom a Bingo qui si dice che Bingo "si trovò a raccontargli più cose su Bilbo Baggins e la sua storia e la faccenda della fuga improvvisa di quante ne avesse raccontate prima persino ai suoi tre amici"; in CdA (p. 148) ciò divenne "si trovò a dirgli di Bilbo e delle proprie speranze e paure più di quanto non avesse mai detto neanche a Gandalf". Si può notare come nella vecchia narrazione fino a questo punto non vi fosse alcun accenno al fatto che la partenza di Bingo da Hobbiton fosse stata una "fuga improvvisa" – eccetto forse nella "premessa" fornita nel capitolo III, dove Gandalf prima della Festa gli dice: "Ma devi agire in fretta" (p. 108).

L'episodio di Tom e dell'Anello è raccontato pressoché con le stesse parole di CdA, con l'unica e lievissima differenza che, quando Bingo indossa l'Anello, Tom grida: "Ehi, vieni qui Bingo, dove stai andando? Cos'hai da sogghignare? Stanco di conversare? Togliti quell'anello e siediti un attimo. Dobbiamo parlare ancora un po'...". Mio padre scrisse in seguito: "Rendere più chiara la scena" e sostituì (dopo "dove stai andando?"): "Credevi che non ti avrei visto con l'Anello addosso? Ah, Tom Bombadil non è ancora cieco a tal punto. Togli il tuo Anello d'oro e siediti un attimo."

Infine, proprio alla fine del capitolo, la filastrocca che Tom Bombadil insegna agli hobbit a cantare in caso di bisogno è diversa da quella di CdA:

Oh! Tom Bombadil! Ov'è che a zonzo passeggiando vai?
Su, giù, appresso, lontano? Qua, là, più oltre ancora, ormai?
Per collina immota, legno che cresce, e l'acqua che cade
Qui noi t'invochiam! Puoi tu udirci da queste contrade?

Questa filastrocca era inizialmente presente nel capitolo successivo, quando Bingo la cantava nel tumulo; ma al momento della stesura fu sostituita da *Oh! Tom Bombadil, Tom Bombadillo!* ecc. come in CdA (p. 158). Nel presente brano mio padre scrisse a margine: "Oppure sostituire le rime nel capitolo VI", e così fu (CdA, p. 150).

1 Questa è la prima occorrenza di *Meriadoc* per *Marmaduk* in una scrittura manoscritta originale.

2 La parola assomiglia molto a *tassi*. Se è così, deve trattarsi di un riferimento ai tassi che catturarono Tom Bombadil nel poema ("Presero Tom per il cappotto, lungo le gallerie lo trascinaron di sotto."); vedi *Le Avventure di Tom Bombadil* (1962), pp. 19-20 (i versi che descrivono l'incontro di Tom coi tassi sono stati lasciati praticamente invariati nella versione successiva). Nel testo successivo di questo capitolo Tom stava raccontando agli hobbit "una storia assurda sui tassi e sulle loro strane abitudini" quando Bingo si infila l'anello; e questo è stato mantenuto in CdA.

3 Il racconto del piovoso secondo giorno presso Bombadil è stato scritto *ab initio* a matita, poi una parte del manoscritto è stata sovrascritta a inchiostro; per l'ultima parte del capitolo, dalla cena del secondo giorno, c'è sia la bozza a matita sia il manoscritto a inchiostro. Ma è chiaro che tutto questo lavoro era continuo e sovrapposto.

4 La domanda sul Vecchio Uomo Salice della notte precedente è posta da Merry (da Frodo in CdA); cioè da chi non era stato imprigionato nell'albero.

[5] Un passaggio molto affine a quello di CdA (da "Le parole di Tom mettevano a nudo il cuore degli alberi") è stato sostituito, probabilmente mentre il manoscritto era in corso di stesura o poco dopo.

[6] *moltitudine*: moltissimi.

[7] È plausibile che in questo momento e in questo contesto siano state aggiunte alcune correzioni a matita al dattiloscritto del terzo capitolo. Le parole di Frodo Took sul Fattore Maggot, "Vive in una casa" (p. 118), furono così ampliate: "Non è uno hobbit – non uno hobbit purosangue, come che sia. È piuttosto grosso e ha la barba sotto il mento. Ma la sua famiglia possiede questi campi da tempo immemorabile." E quando Maggot compare (p. 120), "la grande faccia tonda di uno hobbit" fu modificato in una "grande faccia tonda incorniciata di peli". In seguito, nel *Prologo* a SdA, gli hobbit del Quartiero Est furono descritti come "assai robusti, avevano gambe massicce"; "Ma si sapeva bene che erano in gran parte di sangue nerbuto, come ampiamente attestato dalla peluria che molti si lasciavano crescere sul mento. Nessun pelòpede o cutèrreo aveva ombra di barba." Vedi p. 369.

Un accenno precedente al fatto che il Fattore Maggot non fosse del tutto come sembrava, si trova nell'osservazione di Merry (p. 131): "Andava spesso nella Vecchia Foresta e ha fama di conoscere due o tre cosette fuori della Contea." Ciò fu mantenuto in CdA.

VII.
L'ESSERE DEI TUMULI

I primi pensieri di mio padre sull'incontro con l'Essere dei tumuli (stesi mentre lavorava alla storia degli hobbit nella Vecchia Foresta) sono riportati a p. 143. Quando si accinse a scrivere questo capitolo, iniziò con una bozza a matita[1] che portava la storia fino al risveglio degli hobbit accanto alla pietra eretta nel cerchio concavo sui Poggi e alla discesa dei loro cavallini nella nebbia (CdA, p. 153). Come molte delle sue bozze preliminari, questa risulterebbe virtualmente illeggibile se non l'avesse seguita da presso nel primo manoscritto completo (a inchiostro), perché le parole, che avulse dal contesto potrebbero essere interpretate in una dozzina di modi diversi, possono così essere identificate subito. In questo caso non fece altro che migliorare la formulazione frettolosa della bozza, aggiungendo il passaggio che descrive la vista verso nord dal pilastro di pietra, con la linea scura in lontananza che Merry confuse con gli alberi che costeggiano la Strada Est.

Se la bozza proseguiva oltre questo punto essa è ormai andata perduta; ma in realtà il manoscritto a inchiostro potrebbe benissimo costituire la composizione originale. C'è comunque una traccia molto approssimativa della trama della storia a partire dal punto in cui "Bingo si ritrova dentro un tumulo", e questa traccia prosegue la storia fino a Valforra. Fu scritta così rapidamente e ora risulta così sbiadita che, dopo molti sforzi, non riesco a decifrare tutto. La parte peggiore, tuttavia, si trova all'inizio, dal ritrovarsi di Bingo nel tumulo al risveglio di Odo, Frodo e Merry da parte di Tom, e da quanto risulta leggibile si può notare che, pur se in modo molto conciso e limitato, tutti gli elementi essenziali della narrazione erano già presenti. Non cercherò quindi di esporre questa parte, tuttavia presento il resto dello schema per intero in questa sede, giacché è di grande interesse nel documentare i pensieri di mio padre sul prosieguo della storia in questo frangente, cioè prima che il capitolo dell'"Essere dei tumuli" fosse effettivamente completato.

Tom canta una canzone su Odo Frodo Merry. Svegliati ora, mio allegro....!

.........[2] del [?pilastro] e come si ritrovarono divisi.

Tom impartisce una benedizione o maledizione sull'oro e lo depone in cima al tumulo. Nessuno degli hobbit ne vuole una porzione, Tom invece prende una spilla per Baccadoro.

Tom dice che andrà con loro, dopo averli rimbrottati per aver dormito accanto al pilastro di pietra. Trovano subito la strada e il tragitto pare breve. Svoltano lungo la strada. [?Un galoppare] li insegue. Tom si volta e alza la mano. Si ritraggono.[3] Al calare del crepuscolo vedono una... luce. Tom li saluta, perché Baccadoro aspetta.

Dormono alla locanda e odono notizie di Gandalf. L'allegro oste. Canzone del bere.

Passare rapidamente sul resto del viaggio verso Valforra. Ci sono cavalieri sulla strada? Farli deviare scioccamente per visitare le Pietre dei Troll. Questo li fa ritardare. Un giorno, infine, sostarono su un'altura e guardarono verso il guado. Un galoppo dietro di loro. Sette (3? 4?) Cavalieri Neri cavalcano in fretta lungo la strada. Hanno anelli e corone d'oro. Fuga al di là del guado. Bingo [*scritto sopra:* Gandalf?] scaglia una pietra e imita Tom Bombadil. Tornate indietro e cavalcate via! I Cavalieri si fermano come istupiditi e, guardando gli hobbit sulla riva, i loro volti restano invisibili sotto i cappucci. Tornate indietro, dice Bingo, ma lui non è Tom Bombadil, e i cavalieri scendono nel guado. Ma proprio in quel momento si ode un boato e un grande [?muro] d'acqua che smuove i sassi si abbatte a spron battuto lungo il fiume dalle montagne. *Arrivano gli Elfi.*

I Cavalieri si ritraggono appena in tempo per lo sgomento. Gli hobbit cavalcano a rotta di collo verso Valforra.

A Valforra *Bilbo addormentato* Gandalf. Alcune spiegazioni. Cotta di maglia di Bingo nel tumulo e le rocce oscure – (i 3 hobbit avevano

sfiorato le rocce quando di colpo avevano tutti [?perso i sensi]?). Gandalf aveva fatto precipitare l'acqua col permesso di Elrond.
Gandalf si stupisce a sapere di Tom.
Consultazione degli hobbit con Elrond e Gandalf.
Ricerca della Montagna Fiammea.

Tale schema termina così. Sebbene mio padre avesse già concepito la scena del guado, con l'improvvisa alluvione del Bruinen (e il grido di Bingo/ Frodo ai Cavalieri: Tornate indietro!), Passolungo (che all'inizio non si chiamerà così) comparirà solo con l'accresciuto significato della locanda (che qui fa la sua comparsa per la prima volta) a Bree nel capitolo successivo; e non v'è alcun accenno a Svettavento. Se le "rocce scure" sono i "due enormi monoliti" attraverso i quali Bingo/Frodo passò nella nebbia sui Poggi (CdA, p. 155) – sono chiamate "pietre erette" nella prima versione – è strano che la discussione di questo sia stata rimandata fino a quando gli hobbit raggiunsero Valforra; ma forse le parole "Alcune spiegazioni" implicano che Gandalf sapesse fare luce su quanto avvenuto.[4] Sulla "cotta di maglia di Bingo nel tumulo" vedi p. 285. Le Crepe della Terra nelle profondità della Montagna Fiammea sono indicate da Gandalf come l'unica vampa abbastanza possente da distruggere l'anello di Bilbo (p. 106); qui per la prima volta la Montagna Fiammea entra nella storia quale meta alla quale saranno infine destinati.

Il primo manoscritto completo di questo capitolo (intitolato semplicemente "VI" e, come di consueto in questa fase, senza titolo) è pienamente leggibile per la maggior parte della sua lunghezza, ma, come spesso accade, diventa sempre più frettoloso e approssimativo, terminando in una rapida scrittura a matita. Mio padre ha ripassato qua e là con l'inchiostro, in parte per migliorare l'espressione, in parte per chiarire la propria scrittura; tutto questo appartiene certamente al medesimo periodo, comunque dopo aver iniziato il capitolo successivo.

Come per i due capitoli precedenti, la forma finale del capitolo 8 di CdA ("Nebbia sui Poggitumuli") è in gran parte presente: per la maggior parte della sua estensione più avanti furono apportate solo modifiche minime. In quanto segue, rilevo i punti divergenti che mi paiono interessanti, sebbene la maggior parte siano molto lievi.

Nel capoverso iniziale il canto e la visione "se in sogno o no" sono raccontati con le stesse parole del vecchio testo, tuttavia non sono attribuiti al solo Bingo (Frodo in CdA), bensì a tutti gli hobbit.

Quando si volsero a guardare verso la foresta e videro il poggio su cui si erano riposati prima della discesa nella valle del Circonvolvolo, "gli abeti che vi crescevano si scorgevano adesso piccoli e scuri a occidente" (vedi p. 145).

Quando gli hobbit si separarono nella nebbia e Bingo gridò disperato "Dove siete?" (CdA, p. 155), inizialmente mio padre aveva in mente una storia ben diversa:

"Qui! Qui!" le voci giunsero all'improvviso, chiare e poco distanti sulla destra. Tuffandosi alla cieca verso di esse, urtò di colpo la coda di un cavallino. Una voce indubbiamente hobbit (quella di Odo) cacciò un grido di spavento e [lui] cadde su qualcosa a terra. Quel qualcosa gli sferrò un calcio ed emise uno strillo. "Aiuto!" gridò con l'indubbia voce di Odo.

"Grazie al cielo," disse Bingo, rotolando a terra tra le braccia di Odo. "Grazie al cielo ti ho trovato!"

"Grazie al cielo sì!" disse Odo con voce sollevata, "ma dovevi proprio filartela senza preavviso e poi piombarmi addosso giù dal cielo?"

Mio padre rifiutò il tutto appena lo redasse e invece scrisse, come in CdA: "Non ottenne risposta. Rimase in ascolto" ecc.

Una prima versione dell'incantesimo dell'Essere dei tumuli fu scartata e sostituita dalla forma che appare in CdA (p. 157); tuttavia le modifiche apportate furono minime, tranne che al verso 8, dove per "l'oscuro signore non levi la mano" la prima versione aveva "della torre oscura il re non levi la mano".[5] Nella bozza di questo verso mio padre scrisse: "L'oscuro signore siede nella torre e rimira i mari oscuri e il mondo oscuro" e anche "la sua mano si leva sul mare freddo e sul mondo morto".

Il braccio "avanzando sulle dita" brancolava verso Frodo Took (Sam in CdA); e mentre in CdA "Frodo ricadde in avanti su Merry, e il viso di Merry era freddo", nella vecchia versione Bingo cadeva bocconi su Frodo Took. Non c'è uno schema evidente nel cambiamento delle descrizioni quando "la squadra di personaggi" fu modificata; così più avanti nel capitolo Odo esclama "Dove sono i miei vestiti?" (Sam in CdA), e quando Tom Bombadil dice "Non ritroverete più i vostri vestiti", è Frodo Took a chiedere "Che cosa vorresti dire?" (Pippin in CdA). In generale, non prendo ulteriormente nota di questi punti, a meno che non risultino significativi.

Per quanto riguarda la forma rifiutata della filastrocca insegnata agli hobbit da Tom Bombadil e cantata da Bingo nel tumulo, vedi p. 159. I primi due versi della filastrocca rifiutata sono stati utilizzati più avanti nel capitolo, quando Tom va a riprendere i cavallini (CdA, p. 160).

Quando Merry disse: "Che cos'è questa roba?" nell'avvertire il cerchietto d'oro che gli era scivolato su un occhio, la vecchia versione prosegue: "Poi si arrestò e un'ombra gli passò sul volto. 'Comincio a ricordare,' disse. 'Credevo di essere morto – ma non parliamone più!'" Non v'è menzione degli Uomini di Carn Dûm (CdA, p. 159).

I nomi di Tom Bombadil per i cavallini risalgono all'inizio, con l'eccezione di "Orecchie-aguzze", che originariamente fu chiamato "Quattropiede"! Quando ordinò che i tesori che giacevano al sole sulla cima del tumulo vi rimanessero "liberi di esser presi da chiunque li trovasse: uccelli, bestie, Elfi o Uomini, e ogni creatura gentile", egli aggiungeva: "Perché i creatori e proprietari di questi oggetti non sono più qui, e il loro giorno è trascorso da tempo, e i loro artefici non possono reclamarli finché il mondo non sarà riparato." E nel prendere la spilla per Baccadoro dichiarava: "Bella era un dì colei che la portò sulla spalla, e adesso lo porterà Baccadoro, e noi non li dimenticheremo, il popolo disparso, gli antichi re, i bambini e le fanciulle, e tutti coloro che incedettero sulla terra quando più giovane era il mondo."

Mentre nello schema riportato a p. 162 gli hobbit rifiutano di prendere qualcosa dal tesoro nel tumulo, nel primo testo si racconta che Tom scelse per ognuno di loro "spade di bronzo, corte, a forma di foglia e acuminate", tuttavia non si dice altro in loro descrizione (vedi CdA, p. 162), anche se quanto segue è stato aggiunto a matita e forse appartiene all'epoca della stesura del manoscritto: "'Queste,' disse, 'erano state forgiate tanti anni prima da Uomini venuti dall'Ovest: erano nemici del Signore dell'Anello'." Il manoscritto continua:

e le appesero alle cinture di cuoio sotto le giacche, sebbene non ne comprendessero ancora lo scopo. A nessuno di loro era passato per la mente che la fuga avrebbe riservato qualche avventura che comprendesse davvero il combattere. Per quanto Bingo riuscisse a rammentare, persino il grande ed eroico Bilbo aveva in qualche modo evitato di ricorrere alla sua piccola spada pure contro i goblin – poi si ricordò dei ragni di Boscuro e diede una stretta alla cinghia.

Delle allusioni alle parole di Tom in CdA riguardo alla storia di Angmar e alla venuta di Aragorn non v'è ovviamente alcun accenno.

Come già notato, la fine del capitolo è scritta a matita a mo' di abbozzo e qua e là sovrascritta a inchiostro. L'attraversamento del terrapieno – confine di un vecchio regno, del quale Tom "sembrava ricordare qualcosa di poco allegro e non parlò gran che" – e il loro arrivo infine alla Strada sono più o meno come in CdA (p. 163), mentre quanto resta è meglio riportarlo per intero, per come fu scritto in origine, nella misura in cui è ancora possibile.

Bingo scese sulla pista e guardò in entrambe le direzioni. Nessuno in vista. "Be', finalmente l'abbiamo ritrovata!" disse Frodo. "Direi che con la scorciatoia di Merry non abbiamo perso più di due giorni. D'ora in poi sarà meglio attenerci alla strada battuta."

"Fareste meglio sì," disse Tom, "e cavalcate lesti."

Bingo lo guardò. Ripensò ai Cavalieri Neri. Rimirò un poco angustiato il sole che tramontava, tuttavia la strada era scura e sgombra. "Secondo te," domandò esitante, "secondo te, ce li troveremo alle costole, stanotte?"

"Non stanotte, non credo," disse Tom. "Forse neppure l'indomani. E neppure per i giorni a venire, forse."

Il passaggio successivo risulta molto confuso e si comprende poco (del primo testo scritto a matita); per come è sovrascritto a inchiostro vi si legge:

"Ma non posso esserne sicuro. Tom non è signore dei Cavalieri della Terra Nera, che è così lontana da questo paese." Gli hobbit però avrebbero voluto lo stesso che Tom li accompagnasse. Sentivano che avrebbe saputo come affrontarli – se mai ci fosse stato qualcuno in grado. Di lì a poco si sarebbero avventurati in terre a loro completamente ignote, ben oltre le più vaghe e remote leggende della Contea, e cominciarono a sentirsi soli, esuli, e assai inermi. Tuttavia Tom li stava salutando, con la raccomandazione di farsi animo e di cavalcare fino a notte fonda senza fermarsi.

Il testo a matita prosegue:

Tuttavia li incoraggiò – un poco – dicendo loro che a suo giudizio i Cavalieri (o alcuni di essi) stavano ancora cercando in mezzo ai Tumuli. Sembrava difatti che i Cavalieri e gli Esseri dei Tumuli avessero una qualche sorta di legame o intesa. In tal caso, che fossero stati catturati poteva persino rivelarsi un bene, a conti fatti. Da lui appresero che a qualche miglio di distanza, lungo la strada, c'era il vecchio villaggio di Bree, sul lato occidentale di Colbree.[6] V'era una locanda di cui ci si poteva fidare: il Cavallo Bianco [*scritto sopra:* Cavallino Inalberato]. Il tenutario era un brav'uomo e non ignoto a Tom. "Basta che facciate il mio nome e lui vi tratterà bene. Potrete godervi una bella dormita e poi al mattino ripartir di lena. Andate adesso con la mia benedizione." Lo pregarono di accompagnarli almeno fino alla locanda e di brindar con loro un'ultima volta; ma lui rifiutò e rise, dicendo: "Ha da badare alla sua casa, Tom, e Baccadoro aspetta!" Poi si girò, lanciò in aria il cappello, balzò in sella a Bozzolo e risalì il pendio, allontanandosi cantando nel crepuscolo che si addensava.

Questo passaggio, fino a "Andate adesso con la mia benedizione", fu scartato e uno nuovo fu scritto a inchiostro su un foglio a parte; questo secondo testo è lo stesso del discorso di addio di Tom in CdA, p. 164 ("Tom vi darà un buon consiglio..."), tuttavia qui è scritto in versi, e con queste differenze: il "degno tenutario" è Barnabasso Farfaraccio, non Omorzo, e il riferimento a lui è seguito da:

Egli Tom Bombadil conosce e di Tom il nome vi assisterà.
"È Tom che ci manda," dite e lui con gentilezza vi tratterà.

La notte potrete passarci e al mattino ripartir di lena.
Andate, e la mia benedizione vi sia sempre allato,
In alto i cuori allegri, e cavalcate incontro al fato!

Che queste revisioni siano posteriori alla prima stesura a matita del capitolo successivo si evince dal fatto che in tutta la stesura il nome del locandiere è Timoteo Tito, non ancora Barnabasso Farfaraccio (pp. 181-182, nota 3).

La fine di questo capitolo è di nuovo sovrascritta a inchiostro, ma per quanto è possibile capire si trattava solo di chiarire il testo a penna quasi illeggibile:

Gli hobbit si ersero in punta di piedi e lo guardarono finché non scomparve. Poi, col cuore pesante (nonostante i suoi incoraggiamenti) montarono in sella, non senza scoccare qualche occhiata alla Strada alle spalle, e si allontanarono taciti nel crepuscolo. Non cantarono, o parlarono o discussero gli eventi della notte trascorsa, ma procedettero a rilento e silenziosi. Bingo e Merry cavalcavano in testa, Odo e Frodo, conducendo il cavallino spaiato, chiudevano.

S'era fatto assai buio finché videro delle luci luccicare in lontananza.

Davanti a loro si ergeva Colbree, sbarrando la strada, la scura massa contro le stelle opache; e sotto il fianco occidentale si annidava il piccolo villaggio.

1 Questa bozza è in effetti in continuità con quella del capitolo su Bombadil (p. 159, nota 3), tuttavia mio padre poco dopo aveva tracciato una linea sul testo scritto a matita tra "e, prese le candele, li riaccompagnò in camera da letto" e "Quella notte non sentirono rumori", inserendo il numero del capitolo "VI?".

2 La parola illeggibile inizia con *Spie*, ma il resto non sembra essere *(Spie)gazione*.

3 Vedi lo schema riportato a p. 143: "due Esseri dei Tumuli li inseguono [?galoppando] dietro di loro, ma ogni volta che Tom Bombadil si volta a guardarli essi si arrestano."

4 In una versione assai iniziale del capitolo "Molti incontri" (un passaggio mantenuto parola per parola in CdA, pp. 237-238) Bingo dice a Gandalf quando entrambi si trovano ormai a Valforra: "Vedo che sai già molte cose. Agli altri non ho parlato del Tumulo. Dapprima era troppo orribile, e poi abbiamo avuto altro a cui pensare. Come fai a saperlo?" E Gandalf risponde: "Nel sonno hai parlato a lungo, Bingo." Ma dubito che questo sia rilevante.

5 La "torre oscura" del Negromante è menzionata da Gandalf nel testo riportato nel capitolo III (p. 105), e in effetti risale allo *Hobbit*, dove alla fine del capitolo VII "Strani

alloggi" Gandalf parla della "torre oscura" del Negromante, nel sud di Boscuro. Tuttavia risulta difficile stabilire con certezza dove mio padre immaginava che la Torre Oscura si trovasse davvero. Tom Bombadil dichiara (p. 166) che egli "non è signore dei Cavalieri della Terra Nera, che è così lontana da questo paese", e il nome *Mordor* era già certamente nato: vedi la seconda versione della *Caduta di Númenor* (V.39, 42), "E infine giunsero perfino a Mordor, la Terra Nera, in cui Sauron, che in lingua gnomica si chiama Thû, aveva ricostruito le sue fortezze". Vedi anche pp. 277-278, nota 17.

[6] Inizialmente mio padre aveva scritto "un vecchio villaggio con una locanda", ma il cambiamento in "il vecchio villaggio di Bree, sul lato occidentale di Colbree. V'era una locanda" fu quasi certamente apportato al momento della scrittura (così come "Cavallino Inalberato" sopra "Cavallo Bianco"). È qui che il nome fa la sua comparsa per la prima volta, basato su Brill nel Buckinghamshire, luogo che egli conosceva bene, poiché si trova su una collina nel Piccolo Regno di Giles fattore di Ham (vedi Carpenter, *La biografia*, p. 244). Il nome *Brill* deriva dall'antica parola britannica *bre* "collina", alla quale gli inglesi aggiunsero la loro parola *hyll*; vedi SdA, Appendice F (p. 1217) e la *Guide to the Names in The Lord of the Rings* (in Lobdell, *A Tolkien Compass*, 1975), voce *Archet*.

VIII. L'ARRIVO A BREE

Mio padre proseguì senza interruzioni nella descrizione dei Breelandiani. In seguito riscrisse il testo originale a matita con l'inchiostro, e in quella forma, necessariamente, la riporto qui.[1]

Piccolo per modo di dire: comprendeva forse una cinquantina di case sulla collina e una grande locanda per l'andirivieni sulla Strada (sebbene adesso questo fosse più scarso d'un tempo). Ma in realtà era un villaggio costruito principalmente dalla Grossa Gente (la dimora più prossima alla Contea per quella razza grande e misteriosa). A quei tempi, non molti vivevano così a ovest e gli abitanti di Bree (assieme ai villaggi vicini di Stabbiolo e Crico) erano una comunità peculiare e piuttosto isolata, che non apparteneva a nessuno all'infuori di se stessa (e più abituata a trattare con gli Hobbit, i Nani e gli altri bizzarri abitanti del mondo circostante di quanto fosse consueto per la Grossa Gente). Erano di volto castano, capelli scuri, tarchiati e piuttosto bassi, tipi gioviali e indipendenti. Né loro né nessun altro sapeva perché o quando si fossero stabiliti ove si trovavano. A quel tempo la landa intorno e per molte miglia a est era alquanto disabitata. V'erano hobbit nei paraggi, naturalmente: alcuni più su, sulle pendici di Colbree, e molti nella valle di Conca, sul margine orientale. Non tutti gli hobbit, difatti, vivevano nella Contea. Tuttavia gli Estranei erano una specie rustica, per non dire (sebbene nella Contea ciò lo si dichiarasse spesso) incivile. Alcuni, beninteso, non erano altro che bighelloni e vagabondi, pronti a scavare una buca in qualsiasi terrapieno e a restarci poco o tanto finché gli faceva comodo. Perciò la gente di Bree godeva di una discreta familiarità con gli hobbit, civilizzati o meno che fossero, giacché il Ponte Brandivino non distava poi molto. I nostri hobbit invece non avevano alcuna familiarità con la gente di Bree medesima, e le case parvero loro bizzarre, enormi e torreggianti (quasi piccole colline), mentre entravano al trotto sui loro cavallini.

Mio padre in seguito cancellò tutto questo e ricominciò daccapo. Stava ancora numerando le pagine dall'inizio del capitolo VI (la storia dell'Essere dei tumuli), ma quando giunse alla canzone di Bingo alla locanda si rese conto di trovarsi ormai in un nuovo capitolo e scrisse "VII" a questo punto, cioè all'inizio di questo nuovo racconto della gente di Bree. Ancora una volta non c'è titolo.

Il manoscritto di questo capitolo risulta un documento estremamente complesso: matita sovrapposta a inchiostro (che a volte rimane parzialmente leggibile, a volte non lo è affatto), matita non sovrapposta, ma cancellata con un tratto, matita lasciata in primo piano, e nuova composizione a inchiostro, il tutto insieme a inserti su foglietti e a complesse indicazioni per gli inserimenti. Non c'è motivo di supporre che gli "strati" siano significativamente separati nel tempo, tuttavia la storia si stava evolvendo man mano che mio padre scriveva: e l'unico modo per presentare un testo coerente è offrire il manoscritto nella sua forma conclusiva. Il capitolo è riportato quasi per intero, poiché, sebbene molto sia stato conservato, solo un testo completo può far capire chiaramente quale fosse la storia; tuttavia per comodità lo divido in due capitoli in questo libro, interrompendo la narrazione nel punto in cui finisce il capitolo 9 di CdA, "All'insegna del *Cavallino Inalberato*", e ha inizio il 10, "Passolungo".

Le interrelazioni della struttura dei capitoli nella parte successiva della storia sono inevitabilmente complesse e possono essere comprese meglio da una tabella:

	Testo Originale			*Il presente libro*
VII	Arrivo a Bree e canzone di Bingo	VIII	9	"All'insegna del *Cavallino Inalberato*"
	Conversazione con Passolesto e Farfaraccio	IX	10	"Passolungo"
	Attacco alla locanda		11	"Un coltello nel buio"
	Viaggio a Svettavento			
VIII	Attacco a Svettavento	X		
	Da Svettavento a Valforra	XI	12	"Fuga verso il Guado"

All'inizio di questo testo si vedrà come la presenza degli uomini a Bree fosse stata temporaneamente abbandonata, e la descrizione della loro apparizione nel passo appena riportato venga ora applicata agli hobbit della terra di Bree; il locandiere è uno hobbit, e *Il Cavallino Inalberato* ha una porta d'ingresso tonda che conduce all'interno del fianco di Colbree.

V'erano hobbit nei paraggi, naturalmente, che vivevano a Bree (e nei villaggi limitrofi di Conca e Archet).[2] Non tutti gli hobbit, difatti, vivevano nella Contea. Tuttavia gli Estranei erano una specie rustica, per non dire (sebbene nella Contea ciò lo si dichiarasse spesso) incivile. A quei tempi ve n'erano assai più sparsi nell'Occidente del mondo di quanti la gente della Contea immaginasse, sebbene molti non erano altro che bighelloni e vagabondi, pronti a scavare un buco in qualsiasi terrapieno e a restarci poco o tanto finché gli faceva comodo. Gli abitanti dei villaggi di Bree, Conca e Archet, tuttavia, erano gente stanziale (in effetti non più rustica rispetto alla maggior parte dei loro lontani congiunti a Hobbiton) – sebbene alquanto strani e indipendenti, che non apparteneva a nessuno all'infuori di se stessa. Avevano la pelle più scura, capelli più scuri, erano leggermente più robusti, parecchio più squadrati (e pure forse un po' più coriacei) della media degli hobbit della Contea. Né loro né nessun altro sapeva perché o quando si fossero stabiliti ove si trovavano; eppure eccoli lì, moderatamente prosperi e soddisfatti. A quei tempi, la terra nei paraggi era alquanto disabitata per parecchie leghe, e in una giornata di cammino s'incontrava poca gente (Grossa o Piccola che fosse). A cagione della Strada, la locanda di Bree era piuttosto grande; ma l'andirivieni, diretto che fosse a ovest o est, risultava minore che in passato, e adesso la locanda veniva impiegata principalmente come luogo di incontro per gli sfaccendati, i chiacchieroni, socievoli o curiosi dei villaggi e gli strambi abitanti delle terre selvagge nel circondario.

Quando i nostri quattro hobbit fecero finalmente ingresso a Bree ne furono molto soddisfatti. La porta della locanda era aperta. Era una grande porta tonda che conduceva all'interno del fianco di Colbree, ove la strada svoltava a destra per poi sparire nell'oscurità. Dalla porta la luce si riversava all'esterno, e sopra di essa era appesa una lampada oscillante e sotto di essa un'insegna: un grasso cavallino bianco impennato sulle zampe posteriori. E dipinto a bianche lettere sopra la porta: Il Cavallino Inalberato di Barnabasso Farfaraccio.[3] Qualcuno all'interno cantava una canzone.

Mentre gli hobbit smontavano dai cavallini la canzone terminò tra uno scroscio di risate. Bingo entrò e per poco non sbatté addosso allo hobbit più grasso che avesse mai visto in tutti i giorni trascorsi nella sua più che satolla Contea. Si trattava ovviamente del signor Farfaraccio in persona. Indossava un grembiule bianco e si affannava avanti e indietro tra una porta e l'altra con un vassoio pieno di boccali colmi. "Possiamo..." iniziò Bingo.

"Solo mezzo secondo, per favore!" sbraitò l'uomo da sopra le spalle, e scomparve in un baccano di voci e in una nuvola di fumo. Un attimo dopo eccolo uscire, asciugandosi le mani sul grembiule. "Buonasera, signore!" disse. "Di cosa potete avere bisogno?"

"Letto per quattro e stallaggio per cinque cavallini," disse Bingo, "se possibile. Voi siete il signor Farfaraccio?"

"Per l'appunto! Di nome faccio Barnabasso. Barnabasso Farfaraccio al vostro servizio, per come posso. Tuttavia la dimora è già al completo, e così le stalle."

"Temevo che potesse essere così," disse Bingo. "Ho sentito dire che si tratta d'una dimora eccellente. Ci è stato particolarmente raccomandato di sostare quivi dal nostro amico Tom Bombadil."

"In tal caso c'è soluzione a *tutto*!" disse il signor Farfaraccio, battendosi le cosce e sorridendo. "Entrate pure! E come sta il vecchio? Pazzo e allegro, eh, ma più allegro che pazzo, ne son certo! Perché non è venuto anche lui, così ci saremmo sollazzati un po'! Ehi! Nob![4] Vieni qui! Dove sei, posapiano piè peloso? Prendi i bagagli dei signori! Dov'è Bob? Non lo sai? Scoprilo, allora! Saputone! Non ho sei gambe, né sei braccia, e nemmeno sei occhi. Dì a Bob che ci sono cinque cavallini da stallare. E come si conviene, bada a te. Be', allora dovrete fare spazio, se devono andare nelle camere da letto![5] Entrate pure, signori, tutti quanti. Piacere di conoscervi! Quali nomi avete detto? Messer Colle, Messer Fiumi, Messer Verde e Messer Bruno.[6] Non posso dire di averli mai sentiti prima, lieto tuttavia di fare la vostra conoscenza e udirli adesso." Ovviamente Bingo se li era inventati su due piedi, intuendo di colpo che non sarebbe stato saggio sbandierare i loro veri nomi in una locanda hobbit sulla strada maestra. Come nomi Colle, Fiumi, Verde e Bruno suonavano assai strani tanto per orecchi hobbit quanto per i nostri, e il signor Farfaraccio aveva le sue ragioni per ritenerli improbabili. Tuttavia, per il momento tenne la bocca chiusa. "Ma ecco," proseguì, "oso dire che ci sono parecchi nomi insoliti e persone insolite pure loro di cui non si sente mai parlare qui da noi. Di questi tempi non si vedono molti abitanti della Contea. Un tempo i Took, orbene, venivano spesso a fare due chiacchiere col sottoscritto o col mio defunto padre. Brava gente, i Took. Dicono che avessero sangue Bree e non fossero come gli altri abitanti della Contea, tuttavia non so quanto sugo ci sia nella cosa. Ma, ecco! Devo correre. Aspettate un attimo, però! Quattro cavalieri e cinque cavallini? Vediamo un po', mi viene in mente qualcosa, ma non so più che cosa. Non importa, mi tornerà in mente. Tutto a tempo debito. Una cosa tira l'altra, è così che si dice. Stasera sono un po' impacciato. Molte persone son passate di qui, inaspettate. Ehi, Nob! Porta questi bagagli nelle stanze degli ospiti. Esatto. Dalla sette alla dieci nel corridoio ovest. Alza i tacchi, su! Vorrete cenare? Sì, certo. Immaginavo. Presto, non c'è da stupirsi. Molto bene, signori, e presto sarà. Da questa parte! Qui c'è una stanzetta che vi andrà a genio, spero. Ora però mi scuserete ma debbo scappare. È un lavoraccio per due gambe, eppure non dimagrisco. Mi affaccerò più tardi. Se avete bisogno di qualcosa, suonate il campanello, e verrà Nob. Se non viene, urlate!"

Alla fine se ne andò, lasciandoli un po' senza fiato. Aveva parlato ininterrottamente (al contempo impartendo ordini e istruzioni ad altri hobbit che facevano avanti indietro nei corridoi) da quando aveva accolto Bingo finché non li aveva spinti in una stanza piccola e accogliente. Un po' di fuoco ardeva nel camino e c'era qualche sedia bassa e comoda, e un tavolo rotondo, già ricoperto da una tovaglia bianca. Sopra c'era un grande campanello. Tuttavia Nob, un piccolo hobbit dalla faccia tonda e i capelli ricciuti, tornò indietro molto prima che pensassero di adoperarlo.

"Avete voglia di bere qualcosa, signori?" domandò. "O se vi facessi vedere le stanze, mentre preparano la cena?"

Quando il signor Farfaraccio e Nob tornarono, gli hobbit si erano lavati e sorseggiavano gran bei boccali di birra ciascuno. In un batter d'occhio i due apparecchiarono la tavola. Li accompagnava un bel profumino. C'erano minestra calda, carni fredde, pane fresco, cumuli di burro, formaggio e frutta fresca, tutto il buon cibo nutriente e schietto, caro ai cuori degli hobbit, fu servito loro in abbondanza. Lo consumarono a volontà, non senza pensare (soprattutto Bingo) che poi bisognava pagarlo e che, quanto a denari, non disponevano d'una riserva infinita. Sarebbe arrivato fin troppo presto il momento in cui avrebbero dovuto rinunciare alle buone locande (sempre che fossero riusciti a trovarle).[7] Il signor Farfaraccio si aggirò intorno a loro per un po' e poi si apprestò a lasciarli. "Non so se abbiate voglia di unirvi alla compagnia, dopo aver cenato," disse sulla soglia. "Magari preferite andare a letto. In ogni caso la compagnia sarà lietissima di darvi il benvenuto, se vi fa piacere. Non abbiamo spesso viaggiatori dalla Contea – estranei, come li chiamiamo, se mi consentite l'espressione; e non ci dispiace avere un po' di notizie o ascoltare qualche canzone che avete in mente. Ma a voi la scelta, signori. E se avete bisogno di qualcosa, suonate il campanello!"

Non mancava niente che desiderassero, perciò non occorse. Al termine della cena (durata cinquantacinque minuti buoni a ritmo sostenuto e non ostacolata da discorsi superflui) si sentivano a tal punto ristorati e rinfrancati che decisero di unirsi alla compagnia. Quantomeno Odo, Frodo e Bingo.

Merry disse che l'aria della stanza sarebbe stata troppo viziata. "Me ne starò tranquillamente qui seduto davanti al fuoco per un po' e forse più tardi uscirò a prendere una boccata d'aria. Fate attenzione a quel che dite e non dimenticate che la nostra fuga dovrebbe restare segreta e che siete i signori Colle, Verde e Bruno." "Va bene!" dissero gli altri. "Sta' in guardia anche tu! Non ti smarrire e non dimenticare che in casa è più sicuro!" Andarono e si unirono alla compagnia nella grande sala di ritrovo della locanda. Il raduno era numeroso e vario, come scoprirono quando gli occhi si abituarono alla luce. Questa veniva più che altro dal fuoco scoppiettante; le tre lampade appese alle travi erano fioche e in parte offuscate dal fumo. Barnabasso Farfaraccio stava in piedi vicino al fuoco. Li presentò così in fretta che, pur avendo colto molti nomi, non erano mai sicuri di sapere a chi appartenessero. C'erano diversi Artemisi (nome piuttosto strano a loro giudizio), e altri nomi piuttosto botanici tipo Stoppino, Caprifoglio, Piedibrugo, Meladoro, Scardaccione e Felcioso (per non parlare di Farfaraccio).[8] Altri invece avevano nomi normali (per degli hobbit), come Scarpati, Tanatasso, Forilunghi, Montasabbia e Tunnelly, che non risultavano sconosciuti ai più rustici abitanti della Contea.

Tuttavia si trovarono piuttosto bene pure senza cognomi (cui si faceva scarso ricorso in quella compagine). Dall'altra parte, la combriccola, non appena scoprì che gli stranieri provenivano dalla Contea, si dispose a essere amichevole e incuriosita. Bingo non aveva cercato di celare la loro provenienza, sapendo che i loro abiti e parlata li avrebbero traditi subito. Accennò tuttavia a un interesse per la storia e la geografia, cosa che fu seguita da grandi scuotimenti di capo (anche se nessuno dei due termini era molto usato nel dialetto di Bree); e che stava scrivendo un libro (cosa che fu oggetto di muto stupore), e che lui e i suoi amici volevano raccogliere informazioni sui vari hobbit sparpagliati nelle lande orientali. A questo punto si levò un coro di voci, e se Bingo avesse inteso sul serio scrivere un libro (e avesse avuto in dotazione molte orecchie e parecchia pazienza), gli sarebbero bastati pochi minuti per apprendere un bel po', e anche ottenere gran copia di consigli su a chi rivolgersi per informazioni ulteriori e più approfondite.

Ma dopo un po', visto che Bingo non dava segno di voler scrivere il libro là per là, la compagnia tornò ad argomenti più recenti e coinvolgenti e

Bingo si ritrovò seduto in un cantuccio ad ascoltare e a guardarsi attorno. Odo e Frodo si misero subito a loro agio e presto (con gran disappunto di Bingo) si accinsero a raccontare gli ultimi avvenimenti della Contea. Risate, scuotere di zucche e domande. A un tratto Bingo notò uno hobbit dall'aria strana e dal viso abbronzato, seduto in ombra dietro agli altri, che a sua volta ascoltava attentamente. Davanti a sé aveva un alto boccale di metallo (più una caraffa che altro) e sotto il naso piuttosto prominente fumava una pipa dal cannello spezzato. Vestiva abiti scuri e grezzi, malgrado il caldo della stanza, portava un cappuccio e – davvero degno di nota – calzava zoccoli di legno! Bingo poteva vederli spuntare da sotto il tavolo davanti a lui.

"Quello chi è?" domandò Bingo, quando ebbe modo di sussurrare all'orecchio del signor Farfaraccio. "Non ce l'avete presentato, mi pare."

"Lui?" disse Barnabasso, lanciandogli un'occhiata senza girar la testa. "È uno di quei vagabondi: forestali li chiamiamo noi. Negli ultimi anni viene e va (perlopiù d'autunno e d'inverno), però parla poco: non che non sappia raccontare una storia coi fiocchi se ci si mette, garantito. Non so come fa di nome di preciso: ma da queste parti lo chiamano Passolesto. Lo si sente arrivare sulla strada con quelle sue scarpe – clippete clappete, quando va su qualche sentiero battuto, il che capita di rado. Perché le indossa? Be', non saprei. Ma Est e Ovest, bravo chi li capisce, come diciamo a Bree riferendoci ai Forestali e, chiedo venia, a quelli della Contea." Ma in quella reclamarono il signor Farfaraccio, o avrebbe potuto continuare a bofonchiare così chissà quanto.

Bingo si accorse che adesso Passolesto lo stava guardando, come se avesse udito o indovinato quel che avevano appena detto. Di lì a poco, con un cenno del capo e della mano, il Forestale invitò Bingo ad avvicinarsi. Mentre Bingo gli sedeva accanto quello spinse indietro il cappuccio, mettendo in mostra una scura capigliatura irsuta che gli cadeva in fronte senza celare due occhi scuri e penetranti. "Sono Passolesto," disse a bassa voce. "Sono molto lieto di fare la vostra conoscenza, Messer... Colle, se il vecchio Barnabasso ha capito bene il vostro nome?"[9] "Ha capito benissimo," disse Bingo in tono sostenuto. Lo sguardo fisso di quegli occhi penetranti non lo metteva certo a suo agio.

"Ebbene, Signor Colle" disse Passolesto, "fossi in voi direi ai vostri amici di tenere a freno la lingua. La birra, il fuoco e gli incontri casuali fanno sempre piacere ma, insomma... questa non è la Contea. Gira gente strana. Magari penserete che non sta a me dirlo," aggiunse con un sorrisetto sardonico, vedendo l'occhiata lanciatagli da Bingo. "E ci sono stati viaggiatori ancor più strani di passaggio a Bree di recente," continuò, studiando la faccia di Bingo.

Bingo ricambiò lo sguardo, ma Passolesto non accennò a proseguire. Di colpo parve ascoltare Odo. Questi adesso si era di fatto lanciato in una versione comica della festa d'addio e si avvicinava al momento della scomparsa di Bingo stesso. Un brusio di attesa. Bingo era profondamente seccato. A cosa serviva sparire dalla Contea se poi quei somari se ne andavano a sbandierare i loro nomi a una folla composta da chissà chi in una locanda sulla strada! Già Odo aveva spifferato abbastanza da far indovinare i cervelli più fini (quello di Passolesto, per esempio); e presto sarebbe risultato ovvio che "Colle" altri non era che Bolger-Baggins (di Casa Baggins Sottocolle). E Bingo in qualche modo intuiva che sarebbe stato pericoloso, persino disastroso, se Odo finisse per menzionare l'Anello.

"Dovete intervenire subito!" gli sussurrò Passolesto all'orecchio.

Bingo balzò su un tavolo e attaccò a parlare. Subito l'attenzione si distolse da Odo, e diversi hobbit guardarono Bingo e ridendo cominciarono a battere le mani (convinti che il signor Colle avesse fatto il pieno di birra a sufficienza). A un tratto Bingo si sentì molto nervoso e, com'era sua abitudine quando teneva un discorso, si trovò a giocherellare con le cose che aveva in tasca. Sentì vagamente la catenella e l'Anello appeso a essa tintinnare su qualche spicciolo di rame; ma ciò non lo aiutò molto e dopo qualche "parola di circostanza", come avrebbero detto nella Contea (del tipo "Siamo davvero compiaciuti dalla vostra calorosa accoglienza" e cose così), esitò e tossì. "Una canzone! Una canzone!" urlarono. "Una canzone! Una canzone!" vociarono tutti gli altri. "Coraggio, dai, messere, cantaci qualcosa!" Disperato, Bingo attaccò una ridicola canzone: Bilbo ne andava matto (probabilmente l'aveva composta lui stesso).[10]

[Canzone][11]

Ci fu un lungo applauso. Bingo aveva una bella voce e al riguardo la compagnia non andava per il sottile. "Dov'è il vecchio Barna?" gridavano. "Dovrebbe sentirla anche lui. Dovrebbe imparare il violino al suo gatto, e allora sì che si ballerebbe. Portate altra birra, e sentiamola di nuovo!" Fecero bere a Bingo un secondo giro e poi attaccare di nuovo la canzone, mentre molti si univano al coro: la melodia era ben nota e furono lesti a imparare le parole.

Così incoraggiato, Bingo sgambettava sul tavolo e quando arrivò per la seconda volta al verso: "sulla Luna la mucca sale", fece un salto per aria. Ci mise troppa energia:[12] visto che piombò con un botto su un vassoio pieno di boccali, scivolò e rotolò giù dal tavolo con uno schianto, un acciottolio e un tonfo. Ma ciò che attirò assai più l'interesse della compagnia e azzittì di colpo acclamazioni e risate fu che egli sparì. Come Bingo ruzzolò giù dalla tavola egli semplicemente svanì con uno schianto come se fosse passato dritto attraverso il pavimento senza lasciare un buco.

Gli hobbit del posto balzarono in piedi chiamando a gran voce Barnabasso. Tutti si ritrassero da Odo e Frodo, che si trovarono soli in un angolo, occhieggiati a distanza biecamente e con sospetto, manco fossero i compari di un mago itinerante dai poteri e dagli intenti ignoti. C'era invece un tipo bruno, che rimase a guardarli con un'espressione smaliziata che li metteva molto a disagio. Di lì a poco sgusciò fuori dalla porta seguito da un suo compare: niente affatto quella che si direbbe una bella coppia, poco ma sicuro.[13] Intanto Bingo si sentiva un idiota (e piuttosto a ragione), e non sapendo che cosa fare, strisciò sotto i tavoli fino all'angolo buio dove era seduto Passolesto, impassibile, senza far mostra di quanto gli passava per la mente. Bingo si appoggiò contro il muro e tolse l'Anello. Per un colpaccio di sfortuna ci stava giocherellando in tasca proprio nel momento fatale, e gli era scivolato al dito quando s'era ritrovato a cadere senza preavviso.

"Bene bene," disse Passolesto. "Perché lo avete fatto? Peggio di qualsiasi cosa che avrebbero potuto dire i vostri amici! Avete messo il piede in fallo! O dovrei dire il dito?"

"Che cosa intendete, non capisco," disse Bingo (seccato e allarmato).

"Lo capite, eccome," replicò Passolesto, "ma sarà meglio lasciar passare la buriana. Poi, se non vi spiace, Messer Bolger-Baggins, vorrei scambiare tranquillamente due parole con voi."

"A che proposito?" domandò Bingo, ignorando l'uso inopinato del suo vero nome. "Oh, maghi, e cose così," disse Passolesto con un sogghigno. "Potreste venire a sapere qualcosa che vi sarà utile."

"Benissimo," disse Bingo, "a più tardi, allora."

Nel frattempo intorno al camino ferveva la discussione in un coro di voci. Il signor Farfaraccio era accorso trotterellando e adesso cercava di ascoltare contemporaneamente varie versioni contrastanti dell'accaduto.

La parte successiva del testo, fino alla fine del capitolo 9 in CdA, è quasi parola per parola uguale alla versione finale, con le sole differenze che ci si può aspettare: il "signor Sottocolle" di CdA è "il signor Colle"; "Ecco lì il signor Took: non è sparito, lui" è "Ecco lì i signori Verde e Bruno: non sono spariti, loro"; e non c'è alcuna menzione degli Uomini di Bree, dei Nani o dei Forestieri: è semplicemente "la compagnia" che se ne va in malo modo. Ma alla fine, quando Bingo disse all'oste: "Ci fate trovare i cavallini pronti?" la vecchia narrazione differisce:

"Ecco!" disse il padrone di casa, schioccando le dita. "Un attimo solo. M'è tornato in mente, come dicevo. Benedetto me! Quattro hobbit e cinque cavallini!"

Come già spiegato, sebbene io abbia concluso qui il capitolo, la versione più antica prosegue senza soluzione di continuità in quello che poi sarebbe stato il capitolo 10, "Passolungo"; vedi la tabella a p. 173.

[1] In realtà si possono distinguere alcuni brani del testo sottostante: bastevoli per mostrare come la concezione di Bree quale villaggio di Uomini, sebbene con "hobbit nei paraggi", fosse già presente.

[2] *Crico* (p. 171) è scomparso definitivamente (tuttavia vedi "Criconca"); così pure Stabbiolo, ma solo temporaneamente.

[3] *Barnabasso Farfaraccio* è scritto a inchiostro sul nome originale a matita: *Timoteo Tito*. Timoteo Tito era il nome del custode della locanda nel testo sottostante scritto a

matita per tutto il capitolo. Questo nome sopravvisse da una vecchia storia di mio padre, di cui esistono solo un paio di pagine (senza dubbio tutto ciò che fu scritto al riguardo); ma quel Timoteo Tito non aveva alcuna somiglianza con il signor Farfaraccio.

4 In principio Nob si chiamava Lob; questo nome sopravvisse nella fase del manoscritto a inchiostro per poi essere modificato.

5 Il testo originale a matita continuava da qui:

> Entrate pure. Piacere di conoscervi. Messer Took, avete detto? Ora rammento questo nome. Un tempo i Took non ci pensavano due volte a venire qui solo per fare due chiacchiere col mio defunto padre o col sottoscritto medesimo. Messer Odo Took, Messer Frodo Took, Messer Merry Brandaino, Messer Bingo Baggins. Vediamo, cosa mi ricorda tutto questo? Non importa, mi tornerà in mente. Una cosa scaccia l'altra. Stasera siamo stati un po' indaffarati. Passata parecchia gente. Ehi, Nob! Prendi queste borse (ecc.)

Mio padre lo cancellò, annotando che "gli hobbit devono celare i loro nomi", e scrisse a matita questi due passaggi su un foglietto aggiuntivo:

> Messer Frodo Zonzo, Messer Odo Zonzo – non posso dire di aver mai incontrato nome siffatto prima d'ora. (Bingo se l'era inventato su due piedi, rendendosi improvvisamente conto che non sarebbe stato saggio sbandierare i loro veri nomi in una locanda hobbit sulla strada maestra.)

> Che nome avete detto? Tutti Zonzo, Messer Ben Zonzo e i suoi tre nipoti. Non posso dire di aver mai incontrato questo nome prima d'ora, lieto tuttavia di fare la vostra conoscenza.

Anche questi furono cancellati e venne adottato il passaggio che segue nel testo ("Entrate pure, signori, tutti quanti..."), scritto a matita e sovrascritto a inchiostro.

6 Nel testo sottostante a questo passaggio, mio padre scrisse *Felcioso* ma lo cambiò subito in *Colle*; e nel testo a inchiostro scrisse *Compari* per poi cambiarlo in *Verde*. Più tardi, in una stesura a penna che sarà rifiutata, il signor Farfaraccio dice: "Non mi dica, signor Artemisi. Be', finché il signor Fiumi e i due signor Compari non spariscono pure loro (senza pagare il conto) lui è il benvenuto" (cioè a sparire nel nulla, come Artemisi aveva affermato che aveva appena fatto: CdA, p. 177).

7 Vedi le parole di Bingo a Gildor, p. 82: "Avevo dato fondo al mio tesoro." Il presente passo è stato rifiutato e non compare in CdA: tuttavia vedi p. 220, nota 3.

8 *Meladoro*: "albero di mele" (Antico Inglese *apuldor*). – In CdA (p. 171) questi nomi "botanici" sono principalmente nomi di famiglie di uomini di Bree.

9 Il testo sottostante a matita aveva qui ancora: "Molto lieto di conoscere Messer Bingo Baggins"; e le parole successive di Passolesto esordivano: "Bene, Messer Bingo..." Vedi nota 5.

10 Qui segue: "la melodia era ben nota, e la compagnia si unì al coro", riferendosi alla canzone che originariamente qui era stata affidata a Bingo (vedi nota 11), e comprendeva un coro; la frase fu eliminata quando fu scelto piuttosto "Il Gatto e il Violino".

[11] Qui mio padre scrisse inizialmente "Canzone del Troll", e una versione non rifinita e incompiuta si trova nel manoscritto in questo punto medesimo. A quanto pare egli decise quasi subito di sostituirla con "Il Gatto e il Violino", e ci sono anche due testi di questa canzone inclusi nel manoscritto, ciascuno preceduto dalle parole (come in CdA, p. 174):

> Parlava di una locanda, e suppongo che sarà per questo che tornò in mente a Bingo. Eccola qui per intero, sebbene oggi però se ne ricordino solo poche parole.

Per la storia e le prime forme di queste canzoni vedi la nota sulle canzoni del Cavallino Inalberato a seguire. – Che dovesse esserci una canzone a Bree era già previsto nello schema originario riportato a p. 162: "Dormono alla locanda e odono notizie di Gandalf. L'allegro oste. Canzone del bere."

[12] Nel testo originale, laddove la canzone doveva essere La canzone del Troll, i commenti del pubblico su gatto e violino sono ovviamente assenti. Invece, dopo "la compagnia non andava per il sottile", segue:

> Gli fecero bere un altro giro e poi la cantarono ancora. Bingo, alquanto incoraggiato, si mise a sgambettare sul tavolo e quando arrivò per la seconda volta al verso: "Ove occorre lo stival gli affibbia", fece un salto per aria. Troppo realisticamente: perse l'equilibrio e cadde...

Il verso *Ove occorre lo stival gli affibbia* si trova nella Canzone del Troll scritta per l'episodio.

[13] Per come gli abitanti di Bree furono concepiti in questa fase, la coppia mal assortita sarebbe stata presumibilmente costituita da due hobbit; e difatti nel capitolo successivo Bill Felcioso lo è esplicitamente (p. 197). Il suo compagno qui è l'origine dello "strabico venuto dal sud" che aveva risalito la Viaverde (CdA, p. 176); tuttavia non c'è ancora alcun accenno a questo elemento in quella che restava ancora una tela molto limitata.

Nota sulle canzoni al Cavallino Inalberato

(i) La canzone del Troll

Quando mio padre giunse alla scena in cui Bingo canta una canzone al *Cavallino Inalberato*, inizialmente utilizzò la "Canzone del Troll" (nota 11). La versione originale, intitolata *Il Fondo dello Stivale*, risale al periodo in cui frequentava l'Università di Leeds; fu stampata privatamente in un libretto dal titolo *Songs for the Philologists*, University College, London 1936 (per la storia di questa pubblicazione vedi pp. 186-187). Mio padre era molto affezionato a questa canzone, che suonava come *The Fox Went Out on a Winter's Night*, e la gioia che mi dava il verso *Allora era quello che sol giù giù arde e brucia sotterra* è tra i miei primi ricordi. Due copie di questo libretto entrarono in possesso di mio padre più tardi (nel 1940-41), e in un periodo imprecisato egli corresse il testo, eliminando alcuni errori minori che vi erano comparsi. Riporto qui il testo come stampato in *Songs for the Philologists*, con siffatte correzioni.

IL FONDO DELLO STIVALE

Troll a ridosso del seggio di sasso
Scrocchia e sgranocchia un vecchio osso;
Sempre solo a lungo non s'era mai smosso
Né visto giammai avea uomo o mortale
Ortale! Portale!
Sempre solo a lungo non s'era mai smosso
Né visto giammai avea uomo o mortale.

Ed ecco Tom con i suoi stivalon
Fare a Troll: "Ehilà tu, cos'hai in man?
Perché par la zampa del mio zio Iannon?
Che della chiesa dovrebbe star al camposan.
Cercasan, Betullan! ecc.

"Giovanotto," fa Troll: "Dell'osso ho preso possesso.
Ma che mai son le ossa, se via l'anima su con successo
Nel cielo con l'aureola forse già se la spassa
Nella fiamma d'un falò chiara e gradassa?
Sconquassa, surclassa!"

Tom disse: "Strano! Convinto ero che se un falò l'aspetta
Allora era quello che sol giù giù arde e brucia sotterra,
Ché più compito ladron il vecchio Iannon era
Che indossato mai abbia il nero di Domenica,
Pennica, Lumenica!

Non capisco però cosa mai c'entri con te
Se qui io o i miei parenti filiamo su in ciel
All'inferno giù ruzzola con tutti e due i pie'
Prima che tutto tu mi spolpi lo zio!
Sfio! Spio!"

Così, a modo laggiù, ove giustamente non batte il sole
Tom un bel calcione gli sferra, ma ahimè! quella razza
Più di pietra ha le terga della faccia immota sulla stazza
E così lo stivale si spacca sul chiappone,
Lesione! Birbone!

Tom ora zoppo sen va col piede offeso
E senza stivale a girare si è arreso;
E il seggio di Troll se ne resta illeso
Con l'osso scroccato al padrone.*
Ladrone! Predone!

Oltre a correggere gli errori nel testo stampato *in Songs for the Philologists*, mio padre cambiò anche il terzo verso della strofa 3 in e *con l'aureola in cielo già si rilassa*. Il manoscritto originale a matita della canzone è ancora esistente. Il titolo era *Pēro & Pōdex* ("Stivale e Terga"), e la strofa 6, così come scritta, recitava:

Così, a modo, laggiù, giustamente ove non batte il sole
Tom un bel calcione gli sferra, ma ahimè! quella razza
Di pietra ha le terga come il muso su tutta la sua stazza
E da Terga Stivale apprese una gran brutta lezione,
Dimostrazione! Espiazione!

Mio padre realizzò una nuova versione della canzone da far cantare a Bingo al *Cavallino Inalberato*, adatta al contesto previsto, e come già accennato essa si trova nel manoscritto del presente capitolo; tuttavia

* *scroccare*: rubare, portare via.

restava a uno stato d'abbozzo e incerto, e fu abbandonata ancora incompleta. Quando decise di non utilizzarla in questa sede, egli non la reintrodusse subito nel *Signore degli Anelli*; si vedrà nel capitolo XI che, mentre la visita degli hobbit alla scena dell'incontro di Bilbo coi tre Troll era pienamente presente fin dalla prima versione, la canzone non lo era. Essa fu introdotta solo in un secondo momento; tuttavia le prime stesure della "Canzone del Troll" di Sam procedono in sequenza dalla versione destinata a Bingo a Bree.

Songs for the Philologists

L'origine del materiale contenuto in questo libretto risale all'Università di Leeds negli anni venti, quando il professor E.V. Gordon (collega e amico intimo di mio padre, morto prematuramente nell'estate di quello stesso anno, il 1938) realizzò dei dattiloscritti a uso degli studenti del dipartimento di Inglese. "Le sue fonti," secondo le parole di mio padre, "erano manoscritti di versi miei e suoi [...] con molte aggiunte di canzoni islandesi moderne e tradizionali prese per lo più da canzonieri islandesi per studenti."

Nel 1935 o 1936 il dottor A.H. Smith dell'Università di Londra (già studente a Leeds) consegnò uno di questi dattiloscritti (non corretti) a un gruppo di studenti degli *Honours*, affinché lo componessero per la stampa con il torchio elisabettiano. Il risultato fu un libretto dal titolo

CANZONI PER FILOLOGI

Di J.R.R. Tolkien, E.V. Gordon e altri

Stampato privatamente presso il dipartimento
di Inglese dell'University College di Londra
MCMXXXVI

Nel novembre del 1940 Winifred Husbands dell'University College scrisse a mio padre e spiegò che "quando i libretti furono pronti, il dottor Smith si rese conto di non aver mai chiesto il permesso a lei o al professor

Gordon, e dichiarò che non dovessero essere distribuiti finché ciò non fosse stato ottemperato – ma, per quanto ne so, non le ha mai scritto o parlato al riguardo, sebbene gli abbia menzionato la cosa più di una volta. Il triste risultato è che la maggior parte delle copie stampate, non essendo state distribuite nelle nostre stanze in Gower Street, sono andate perdute al pari del torchio stesso nell'incendio che distrusse quella parte dell'edificio del College". A mio padre fu quindi chiesto di concedere il suo permesso retrospettivo. All'epoca le erano note 13 copie, ma in seguito ne rintracciò altre, in numero che ignoro; mio padre ne ricevette due (p. 183).

Ci sono 30 *Canzoni per Filologi*, in gotico, islandese, inglese antico, medio e moderno e latino, e alcune poesie in un miscuglio maccheronico di lingue. Mio padre era l'autore di 13 poesie (6 in inglese moderno, 6 in antico inglese, 1 in gotico), e E.V. Gordon di due. Tre delle poesie in antico inglese di mio padre, e quella in gotico, sono stampate con traduzione in appendice a *J.R.R. Tolkien. La via per la Terra di Mezzo* del professor T.A. Shippey (1982).*

(ii) Il Gatto e il Violino

"Il Gatto e il Violino", che divenne la canzone di Bingo al *Cavallino Inalberato*, fu pubblicata nel 1923 su *Yorkshire Poetry*, vol. II, n. 19 (Leeds, Swan Press). Riporto qui il testo come si trova nel manoscritto originale, scritto su carta dell'Università di Leeds.

* Questa è la sede adatta per citare la spiegazione di mio padre sul significato della betulla che appare in due delle poesie riportate dal professor Shippey (vedi Tom Shippey, *J.R.R. Tolkien. La via per la terra di mezzo*, Marietti 2005, pp. 389-390, 482 ss.); Vedi anche "Betullan" nel ritornello della strofa 2 del *Fondo dello Stivale*. In una nota su una delle sue copie di *Songs for the Philologists* mio padre scrisse: "ᛒ, B, Bee e (a causa del nome runico di ᛒ) Betulla simboleggiano tutti gli studi medievali e filologici (compreso l'islandese); mentre A e Āc (quercia = ᚪ) indicano la 'letteratura moderna'. Questa araldica più gradevole (e una rivalità amichevole e una burla) fu scatenata dalla torva affermazione del Sillabo in accordo alla quale gli studi dovevano essere 'suddivisi in due schemi, Schema A e Schema B'. Lo schema A era principalmente moderno e quello B principalmente medievale e filologico. Canzoni, festeggiamenti e altri divertimenti erano comunque principalmente confinati a ᛒ."

IL GATTO E IL VIOLINO
Ovvero
Una filastrocca sciolta e il suo scandaloso segreto disvelato

C'è una locanda, tutta allegra e sbilenca
Sotto una vecchia grigia collina,
Dove così scura è la birra
Che l'uomo sulla luna è sceso in terra
Per berne un po' alla spina.

Lo staffiere ha ivi un gatto
Che però suona assai il violino;
Così come un cagnetto arguto
Che ad ogni scherzo ride acuto
E incompleto lo trova carino.

Tengono invero anche una mucca
Che ha gli zoccoli dorati;
Come birra la musica l'altera
E la coda ondeggiare le fa in alto
E danzare in mezzo ai prati.

Ma son d'argento tutti i piatti
E d'argento le posate!
Son speciali alla Domenica,
Lucidate con la manica
quand'è il sabato in serata.

***

L'uomo sulla luna si fa una pinta di troppo,
Dello staffiere è ciucco il gatto;*
Amoreggian piatto e cucchiaio domenicale
Il cane ha afferrato dove si va a parare
La mucca balla già di matto.

* *ciucco*: barcollante, tremante, intontito.

L'uomo sulla luna un'altra pinta si fa ancora
E ruzzola via giù dalla sedia
E altra birra reclama ancora
Sebben la notte di stelle si fa chiara
E sulla soglia l'alba aduggia.

Lo staffiere al gatto ciucco:
"I cavalli della Luna,
Mordono l'argenteo morso;
Il padrone sta sul dorso,
Presto il Sole sorgerà!

Forza dacci sul violino
Un refrain che i morti sveglia."
E quello attacca e tutto sbaglia,
L'oste desta l'Uomo della Luna:
"Son le tre passate!" raglia.

Tratto l'Uomo in cima al colle
Della Luna han fatto cappa,
Dietro vengono i cavalli
E la mucca inventa balli,
Col cucchiaio il piatto scappa.

Cambia il gatto il motivetto;
E il cagnetto fa ruggiti,
Giù i cavalli a capofitto;
Saltan gli ospiti dal letto
E ora ballano accaniti.

Con un ping al gatto le corde saltano!
Sulla Luna la mucca sale
E il cagnetto è soddisfatto
E il piatto del sabato fugge via ratto
Con il cucchiaio domenicale.

La Luna rolla dietro il colle
Appena in tempo, giù a ruzzolone.
Ché il Sole leva il capo eretto
E tutti fiero li spedisce a letto
Per chiuder la bocca alla canzone.

Le due versioni presenti nel manoscritto del presente capitolo si avvicinano progressivamente alla forma definitiva, che con le emendazioni apportate alla seconda di esse viene di fatto raggiunta (CdA, pp. 174-176).

IX. PASSOLESTO E IL VIAGGIO A SVETTAVENTO

Il capitolo VII originale, privo di titolo, prosegue senza interruzioni in quello che divenne il capitolo 10 di CdA, "Passolungo", terminando a metà del capitolo 11 di CdA, "Un coltello nel buio"; tuttavia la prima parte della narrazione da presentare esiste adesso in due forme strutturalmente ben distinte (entrambe redatte in modo leggibile a inchiostro). Mio padre le contrassegnò come "Breve" e "Alternativa", ma ai fini di questo capitolo le chiamerò A ("Alternativa") e B ("Breve"). La relazione tra le due costituisce un enigma testuale, sebbene ritenga che lo si possa spiegare;[1] la questione non è comunque di grande importanza per la storia della narrazione stessa, poiché le due versioni appartengono ovviamente al medesimo periodo. Riporto per prima l'alternativa A (sulla quale mio padre avrebbe poi scritto "Usare questa versione").

"Ecco!" disse il padrone di casa, schioccando le dita. "Un attimo solo. Mi è tornato in mente, come dicevo. Benedetto me! Quattro hobbit e cinque cavallini! Negli ultimi giorni mi è stato chiesto d'un gruppetto come il vostro e magari potremmo scambiare due parole."

"Sì, certo!" disse Bingo sconfortato. "Non qui, però. Che ne dite di venire nella nostra stanza?"

"Come desiderate," disse il tenutario. "Verrò a darvi la buonanotte e a controllare che Nob abbia portato quanto vi abbisogna, appena sbrigate un paio di faccende qui: a quel punto potremo scambiare due parole."

Bingo, Odo e Frodo tornarono nel loro salottino.[2] Non c'era luce. Non c'era Merry e il fuoco era quasi spento. Soltanto dopo aver riattizzato la fiamma soffiando sulla brace e aggiungendo un paio di fascine si accorsero che Passolesto li aveva seguiti. Era tranquillamente seduto su una sedia nell'angolo.

"Ehilà!" disse Odo. "Che cosa volete?"

"Costui è Passolesto," si affrettò Bingo a spiegare. "Credo che anche lui desideri scambiare due parole."

"Sì e no," disse Passolesto. "La cosa sta così: ho il mio prezzo."

"Che cosa intendete dire?" domandò Bingo sconcertato e teso.

"Non vi allarmate. Intendo solo dire che vi dirò quel che so, e vi darò qualche buon consiglio, e, quel che più conta, terrò il vostro segreto sotto il cappuccio (che è più di quanto riesca a voi o ai vostri amici) – ma voglio la mia ricompensa."

"E in che cosa consisterebbe, sentiamo?" disse Bingo, seccamente. A quel punto aveva naturalmente il sospetto di essere incappato in un farabutto e pensò con preoccupazione ai pochi soldi che gli restavano.[3] L'intera somma non avrebbe accontentato un farabutto, e per giunta non poteva farne a meno.

"Non molto," rispose Passolesto con un sorrisetto divertito. "Solo questo: dovete portarmi con voi fino a che non decido io di andarmene!"

"Ma davvero!" replicò Bingo, sorpreso ma non molto sollevato. "Anche se fossi propenso a dire sì, tuttavia non prometterei una cosa del genere prima di sapere un mucchio di altre cose sul vostro conto e sui vostri interessi, Messer Passolesto."

"Ottimamente!" esclamò Passolesto, incrociando le gambe. "Sembrate rinsavito, tanto di guadagnato. Finora non siete stato sospettoso nemmeno la metà di quanto dovreste. Benissimo! Vi dirò quel che so e lascerò il resto a voi. Mi pare abbastanza equo."

"Coraggio, allora!" disse Bingo. "Che cosa sapete?"

"Orbene, le cose stanno così," disse Passolesto, abbassando la voce; si alzò e andò alla porta, l'aprì di scatto e guardò fuori. Poi la richiuse silenziosamente e tornò a sedersi. "Ho l'orecchio aguzzo, e anche se non ho la facoltà di scomparire, so assicurarmi di non essere visto, se voglio. Mi trovavo dietro una siepe quando un gruppo di viaggiatori si arrestò sulla Strada verso ovest, non lontano da qui. Carro, cavalli e cavallini; un'intera cricca di Nani, uno o due Elfi e un mago. Gandalf, naturalmente; non ci si può confondere al riguardo, ne converrete. Stavano parlando di un certo signor Bingo Bolger-Baggins e dei suoi tre amici, che avrebbero dovuto percorrere la Strada dietro di loro. Un po' incauto da parte di Gandalf, debbo dire; ma d'altronde lui parlava a bassa voce e io ho orecchie aguzze, e mi trovavo piuttosto vicino.

"Ho seguito lui e il suo gruppetto fino a questa locanda. C'era una bella agitazione per una domenica mattina, parola mia, e il vecchio Barnabasso correva in tondo; ma quelli si tenevano per i fatti loro e non parlavano che a porte chiuse. Questo cinque giorni fa.[4] La mattina dopo ripartirono. Ed ecco sopraggiungere uno hobbit con tre amici dalla Contea e, sebbene questi si chiami Colle, lui e i suoi amici sembrano conoscere parecchie cose su Gandalf e il signor Bolger-Baggins di Sottocolle. So fare due più due, io. Non c'è bisogno di preoccuparsi però, perché, come dicevo, ho intenzione di tenere la risposta al riguardo sotto il cappuccio. Forse il signor Bolger-Baggins ha un motivo onesto per lasciarsi alle spalle il proprio nome. In tal caso, magari dovrei rammentargli che non c'è solo Passolesto che sa fare due più due, e non tutti quelli che ci riescono son degni di fiducia."

"Sono in debito con voi," disse Bingo, sollevato, perché Passolesto non pareva sapere niente di particolarmente grave. "*Ho* le mie ragioni per lasciarmi alle spalle il mio nome, come dite voi; ma non capisco come qualcun altro potrebbe indovinare la verità dall'accaduto, a meno che possieda la vostra abilità nell'origliare, nel – ehm – raccogliere informazioni. Né cosa potrebbe farsene qualcuno di quel mio nome, a Bree."

"Non capite?" disse Passolesto alquanto cupo; "eppure origliare, come dite voi, non è arte sconosciuta a Bree, e inoltre non vi ho ancora detto tutto."

Ma in quella bussarono alla porta. Il signor Barnabasso Farfaraccio era arrivato, con un vassoio di candele, e dietro di lui Nob con recipienti di acqua calda. "Pensavo che voleste comunicarmi qualche esigenza prima di andare a letto," disse l'oste, posando le candele sul tavolo. "Sono venuto ad augurarvi la buonanotte. Nob! Porta l'acqua nelle stanze!" Entrò e chiuse l'uscio.

"Le cose stanno così, signor... ehm... Colle" disse. "Mi è stato domandato più volte di tenere gli occhi aperti per una combriccola di quattro hobbit della Contea, quattro hobbit e cinque cavallini. Ohibò, Passolesto, anche voi qui!"

"Va tutto bene," disse Bingo. "Parlate senza timore. Passolesto ha il mio benestare qui." Passolesto sogghignò.

"Insomma," riprese Farfaraccio, "le cose stanno così. Cinque giorni fa (sì, proprio così, ossia domenica mattina, quando tutto era quieto e sereno) è giunta un'intera compagnia di viandanti. Gente strana, Nani e quant'altro, con carro e cavalli. E assieme a loro il vecchio Gandalf. Orbene, mi dico, nella Contea è successo qualcosa e costoro stanno tornando dalla Festa."

"Dalla Festa?" disse Bingo. "Quale Festa?"

"Che il Cielo vi benedica, sì, messere! La festa di cui parlava Messer Verde. La festa del signor Bolger-Baggins. A inizio mese ne è passato di traffico verso ovest. Uomini, persino. Grossa Gente. Mai visto niente di simile da che son vivo. Quelli tra loro disposti ad aprir bocca hanno detto che stavano recandosi o portando delle cose alla festa di compleanno di Messer Bolger-Baggins. Sembra che costui fosse un parente di quel Bilbo Baggins di cui si raccontavano storie curiose, a suo tempo. In effetti se ne raccontano ancora a Bree, signore, mentre oso affermare che siano state dimenticate nella Contea. A Bree però ci muoviamo più adagio, per così dire, e ci aggrada riascoltare i vecchi racconti. Non che io creda a tutte queste storie, sia chiaro. Leggende, le chiamo io. Potrebbero essere vere, o forse no. Orbene, dov'ero rimasto? Sì. Domenica mattina scorsa... Domenica mattina scorsa giunse il vecchio Gandalf coi suoi Nani e compagnia bella. 'Buongiorno,' dissi io. 'Dove state andando e da dove venite, di grazia?' chiesi in tutta cordialità. Ma lui si limitò a strizzarmi l'occhio e non disse nulla, e così alcuno dei suoi. Più tardi però lui mi prese in disparte e disse: 'Farfaraccio,' ecco cosa disse, 'ho degli amici che mi seguono da presso e passeranno dalle tue parti tra poco. Dovrebbero essere qui entro martedì,[5] se riusciranno ad attenersi a un percorso senza fronzoli. Sono degli hobbit: uno è un piccoletto tondo di pancia (chiedo venia, signore) con le guance rosse, gli altri son semplici giovani hobbit. A dorso di cavallini. Di' loro di proseguire, per favore. Da qui innanzi io procederò piano, e sarà meglio che mi raggiungano, se ci riescono. Non dirlo a nessun altro e non incoraggiarli a indugiare qui per qualche sosta. La tua birra è buona; ma devono prendersi quanto possono in tutta fretta e proseguire. Intesi?'"

"Grazie," disse Bingo, credendo che Messer Farfaraccio avesse terminato; ancora una volta era sollevato nello scoprire che dietro quel mistero non c'era alcunché di particolarmente grave.

"Ah, aspettate un attimo, però," disse Barnabasso Farfaraccio, abbassando la voce. "Non è finita lì. Ci sono stati altri che hanno chiesto informazioni su quattro hobbit; ed è questo a lasciarmi interdetto. Lunedì sera giunse un tipaccio grosso su un gran cavallo nero. Tutto cappuccio e mantello. Me ne stavo sulla soglia ed egli mi rivolse parola. La voce mi pareva assai strana e da principio riuscivo a malapena a intendere cosa dicesse. Il suo aspetto non mi piaceva affatto. Ma quello chiese notizie di quattro hobbit con cinque cavallini[6] che stavano lasciando la Contea, poco ma sicuro. Qui bolle qualche stramberia, pensai; rammentando però le parole del vecchio Gandalf, non gli diedi alcuna soddisfazione. 'Non ho visto alcun gruppetto del genere,' dissi. 'Cosa volete da loro o da me?' A quel punto, senza aggiungere altro, quello montò a cavallo e ripartì verso est. Mentre attraversava il villaggio, i cani si misero a uggiolare e le oche a starnazzare. Non mi spiacque vederlo filare via, ve lo assicuro. Ma ho sentito dire, più tardi, che tre di costoro son stati visti lungo la strada verso Conca, di là della collina, sebbene nessuno sapesse dire donde provenissero gli altri due.

"Eppure, mi credereste, son tornati, loro o altri simili a loro come la notte e il buio che li avessero seguiti. Martedì sera si udì un tonfo alla porta e il mio cane in cortile cacciò un guaito e un ululato. 'È un altro di quegli omacci neri,' mi disse Nob coi capelli dritti. Quando mi recai alla porta, era proprio così: non uno solo, ma quattro; e uno se ne stava in groppa nella penombra col suo cavallo accosto alla porta di casa mia. Si chinò verso di me e parlò in una specie di sussurro. Mi fece sentir stranito per tutta la schiena, se m'intendete, come se qualcuno mi avesse versato dell'acqua diaccia nel colletto.[7] Sempre la stessa solfa: voleva notizie di quattro hobbit con cinque cavallini. Costui però sembrava più pressante e impaziente. Anzi, a dirla tutta, mi offrì un bel gruzzolo d'oro e d'argento se gli avessi detto da che parte fossero andati, o gli avessi promesso di fare la guardia.

"'Ci sono molti hobbit e cavallini da queste parti e sulla Strada,' dissi (giudicando la faccenda davvero insolita e non gradendo il suono della sua voce). 'Non ho visto alcuna combriccola del genere, però. Se mi lasciate un nome, forse potrei recapitare un messaggio, qualora dovessero passare da casa mia.' A quel punto quello rimase zitto un attimo. E poi, signore, ecco che disse: 'Il nome è Baggins, Bolger-Baggins,' e sibilò la lettera finale come una serpe. 'Qualche messaggio?' dissi io, tutto d'un fiato. 'No, digli solo che lo stiamo cercando e abbiamo fretta,' sibilò. 'Ci rivedrai, forse,' e con ciò lui e i suoi compari se ne ripartirono a cavallo e scomparvero lesti nell'oscurità, come avviluppati in quel loro nero.

"Cosa ne pensate, Messer Colle? Debbo confessare che mi chiedo se quello sia il vostro vero nome, chiedo venia. Spero di aver agito bene, però, giacché mi sembra che quei tipacci neri non covino buone intenzioni verso Messer Bolger-Baggins, se questi è chi siete."

"Sì! È proprio il signor Bolger-Baggins," disse improvvisamente Passolesto. "E dovrebbe esservi grato eccome. Ha da ringraziare solo se stesso e i suoi amici, se ormai l'intero villaggio conosce il suo nome."

"Gli sono grato, *eccome*," disse Bingo. "Mi rincresce di non potervi raccontare tutta la storia, Messer Farfaraccio. Sono molto stanco e piuttosto preoccupato. Ma, per farla breve, questi cavalieri neri sono esattamente ciò che sto cercando di fuggire. Vi sarei sommamente grato (e lo sarà anche Gandalf, e pure il vecchio Tom Bombadil, suppongo) se voleste dimenticare che qualcuno, a parte Messer Colle, è passato di qui; spero tuttavia che questi abominevoli cavalieri non vi disturbino oltre."

"Spero proprio di no!" disse Barnabasso.

"Bene, allora ora buonanotte!" disse Bingo. "Grazie ancora per la vostra cortesia."

"Buonanotte, Messer Colle. Buonanotte, Passolesto!" disse Barnabasso. "Buonanotte, Messer Bruno e Messer Verde. Misero me, dov'è Messer Fiumi?"

"Non lo so," disse Bingo, "ma temo che sia ancora fuori. Ha detto di voler uscire a prendere una boccata d'aria. Rientrerà fra poco."

"Molto bene. Non lo chiuderemo fuori di certo," dichiarò l'oste. "Buonanotte a tutti!" Con ciò uscì, e i suoi passi si spensero lungo il corridoio.

"Ecco!" disse Passolesto, prima che Bingo potesse parlare. "Il vecchio Barnabasso v'ha svelato gran parte di quanto mi restava da riferire. Ho visto i Cavalieri io stesso. Sono almeno in sette. Questo cambia un po' il quadro, nevvero?"

"Sì," disse Bingo, celando meglio che poteva quanto fosse allarmato. "Tuttavia sapevamo già che ci stessero cercando; e non hanno scoperto nulla di nuovo, a quanto pare. Che fortuna che siano giunti qui *prima* del nostro arrivo!"

"Non ne sarei così convinto," disse Passolesto. "Ho ancora qualcosa da aggiungere." [*Aggiunto a matita:* Ho visto i Cavalieri per la prima volta sabato scorso, a ovest di Bree, prima di imbattermi in Gandalf. Non sono affatto certo che non fossero pure sulle *sue* tracce. Ho visto anche quelli che hanno fatto visita a Barnabasso. E] martedì sera ero sdraiato su un argine sotto la siepe del giardino di Bill Felcioso e l'ho sentito parlottare. È un tipo strano e i suoi compari son della stessa risma. Forse l'avrete notato tra gli avventori: un tipo scuro dal brutto ceffo. È sgattaiolato fuori subito dopo la canzone e l'incidente. Non mi fiderei di lui. Venderebbe *qualsiasi* cosa a *chiunque*. Capite cosa intendo? Non ho visto con chi stesse confabulando Felcioso, né ho udito cosa si dicessero: solo sibili e sussurri. Fine delle mie notizie. Per la ricompensa regolatevi come vi pare, ma, per quanto riguarda la mia venuta con voi, vi dirò solo questo: conosco tutte le terre tra la Contea e i Monti perché le ho battute per molti anni. Son più vecchio di quanto sembri. Potrei rivelarmi utile. Ritengo infatti che dopo l'incidente di stanotte dovrete lasciare la Strada aperta. Non credo che vorrete incontrare alcuno di questi Cavalieri Neri, se potete evitarlo. Mi danno i brividi." Ebbe un fremito e videro con sorpresa che si era calato il cappuccio sul viso, sepolto tra le mani. La stanza era immersa nella quiete e nel silenzio, e la luce pareva essersi affievolita.

"Ecco! È passato!" disse dopo un attimo, gettando indietro il cappuccio e scostando i capelli dal viso. "Forse ne so o intuisco più di voi sui vostri inseguitori. Voi li temete, ma non abbastanza, per adesso. Tuttavia giudico abbastanza probabile che la notizia della vostra presenza giunga loro prima che la notte sia trascorsa. Domani dovete fuggire in fretta e veloci (se vi riesce). Passolesto è in grado di condurvi per sentieri poco battuti. Lo porterete con voi?"

Bingo non rispose. Guardò Passolesto: torvo e selvatico e vestito rozzamente. Difficile sapere il da farsi. Non dubitava che la maggior parte della sua storia fosse vera (confermata com'era dal racconto dell'oste); tuttavia era meno facile essere sicuri riguardo alle sue buone intenzioni. Aveva uno sguardo cupo, eppure c'era qualcosa in lui e nella sua parlata che spesso si scostava dai modi rustici dei forestali e della gente di Bree, qualcosa che pareva amichevole e persino familiare. Il silenzio si prolungava e Bingo ancora non riusciva a risolversi.

"Be', io voto per Passolesto, in caso ti servisse una mano a decidere," disse infine Frodo. "In ogni caso, mi sa che egli saprebbe seguirci ovunque, anche se rifiutassimo."

"Grazie!" disse Passolesto, sorridendo a Frodo. "Potrei, e dovrei, perché lo ritengo un dovere. Ma ecco una lettera che ho per voi: credo proprio che vi aiuterà a decidere."

Con grande stupore di Bingo, estrasse da una tasca una piccola lettera sigillata e gliela porse. Sull'esterno era scritto *B da G* ᛝ.

"Leggete," disse Passolesto.[8]

Bingo osservò attentamente il sigillo prima di romperlo. Sembrava indubbiamente quello di Gandalf, sia per la calligrafia sia per la runa ᛝ. All'interno c'era il seguente messaggio. Bingo lo lesse a voce alta:

Lunedì 26 settembre. Caro B. Non fermatevi a lungo a Bree – non per la notte, se potete evitarlo. In viaggio ho appreso alcune notizie. L'inseguimento si avvicina: sono almeno 7, forse di più. Non usarLo mai più, nemmeno per scherzo. Non spingetevi nella nebbia fitta. Proseguite di giorno! Cercate di raggiungermi. Non posso aspettarvi qui, ma rallenterò apposta per un giorno o due. Cercate il nostro accampamento sulla collina di Svettavento.[9] *Aspetteremo lì finché posso osare. Affido questa mia a un forestale (uno hobbit selvaggio) noto come Passolesto: è scuro, ha i capelli lunghi e porta zoccoli di legno! Potete fidarvi di lui. È un mio vecchio amico e sa parecchie cose. Vi guiderà fino a Svettavento e oltre, se necessario. Proseguite! Tuo*

ᚷ ᚨ ᚾ ᛞ ᚨ ᛚ ᚠ *Gandalf*[10]

Bingo guardò la scrittura che si dipanava, e pareva autentica al pari del sigillo. "Be', Passolesto!" disse, "se mi aveste detto subito che avevate questa missiva, avreste appianato le cose e risparmiato un sacco di chiacchiere. Ma perché vi siete inventato tutta quella storia delle conversazioni origliate?"

"Non l'ho inventata," rise Passolesto. "Ho fatto spiccare un bel salto al vecchio Gandalf quando sono spuntato da dietro la siepe. Gli dissi che era fortunato che si trattasse di un vecchio amico. Abbiamo parlato a lungo di svariate cose: di Bilbo e Bingo e [*aggiunto a matita:* i Cavalieri e] l'Anello, se volete saperlo. Fu molto contento di vedermi, perché aveva fretta e tuttavia era ansioso di mettersi in contatto con voi."

"Be', debbo ammettere che mi fa piacere ricevere una sua parola," disse Bingo. "E se voi siete un amico di Gandalf, allora siamo fortunati a conoscervi. Mi rincresce di essere stato inutilmente sospettoso."

"Non lo siete stato," disse Passolesto. "Nemmeno la metà di quanto dovreste. Se aveste avuto precedenti esperienze col vostro attuale nemico, non vi fidereste delle vostre mani senza averle guardate bene, una volta saputo che egli è sulle vostre tracce. A questo punto anch'io ero sospettoso: e ho dovuto sincerarmi che voi foste quello autentico, prima di consegnarvi qualsivoglia lettera. Ho sentito parlare di combriccole fittizie che raccolgono messaggi non destinati a loro – i nemici hanno già agito così in passato. Inoltre, se volete saperlo, mi sono divertito a vedere se riuscivo a indurvi a prendermi con voi – solo in virtù delle mie doti di persuasione. Sarebbe stato bello (sebbene assai erroneo) se mi aveste accettato per le mie maniere senza alcuna testimonianza! Senonché ho un aspetto che mi penalizza, suppongo."

"Purtroppo sì!" rise Odo. "Ma non bisogna giudicare dall'aspetto, diciamo noi nella Contea; e mi sa che dopo aver passato giorni in mezzo alle siepi e ai fossi finiremmo per somigliarci tutti."

"Ci vorrebbe più di qualche giorno o settimana, mese o anno passato a vagare per il mondo per farvi somigliare a Passolesto," rispose lui e Odo si azzittì. "E morireste prima, a meno d' essere di una pasta più dura di quanto sembriate."

"Che cosa dobbiamo fare?" domandò Bingo. "Non capisco bene la sua lettera. Gandalf ha detto: 'Non fermatevi a Bree.' Barnabasso Farfaraccio è a posto?"

"Impeccabile!" disse Passolesto. "È lo hobbit più onesto che si possa trovare tra le Torri Occidentali e Valforra. Fedele, gentile, abbastanza accorto nei suoi semplici affari, ma non troppo ficcanaso per quanto ecceda le faccende ordinarie della gente a Bree. Se capita qualcosa di strano, imbastisce una qualche spiegazione o se ne scorda. 'Strambo,' dice, si gratta la testa e torna alla sua dispensa o al suo birrificio. È proprio il caso di dirlo! Suppongo che ormai si sia convinto che si è trattato solo di 'un abbaglio', che la luce abbia giocato un brutto tiro e tutti gli hobbit nella sala si siano semplicemente immaginati che 'Messer Colle' fosse scomparso davvero. Tra una settimana o due i cavalieri neri diventeranno normali viaggiatori in cerca di qualche amico, sempre che non si ripresentino."

"Be', allora è sicuro sostare qui per la notte?" disse Bingo, lanciando un'occhiata al fuoco confortevole e alla luce delle candele. "Voglio dire, Gandalf ha detto: 'Proseguite'; ma anche: 'Non muovetevi al buio'."

È qui che la versione alternativa B (vedi p. 191 e nota 1) si unisce o si fonde con la versione A appena presentata (sebbene prima di questo punto, come si vedrà, ci siano sostanziali passaggi in comune). L'inizio della narrazione in questo caso è molto diverso:

"Ecco!" disse il padrone di casa, schioccando le dita. "Un attimo solo. Mi è tornato in mente, come avevo detto. Benedetto me! Quattro hobbit e cinque cavallini! Credo d'avere una lettera per la vostra combriccola."

"Una lettera!" disse Bingo, tendendo la mano.

"Be'," disse lui, esitando, "lui ha detto che dovevo stare attento a consegnarla nelle mani giuste. Quindi magari, se non vi dispiace, sareste così gentile da dirmi da chi potreste aspettarvi una missiva?"

"Gandalf?" disse Bingo. "Un vecchio," (ritenne che forse *mago* poteva costituire un termine sconsigliabile) "con un alto cappello e una lunga barba?"

"Era Gandalf, proprio lui" disse Farfaraccio, "ed è vecchio, sì, ma non occorre descriverlo. *Tutti* lo conoscono. Dicono che sia un mago, ma va bene così. Quale però sarebbe allora il vostro nome di nascita, vogliate scusare la domanda, messere?"

"Bingo."

"Ah!" disse Barnabasso.[11] "Orbene, tutto a posto, mi pare; sebbene lui avesse detto che avreste dovuto essere qui entro martedì, non giovedì, come invece è occorso.[12] Ecco la lettera." Dalla tasca estrasse una piccola busta sigillata, sulla quale era scritto: *A Bingo da G.* ᚷ *per mano del signor B. Farfaraccio, tenutario del Cavallino Inalberato, Bree.*

"Grazie mille, signor Farfaraccio," disse Bingo, intascando la lettera. "Ora, se volete scusarmi, vi auguro la buonanotte. Sono molto stanco."

"Buonanotte, signor Colle! Vi manderò acqua e candele in camera appena possibile." Se ne andò ballonzolando e Bingo, Frodo e Odo rientrarono nel salottino.

La versione B concorda con la versione A praticamente parola per parola da qui (p. 191) alle parole di Passolesto "eppure origliare, come dite voi, non è arte sconosciuta a Bree" (p. 193), punto che in A veniva interrotto dall'arrivo del signor Farfaraccio; così anche in B, Passolesto racconta di aver udito Gandalf parlare di Bingo coi Nani e gli Elfi sulla Strada a ovest di Bree. A questo punto B diverge di nuovo:

"... Inoltre, non vi ho ancora raccontato la parte più importante. Ci sono stati *altri* che chiedevano informazioni su quattro hobbit."

Il cuore di Bingo sprofondò: aveva capito l'antifona. "Proseguite," disse a bassa voce.

"Lunedì sera, all'estremità occidentale del villaggio, son quasi finito addosso a cavallo e cavaliere che andavano veloci nel crepuscolo: costui era tutto incappucciato e ammantato di nero, e il cavallo era grande e nero a sua volta. Gli rivolsi un accidente, visto che il suo aspetto non mi piaceva affatto; lui si arrestò e mi rivolse la parola. La voce mi pareva molto strana e da principio riuscivo a malapena a intendere cosa dicesse. Poco ma sicuro, chiedeva notizie di quattro hobbit con cinque cavallini in partenza dalla

Contea. Rimasi immobile e non risposi; ed egli avvicinò il cavallo passo dopo passo. Quando fu molto vicino, si chinò e annusò. Poi sibilò e ripartì attraverso il villaggio, verso est. Sentii i cani uggiolare e le oche starnazzare. Dai discorsi della locanda quella sera dedussi che *tre* cavalieri al crepuscolo erano stati visti percorrere la strada verso Conca, dietro la collina; sebbene non sapessi donde fossero sbucati gli altri due.

Martedì sono rimasto all'erta tutto il giorno. Poco ma sicuro, quando si fece ormai sera, avvistai di nuovo gli stessi cavalieri, o altri simili a loro come la notte e il buio, che calavano ancora lungo la Strada da ovest. Stavolta erano in quattro, però, non tre. Diedi loro una voce da dietro una siepe mentre passavano; s'arrestarono tutti all'improvviso e si voltarono verso il mio grido. Uno di loro – sembrava più alto e montava su un cavallo più grosso – si fece avanti. 'Dove state andando e per quali faccende?' dissi. Il cavaliere si chinò in avanti come per scrutare – o annusare; poi, accostandosi col cavallo alla siepe, parlò in una specie di sussurro. Mi diede i brividi freddi lungo la schiena. La stessa solfa: voleva notizie di quattro hobbit e cinque cavallini. Però costui sembrava più pressante e impaziente. Anzi (ed è questo a preoccuparmi adesso) mi offrì una piccola fortuna in argento e oro se avessi saputo dirgli da che parte fossero andati, o se avessi promesso di tenere gli occhi aperti. 'Non ho visto alcuna combriccola del genere,' dissi, 'per di più sono un vagabondo anch'io, e forse domani sarò lontano a ovest o est. Tuttavia, se mi lasciate un nome, forse potrei recapitare un messaggio, qualora mi capitasse di incontrare quella gente sulla mia strada.' A quel punto egli rimase zitto per un momento. E poi disse: 'Il nome è Baggins, Bolger-Baggins,' e sibilò come una serpe. 'Qualche messaggio?' dissi io, tremando tutto. 'Digli solo che lo stiamo cercando e abbiamo fretta,' sibilò, e con ciò si allontanò coi suoi compari, e le loro vesti nere furono rapidamente inghiottite nel buio. Cosa ne pensate? Cambia un po' il quadro, nevvero?"

"Sì," disse Bingo, celando come poteva il suo allarme. "Ma sapevamo già che ci stessero cercando; e non hanno scoperto alcunché di nuovo, a quanto pare."

"Se potete fidarvi di me!" disse Passolesto scoccando uno sguardo a Bingo. "Ma pure così, non ne sarei troppo sicuro. Ho ancora qualcosa da raccontare. Martedì sera ero sdraiato su un argine sotto la siepe del giardinetto di Bill Felcioso..."

Qui la versione B ritorna di nuovo all'altra (p. 197), e risulta la stessa quasi parola per parola fino a "Il silenzio si prolungava e Bingo ancora non riusciva a risolversi" (p. 198), con l'unica differenza che "Non dubitava che la maggior parte della sua storia fosse vera (confermata com'era dal racconto dell'oste)" è necessariamente assente, dal momento in questa versione il signor Farfaraccio non ha incontrato i Cavalieri. Segue ora in B:

"Se fossi in voi, darei un'occhiata a quella lettera di Gandalf," disse Passolesto a bassa voce. "Potrebbe aiutarvi a decidere." Bingo estrasse di tasca la lettera, che aveva quasi dimenticato. Guardò attentamente il sigillo prima di romperlo. Sembrava proprio quello di Gandalf, sia per la calligrafia che per la runa ᛝ. Bingo la lesse a voce alta.

La lettera è la stessa della versione A, eccetto che alla fine, poiché in questa storia Gandalf non consegna la lettera a Passolesto ma all'oste:[13]

... Se incontrate un forestale (uno hobbit selvaggio: scuro, ha i capelli lunghi e indossa zoccoli di legno!) conosciuto come Passolesto, restategli incollati. Potete fidarvi di lui. È un mio vecchio amico: L'ho visto e gli ho detto di guardarvi le spalle. Sa parecchie cose. Vi guiderà fino a Svettavento e oltre, se necessario. Proseguite! Tuo
ᚷ ᚨ ᚾ ᛞ ᚨ ᛚ ᚠ *Gandalf* ᛝ.

Bingo guardò la scrittura che si dipanava; pareva autentica al pari del sigillo. "Be', Passolesto," disse, "se mi aveste detto subito che avevate visto Gandalf per poi parlarci e che questi aveva scritto una lettera, avreste appianato le cose e risparmiato un sacco di chiacchiere."

"Quanto alla lettera," disse Passolesto, "non ne sapevo un bel nulla finché il vecchio Barnabasso non l'ha cavata fuori. Gandalf ha incoccato due frecce al suo arco. Immagino temesse che io potessi non incrociarvi."

"Ma perché vi siete inventato tutta quella storia delle conversazioni origliate?"

"Non l'ho inventata," rise Passolesto. "Ho fatto fare un bel salto al vecchio Gandalf quando sono spuntato da dietro la siepe."

Da questo punto (p. 198) i due testi tornano a coincidere – eccetto che qui, ovviamente, Passolesto non dichiara "ho dovuto sincerarmi che voi foste quello autentico, prima di consegnarvi qualsivoglia lettera", ma semplicemente "dovevo assicurarmi che foste quello autentico". Quando però Bingo dice: "Non capisco bene la sua lettera. Gandalf ha detto 'Non fermatevi a Bree'" (p. 200), nella versione B non aggiunge altro, perché:

In quella bussarono alla porta. Il signor Farfaraccio era arrivato con le candele e dietro di lui Nob portava recipienti di acqua calda.

"Ecco acqua e lumi, se desiderate coricarvi," disse. "Messer Fiumi non è ancora rientrato, però. Spero che non ci metta molto, giacché ho voglia di ritirarmi anch'io, tuttavia stasera non lascerò la chiusura a nessun altro, non con questi forestieri neri a causare sconquasso."

"Dove sarà finito Merry?" disse Frodo. "Spero che stia bene."

"Dategli ancora qualche minuto, Messer Farfaraccio," disse Bingo. "Mi spiace causarvi disturbo." "Molto bene," disse lui, posando le candele sul tavolo. "Nob, porta l'acqua nelle stanze! Buonanotte, messeri." Chiuse la porta.

"Quello che stavo per dire," proseguì Bingo a bassa voce appena trascorso un attimo, "è: perché non sostare a Bree? Farfaraccio è a posto? Certo, così ci ha detto Tom Bombadil; ma sto imparando a farmi sospettoso."

"Il vecchio Barnabasso!" disse Passolesto. "Impeccabile, lui. Lo hobbit più onesto che si possa scovare tra le Torri Occidentali e Valforra. Gandalf temeva solo che poteste piazzarvi troppo comodi qui! Barnabasso è fedele, gentile, abbastanza accorto nei suoi semplici affari, e non troppo ficcanaso per quanto ecceda le faccende ordinarie della gente a Bree. Se succede qualcosa di insolito, imbastisce una qualche spiegazione o se ne scorda non appena possibile. 'Strambo,' dice, si gratta la testa e torna alla sua dispensa o al suo birrificio."

"Be', allora è sicuro sostare qui per la notte?" disse Bingo, scoccando un'occhiata al fuoco confortevole e alla luce delle candele. "Voglio dire, Gandalf ha detto: 'Non muovetevi al buio.'"

A questo punto le due versioni si fondono definitivamente. Si noterà che le differenze essenziali di B rispetto ad A sono le seguenti. In B, Farfaraccio è in possesso della lettera di Gandalf e per prima cosa la consegna a Bingo (sebbene Bingo non la legga subito). Passolesto non si limita, come in A, a "origliare" Gandalf e i suoi compagni sulla Strada a ovest di Bree, ma è lui stesso, e non Farfaraccio, ad avere l'incontro coi Cavalieri, e naturalmente non sulla porta della locanda ma per la strada. Il "materiale" dei due racconti è molto simile, se si tiene conto della qualità farfaracciana dell'uno e della differenza di luogo.

Nella versione A Passolesto, per aiutarlo a decidere, consegna a Bingo la lettera quando il signor Farfaraccio se n'è andato; in B, la ricorda a Bingo (come in CdA, p. 185). Inoltre, in B, Farfaraccio entra nel salotto solo a questo punto, così da posticipare l'accorgersi del mancato ritorno di Merry.

Una caratteristica combinazione o selezione di questi resoconti divergenti si trova nella relazione tra il racconto finale in CdA e le due varianti originali; infatti, A viene seguita facendo entrare il signor Farfaraccio nel mezzo della conversazione tra gli hobbit e Passolesto/Passolungo – mentre B facendo sì che sia Farfaraccio stesso ad avere la lettera di Gandalf. È estremamente caratteristico, ancora, che l'"origliare" Gandalf e i suoi compagni dietro la siepe sulla Strada a ovest di Bree da parte di Passolesto sopravviva in CdA (p. 180), ma diventi l'origliare gli hobbit stessi da parte di Passolungo – questo perché, ovviamente, in CdA Gandalf era già stato a Bree e aveva lasciato la lettera molto tempo prima, alla fine di giugno, e al momento della Festa di compleanno si trovava già lontano. Tuttavia, mentre la cronologia relativa, tra gli spostamenti di Gandalf e quelli degli hobbit, sarebbe stata interamente ricostruita, quella di questi ultimi non fu mai modificata.

Giovedì	22 sett.	Festa di compleanno	Gandalf e Merry, assieme a Nani ed Elfi, lasciano Hobbiton (dopo i fuochi d'artificio)
Venerdì	23 sett.	Bingo, Frodo e Odo lasciano Hobbiton. Dormono all'aperto	
Sabato	24 sett.	Gli hobbit passano la notte con Gildor e gli Elfi	
Domenica	25 sett.	Gli hobbit raggiungono Landaino alla sera	Gandalf e i suoi compagni raggiungono Bree al mattino
Lunedì	26 sett.	Gli hobbit nella Vecchia Foresta: prima notte con Tom Bombadil	Gandalf e i suoi compagni partono da Bree, Gandalf lascia una lettera per Bingo. Il Cavaliere Nero giunge alla locanda (*oppure* incontra Passolesto sulla Strada)
Martedì	27 sett.	Seconda notte con Tom Bombadil	Quattro Cavalieri Neri giungono alla locanda (*oppure* Passolesto li incontra sulla Strada)
Mercoledì	28 sett.	Hobbit catturati dall'Essere dei tumuli	
Giovedì	29 sett.		Gli hobbit giungono a Bree

Le medesime date per gli spostamenti degli hobbit compaiono nella *Conta degli Anni* nell'Appendice B di SdA (p. 1169). Il fatto che il 22 settembre, giorno della Festa di compleanno, fosse un giovedì compare per la prima volta nella quarta versione di "Una festa attesa a lungo" (CdA, p. 36); in origine si trattava di un sabato (vedi pp. 31, 43).

Per il significato delle aggiunte a matita alle pp. 197-198, con cui si fa sì che Passolesto avvisti i Cavalieri "a ovest di Bree" già il sabato, prima che Gandalf arrivasse, e che ne abbia parlato con Gandalf quando si furono incontrati, vedi p. 277, nota 11.

Dal punto in cui le due versioni confluiscono, il testo (a inchiostro su matita) procede così. Lo riporto integralmente, poiché, sebbene molto sia stato poi mantenuto in CdA, vi sono moltissime differenze nei dettagli.

"Non dovete," disse Passolesto, "e dunque non potete evitare di soggiornare qui stanotte. Quel che è fatto è fatto e dobbiamo sperare che tutto vada per il meglio. Non credo che nulla possa penetrare in questa locanda, una volta chiusa. Ma, naturalmente, domattina dovremo partire il prima possibile. Sarò in piedi prima del sole e mi assicurerò che tutto sia pronto. Come che sia, siete in ritardo di due o tre giorni. Magari mi racconterete cosa avete combinato mentre procediamo. A meno che non partiate presto e di lena, dubito che troverete ancora un campo a Svettavento."

"In tal caso, subito a letto!" disse Odo sbadigliando. "Dove sarà quello stupido di Merry? Sarebbe il colmo se ora ci toccasse uscire al buio per andarlo a cercare."

In quel mentre sentirono sbattere una porta, e poi passi affrettati lungo il corridoio. Merry entrò di corsa e richiuse subito la porta e ci si appoggiò. Era senza fiato. Tutti lo guardarono allarmati per un attimo prima che dicesse trafelato: "Ne ho visto uno, Bingo! Ne ho visto uno!"

"Cosa?" esclamarono tutti assieme.

"Un Cavaliere Nero!"

"Dove?" fece Bingo.

"Qui. In paese," rispose. "Sono uscito a fare quattro passi e me ne stavo a poca distanza dalla luce che usciva dalla porta a guardar le stelle: è una bella notte, seppur buia. Ho sentito qualcosa avvicinarsi, se mi seguite: una specie di ombra più scura; poi l'ho visto per un istante,[14] proprio mentre passava attraverso il fascio di luce che usciva dalla porta. Conduceva il cavallo lungo il ciglio d'erba dall'altra parte della strada e non faceva quasi rumore."

"Da che parte è andato?" domandò Passolesto.

Merry trasalì, accorgendosi solo in quel momento dello sconosciuto.

"Continua!" disse Bingo. "È un messaggero di Gandalf. Ci aiuterà."

"L'ho seguito," disse Merry. "Ha attraversato il villaggio, fino al confine orientale, dove la strada gira ai piedi della collina. All'improvviso si è fermato sotto una siepe scura e mi è parso di sentirlo parlare, o sussurrare, rivolto a qualcuno dall'altra parte. Non ero sicuro, perciò mi sono accostato il più possibile. Purtroppo però mi sono sentito di colpo strano e tremante e me la sono filata."

"Che cosa dobbiamo fare?" domandò Bingo rivolgendosi a Passolesto.

"Non andate nelle vostre stanze!" rispose fulmineo lui. "Quello doveva essere Bill Felcioso – perché il suo buco è proprio a est di Bree, ed è più che probabile che abbia scoperto quali siano le vostre camere. Hanno le finestre vicino al suolo che affacciano a ovest e le mura esterne non sono gran che spesse. Rimarremo tutti assieme, sbarreremo questa finestra e la porta, e faremo dei turni di guardia.[15] Prima però è meglio andare a prendere i vostri bagagli e sistemare i letti."

A questo punto mio padre interruppe l'abbozzo del testo originale a matita per abbozzare la storia a venire, e poiché non sovrascrisse a inchiostro questa parte del manoscritto, essa resta leggibile – o potrebbe, non fosse stata redatta con degli scarabocchi al limite della decifrabilità se non oltre.

Ciò venne eseguito. I cuscini disposti nei letti. Quella notte non succede nulla, ma quando al mattino le finestre vengono aperte, i cuscini sono sul pavimento. I cavallini tutti scomparsi. Timoteo [cioè Timoteo Tito, l'oste] in grande agitazione. Loro .... [?un conto]. Egli paga per i cavallini [?ma non ce] ne sono più di disponibili. Carenza nel villaggio. Proseguono a piedi con Passolesto. Passolesto li conduce in una buca di hobbit selvaggi e [?fa in modo che il suo amico] li preceda di corsa e recapiti un messaggio a Svettavento con un cavallino? Passolesto [li guida per sentieri tranquilli fuori dalla...] strada e attraverso i boschi. Una volta, in lontananza, su una collina che dà su un punto della strada, credono di avvistare un Cavaliere Nero assiso sul suo destriero [?che scruta] la strada [?e la landa circostante].

.... Svettavento [?circa] 50 [scritto accanto: 100] miglia da Bree. Vista che domina tutto intorno.

Gandalf se n'è andato, ma ha lasciato un mucchio di pietre – messaggio. Ho aspettato due giorni. Devo andare. Andate avanti. Proseguite per il Guado. L'aiuto giungerà senza intoppi da Valforra, se mai ci arriverò.

Arrivano ai Troll di Pietra......... della Strada. Qui, a causa del Fiume innanzi, [?sono costretti] a tornare sulla Strada. I Cavalieri Neri evidentemente si aspettano che visitino Bosco-Troll [> Selvatroll] e li aspettano sulla strada dove il sentiero le si ricongiunge.

In questa fase, quindi, mio padre non prevedeva affatto l'attacco agli hobbit a Svettavento, così come nel precedente abbozzo riportato a p. 162 non aveva previsto l'assalto alla locanda. La visita ai Troll di Pietra era già stata prevista in quell'abbozzo (ivi descritta come "sciocca"), e in quel caso come in questo i Cavalieri si sarebbero imbattuti in loro solo al Guado.

Questa è la prima occorrenza del nome *Selvatroll*, che appare sulla mappa SdA (*Selvetroll*) senza però comparire nel testo.

La versione a inchiostro prosegue così:

A quel punto Passolesto fu definitivamente accettato quale membro del gruppo, anzi come loro guida. Fecero subito come lui aveva suggerito; e se ne tornarono cheti nelle stanze da letto sparpagliando i vestiti e disponendo un cuscino per lungo in ogni letto. Odo aggiunse un tappetino di pelliccia marrone, sostituto più realistico della sua zucca. Quando furono di nuovo tutti riuniti nel salottino, ammucchiarono le loro cose sul pavimento, spinsero una sedia bassa contro la porta e chiusero la finestra. Sbirciando fuori Bingo vide che la notte era ancora chiara. Poi chiuse e sbarrò le pesanti imposte interne e tirò le tende e spense tutte le candele. Gli hobbit si stesero sulle coperte con i piedi rivolti verso il focolare; invece Passolesto si piazzò sulla sedia appoggiata contro la porta. Non parlarono gran che, e si assopirono uno dopo l'altro.[16] Nel corso della notte non accadde alcunché a turbarli. Sia Merry sia Bingo si svegliarono d'un tratto nelle prime ore, ancora buie, credendo di aver udito o percepito qualcosa che si muoveva; ma si riaddormentarono presto. Videro che Passolesto sembrava ancora seduto vigile sulla sedia. Fu sempre Passolesto a tirare le tende e ad aprire le imposte per far entrare la prima luce. Sembrava in grado di fare a meno del sonno. Non appena li ebbe destati, si avviarono in punta di piedi lungo il corridoio verso le loro stanze da letto.

Laggiù si accorsero di quanto buono fosse stato il suo consiglio. Le finestre erano state forzate e oscillavano, le tende svolazzavano; i letti erano sottosopra, i capezzali lacerati e gettati in terra; il tappeto marrone di Odo fatto a pezzi.

Passolesto andò subito in cerca di Messer Farfaraccio e lo fece alzare dal letto. Cosa gli disse esattamente non lo riferì poi a Bingo; ma l'oste si presentò in gran fretta e parve assai spaventato e sommamente dispiaciuto.

"Non è mai successa una cosa del genere in tutta la mia vita!" gridò, levando orripilato le mani al cielo. "Clienti che non possono dormire nel loro letto, capezzali buoni rovinati e compagnia bella! Dove arriveremo? Ma è stata una settimana bizzarra invero, poco ma sicuro." Non parve sorpreso che fossero ansiosi di andarsene appena possibile, prima che altra gente fosse in piedi; e si affrettò ad apprestare subito loro la colazione, e a far sellare i cavallini.

Ma si ripresentò ben presto costernato. I cavallini erano spariti! Durante la notte qualcuno aveva aperto le porte della stalla e le bestie erano scappate, così come tutte le altre. Erano notizie sconfortanti. Probabilmente era già troppo tardi per raggiungere Gandalf. A piedi non c'era speranza: non c'era modo di raggiungere Svettavento ancora per giorni, né Valforra per settimane.

"Cosa *possiamo* fare, Messer Farfaraccio?" domandò Bingo disperato. "Possiamo prendere in prestito altri cavallini nel villaggio o nelle vicinanze? O a nolo?" aggiunse piuttosto incerto.

"Ne dubito," disse Messer Farfaraccio. "Dubito che siano rimasti quattro cavallini da monta in tutta Bree; e non credo che uno di essi sia in vendita o a nolo. Bill Felcioso ne possiede uno, una povera bestia che ne ha patite troppe sul groppone; ma non se ne separerà per meno del triplo del suo valore, se lo conosco bene. Tuttavia vedrò di fare il possibile. Ora stano Bob e lo mando di corsa in giro."

Alla fine, dopo un'ora e più di ritardo, si scoprì che era possibile ottenere solo *un* cavallino, che andava acquistato per sei penny d'argento (prezzo elevato da quelle parti). Messer Barnabasso Farfaraccio però era uno hobbit onesto e generoso (nella misura in cui poteva permettersi entrambe le cose); e per le cinque bestie perdute insistette per pagare a Messer Fiumi (cioè a Merry) 20 penny d'argento,[17] ossia 17 senza il costo di vitto e alloggio. Ciò costituì un'aggiunta molto preziosa ai loro fondi di viaggio, giacché all'epoca i penny d'argento erano molto rari; ma al momento ciò non fu di grande conforto per la loro perdita. Dovette essere una bella mazzata anche per il povero vecchio Barnabasso, sebbene fosse piuttosto agiato.*

Naturalmente, tutto questo affannarsi per i cavallini non solo richiese tempo, ma portò gli hobbit e i loro affari all'attenzione dell'opinione pubblica. Non c'era più alcuna possibilità di tenere segreta la loro partenza, con gran sconcerto loro e di Passolesto. Difatti non poterono mettersi in cammino fino alle nove passate, e a quell'ora tutta la gente di Bree era fuori per vederli partire. Dopo aver detto addio a Nob e Rob,[18] e preso congedo dal signor Farfaraccio, si avviarono con passo pesante, ansiosi e avviliti. Passolesto incedeva in testa, guidando il loro unico cavallino, carico della maggior parte dei bagagli. Passolesto masticava pensoso una mela. Ne aveva una tasca piena. Mele e tabacco, disse, erano le cose che massimamente gli mancavano quando non poteva procurarsele. Gli hobbit non badarono alle teste dei curiosi che sbirciavano dagli usci o spuntavano dai muretti

* Tuttavia, credo che in fin dei conti a trarne vantaggio fu lui; difatti, si scoprì che i cavallini, folli di terrore, erano fuggiti e alla fine (essendo dotati di parecchio buon senso) s'erano diretti in cerca del vecchio Ciccio Bozzolo. E la cosa si rivelò utile. Tom Bombadil li vide e temette che agli Hobbit fosse capitata qualche disgrazia. Così andò a Bree per scoprire quanto poteva; e laggiù apprese tutto quello che Barnabasso poté dirgli (e anche qualcosa di più). Comperò pure i cavallini da Barnabasso (poiché a quel punto appartenevano a lui). La cosa fece assai piacere a Ciccio Bozzolo, che adesso aveva degli amici cui poteva raccontare storie e (dato che erano i suoi sottoposti) cui affidare la maggior parte del poco lavoro che fosse da sbrigare.

e dalle recinzioni mentre loro attraversavano il villaggio; ma mentre si avvicinavano all'estremità orientale, Bingo vide uno hobbit dalla faccia malevola e tozza (piuttosto goblinesca, pensò): costui stava osservando da dietro una siepe. Aveva occhi neri, una gran boccaccia e un sogghigno sgradevole. Fumava una pipa nera. Quando furono vicini, la tolse di bocca e sputò dietro la spalla.

"'Giorno, Passolesto!" disse. "Trovato finalmente qualche amico?" Passolesto annuì ma non rispose.

"'Giorno, amorucci!" disse agli hobbit. "Lo sapete, vero, con chi vi siete messi? Quello è Passolesto il lercio, non so se c'intendiamo! Anche se ho sentito altri nomignoli meno favorevoli. Magari però un forestale è merce abbastanza buona per voialtri."

Passolesto si voltò lesto. "E tu, Felcioso," disse, "non mettere in mostra la tua brutta faccia o si romperà. Non che sarebbe un gran peccato." Con uno scatto improvviso, veloce come un fulmine, una mezza mela partì dalla sua mano e colpì Bill dritto sul naso. Lui si abbassò e sparì con un gemito;[19] e loro non prestarono ascolto agli improperi che si levarono da dietro la siepe.

Superato il villaggio, rimasero per qualche miglio ancora sulla Strada. Voltava a destra descrivendo una curva che aggirava le pendici meridionali di Colbree prima di iniziare a scendere veloce in una regione boscosa.[20] A nord della Strada dapprima poterono scorgere Archet, su un piano rialzato, come un'isoletta tra gli alberi; e poi, giù in una profonda conca, a est di Archet, ciuffi di fumo che indicavano ove si trovava Conca. Dopo che la Strada, scendendo per un tratto, si fu lasciata alle spalle Colbree, giunsero a uno stretto sentiero che puntava verso Nord. "Qui lasciamo il terreno aperto e ci mettiamo al riparo," disse Passolesto. "*Non* sarà una 'scorciatoia', voglio sperare," disse Bingo. "È stata una scorciatoia nei boschi a farci perdere due giorni." "Ah, ma allora non c'ero io con voi," disse Passolesto. "Quando taglio, corto o lungo che sia, io non sbaglio." Il suo piano, per quel che ne potevano capire senza conoscere il paese, era di passare vicino a Conca,[21] mantenendosi però al coperto degli alberi finché la Strada restava vicina, per poi puntar più dritto che potevano oltre le terre selvagge fino a Colle Svettavento. In tal modo (se tutto andava bene) avrebbero evitato una grande curva della Strada, che più avanti piegava verso sud per evitare le Chiane delle Mosche [*scritto sopra:* Moscerine]. Passolesto aveva anche pensato che se avesse incontrato tra gli hobbit selvaggi qualche amico suo di cui fidarsi, avrebbero potuto mandarlo in avanscoperta col cavallino fino a Svettavento. Gli altri tuttavia non vedevano di buon occhio quel suo piano, perché avrebbe comportato il trasporto degli zaini pesanti, e pensavano che le Chiane delle Mosche [*scritto sopra:* Moscerine] si sarebbero rivelate abbastanza sgradevoli (dalla descrizione di Passolesto) anche senza tale aggiunta.[22] Comunque, nel frattempo, camminare non era spiacevole. Anzi, se non fosse stato per i fatti inquietanti della notte prima, avrebbero goduto quella parte del viaggio più di ogni altra fase precedente. Il sole splendeva, luminoso ma non troppo caldo. I boschi nella valle erano ancora coperti di foglie e pieni di colore e sembravano tranquilli e salutari. Passolesto li guidava con sicurezza in mezzo ai tanti sentieri incrociati laddove, abbandonati a se stessi, ci avrebbero messo poco a entrare in crisi. Ma, come spiegò loro, non procedevano in linea retta, ma seguivano piuttosto un percorso erratico con molte giravolte per stornare eventuali inseguitori.

"Bill Felcioso avrà senz'altro notato dove abbiamo lasciato la Strada," disse; "sebbene non credo che ci seguirà, per quanto conosca la landa qui attorno piuttosto bene. È quanto potrebbe riferire ad altri che conta, sì. Se pensano che ci dirigiamo verso Conca, tanto meglio." Vuoi per la perizia di Passolesto, vuoi per qualche altra ragione, non videro traccia né udirono rumore di altre creature viventi durante tutto il giorno e il successivo: né bipedi (eccetto gli uccelli), né quadrupedi (eccetto volpi e scoiattoli). Il terzo giorno dopo aver lasciato Bree sbucarono dalle lande boschive. La loro strada proseguiva sempre in discesa, ed eccoli ritrovarsi in una landa più piana e molto più difficile.

Si trovavano ai margini delle Chiane Moscerine. Il suolo si era fatto umido, a momenti acquitrinoso, e qua e là incontrarono stagni e ampi tratti di canne e di giunchi risonanti del cinguettio degli uccellini nascosti. Dovevano farsi strada con cautela per non bagnare i piedi e mantenere la giusta direzione. Sulle prime procedettero spediti. In effetti, procedevano altrettanto lesti a piedi di quanto probabilmente avrebbero fatto in arcione. Ma, andando avanti, il transito divenne più lento e più pericoloso. Gli acquitrini erano vasti e infidi, e attraverso di essi correva solo un serpeggiante sentiero dei Forestali, che saggiò le abilità di Passolesto per farsi scovare. Le mosche cominciarono a tormentarli, specialmente nugoli di moscerini che s'infilavano nelle maniche, nei calzoni e fra i capelli.

"Mi stanno mangiando vivo!" disse Odo. "Chiane Moscerine! Ci sono più moscerini che chiane! Di che cosa campano quando non hanno hobbit a disposizione?"

Seguirono due giornate penose in quella contrada solitaria e inospitale. L'accampamento era umido, freddo, perché non c'era combustibile decente; rami di canne secche, giunchi e sterpaglie si consumavano troppo rapidamente. E ovviamente gli insetti non li lasciavano dormire a forza di punture. C'erano anche degli abominevoli cugini troppo cresciuti dei grilli che frinivano da ogni dove e ridussero Bingo quasi ai matti. Detestava i grilli, anche quando non si ritrovava sveglio dai morsi per ascoltarli. Ma questi erano più rumorosi di qualsiasi altro grillo in cui fosse mai incappato, e più insistenti. Furono davvero contenti quando, il quinto giorno di viaggio da Bree, videro la terra davanti a loro risalire lentamente, digradando fino a farsi, in lontananza, una fila di basse colline.[23]

A destra della linea c'era un'alta collina conica, leggermente appiattita sulla cima. "Quella è Svettavento," disse Passolesto. "La Vecchia Strada, che ci siamo lasciati lontano sulla destra, si snoda a sud della collina e passa non lontano dalle sue pendici. Potremmo arrivarci per domani a mezzogiorno, se puntiamo dritto. E sarà meglio far così."

"Che cosa intendi dire?" domandò Bingo.

"Che arrivati lì, non sappiamo che cosa troveremo. La collina è vicino alla Strada."

"Ma Gandalf non aveva intenzione di accamparsi laggiù?"

"Sì – ma tra una cosa e l'altra, siete già in ritardo di tre se non addirittura quattro giorni rispetto a quando lui vi aspettava. E sarete in ritardo di quattro o cinque quando giungeremo in cima. Mi chiedo se troveremo *lui*, là. D'altra parte, se certe persone son state avvertite che vi siete diretti a est da Bree e non ci hanno ancora scovato nelle terre selvagge, probabile che punteranno a loro volta su Svettavento, che offre una vasta visuale su tutto il circondario. A dire il vero, dall'alto di quella collina molti uccelli e altri animali della regione riuscirebbero a individuare la nostra posizione. Ci sono persino alcuni tra i forestali che saprebbero notarci di lassù in una giornata limpida, se ci muovessimo. E non c'è da fidarsi di tutti i forestali, né di tutti gli uccelli e le bestie."

Gli hobbit guardarono con apprensione le lontane colline. Odo levò gli occhi al cielo pallido col timore di scorger falchi e aquile librarsi sulla loro testa con occhi scintillanti e ostili. "Mi fai sentire estremamente a disagio," disse Bingo, "ma suppongo sia per il nostro bene. Dobbiamo comprendere in che pericolo ci troviamo. Che cosa ci consigli di fare?"

"Secondo me," rispose lentamente Passolesto, come se per la prima volta non fosse del tutto convinto dei suoi piani, "secondo me la cosa migliore è puntare dritto, o quanto più dritto possibile, da questo punto verso la linea delle colline. Là potremmo congiungerci a certi sentieri che conosco e che di fatto ci porteranno a Svettavento da nord, senza esporci troppo. Poi vedremo quel che c'è da vedere."

Sembrava non esserci altro da fare. In ogni caso non potevano fermarsi in quella landa del tutto inospitale, e la linea di marcia proposta da Passolesto andava più o meno nella direzione che dovevano prendere, qualora volessero davvero approdare a Valforra. Arrancarono tutto il giorno, finché presto giunse la fredda sera. La terra diventò più arida e più brulla; ma la foschia e i vapori si stendevano ormai alle loro spalle sulle paludi. Qualche uccello malinconico cinguettava, finché il tondo sole rosso non s'immerse lentamente nelle ombre a occidente; poi scese un vuoto silenzio. Pensavano a come la sua luce soffusa al tramonto riluceva attraverso le allegre finestre di Casa Baggins così lontano. Giunsero poi a un ruscello che veniva giù dalle colline per perdersi nella piana paludosa e stagnante e ne risalirono gli argini finché perdurò la luce. Era già notte quando infine si fermarono per accamparsi sotto qualche ontano rattrappito sulle sponde del ruscello. Ormai buio, davanti a loro, si stagliava il fianco spoglio della collina più vicina, brulla e desolata. Quella notte montarono la guardia, ma pure quelli che non vegliavano ebbero difficoltà a dormire. Con la luna crescente una grigia luce fredda si sparse sulla terra durante le prime ore della notte.

Il mattino seguente si rimisero in marcia appena sorto il sole. L'aria era gelida e il cielo di un pallido ceruleo. Si sentivano ristorati come dopo una notte di sonno ininterrotto, grati di essersi lasciati alle spalle l'aria stagnante delle chiane. Cominciavano ad abituarsi alle lunghe marce e ai pasti frugali (più frugali in ogni caso di quelli che nella Contea avrebbero ritenuto sì e no sufficienti a farli reggere in piedi). Odo dichiarò che Bingo sembrava il doppio dello hobbit di prima.

"Stranissimo" disse Bingo, stringendo la cintura, "visto che in realtà sono assai calato di volume. Speriamo che questo dimagrimento non continui a oltranza, o diventerò uno spettro."

"Non fate certi discorsi!" disse Passolesto prontamente, e con sorprendente serietà.

In breve giunsero ai piedi delle colline e laggiù trovarono, per la prima volta da quando avevano lasciato la Strada, una pista ben visibile. La imboccarono, svoltando e seguendola verso sud-ovest.[24] Essa li condusse su e giù, lungo una linea di campagna che si sforzava di tenerli celati alla vista, sia dall'alto delle colline sia dalle spianate a ovest. Si tuffava in piccole valli e rasentava pendii scoscesi, scovava guadi sui ruscelli e aggirava gli acquitrini che questi scavavano nelle forre. Dove attraversava tratti più pianeggianti e scoperti, a costeggiarlo aveva sui due lati grossi macigni e pietre squadrate che schermavano i viaggiatori quasi come una siepe.

"Chissà chi ha fatto questo sentiero, e per quale motivo," disse Frodo, mentre procedevano lungo una di queste arterie dove le pietre erano insolitamente grandi e ravvicinate. "Non posso dire che mi piace: ha un che di... be', somiglia a certi tumuli. Ci sono tumuli a Svettavento?"

"No!" rispose Passolesto. "Non ci sono tumuli a Svettavento, e neppure su altre di queste colline. Gli Uomini dell'Ovest non vivevano qui. Non so chi abbia cavato questo sentiero, né quanto tempo fa, ma fu per fornire a Svettavento una via difendibile. Dicono che Gilgalad e Valandil [*in seguito* > Elendil] innalzarono quivi un fortilizio e una guardia nei Giorni Antichi, quando marciarono a Est."

"Chi era Gilgalad?" domandò Frodo; ma Passolesto non rispose, e sembrava immerso nei pensieri.[25]

Era già mezzogiorno quando giunsero all'estremità est-meridionale della fila di colline e innanzi a loro videro, nella pallida luce del sole ottobrino, una cresta grigio-verde che come un ponte immetteva sulla falda nord dell'alta collina conica. Decisero di puntare subito verso la cima, mentre era ancora giorno pieno. Nascondersi non era più possibile, e potevano solo sperare per il meglio. Sulla collina non si muoveva nulla.

Dopo un'ora di lenta scalata, Passolesto giunse in cima alla collina, seguito da Bingo e Merry, stanchi e trafelati. L'ultima parte del pendio si era rivelata ripida e sassosa. Odo e Frodo erano stati lasciati sotto con i bagagli e il cavallino, in una conca riparata sotto il fianco occidentale del colle. Sulla vetta trovarono solo un mucchio di pietre, un cumulo dal significato dimenticato da tempo. Ma non c'era traccia di Gandalf, né di altri esseri viventi. Intorno e ai loro piedi si stendeva un'ampia veduta, per la maggior parte su una regione vuota, deserta e anonima, eccetto le macchie di foreste a sud, in cui si intravedevano anche occasionali luccichii d'acqua lontana. Sotto di loro, su quel lato meridionale, la Vecchia Strada scorreva come un nastro che, emerso da Ovest, serpeggiava su e giù prima di scomparire dietro un crinale di terra scura a est. Vuota anch'essa. Non vi si muoveva nulla. Seguendo con gli occhi il tracciato verso est rimirarono i Monti, adesso in bella vista, le pendici più vicine scure e fosche, con sagome grigie più alte alle spalle, e dietro ancora svettavano bianchi picchi scintillanti in mezzo alle nuvole.

"Be', eccoci qui!" disse Merry. "E il tutto ha un'aria quanto mai tetra e inospitale! Non c'è né acqua né riparo. Non posso biasimare Gandalf se non ci ha aspettato! Avrebbe dovuto lasciare il carro, i cavalli, e la maggior parte dei suoi compagni, suppongo, giù presso la strada."

"Chi lo sa," disse Passolesto, pensieroso. "Deve essere sicuramente passato di qui, visto che ha detto che lo avrebbe fatto. Non è da lui non lasciare alcun segno. Spero che non gli sia successo qualcosa, sebbene sia difficile immaginare qualcosa che causi problemi *a lui*." Spinse il mucchio di pietre col piede e quelle in cima rotolarono rumorosamente. Qualcosa di bianco, venuto allo scoperto, cominciò a sbatacchiare al vento. Era un pezzo di carta. Passolesto lo afferrò ansioso e lesse il messaggio scarabocchiato sopra:

Aspettato tre giorni. Devo andare. Cosa vi è successo. Spingetevi verso il Guado oltre Selvatroll, più in fretta che potete. I soccorsi giungeranno da Valforra, appena riuscirò ad arrivarci. Tenete gli occhi aperti. G. ᛝ

"Tre giorni!" disse Passolesto. "Allora deve essere partito mentre eravamo ancora nelle Chiane. Suppongo che fossimo troppo lontani perché avvistasse i nostri miseri fuocherelli."

"Quanto distano il Guado e Valforra?" disse Bingo, stanco. Dalla cima del colle il mondo sembrava così selvaggio e vasto.

"Lasciatemi pensare!" rispose Passolesto. "Non so se abbiano mai misurato la Strada oltre la Locanda Abbandonata, a un giorno di viaggio a est di Bree, ma le tappe, in giorni di viaggio su carro, cavallino, cavallo o a piedi, ovviamente sono ben note. Secondo i miei calcoli, da Bree a Svettavento sono circa 120 miglia, lungo la strada che si snoda da sud a nord. Noi abbiamo fatto un percorso più breve, ma non più rapido: tra le 80 e le 90 miglia negli ultimi sei giorni. Dal Ponte Brandivino a Bree sono più 40 che 30 miglia. Non saprei dire, ma il conteggio delle miglia dal Ponte Brandivino al guado sotto le Montagne Nebbiose dovrebbe superare di poco le 300 miglia. Quindi devono essere quasi 200 da Svettavento al Guado. Ho sentito che dal Ponte al Guado sia fattibile in quindici giorni con tempo buono, sebbene non abbia mai incontrato nessuno che abbia compiuto il tragitto in quel computo. La maggior parte impiega quasi un mese, e ai poveri hobbit a piedi occorre ancora di più."

Questo passaggio, da "Ma le tappe, in giorni di viaggio su carro, cavallino, cavallo o a piedi", era racchiuso tra parentesi quadre; e su di esso mio padre scrisse: "? Tagliato – perché questo, sebbene possa essere mantenuto come guida temporale narrativa, è troppo netto e secco e guasta la tensione." Poi scrisse su un foglietto la seguente sostituzione (vedi CdA, p. 205):

"C'è chi dice così e c'è chi ne dice un'altra. È una strada strana e la gente è contenta di arrivare alla fine del viaggio, che abbia molto o poco tempo a disposizione. Posso dirti però quanto c'impiegherei io a piedi, col tempo buono e nessun impaccio, nient'altro che un povero Forestale a piedi: fra le tre settimane e un mese dal Ponte sul Brandivino al guado sotto i Monti Brumosi. Più di due giorni dal Ponte a Bree, una settimana da Bree a Svettavento. Noi ce l'abbiamo fatta in questo lasso, ma abbiamo percorso una strada più breve, perché la Strada piega da sud a nord. Dieci giorni, diciamo. Abbiamo davanti a noi almeno due settimane di viaggio, forse meno, ma probabilmente di più."

"Due settimane!" disse Bingo. "Possono succedere un sacco di cose in due settimane." Si azzittirono tutti. Bingo si rese pienamente conto per la prima volta del pericolo che correva e di ritrovarsi senza un tetto sopra la testa. Desiderò che la sorte l'avesse lasciato vivere in pace nell'amata Contea. Posò lo sguardo sull'odiosa Strada che portava – indietro a occidente – verso la sua vecchia casa. A un tratto si accorse che due macchie nere procedevano a rilento verso ovest; guardando ancora ne scorse diverse altre che strisciavano verso est incontro a loro. Lanciò un grido e afferrò il braccio di Passolesto. "Guarda," disse indicando.

"State giù!" esclamò Passolesto, trascinandosi appresso Bingo sul terreno accanto a sé. Merry si tuffò accanto a loro. "Che cos'è?" sussurrò. "Non lo so, ma temo il peggio," rispose Passolesto. Strisciarono fino ai bordi e sbirciarono oltre le sporgenze rocciose. La luce non era più tanto forte, il mattino limpido era sfumato e le nuvole furtive da est ora avevano coperto il sole, che iniziava a declinare. Le macchie nere le vedevano tutti e tre, ma né Bingo né Merry riuscivano a distinguerne con precisione la forma; eppure qualcosa gli diceva che laggiù i Cavalieri Neri si stavano adunando sulla Strada oltre le pendici della collina. "Sì," disse Passolesto, la cui vista più acuta non gli lasciava dubbi. "Il nemico è qui!"

Strisciarono via rapidi e scivolarono giù dal lato nord della collina per raggiungere Odo e Frodo.

Qui il capitolo VII originale, che ho diviso in due parti, termina.

[1] Della stesura originale a matita, sovrascritta dalla versione B, oggi si può leggere ben poco: fu vergata a matita leggera e, tranne in alcuni punti, di fatto il testo a inchiostro la cancella. Tuttavia, si può leggere abbastanza per dimostrare che la storia fosse quella della versione B (in cui la lettera di Gandalf veniva consegnata all'oste della locanda e non

a Passolesto); e sebbene questo sia meno certo, sospetto che in questa fase non vi fosse alcun accenno al fatto che i Cavalieri Neri fossero sopraggiunti a Bree prima dell'arrivo di Bingo, Merry, Frodo e Odo. D'altra parte, è perfettamente chiaro che quando mio padre scrisse la versione B sopra la bozza originale, aveva dinanzi la versione A.

La spiegazione di tale situazione bizzarra è rintracciabile, ritengo, nel fatto che la versione B è molto più lunga della bozza scritta a matita e non è affatto strettamente associata a essa; alcune parti furono aggiunte di getto. Ritengo che mio padre abbia scritto *prima* la versione A, sulla base della bozza a matita, ma abbia modificato la storia (affidando la lettera di Gandalf a Passolesto e introducendo la storia di Farfaraccio sui Cavalieri alla locanda); *in seguito* ritornò alla bozza a matita e vi sovrascrisse la versione B, riprendendo la storia che la lettera fosse stata affidata a Farfaraccio, e introducendo di nuovo la vicenda dei Cavalieri Neri a Bree, attribuendola però adesso a Passolesto, che li aveva incontrati sulla Strada. Per questo testo fece ricorso alla versione A e la seguì molto da presso, per quanto concesso dalla narrazione modificata. Così la vicenda testuale fu:

(1) Bozza originale a matita: lettera di Gandalf consegnata a Farfaraccio; (probabilmente) senza che alcuna storia di Cavalieri Neri fosse già giunta a Bree.

(2) Versione A: la storia è cambiata: la lettera di Gandalf viene consegnata a Passolesto; Farfaraccio racconta dell'arrivo dei Cavalieri alla locanda.

(3) Versione B, scritta sopra la stesura originale, utilizzando però gran parte della formulazione di A: la lettera di Gandalf consegnata a Farfaraccio; Passolesto racconta i suoi incontri con i Cavalieri sulla Strada.

Infine, alcune nuove frasi di B sono state riportate in A.

2 È con questa frase che il capitolo 10 "Passolungo" inizia in CdA, tuttavia includo qui il passaggio precedente perché fa parte della narrazione che viene trattata in modo alternativo (vedi p. 201).

3 Vedi p. 182, nota 7. Sebbene scomparisse la vecchia idea che Bingo avesse "dato fondo al suo tesoro" (e che un vago obiettivo del suo "Viaggio" fosse che potesse arrecargliene dell'altro, p. 82), rimase in CdA (p. 179) che egli "aveva portato solo pochi soldi".

4 *Questo cinque giorni fa*: vedi la cronologia riportata a p. 206. Gandalf e i suoi compagni giunsero alla locanda domenica mattina, e ormai si era a giovedì sera.

5 *Dovrebbero essere qui martedì*: Gandalf aveva ipotizzato che avrebbero seguito la strada dal Ponte Brandivino a Bree e che avrebbero impiegato due giorni per percorrerla. Vedi i calcoli di Passolesto (pp. 218-219): "Dal Ponte Brandivino a Bree sono più 40 che 30 miglia" e "Più di due giorni dal Ponte a Bree" (a piedi).

6 Come facevano i Cavalieri Neri a saperlo? Vedi p. 435, nota 7.

7 Qui mio padre scrisse: "Allora egli descrisse il vostro gruppo molto esattamente, signore, più esattamente di quanto abbia fatto il signor Gandalf: il colore dei vostri cavallini, l'aspetto delle vostre facce", ma lo cancellò appena scritto, probabilmente perché non era coerente con la sua concezione dei Cavalieri Neri: aveva già detto (p. 97) che per gli Spettri dell'Anello "Tutto diventa terribilmente sfocato, come immagini spettrali e grigie sullo sfondo nero in cui dimori; tuttavia puoi percepire gli odori più distintamente di quanto tu

riesca a udire o vedere". Parrebbe assai probabile che l'idea del "mondo degli spettri", nel quale in un certo senso il portatore di un Anello entrava infilandolo al dito, e nel quale poi diventava pienamente visibile agli abitanti di quel mondo, fosse già sbocciata; un accenno di ciò appare nelle parole di Gildor (p. 84): "credo che utilizzarlo aiuti più loro che te", e nella lettera di Gandalf del presente capitolo questi chiede con insistenza che Bingo non indossi mai l'Anello per alcun motivo, adesso che ha scoperto che i Cavalieri lo stanno inseguendo.

[8] Queste parole sono in fondo a una pagina manoscritta. In fondo mio padre scarabocchiò a matita:

> 19 nov. Motivare il *seguire le tracce* di *Gandalf*. Gandalf li attira via. *Nessun campo a Svettavento* o ancora Gandalf li attira lontano.

Con questo vedi l'aggiunta a matita a p. 197: "Ho visto i Cavalieri per la prima volta sabato scorso, a ovest di Bree, prima di imbattermi in Gandalf. Non sono affatto certo che non fossero pure sulle *sue* tracce".

"19 nov." si riferisce presumibilmente alla data della nota, cioè il 19 novembre 1938; a quel punto mio padre era andato ben oltre questo punto della narrazione, a giudicare da ciò che disse in una lettera a Stanley Unwin del 13 ottobre 1938: "Ho lavorato duramente per un mese [...] a un seguito dello *Hobbit*. È arrivato al capitolo XI (anche se è in uno stato decisamente poco leggibile)".

[9] La prima menzione del colle di Svettavento; la prima occorrenza effettiva del nome deve trovarsi nella bozza originale a matita della lettera di Gandalf, che può essere parzialmente ricavata (nota 13).

[10] Le rune sono quelle in antico inglese, come nello *Hobbit*. Gandalf adopera la runa inglese (germanica comune) ᚷ per G per scrivere il suo nome, tuttavia impiega anche come segno personale una runa ᛝ. Nell'*Angerthas* (SdA, Appendice E, pp. 1210-1211) questa runa significava (nell'uso dei Nani di Moria) [ng].

[11] Stranamente, il manoscritto a inchiostro riporta qui *Timoteo*, non Barnabasso; tuttavia, può essere solo un lapsus, che riporta momentaneamente al nome originale dell'oste (pp. 181-182, nota 3).

[12] *martedì, non giovedì*: vedi nota 5.

[13] Il finale della lettera nella bozza a matita riporta:

> *Non state fuori dopo il tramonto o nella nebbia. Proseguite. Sono così preoccupato che vi aspetterò* [?*due*] *giorni......... La collina di Svettavento. Se incontri un forestale (hobbit selvaggio) di nome Passolesto, restagli incollato. Gli ho detto di tenere gli occhi aperti. Vi guiderà fino a Svettavento e oltre se necessario. Proseguite.*

[14] Il testo come redatto inizialmente qui (a inchiostro: il testo scritto a matita sotto è illeggibile) riportava: "Sentii qualcosa muoversi dietro di me, e quando mi voltai ne vidi uno che procedeva lungo la strada." – Al posto di "venire verso", nella frase riveduta, si legge forse "venire verso di me".

[15] *sbarreremo questa finestra e la porta* è stato scritto sopra e *faremo dei turni guardia*, che non è stato cancellato. Vedi nota 16.

[16] Qui il testo sottostante scritto a matita risulta leggibile:

Non parlarono molto, e piuttosto s'addormentarono uno dopo l'altro. Passolesto vegliò per tre ore; disse che gli sarebbe bastato poco sonno. Poi toccò a Merry. Nulla successe...

Una prima versione a inchiostro recitava:

Poteva dormire pochissimo (disse): "Datemi tre ore, poi svegliatemi e io veglierò per il resto del tempo." Bingo fece il primo turno di guardia; gli altri parlottarono per un po' e poi si addormentarono.

A questo punto termina il capitolo 10 di CdA, "Passolungo", e inizia il capitolo 11, "Un coltello nel buio", che riprende la storia a Bree: dell'attacco dei Cavalieri Neri alla casa di Criconca, con cui si apre, non c'è ancora traccia.

[17] *20* (penny d'argento) fu poi modificato in *25*.

[18] *Rob*: in precedenti occorrenze (pp. 175, 211) il nome dello stalliere del *Cavallino Inalberato* è certamente *Bob*, come in CdA.

[19] *gemito*: il verbo *yowk* "ululare, gemere, guaire" è riportato in Joseph Wright, *The English Dialect Dictionary*.

[20] Un tenue schizzo a matita nel corpo del manoscritto, appartenente alla bozza sottostante, mostra la Strada che, dopo essersi curvata al lato sud di Colbree, curva nuovamente verso nord e continua la stessa linea a est di Bree come aveva fatto a ovest del villaggio.

[21] *Conca* fu modificato a matita in *Archet* (come in CdA, p. 197).

[22] Queste due frasi, da *Passolesto aveva anche pensato*, erano racchiuse tra parentesi quadre, probabilmente al momento della stesura. Vedi lo schema (pp. 208-209): "Passolesto li conduce in una buca di hobbit selvaggi e [...] fa in modo che il suo amico li preceda di corsa e recapiti un messaggio a Svettavento con un cavallino?"

[23] Il testo scritto a matita sotto l'inchiostro può essere letto a sufficienza per mostrare che il passaggio delle Chiane (senza nome) veniva descritto in un paio di frasi.

[24] Poiché alla fine della frase successiva mio padre scrisse "delle spianate a est", che è un evidente lapsus e che in seguito corresse in "a ovest", sembra probabile che il percorso "a sud-ovest" della pista lungo i piedi delle colline sia anch'esso un lapsus per "a sud-est"; poco dopo si dice che "giunsero all'estremità est-meridionale della fila di colline".

[25] Per la storia di Gil-galad ed Elendil e dell'Ultima Alleanza in quella fase, vedi la seconda versione della *Caduta di Númenor* §14 (V.39-40) e pp. 275-276. Sebbene Elendil sia presente nella *Caduta di Númenor*, mio padre non sembra essere stato del tutto soddisfatto del nome: qui scrisse dapprima *Valandil*, e nella stesura originale del capitolo successivo cambiò temporaneamente *Elendil* in *Orendil* (p. 252, nota 3). Nella *Strada Perduta* Valandil era il nome del padre di Elendil (V.78, 90), e in una versione successiva della *Caduta di Númenor* Valandil è fratello di Elendil (V.45).

***

Nell'ultima parte di questo capitolo, dal punto in cui le varianti convergono (pp. 200, 207), si ritrova tutta la struttura essenziale della narrazione immediata in CdA (pp. 179-192), sebbene i riferimenti più ampi e gli scorci di storia antica risultino vistosamente assenti. La narrazione si svolge comunque in una dimensione più ristretta, dal momento che non ci sono Uomini nella storia: Farfaraccio è uno hobbit, i "forestali" selvaggi, di cui Passolesto fa parte, sono hobbit, Bill Felcioso è uno hobbit (p. 212) – sebbene sia vero che la gamma dei personaggi hobbit risulta notevolmente ampliata da questi "Estranei" che vivono oltre i confini della Contea.

Si possono citare brevemente alcuni punti specifici di differenza. Il cavallino acquistato a Bree non viene detto che appartenga a Felcioso (p. 211), sebbene ciò paia sottinteso; e la storia successiva dei cinque cavallini di Landaino, riportata nella nota al testo (p. 211), è stata in seguito ampiamente modificata (CdA, p. 196). L'incontro di Merry col Cavaliere Nero fuori dalla locanda di Bree non si conclude con l'aggressione; ed è Passolesto che recita la parte successiva di Sam, avendo una tasca piena di mele e centrando Bill Felcioso sul naso.

Il viaggio da Bree a Svettavento ha la stessa struttura di quello in CdA (pp. 197-202), tranne che alla fine. La cronologia è:

Giorni dalla partenza da Bree	*Data*	*Luogo*
1	Ven. 30 sett.	Nei boschi (Bosco Chet)
2	Sab. 1 ott	Nei boschi
3	Dom. 2 ott.	Primo giorno e accampamento nelle chiane
4	Lun. 3 ott.	Secondo giorno e accampamento nelle chiane
5	Mar. 4 ott.	Accampamento lungo il fiume sotto gli ontani

Tuttavia in CdA gli hobbit fecero un altro accampamento notturno ai piedi delle pendici occidentali delle Colline del Vento – e questo avvenne "la notte del cinque ottobre ed erano partiti da Bree sei giorni prima" (p. 202); questo accampamento non è presente nella versione originale, e quindi raggiunsero Svettavento mercoledì 5 ottobre. Passolesto a Svettavento dichiara che hanno percorso tra le 80 e le 90 miglia "negli ultimi sei giorni": stava includendo anche quel giorno, perché era già mezzogiorno passato.

Nella narrazione precedente Gandalf indugiava a Svettavento per tre giorni, e vi lasciava un biglietto in un mucchio di pietre, scritto su carta. Questo messaggio ("L'aiuto giungerà [cioè al Forte] senza intoppi da Valforra, se mai ci arriverò") fornisce la prima chiara indicazione nel racconto di quali fossero le intenzioni di Gandalf; e così si possono intendere le parole frettolosamente redatte sul manoscritto riportate nella nota 8. Gandalf stava cercando di attirare i Cavalieri *su di sé*.

Ripercorrendo l'originale Capitolo VII nella sua interezza, la storia che procede dall'arrivo degli hobbit a Bree all'avvistamento dei Cavalieri Neri sulla Strada giù ai piedi della cima di Svettavento presenta, ancora una volta e nella forma più eclatante, la caratteristica della scrittura di mio padre, per cui gli elementi emergono improvvisamente e chiaramente concepiti, tuttavia con il loro "significato" e contesto che debbono ancora subire un enorme sviluppo ulteriore, se non addirittura una completa trasformazione, nella narrazione successiva (vedi pp. 91-92). Un piccolo esempio è il volto che Bingo ha giudicato "goblinesco" mentre uscivano da Bree (p. 212) – che qui è il volto di Bill Felcioso (uno hobbit): in CdA (p. 171) sarà quello del "tipo brutto e strabico" che Frodo intravide attraverso la finestra della casa di Felcioso e che giudicherà "proprio un goblin". In uno stato di "crisalide" si trovano i "Forestali", vagabondi nella natura selvaggia, e Passolesto stesso è un Forestale, cupo e consumato dalle intemperie, profondamente esperto nella tradizione della natura selvaggia e in molte altre questioni; tuttavia, essi sono hobbit, e di qualsiasi ulteriore o più vasto significato che potrebbero rivestire nella storia della Terra di Mezzo non v'è alcun accenno. Passolesto è fin da subito così compiutamente realizzato che il suo tono in questa parte della narrazione (e non poche delle sue parole effettive) non sarebbe mai stato modificato in seguito; tuttavia, quel poco che si intravede della sua storia in questa fase non ha alcuna relazione con quella di Aragorn figlio di Arathorn. Egli è uno hobbit, contraddistinto dal fatto di indossare zoccoli di legno (da cui il nome Passolesto); sembra esserci qualcosa nella sua storia che gli conferisce una particolare conoscenza e orrore per gli Spettri dell'Anello (p. 197); e Bingo trova in lui qualcosa che lo distingue dagli altri "Forestali" e che gli risulta in qualche modo familiare (p. 198). Queste cose verranno spiegate più avanti, prima che vengano definitivamente cancellate del tutto.

X.
L'ATTACCO A SVETTAVENTO

Questo capitolo, numerato VIII e come al solito sprovvisto di titolo (sebbene più tardi mio padre inserì a matita "Un coltello nel buio"), inizia sulla stessa pagina manoscritta della fine del precedente; si trattava ovviamente di un lavoro continuo, e il manoscritto procede come in precedenza, a inchiostro, rapido ma sempre leggibile, su bozze a matita di cui sono visibili solo parole o frasi sparse (vedi p. 238). Il testo prosegue fino al capitolo 12 di CdA "Fuga verso il Guado" senza alcuna interruzione, tuttavia, come per il capitolo VII originale, lo divido in due (vedi la tabella a p. 173).

Sotto il dorso nord-ovest di Svettavento c'era una valletta, appena al di sotto della lunga cresta che la congiungeva alle colline retrostanti. Laggiù avevano lasciato Odo e Frodo ad aspettarli. Questi avevano trovato le tracce di un accampamento e un bivacco recenti e, grande (e inaspettata) fortuna, dietro una grande roccia era ammucchiata una piccola scorta di legna da ardere. Meglio ancora, sotto il combustibile scovarono una cassa di legno con del cibo. Si trattava per lo più di dolcetti, ma c'erano pure pancetta e frutta essiccata. Del tabacco, addirittura!

Come ricorderete, il *cram* era una parola nella lingua degli Uomini di Vallea e Lago Lungo per descrivere un cibo speciale, preparato per i lunghi viaggi. Si conservava all'infinito ed era assai nutriente, sebbene non gustoso, perché richiedeva una lunga masticazione e non aveva un particolare sapore. Bilbo Baggins portò la ricetta con sé: vi fece ricorso tornato a casa, nel corso di alcune delle sue lunghe e misteriose passeggiate.

Pure Gandalf lo impiegava nelle sue peregrinazioni perpetue. Sosteneva che gli piacesse ammollato nell'acqua (sebbene fosse difficile credergli). Tuttavia il *cram* non era da disprezzare nelle terre selvagge e gli hobbit furono estremamente grati per la premura di Gandalf. Più ancora quando gli altri tre scesero con le loro notizie allarmanti e tutti compresero che avevano ancora un lungo viaggio davanti a loro, prima di sperare di ricevere un qualche aiuto. Si riunirono subito in consiglio senza decidere il da farsi. Fu la presenza della legna da ardere (della quale non potevano portar via molta) a farli risolvere a non procedere oltre quel giorno, e accamparsi per la notte nella valletta.[1] Sembrava poco sicuro, per non dire disperato, proseguire immediatamente, o finché non avessero scoperto se il loro arrivo sulla collina fosse noto o atteso. Difatti, a meno di compiere una lunga deviazione a nord-ovest lungo le colline, abbandonando completamente la direzione di Valforra per qualche tempo, trovare un riparo o un nascondiglio non sarebbe stato semplice. La Strada in sé era impraticabile; dovevano però quantomeno attraversarla, se volevano raggiungere il terreno più accidentato, fitto di cespugli, immediatamente a sud di essa. Sul lato nord della Strada, al di là dei colli, la campagna era spoglia e piatta per miglia.

"Ma il... ehm... il nemico ci *vede*?" domandò Merry. "Insomma, di solito sembra che annusino più che vedere, di giorno almeno. Ma tu ci hai fatto stendere per terra."

"Non so," disse Passolesto, "come percepiscano ciò che cercano: li temo, però. E i loro cavalli vedono."[2]

Era ormai pomeriggio inoltrato. Da colazione non avevano mangiato nulla. Nonostante la paura e l'incertezza, avevano molta fame. Così, giù nella valletta, ove tutto era tranquillo e silenzioso, esaminate le provviste, consumarono un pasto, il migliore che osassero imbastire. Non fosse stato per il dono di Gandalf, non si sarebbero azzardati a mandar giù che un boccone. Si erano lasciati alle spalle le regioni ove si poteva ancora incappare in locande o villaggi. C'era la Grossa Gente (così disse Passolesto), più a sud. A nord e a est invece le lande nei paraggi erano spoglie di chicchessia eccetto che uccelli e animali, luoghi ostili disertati da tutte le razze del mondo: Elfi, Uomini, Nani o Hobbit, e persino dai goblin. I Forestali più avventurosi si recavano occasionalmente in quelle regioni, ma passavano e non si fermavano. Altri vagabondi erano rari e niente affatto raccomandabili: i Troll potevano a volte allontanarsi dalle colline e dalle montagne più lontane. Solo sulla strada si trovavano i viaggiatori, raramente la Grossa Gente in quei giorni, forse gli Elfi qualche volta, più spesso i Nani che tutti presi dai loro affari andavano di fretta e non avevano molte parole e meno ancora aiuto da offrire agli sconosciuti.

Così adesso, dal momento che Gandalf se n'era andato, avrebbero dovuto sostenersi solo con quanto potevano trasportare, probabilmente finché non avessero finalmente trovato la strada per Valforra. Per l'acqua dovevano affidarsi al caso. Quanto al cibo, forse prima avrebbero potuto resistere solo dieci o undici giorni; adesso invece, con le aggiunte di Gandalf, potevano tenere duro, stringendo la cinghia, per una quindicina o più. Poteva andare peggio. Ma non era solo la fame a fargli paura.

Al calar della sera fece molto freddo. Sulle paludi lontane era ricomparsa un po' di foschia, ma il cielo si schiarì di nuovo e le nuvole furono spazzate via da un gelido vento dell'est. Sbirciando dal bordo della vallea [*leggasi:* vallata] non vedevano altro che una terra grigia scomparire in fretta nell'ombra, sotto un cielo tornato a rischiararsi che si andava pian piano riempiendo di stelle tremolanti.

Accesero un fuocherello nel punto più basso della valletta e vi sedettero attorno avvolti in tutti gli indumenti e le coperte che possedevano; quantomeno Bingo e i suoi compagni. Passolesto invece si era accontentato di una sola coperta e sedeva un po' in disparte, a sbuffare fumo dalla sua pipa corta. A turno, sedettero di guardia sul bordo della valletta, in un punto dove si potevano scorgere i fianchi scoscesi della collina di Svettavento e il pendio che declinava più dolcemente giù dalla cresta, per quanto restasse visibile all'imbrunire.

Man mano che la notte si faceva più fonda Passolesto, per allontanare dalla loro mente la paura, si mise a raccontare storie. Conosceva tanti usi degli animali selvatici e sosteneva di parlare alcune delle loro favelle; e aveva strane storie da narrare sulle loro esistenze e avventure poco note. Conosceva anche molti episodi e leggende del lontano passato, riguardo agli Hobbit quando la Contea era ancora selvatica, ed eventi di là delle brume della memoria da cui gli Hobbit stessi erano sbucati. Essi si chiedevano dove avesse appreso tutte quelle cose della tradizione.

"Raccontaci di Gil-galad!" disse Frodo. "Hai menzionato quel nome poco tempo fa[3] e continua a risuonarmi nelle orecchie. Chi era?"

"Non lo sapete!" esclamò Passolesto. "Gil-galad fu l'ultimo dei grandi Re degli Elfi: nella loro favella Gil-galad significa Luce delle stelle. Egli abbatté il Nemico, ma perì a sua volta. Tuttavia, non vi narrerò la sua storia adesso, sebbene la ascolterete, credo, a Valforra, quando vi giungeremo. Elrond stesso dovrebbe raccontarla, giacché la conosce bene. Invece vi racconterò la storia di Tinúviel – in breve, perché è una storia molto lunga e non se ne conosce la fine; e non c'è più nessuno oggi che la ricordi come veniva raccontata anticamente, tranne Elrond. Persino in breve però è una bella storia, la più bella mai emersa dai giorni remoti." Rimase in silenzio per qualche istante e poi attaccò non a parlare bensì a salmodiare sommessamente:

Inserire *Lieve su un tiglio* [*sic*] corretta. Oppure i versi allitterativi. A seguire una breve storia di Tinúviel.

Mio padre proseguì poi nel manoscritto con l'incipit di un sunto in prosa della storia di Beren e Lúthien. Tuttavia, non si era spinto molto innanzi quando lo abbandonò e, tornando alle parole di Passolesto sulla storia, ne modificò la fine in: "È una bella storia, benché triste, come tutte le storie della Terra di Mezzo, eppure potrebbe risollevare l'animo dei nemici del Nemico." Poi scrisse:

Lo Beren Gamlost l'Audace[4]

ma eliminò anche questo. Poco sopra aveva suggerito di poter ricorrere ai "versi allitterativi". Si riferiva al passo di versi allitterativi che precedevano *Lieve come foglia su un tiglio*, pubblicato su *The Gryphon* (Università di Leeds) nel 1925,[5] un passo a sua volta strettamente correlato ai versi della seconda versione del *Lai dei Figli di Húrin* allitterativo, 475 ss., dove Halog, una delle guide di Túrin nel viaggio verso il Doriath, intonava questo canto "per dar sollievo al cuore" mentre vagavano nella foresta. A quel punto però decise di non ricorrere ai versi allitterativi in questa sede e scrisse nel manoscritto una nuova versione di *Lieve come foglia su un tiglio*. Questo testo della poesia si avvicina molto alla versione finale in CdA, pp. 209-211, tuttavia presenta elementi superstiti della vecchia poesia che in seguito andarono perduti, ed elementi che non sono comuni a nessuna delle due. Esistono molte modifiche successive al testo e molte alternative (per lo più riprese nella versione finale) redatte al momento della composizione; tuttavia qui riporto il testo originario senza varianti o correzioni successive.

Le foglie lunghe, l'erba sottile,
Di tanti anni la pioggia a terra giacea fitta,
Le radici degli alberi in aggrovigliate sequele,
Splendeva chiara la luna sorgente
E di lei balzavano i piè di lesta luce diletta
All'argenteo flauto di Ilverin:[6]
Sotto le ombrelle di cicuta irta
Tinúviel tremolava splendente.

Tacite falene ripiegavano le ali volanti
Si smarria la luce fra le fronde intessuta,
Quando Beren giù dai freddi monti,
Giunse ramingo e dolente
E sbirciò di tra le foglie di cicuta
E con stupore allora vide splendere
I fiori d'oro della sua tenuta
E i capelli come ombra sulla scia.

L'incanto gli curò lo stanco piede
Sulle montagne condannato a errare;
E forte e lesto eccolo procedere
Cogliendo i rai di luna che brillavano.
Tra i boschi del regno elfico compare
E svolazzano i due sul lieve piede
E sempre solo poi lo lascia a errare
Nella muta foresta che ascoltava.

Beren udiva talvolta il rumore
Di piedi lievi come sulle foglie
O musica sgorgante dagli umori
Di ascose cavità del Doriath.
Ma le fasce di cicuta eran spoglie
E ad una ad una con fioco rumore
Anche del faggio cedono le foglie
Nel bosco invernale del Doriath.

La cercò sempre, la cercò lontano
Dove le foglie annuali erano sparse
Ai raggi delle stelle ed alla luna
Che nei cieli ghiacciati abbrividivano.
Luceva il manto suo sotto la luna,
Come in cima a un colle erto e lontano
Lei danzava e ai suoi piedi era cosparsa
Una nebbia d'argento che fremeva.

Passò l'inverno e lei tornò di nuovo
E al suo canto la primavera apparve
Come l'allodola o quando piove
E l'acqua ribollendo gorgogliava.
Lì forte e chiara l'udì cantare
E del verno la catena giù gli spiovve
Non più teméa di vederla saltare
Sull'erba che per nulla si turbava.

Di nuovo lei fuggì, ma la chiamò forte:
Tinúviel! Tinúviel!
Lei s'era fermata, dalla sua voce aggiogata
Dinanzi a lui tremolava splendente
Il suo fato alfine l'aveva falciata
Mentre per le colline l'eco si avverte:
Tinúviel, Tinúviel,
Nelle braccia di Beren s'abbandona lucente.

Beren negli occhi la guardò irruente,
Nell'ombra dei capelli,
Dei cieli la stellar luce fremente
Vi scorse che specchiata laggiù tremolava.
Tinúviel, oh elfica bella,
Immortale fanciulla elficamente
Lo avvolse negli umbratili capelli
E candide braccia come argento che luccicava.

Lunga la via che il fato serbò loro
Su montagne petrose grigie e aride,
Tra saloni di ferro e porte scure
E boschi di buio senza dimane.
I Mari Divisori a separarli
Pur s'incontrarono alla fine ancora
E molto tempo fa essi trapassarono
Nella foresta in canti senza pena.

S'interruppe prima di riprendere a parlare. "Questa è una canzone," disse, "che parla dell'incontro di Beren il mortale e Lúthien Tinúviel, e di tale storia non è che il principio.

"Lúthien era la figlia del re elfico Thingol del Doriath nell'Ovest della Terra di Mezzo, quando il mondo era giovane. Sua madre era Melian, che non apparteneva alla razza Elfica ma veniva dal Remoto Occidente della terra degli Dèi e del Reame Beato di Valinor. Si racconta che la figlia di Thingol e Melian era la fanciulla più leggiadra mai esistita tra i figli del mondo. Mai più membra così aggraziate correranno sulla terra verde, né viso così stupendo si leverà a rimirare il cielo, finché tutte le cose non saranno cambiate.

Il passo a seguire in elogio di Lúthien è pressoché identico, parola per parola, a quello nel *Quenta Silmarillion* (1937), in gran parte mantenuto nell'opera pubblicata (p. 301, "Azzurro era il suo abito...").

"Beren invece era figlio di Barahir l'Audace. A quei tempi i padri dei padri degli Uomini emersero dall'Oriente; e alcuni viaggiarono fino all'Ovest della Terra di Mezzo, e ivi incontrarono gli Elfi, furono istruiti da loro e divennero saggi, sebbene fossero mortali e dalla breve esistenza, poiché tale è il loro destino. Tuttavia, molti di loro sostennero gli Elfi nelle loro guerre. In quel periodo, difatti, gli Elfi assediarono il Nemico nella sua terribile fortezza del Nord. Si chiamava Angband, le Aule di Ferro, sotto le torri tonanti della montagna nera Thangorodrim.

"Ma egli spezzò l'assedio e ricacciò Elfi e Uomini sempre più a sud; e Barahir cadde ucciso. La rovina si abbatté sulle Terre dell'Ovest, eppure il Doriath resistette a lungo grazie al potere e all'incantesimo della regina Melian, che lo recintò di modo che nessun male potesse penetrarvi. La canzone racconta[7] come Beren, fuggendo verso sud attraverso molti perigli, giunse infine nel regno nascosto e rimirò Lúthien. La chiamò Tinúviel, cioè Usignolo, questo perché non conosceva ancora il suo nome.

"Ma Thingol, il Re degli Elfi, si adirò, sprezzandolo quale mortale e fuggiasco, e inviò Beren in una cerca senza speranza prima che potesse ottenere Lúthien. Gli intimò infatti di portargli uno dei tre gioielli della corona del Re di Angband, dalle profondità delle Aule di Ferro. Erano i Silmaril famosi nei canti, colmi di potere e di una luce sacra, giacché erano stati foggiati dagli Elfi nel Reame Beato, ma il Nemico li aveva sottratti e li custodiva con tutta la violenza di cui era capace. Eppure Beren riuscì nella Cerca, perché Lúthien fuggì dal regno di suo padre e lo seguì; e con l'aiuto di Húan, il cane degli Dèi venuto via da Valinor, ella lo ritrovò; e assieme traversarono pericoli e tenebre; giunsero persino ad Angband e ingannarono il Nemico, lo sconfissero, trafugarono un Silmaril e fuggirono.

"Ma il lupo guardiano della porta oscura di Angband staccò con un morso la mano di Beren che teneva il Silmaril ed egli fu prossimo alla morte. Tuttavia, si racconta che alla fine Lúthien e Beren fuggirono e tornarono nel Doriath, e il re e tutto il suo popolo ne furono meravigliati. Ma Thingol ricordò a Beren che aveva giurato di tornare solamente col Silmaril in mano.

"'Proprio adesso è nella mia mano,' rispose lui.

"'Mostramelo!' ingiunse il re.

"'Questo non posso farlo,' disse Beren, 'perché la mia mano non è qui', e alzò il braccio mutilato. Da quel momento fu chiamato Beren Erhamion il Monco.

"Poi la storia della Cerca fu narrata nella sala del re e il suo spirito s'addolcì, e Lúthien pose la sua mano in quella di Beren dinanzi al trono del padre.

"Ben presto però il terrore s'abbatté sul Doriath. Poiché il terribile lupo guardiano di Angband, impazzito per il fuoco del Silmaril che consumava la sua carne malvagia, vagava per il mondo, selvaggio e terrificante. Per destino e per il potere del gioiello stesso, superò i confini sorvegliati e giunse famelico fin nel Doriath; e tutte le creature fuggivano al suo cospetto. Così si tenne la Caccia al Lupo del Doriath, e a quella caccia si recarono Re Thingol, Beren Erhamion, Beleg l'Arciere, Mablung dalla mano pesante e Húan il segugio.

"Il grande lupo s'avventò su Beren, lo rovesciò e ferì gravemente; Húan spacciò il lupo ma cadde ucciso a sua volta. Mablung con un taglio prese il Silmaril dal ventre del lupo e lo consegnò a Beren, e Beren a Thingol. Poi riportarono Beren con Húan al fianco nella sala del re. Lúthien gli disse addio dinanzi ai cancelli, dicendogli di attenderla oltre i Grandi Mari, ed egli le spirò tra le braccia.

"Lo spirito di Lúthien però cadde nelle tenebre, perché tale era il destino della fanciulla elfica per l'amore di un uomo mortale; ed ella sbiadì lentamente, come succede agli Elfi sotto il peso di un dolore insopportabile. Il suo corpo stupendo giaceva come un fiore reciso all'improvviso e che resti per un lasso di tempo incolto sull'erba,[8] ma il suo spirito viaggiò traverso i Grandi Mari. Si dice che ella abbia cantato al cospetto degli Dèi e che il suo canto fosse intessuto dei dolori delle due razze, Elfi e Uomini. Ella era così bella e così commovente era il suo canto che essi furono mossi a pietà. Tuttavia, non avevano il potere di trattenere a lungo entro i confini del mondo gli spiriti degli Uomini mortali che perivano, né di mutare il destino diviso delle due stirpi.

"Perciò offrirono a Lúthien questa scelta. Per il suo dolore e per il Silmaril riconquistato al Nemico, e poiché sua madre Melian veniva da Valinor, ella sarebbe stata liberata dalle Aule dell'Attesa, per non tornare così ai lutti della Terra di Mezzo, e recarsi invece nel Regno Beato e dimorare presso gli Dèi fino alla fine del mondo, dimentica d'ogni tristezza che la sua vita avesse conosciuto. Beren non sarebbe potuto venire con lei. L'altra scelta era questa. Ella poteva tornare sulla terra e portare con sé Beren, per un poco, e vivere di nuovo assieme a lui, ma senza certezza di longevità o gioia. E in tal caso sarebbe diventata mortale come lui; e poco dopo ella avrebbe lasciato il mondo per sempre, e la sua bellezza sarebbe divenuta solo un ricordo nel canto, finché persino quello fosse svanito. Ella scelse quest'ultima sorte, rinunciando al Reame Beato. E così i due s'incontrarono ancora, Beren e Tinúviel, oltre i Grandi Mari, come ella aveva detto; e le loro strade si congiunsero ed entrambi passarono molto tempo addietro al di là dei confini del mondo. Così Lúthien Tinúviel fu invero l'unica del lignaggio elfico a morire. Tuttavia, in virtù della sua scelta le due Stirpi si congiunsero, ed ella è l'antica madre di molti in cui gli Elfi scorgono ancora, sebbene il mondo sia cambiato, la somiglianza con Lúthien la diletta che essi hanno perduto."[9]

Mentre Passolesto parlava, l'oscurità si serrò loro addosso: la notte calò sul mondo. Potevano osservare il suo strano viso fervido, fiocamente illuminato dai rossi bagliori del fuoco. Sopra di lui il cielo era nero e stellato. A un tratto, alle sue spalle sulla corona di Svettavento apparve un pallido lucore. La luna crescente s'inerpicava lenta sulla collina che li sovrastava e le stelle sopra la vetta si estinguevano.

La storia finì. Gli hobbit si mossero, stiracchiandosi. "Guardate!" disse Merry. "Sorge la luna: si dev'esser fatto tardi." Gli altri sollevarono lo sguardo. Nel farlo, scorsero in cima alla collina una cosa piccola e nera contro il baluginio della luna, forse soltanto una grossa pietra o un masso sporgente che risaltava nel pallido lucore.

In quel momento, Odo, che stava di guardia (essendo meno restio degli altri a perdersi il racconto di Passolesto) scese di corsa verso il fuoco. "Non so cosa sia," disse, "ma *sento* che qualcosa striscia su per la collina. E mi è *parso* (non potevo esserne certo) che laggiù, a ovest, ove cade la luce della luna, ci fossero due o tre figure nere. Sembravano muoversi da questa parte."

"State vicini al fuoco, con il viso verso l'esterno!" esclamò Passolesto. "Tenetevi pronti, con i bastoni più lunghi in mano!" A lungo rimasero lì seduti, silenziosi e vigili, la schiena rivolta verso il piccolo fuoco che ne risultava quasi interamente scudato. Non accadde nulla. Non ci furono rumori o movimenti nella notte. Bingo stava per sussurrare una domanda

a Passolesto, che gli era accanto, quando Frodo boccheggiò: "Che cos'è?"
"*Sh*," disse Passolesto.

Era proprio come aveva detto Odo: sul bordo della valletta, dalla parte opposta della collina, più che vederla *sentirono* ergersi un'ombra, una o forse più di una. Strizzarono gli occhi per lo sforzo e le ombre sembrarono ingrandirsi. Ben presto non ebbero più dubbi: tre o quattro alte figure nere erano in piedi sul pendio e li guardavano dall'alto. Bingo credette di sentire un verso come d'un respiro che si prolungava in un sibilo. Poi le forme lentamente avanzarono.

Il terrore sopraffece Odo e Frodo, ed essi si gettarono a terra bocconi. Merry si ritrasse accanto a Bingo. Lui non era meno spaventato. Tremava come se avesse molto freddo. Ma il terrore fu risucchiato dall'improvvisa tentazione d'infilar l'Anello. S'impossessò di lui, e non riusciva più a pensare ad altro. Non aveva dimenticato il Tumulo né il messaggio di Gandalf; eppure provava il bisogno disperato d'ignorare ogni avvertimento. Qualcosa sembrava costringerlo, e lui voleva solo arrendersi. Non con la speranza di cavarsela o di fare alcunché di buono o di cattivo: sentiva semplicemente il bisogno di prendere l'Anello e metterselo al dito. Non riusciva a parlare. Lottò per qualche istante; ma resistere divenne intollerabile e alla fine tirò fuori lentamente la catenella, sciolse l'Anello, e lo mise al dito indice della mano sinistra.

Immediatamente, pur se tutto il resto rimase come prima, opaco e oscuro, le forme diventarono chiarissime. Riusciva a vedere sotto i neri vestimenti. Erano tre alte figure: nei bianchi visi ardevano occhi acuti e spietati; sotto il mantello nero avevano una lunga tunica grigia; sui capelli grigi un elmo d'argento;[10] nella mano scarna una spada d'acciaio. I loro occhi puntati su di lui lo trapassarono mentre gli piombavano addosso. Disperato, estrasse anche lui la spada, che gli parve guizzare rossa come un tizzo. Due delle figure si arrestarono. La terza era più alta delle altre: aveva i capelli lunghi e lucenti e ostentava una corona. La mano che impugnava la spada lunga era di un pallido lucore. Con un balzo in avanti si avventò su Bingo.

In quella Bingo si tuffò in avanti per terra e sentì la propria voce gridare a squarciagola (sebbene non sapesse perché): *Elbereth! Gilthoniel! Gurth i Morthu.*[11] Al tempo stesso colpì il nemico ai piedi. Un grido lancinante risuonò nella notte; e sentì una fitta come un dardo di ghiaccio avvelenato che gli trafiggeva la spalla [*aggiunto:* sinistra]. Già sul punto di perdere i sensi Bingo intravide, come attraverso un vortice di nebbia, Passolesto che balzava fuori dall'oscurità con un tizzone fiammeggiante per mano. Con un ultimo sforzo si tolse l'Anello dal dito e lo serrò nella mano.

[1] Questo passo, da "Meglio ancora, sotto il combustibile scovarono una cassa di legno", è un'inserzione su un foglietto, certamente contemporaneo al principale, che sostituisce quello (a inchiostro) scritto per primo:

> Gandalf, a quanto pare, aveva pensato a loro. Fu la presenza di combustibile che li fece decidere di non proseguire oltre quel giorno e accamparsi nella vallata.

Per quanto riguarda il passaggio sul *cram*, che non si trova in CdA, vedi *Lo Hobbit*, capitolo XIII "Nessuno in casa":

> Se volete sapere che cos'è il *cram*, posso solo dire che la ricetta non la so, ma sa un po' di biscotto, si conserva a lungo, e seppur sostanzioso, certamente non è appetitoso; in realtà è un cibo poco interessante se non come esercizio masticatorio. Veniva preparato dagli Uomini del Lago per i lunghi viaggi.

Nelle *Etimologie* (V.454) il *cram*, definito come "torta compressa di farina di grano o altro (spesso contenente miele e latte) usata per i lunghi viaggi", compare come parola Noldorin (radice KRAB – "premere"). – In CdA sopravvisse la legna da ardere, unica fra le scorte trovate a Svettavento, ma vi era stata lasciata dai Forestali, non da Gandalf.

[2] Passolungo fornisce un resoconto molto più elaborato e informato delle percezioni degli Spettri dell'Anello in CdA (p. 207). Vedi pp. 220-221, nota 7.

[3] Vedi p. 222 e nota 25.

[4] Il nome di Beren, *Camlost* o *Gamlost* ("Manovuota"), ricorre nel *Quenta Silmarillion* (interrotto alla fine del 1937); per la variazione della consonante iniziale vedi V.183, 374.

[5] Per il testo e la storia testuale di *Lieve come foglia su un tiglio* vedi III.141-44,155-58.

[6] *All'argenteo flauto di Ilverin*: in *Lieve come foglia su un tiglio* (III.142) qui invece è nominato Dairon. Il nome *Ilverin* compare nel *Libro dei Racconti Perduti* come uno dei tanti nomi di Cuorpiccino, il "Guardiano del Gong" di Mar Vanwa Tyaliéva (I.68,330), ma non sembra esserci fondamento per cercare alcun tipo di collegamento. A un certo punto mio padre scrisse a matita altri nomi: *Neldorín, Elberin, Diarin*. Vedi nota 9, in fondo.

[7] Passolesto non ha menzionato alcuna canzone, ma è ovviamente il *Lai del Leithian* che s'intende qui.

[8] Eliminato al momento della stesura:

> Ma il suo spirito giunse alle Aule dell'Attesa, ove si trovano le sedi destinate alle stirpi degli Elfi di là dai Reami Beati, a ovest, ai confini del mondo. Ed ella si inginocchiò dinanzi al Signore [delle Aule dell'Attesa].

[9] Questo capoverso conclusivo del racconto di Passolesto è molto simile al resoconto delle Scelte di Lúthien che mio padre aveva scritto mentre il *Quenta Silmarillion* era presso gli editori alla fine del 1937, e che compare nel *Silmarillion* pubblicato a p. 340; vedi V.360, 376-7.

Ci sono altri testi, redatti in modo molto approssimativo e che forniscono un sunto d'una parte del "Silmarillion", scovati tra le carte in questa fase. Il testo tenta di condensare una sezione molto più ampia della storia dei Giorni Antichi rispetto a quella strettamente legata alla storia di Beren e Lúthien, e presenta aspetti interessanti che occorre menzionare, sebbene la loro trattazione rientri a malapena nella vicenda della stesura del *Signore degli Anelli* medesimo. Il più importante è il seguente:

> Perché, come si racconta, i Regni Beati dell'Ovest erano illuminati dai Due Alberi, Galathilion, il Ciliegio d'Argento, e Galagloriel, la Pioggia Aurea. Ma Morgoth, il maggiore delle Potenze, mosse guerra agli Dèi, distrusse gli Alberi e fuggì. E portò con sé le gemme immortali, i Silmaril, che erano stati foggiati dagli Elfi con la luce degli Alberi e solamente nei quali adesso perdurava l'antico splendore dei giorni beati. Nel nord della Terra di Mezzo egli pose il suo trono ad Angband, le Aule di Ferro sotto Thangorodrim, la Montagna di Tuono; ed egli crebbe in potenza e oscurità; e fece nascere gli Orchi e i goblin, e i Balrog, demoni di fuoco. Ma gli Alti Elfi dell'Ovest abbandonarono la landa degli Dèi e tornarono sulla terra e gli mossero guerra per recuperare i gioielli.

I nomi *Galathilion* e *Galadlóriel* appaiono per la prima volta nel *Quenta Silmarillion* (V.264-66) quali nomi gnomici di Silpion e Laurelin. "Ciliegio d'argento" e "Pioggia Aurea" non sono i significati reali dei nomi (come parrebbe implicito qui): vedi le *Etimologie* in vol. V, radici GALAD (ove è riportata anche la forma *Galagloriel*), LAWAR, THIL. Che la fioritura di Silpion fosse come quella di un ciliegio e i fiori di Laurelin come quelli del laburno ("Pioggia Aurea") comunque era stato esplicitato spesso (vedi ad esempio V.264).

Su Morgoth, "il maggiore delle Potenze", vedi V.97 e nota 4. Assai curiosa risulta l'affermazione secondo cui quando Morgoth tornò nella Terra di Mezzo dopo la distruzione degli Alberi "fece nascere gli Orchi e i goblin, *e i Balrog, i demoni di fuoco*". In questo periodo era certamente opinione di mio padre che gli Orchi fossero stati generati prima (vedi V.291, §62 e commento), ma i Balrog erano assai più antichi (V.267, §18), e difatti vennero a salvare Morgoth da Ungoliantë al momento del suo ritorno: "In suo soccorso giunsero gli Orchi e i Balrog che ancora si trovavano nelle viscere della sua antica fortezza."

Il termine "Alti Elfi" è qui usato per indicare gli Elfi di Valinor e non, come nel *Quenta Silmarillion*, la Prima Stirpe (*Lindar*, *Vanyar*): vedi V.269, §25 e commento.

Un passaggio davvero sorprendente è la menzione, poco più avanti in questo testo, di *Finrod Inglor il bello* (vedi p. 79). Nella prima edizione di SdA (*Appendici*) *Finrod* era ancora il nome del terzo figlio di Finwë, come nel *Quenta Silmarillion*, e suo figlio era *Felagund* (in *Quenta Silmarillion* chiamato anche *Inglor*); solo nella seconda edizione del 1966 Finrod figlio di Finwë divenne Finarfin, e suo figlio Inglor Felagund divenne *Finrod Felagund*.

In un'altra di queste stesure il menestrello del Doriath si chiama *Iverin*, non Dairon; vedi nota 6.

[10] Mio padre inizialmente qui scrisse: "sui loro lunghi capelli grigi corone ed elmi d'oro pallido". Senza dubbio questa frase fu immediatamente modificata con la comparsa immediatamente sotto dell'alto re con una corona sui lunghi capelli. Vedi p. 253, nota 6.

[11] Per *Morthu* vedi V.493, radice THUS-.

***

La tendenza di mio padre, in questa fase, a sovrascrivere le prime bozze a matita nega in gran parte la possibilità di rilevare le prime forme della narrazione. In questo capitolo il testo di fondo può essere individuato solo qua e là e con grande difficoltà; ma quantomeno si può notare come il brano iniziale si trasformò in un rapido abbozzo della storia. I racconti di Passolesto dovevano riguardare solo gli animali selvatici; e poi subito segue: "Scontro nella valletta", con uno schizzo di poche righe, scarabocchiato a gran velocità, di cui però si riesce a estrarre qualcosa:

Bingo è tentato di indossare l'anello. Lo indossa. I cavalieri [?gli vengono] addosso. Li vede chiaramente – facce bianche malvagie......... Estrae la spada e quella avvampa come fuoco. Quelli si ritraggono ma un Cavaliere dai lunghi capelli d'argento e una [?mano rossa] balza avanti. Bingo... si sente gridare *Elbereth Gilthoniel*......... colpì la gamba del Cavaliere. Sentì......... freddo [?dolore] alla spalla. Un lampo...

L'attacco nella valletta precedette l'idea che Passolesto dovesse cantare per loro e raccontare una storia dei tempi antichi; e il materiale del suo racconto rimane in questo manoscritto a uno stato assai abbozzato, lo stadio primario di composizione, che ovviamente richiedeva la compressione che subì in seguito.

Una stesura a matita più sviluppata riprende dal punto in cui Passolesto termina, e da quello che si può leggere sembra che la storia finale dell'attacco degli Spettri dell'Anello fosse ormai pienamente presente. Poi, a parte alcuni dettagli (come il fatto che gli Spettri dell'Anello sono tre e non cinque), il testo scritto a inchiostro sulla bozza stessa ha raggiunto la storia conclusiva:

nessun elemento del potente scenario, l'impaurita suspense sulla fredda collina al chiaro di luna, le sagome scure che osservano gli hobbit rannicchiati intorno al fuoco, l'irresistibile richiesta al Portatore dell'Anello di palesarsi e la rivelazione finale su quanto si celava sotto i mantelli neri dei Cavalieri, è assente – e tutto è raccontato pressoché con le stesse parole della *Compagnia dell'Anello*. Il significato dell'Anello, nel suo potere di rivelare e rivelarsi, nella sua funzione di ponte tra due mondi, tra due modi dell'esistenza, è stato raggiunto, una volta per tutte.

La completezza e la risonanza di questa scena sulla collina di Svettavento risulta ancora più notevole se consideriamo come (in relazione al *Signore degli Anelli* come fu poi realizzato) tutto fosse ancora estremamente compresso. Se la natura dell'Anello e i suoi effetti sul portatore erano ormai pienamente concepiti, non c'era ancora alcun accenno che il destino della Terra di Mezzo giacesse all'interno del suo piccolo cerchio. In effetti, è tutt'altro che certo che l'idea dell'Anello Dominante fosse già sorta. Delle grandi terre e delle storie a est e a sud dei Monti Brumosi – Lothlórien, Fangorn, Isengard, Rohan, dei regni Númenóreani – non c'è l'ombra di un accenno. Dubito fortemente che mio padre, quando gli Spettri dell'Anello si levarono oltre l'orlo della fossa sotto Svettavento, del Viaggio prevedesse altro se non che l'Anello doveva passare attraverso i Monti e trovare la sua fine nelle profondità della Montagna Fiammea (p. 163). Nell'ottobre del 1938 egli poteva ancora dichiarare a Stanley Unwin (vedi p. 221) che sperava di poter presentare la nuova storia per l'inizio dell'anno successivo.

XI.
DA SVETTAVENTO AL GUADO

Il manoscritto del capitolo VIII originale continua, senza alcuna interruzione, nella stessa forma, inchiostro su matita. Laddove nella prima parte di questo capitolo ho riportato integralmente il testo originale anche nel passaggio conclusivo, ove non c'è quasi alcuna differenza sostanziale rispetto a CdA (poiché l'attacco degli Spettri dell'Anello è una scena di eccezionale importanza), in questa parte non porto avanti questa procedura per tutto il tempo. La narrazione è assai prossima a quella del capitolo 12 di CdA, "Fuga verso il Guado" (con un discreto numero di differenze minori e altre meno rilevanti), e per gran parte della sua lunghezza la formulazione è pressoché la stessa. Nelle parti in cui non è riportato il testo originale, tuttavia, è sottinteso che sono state segnalate tutte le differenze di qualche rilievo.

Dopo aver raccontato che gli hobbit (Sam in CdA) udirono la voce di Bingo che gridava strane parole, si dice anche che "videro un lampo rosso e Passolesto si precipitò con un legno in fiamme". Così anche nello schema frammentario riportato a p. 240 "Un lampo"; questo però risulta assente in CdA. Forse il riferimento è alla spada di Bingo che "parve guizzare rossa come un tizzo" (p. 237), un dettaglio conservato in CdA a p. 213. Il primo ritorno di Passolesto nella valletta è raccontato in modo leggermente diverso, soprattutto perché la diffidenza di Sam nei confronti di Passolungo è ovviamente assente, e nella vecchia versione non c'è nulla che corrisponda alle parole di Passolungo a Sam (pp. 215-216). Quando Passolesto sollevava il mantello nero da terra, si limitava a dire: "Questo è stato il fendente della tua spada. Non so quale lesione abbia inflitto al Cavaliere. Il fuoco è meglio."

Non viene detto che l'*Athelas* fosse stata portata nella Terra di Mezzo dagli Uomini dell'Ovest: "È una pianta curativa, nota solo agli Elfi e taluni che percorrono le terre selvagge: la chiamano *athelas*."[1] Un dettaglio curioso è che quando l'*athelas* venne applicata alla ferita di Bingo, egli "sentì il dolore e il senso di freddo gelido diminuire sul fianco destro"; e ancora più avanti nel capitolo "Il braccio destro rimaneva inerte" (CdA, p. 221). Allo stesso modo, quando Bingo sguainò la spada per affrontare i Cavalieri al Guado, inizialmente mio padre scrisse: "La sua spada pendeva al fianco destro; con la sinistra ne afferrò l'elsa e l'estrasse", anche se poi sbarrò il tutto. Evidentemente decise che fosse la spalla sinistra di Bingo a essere stata pugnalata, e quindi inserì la parola "sinistra" nella descrizione del ferimento vero e proprio (p. 238); ma non corresse le occorrenze di "destra" appena citate.

Quando essi lasciarono la caverna sotto Svettavento, portarono con sé la legna da ardere di Gandalf ("Perché Passolesto disse che d'ora innanzi la legna da ardere doveva far sempre parte delle scorte, quando si fossero trovati lontani dagli alberi"). Nulla viene detto del ritrovamento del cavallino di Bill Felcioso (se davvero era suo, p. 223). Le strida lontane dei Cavalieri Neri che si odono mentre essi attraversano la Strada in CdA (p. 218) sono assenti dalla vecchia versione.

La descrizione del viaggio verso est da Svettavento è inizialmente abbastanza simile a quella di CdA, sebbene i tempi risultino leggermente diversi; tuttavia, la geografia sarebbe stata significativamente modificata. Riporto integralmente il passaggio che segue le parole "Perfino Passolungo sembrava stanco e avvilito" (CdA, p. 218).

Il primo giorno di marcia non era ancora finito e già aumentavano i dolori di Bingo, che a lungo non ne fece parola. Quattro giorni passarono senza che il terreno o lo scenario cambiassero molto, se non per il fatto che Svettavento lentamente si ritraeva alle loro spalle mentre innanzi le montagne distanti si stagliavano un po' più vicino. Il tempo rimase asciutto, sebbene grigio a causa delle nubi, ed erano oppressi dal timore d'essere inseguiti. Tuttavia durante il giorno non colsero alcun sentore, e anche vegliando di notte non successe nulla. Temevano di vedere nere sagome in agguato nella notte grigia e scialba, fiocamente illuminata dalla luna dietro un velario di nuvole; ma non videro nulla e non udirono altro rumore che il murmure di foglie vizze e d'erba. Pareva che, come avevano osato a malapena sperare, il loro rapido attraversamento della Strada non fosse stato notato e che per il momento il nemico avesse riperso le loro tracce.

Alla fine del quarto giorno il terreno riprese di nuovo a salire dalla vasta vallata poco profonda dov'erano scesi. A questo punto Passolesto orientò di nuovo la marcia verso nord-est e il sesto giorno giunsero in vetta a un lungo pendio che rimontava lento e, molto distante, videro un grappolo di colline boscose. In basso scorgevano la Strada che aggirava le pendici delle colline; e sulla destra un fiume grigio baluginava pallido alla tenue luce del sole, lontano alla loro destra. Il giorno dopo, di buon mattino, traversarono di nuovo la Strada. Scrutandola ansiosamente, verso ovest e verso est, si affrettarono ad attraversarla e a dirigersi verso le colline boscose.

Passolesto li stava ancora conducendo in linea retta, per quanto la landa lo consentisse, verso il Guado lontano. Sulle colline il loro cammino sarebbe stato più incerto, ma non potevano più attenersi al lato sud della Strada, perché il terreno diventava brullo e sassoso e dinanzi a loro c'era il fiume. "Quel fiume," disse, "scende dai Monti e scorre attraverso Valforra.[2] Non è largo, ma è profondo e forte, alimentato com'è da molti piccoli torrenti che escono dalle colline boscose. Su questi la Strada passa attraverso piccoli guadi o ponticelli; ma non c'è passo o ponte sul fiume finché non giungeremo al guado sotto i Monti." Gli hobbit guardarono le colline scure davanti a loro e, benché fossero lieti di lasciarsi alle spalle quelle lande spoglie, la terra dinanzi a loro sembrava minacciosa e ostile.

Nella geografia sviluppata, la Strada attraversa due fiumi tra Svettavento e Valforra: il Pollagrigia o Mitheithel che scendeva dalle Brughiere di Etten, attraversato dall'Ultimo Ponte, e il Riorombante o Bruinen, attraversato dal Guado di Valforra; questi fiumi si univano molto a sud, diventando il Pienagrigia. Nel racconto originale, invece, c'è un solo fiume, non nominato, che scende attraverso Valforra ed è attraversato dal Guado.

In CdA i viaggiatori scendevano, la mattina presto del settimo giorno da Svettavento, sulla Strada (cioè da sud), e la percorrevano per un miglio o due fino all'Ultimo Ponte, dove Passolungo trovò la gemma elfica deposta nel fango; attraversavano il ponte, e dopo un altro miglio deviavano dalla Strada a sinistra per risalire sulle colline. Nella storia originale, il sesto giorno giungevano presto sulla Strada per poi attraversarla, e risalire sulle colline; non c'era il fiume (Pollagrigia) né il ponte. Viene fornita una sorta di spiegazione del perché dovettero attraversare la Strada in quel punto e non tenersi più a sud di essa: "il terreno diventava brullo e sassoso e dinanzi a loro c'era il fiume." Ma il fatto che non ci fossero guadi o ponti sul fiume, a parte quello al di sotto di Valforra, significava solo che era là che dovevano attraversare; non spiega di per sé perché non potessero tenersi a sud della Strada finché non ci fossero arrivati. Quindi è solo la natura "brulla e sassosa" del terreno a sud della Strada a offrire un'autentica spiegazione: Passolesto cercava di muoversi in un territorio che offrisse maggiore occultamento? La "vera" spiegazione, si potrebbe dire, del perché attraversarono la Strada e risalirono sulle colline boscose è un'altra: mio padre aveva già suggerito, abbozzando la storia dai Poggitumuli a Valforra (p. 162), che gli hobbit avrebbero dovuto "deviare scioccamente per visitare le Pietre dei Troll". D'altra parte, Passolesto stava prendendo la linea più retta possibile per raggiungere il Guado (p. 245), e gli abbozzi a p. 257 mostrano chiaramente che la grande ansa della Strada verso sud (già menzionata nel testo originale, p. 254) doveva costringerlo ad attraversarla e risalire sulle colline a nord. – Sulla diversa cronologia delle due versioni vedi la Nota sulla Cronologia, p. 278.

Quando arrivano sulle colline, la conversazione con Passolesto che nasce dalla vista delle torri in rovina risulta un po' differente da quella con Passolungo in CdA (pp. 219-220):

"Chi vive in queste terre?" domandò [Bingo]. "E chi ha costruito queste torri? È forse terra dei troll?"

"No!" disse Passolesto. "I troll non costruiscono. Nessuno vive in queste terre. Una volta, secoli fa, ci abitavano gli Uomini; ma non è rimasto più nessuno. Erano un popolo malvagio, come narrano le storie e le leggende, perché caddero sotto la presa dell'Oscuro Signore. Si racconta che furono annientati da Elendil, quale Re degli Uomini d'Occidente, il quale aiutò Gilgalad, quando mossero guerra all'Oscuro Signore.[3] Ma ormai è passato tanto di quel tempo che le colline li hanno dimenticati, pur se un'ombra si stende ancora sul paese."

"Dove hai appreso queste storie, se tutto il paese è deserto e immemore?" domandò Frodo. "Gli uccelli e gli altri animali non raccontano certe storie."

"Molte cose si ricordano ancora a Valforra," rispose Passolesto.

"Sei stato spesso a Valforra?" disse Bingo.

"Sì," disse Passolesto. "Molte volte, e adesso mi chiedo perché sono stato tanto sciocco da lasciarla; ma non è mio destino sedere in pace, neppure nella bella casa di Elrond."

Il viaggio sulle colline a nord della Strada era durato tre giorni quando il tempo poi divenne piovoso, due invece in CdA (p. 220); così il viaggio più breve da Svettavento al ritorno sulla Strada viene recuperato, sebbene perduri la differenza di un giorno, dato che nel racconto originale erano arrivati a Svettavento un giorno prima (p. 223): per quanto sono riuscito a capire, la prima mattina dopo la pioggia (CdA, p. 221) nella vecchia versione era quella del 16 ottobre, mentre in CdA il 17 ottobre. Quando smise di piovere, l'undicesimo giorno da Svettavento, e Passolesto salì per studiare la morfologia del terreno, al suo ritorno disse:

"Ci siamo spinti troppo a nord; e *dobbiamo* trovare il modo di riprendere la direzione sud, o almeno più nettamente a est. Se continuiamo in questa direzione, ci ritroveremo in una zona impervia, tra i fianchi delle montagne. In qualche modo dobbiamo tornare sulla Strada prima che essa giunga al Guado. Ma pure se riuscissimo abbastanza celermente, non potremo sperare di giungere a Valforra prima di alcuni giorni ancora, quattro o addirittura cinque, temo."

Nella notte trascorsa sul crinale (CdA, pp. 222-223) l'interrogatorio di Sam a Passolungo sulla ferita di Frodo è affidato a Merry; ed è presente il sogno di Frodo che "immaginava nere ali senza fine che sbattevano sopra di lui cavalcate da inseguitori che lo cercavano in tutti gli anfratti delle colline". Nel testo originale non si dice che "Alberi e rocce intorno a lui gli sembravano oscuri e indistinti", né il giorno seguente che "una nebbia sembrava offuscargli la vista" (CdA, pp. 221, 223); ma più tardi, quando Glorfindel ispeziona col dito la ferita di Bingo (CdA, p. 229), egli "vide più chiaramente i volti dei suoi amici, sebbene per tutto il giorno fosse stato turbato dalla sensazione che un'ombra o una nebbia si frapponesse tra lui e loro".

Quando giunsero ai vecchi troll tramutati in pietra, "Passolesto avanzò senza timore. 'Ehilà, Guglielmo!' disse, e rifilò un sonoro schiaffone al troll curvo". Per poi dire: "Avreste pur dovuto accorgervi che Berto ha un vecchio nido d'uccelli dietro l'orecchio." In CdA i nomi dei troll dello *Hobbit* furono espunti.

Dopo "Si riposarono un po' nella radura e consumarono il pasto di mezzogiorno proprio all'ombra delle grandi gambe dei troll" la narrazione originale prosegue direttamente con "nel pomeriggio proseguirono attraverso i boschi"; non v'è alcun accenno all'introduzione della *Canzone del Troll* (vedi p. 185). Il loro ritorno sulla Strada è descritto così:

Dopo qualche miglio giunsero in cima a un'alta scarpata sopra la Strada. Questa adesso prendeva una curva piuttosto discosta dal fiume, e si stringeva ai piedi delle colline, più o meno sul lato della stretta valle in fondo alla quale scorreva il fiume. Non lontana dai bordi della Strada, Passolesto indicò una pietra in mezzo all'erba. Rozzamente incisi e consumati ormai dalle intemperie si vedevano ancora due lettere runiche, G e B, in un cerchio.

"Quella," disse, "dev'esser la pietra che segnalava il luogo dove Gandalf e Bilbo nascosero l'oro dei Troll." Bingo la rimirò alquanto mesto. Da molto tempo Bilbo e lui stesso avevano già dato fondo a tutto quell'oro.

La Strada, curvandosi adesso in direzione nord-ovest, si stendeva silenziosa sotto le lunghe ombre della prima sera. Non c'era traccia di altri viaggiatori.

Nell'incontro con Glorfindel si registrano solo piccole differenze (eccetto che in un punto): tutta la scena era presente, e più o meno con le stesse parole, fin dall'inizio. La frase in CdA (p. 228) "A Frodo parve che una luce bianca emanasse dalla figura e dalla tenuta del cavaliere, come attraverso un velo sottile" è assente.[4] Rivolgendosi a Passolesto Glorfindel esclama: *Ai Padathir, Padathir! Mai govannen!*[5] Tuttavia non è detto successivamente che egli conferì con Passolesto "nella lingua elfica" (CdA, p. 230); piuttosto che parlò "a bassa voce". La bevanda che Glorfindel offrì loro ricordò immediatamente agli hobbit quella nella casa di Bombadil, "perché la bevanda che bevvero era rinfrescante come acqua sorgiva, eppure li colmò anche d'un senso di caldo vigore". La "torta di *cram*" viene menzionata assieme al pane raffermo e alla frutta essiccata che costituiva quanto restava loro da mangiare.

La conversazione con Glorfindel sulla strada è diversa da quella in CdA (p. 228), perché in questa fase il numero dei Cavalieri Neri non era noto a nessuno (nemmeno a mio padre), e in CdA Gandalf non aveva ancora raggiunto Valforra quando Glorfindel e gli altri furono inviati da Elrond nove giorni prima – Elrond aveva avuto notizie dagli Elfi guidati da Gildor che avevano incontrato gli hobbit nella Contea. Naturalmente manca anche l'elemento della gemma lasciata da Glorfindel sull'Ultimo Ponte (p. 219).

"Costui è Glorfindel, che risiede a Valforra," disse Passolesto. "Reca notizie per noi."

"Salve, finalmente c'incontriamo!" disse Glorfindel a Bingo. "Mi hanno mandato da Valforra a cercarvi in arrivo sulla Strada. Gandalf era ansioso e spaventato che vi fosse occorso qualche male, dovevate esser qui già giorni orsono."

"Non siamo rimasti sulla Strada per molti, molti giorni prima d'oggi," disse Bingo.

"Ebbene, ora dovrete tornarci, e proseguire più lesti che potete," disse Glorfindel. "A un giorno di marcia verso ovest c'è una compagnia di cavalieri malefici, che batte quella strada con tutta la fretta che la cerca costante nelle lande lungo la Strada consente loro. Non dovete attardarvi qui, né in alcun altro luogo stanotte, ma piuttosto proseguire il viaggio finché potete. Perché, quando troveranno le vostre tracce, nel punto in cui si ricongiungono alla Strada, smetteranno di cercare, e vi inseguiranno come il vento. Non credo che si lasceranno sfuggire le vostre orme nel punto in cui il sentiero scende dal Bosco dei Troll; perché essi son tremendamente abili a cacciare con l'olfatto, e l'oscurità li aiuta anziché ostacolarli."

"Allora perché procedere di notte, in barba all'avvertimento di Gandalf?" chiese Merry.

"Non curatevi dell'avvertimento di Gandalf, ora," rispose Glorfindel. "La velocità è la vostra principale speranza; e adesso anch'io verrò con voi. Non credo che vi sia alcun pericolo dinanzi, ma l'inseguimento ci incalza feroce alle spalle."

"Ma Bingo sta male ed è ferito e stanco," disse Merry. "Non dovrebbe cavalcare oltre senza riposare!"

All'udire il resoconto dell'attacco nell'anfratto sotto Svettavento e della ferita al braccio di Bingo, Glorfindel scosse la testa e assunse un'espressione grave. Osservò il pugnale che Passolesto aveva conservato, e adesso sfoderato per lui. Rabbrividì.

"Ci sono scritte cose malefiche su quest'elsa," disse, "anche se forse i vostri occhi non riescono a vederle. Conservala, Padathir, finché non giungeremo a Valforra! Ma sii prudente, e maneggiala meno che puoi."

La principale differenza strutturale nella narrazione di questo capitolo rispetto a quella in CdA si presenta nelle parole di Glorfindel "Non credo che vi sia alcun pericolo dinanzi"; in contrasto CdA (p. 229): "Ne abbiamo cinque alle calcagna [...]. Dove siano gli altri quattro non lo so. Temo che troveremo il Guado già in mano nemica."

Solo tre Cavalieri (in origine) sbucavano dal taglio tra gli alberi attraverso il quale passava la Strada prima del miglio pianeggiante fino al Guado, non cinque come in CdA (p. 232). La storia è la stessa con Bingo che si arresta, avvertendo su di sé il comando dei Cavalieri di aspettare, ma pieno d'odio improvviso estrae la spada, e con Glorfindel che grida al suo cavallo, tanto che questi galoppa via verso il Guado. Ma tutti i Cavalieri si lanciano alle calcagna; non v'era alcuna imboscata da parte di quattro di loro appostati al Guado stesso. Riporto integralmente la conclusione del capitolo:

"Cavalcate! Cavalcate!" gridavano Glorfindel e Passolesto; e allora Glorfindel pronunziò una parola in lingua elfica: *nora-lim, nora-lim*. Di colpo il cavallo scattò, lanciandosi come il vento sull'ultimo tratto della Strada. Nello stesso istante i cavalli neri piombarono giù dalla collina all'inseguimento; altri seguirono sbucando tempestosi dal bosco. Bingo si girò a guardare e credette di contarne [dodici di sicuro>] almeno sette.

Parevano sfrecciare come il vento e si facevano più grandi e neri man mano che si avvicinavano, falcata dopo falcata. Non riusciva più a scorgere i suoi amici. Ormai i Cavalieri dovevano averli travolti e superati. Bingo volse il viso e si piegò in avanti, spronando il destriero con parole urgenti. Il Guado sembrava ancora molto lontano. Guardò di nuovo indietro. Gli parve che i Cavalieri avessero accantonati cappucci e neri mantelli; erano vestiti di bianco e di grigio. La spada snudata in pugno; sulla testa l'elmo e corona.[6] Un lampo negli occhi freddi baluginava di lontano.

Ora la paura pervase la mente di Bingo. Non pensava più alla spada. Non lanciò un grido. Chiuse gli occhi e si avvinghiò alla criniera del cavallo. Il vento gli fischiava nelle orecchie e i campanelli risuonavano striduli e frenetici. Gli pareva ci fosse un freddo crudele.

Improvvisamente udì il tonfo nell'acqua. Spumeggiava ai suoi piedi. Sentì la corsa incerta del cavallo mentre questi risaliva faticosamente il sentiero pietroso che emergeva dal fiume e s'inerpicava su per l'argine scosceso. Aveva attraversato il Guado! Ma gli inseguitori erano alle calcagna.

In sommità dell'argine il cavallo si fermò sbuffando. Bingo si girò e aprì gli occhi. [*Barrato appena scritto:* Dimenticando che il cavallo apparteneva alla gente di Valforra e conosceva tutta quella landa, decise di fronteggiare i suoi nemici, giudicando inutile] Sentiva che era inutile cercar di fuggire per il lungo, incerto sentiero che andava dal Guado ai margini di Valforra, una volta che i Cavalieri avevano attraversato. Sebbene tutti avessero pensato al Guado come meta conclusiva del loro travaglio e fine del periglio, adesso gli balenò che egli non sapeva di alcunché che impedisse ai temibili Cavalieri di traversarlo con la sua stessa facilità. In ogni caso sentì che gli ordinavano perentoriamente di fermarsi. L'odio si riaccese in lui ma non aveva più la forza di opporsi. Vide che il cavallo del Cavaliere più innanzi saggiò l'acqua e s'impennò. Con grande sforzo Frodo si sollevò a sedere e brandì la spada.

"Andate via!" gridò. "Tornate dall'Oscuro Signore e non seguitemi più!"[7] La voce suonava stridula alle sue stesse orecchie. I Cavalieri si fermarono, ma Bingo non aveva il potere di Tom Bombadil.[8] Loro gli risero in faccia – un ghigno aspro e raggelante. "Torna indietro! Torna indietro!" sbraitavano. "Ti porteremo a Mordor!"[9] "Andate via!" bisbigliò. "L'Anello!

L'Anello!" gridavano con voci implacabili; e subito il loro capo spinse il cavallo in acqua seguito da presso da altri due.

"Per Elbereth e Lúthien la Bella,"[10] disse Bingo con un ultimo sforzo, sollevando la spada, "non avrete né esso né me!"

Allora il capo, che adesso era a metà del fiume, si rizzò minaccioso sulle staffe e levò la mano. Bingo restò ammutolito. Sentiva la lingua appiccicata alla bocca e la mente annebbiata. La spada si spezzò e gli cadde dalla mano tremante. Il cavallo sotto di lui s'impennò e nitrì. Il primo dei neri cavalli aveva quasi messo piede sulla sponda.

In quella si udirono un rombo e uno scroscio: il fragore di acque tonanti che trascinavano molte pietre. Vide vagamente il fiume sollevarsi, e lungo il corso ecco sopraggiungere una cavalleria piumata di onde. I tre Cavalieri ancora in mezzo al Guado scomparvero di colpo; travolti e sepolti sotto una schiuma furibonda. Quelli rimasti indietro si ritrassero sgomenti.

Prima di perdere completamente i sensi Bingo udì delle grida e gli parve di scorgere, di là dai Cavalieri, una figura sfavillante di luce bianca; dietro, piccole forme umbratili correvano agitando fiammelle. Divampavano rosse nella grigia foschia che stava calando sul mondo. Due Cavalieri si voltarono e cavalcarono come pazzi verso sinistra lungo la riva; gli altri, trascinati dai loro cavalli sommersi, furono sospinti nella piena e trascinati via. Poi Bingo udì un rombo nelle orecchie e si sentì cadere, come se la piena avesse raggiunto la sommità della riva, per inghiottirlo insieme ai nemici. Non udì e non vide più niente.

1 Nel *Lai del Leithian* mio padre scrisse *athelas* sul passaggio in cui

Poi, giunse Huan e portò una foglia,
la più potente tra le erbe che sanano,
una che là cresceva, nella radura delle terre boscose,
sempreverde, larga di forma e bianca.

per lenire la ferita di Beren (III.342, 346).

2 *Quel fiume* [...] *scorre attraverso Valforra*: vedi la nota su Valforra, pp. 261-262.

3 Nel testo sottostante scritto a matita, qui visibile per un tratto, le parole di Passolesto sulla "Grossa Gente" che viveva in quelle regioni sono più o meno le stesse, tuttavia egli dichiara che furono sconfitti da *Elendil Orendil* e Gil-galad; a quanto pare *Orendil* fu sostituito a *Elendil* nell'atto stesso di scrivere. Entrambi i nomi furono cancellati e poi *Elendil* fu scritto di nuovo. Vedi p. 222, nota 25.

4 Il "morso e la briglia" del cavallo di Glorfindel tremolavano e lampeggiavano, come nella prima edizione, dove la seconda edizione riporta "testiera". Vedi *Lettere*, n. 211, p. 442 (14 ottobre 1958):

> [...] *briglia* è stato usato casualmente e sconsideratamente per quello che suppongo avrei dovuto chiamare *testiera*. O meglio, giacché *morso* (I.221) fu aggiunto molto tempo fa (il capitolo I 12 è stato scritto molto presto), non avevo ancora considerato il modo naturale degli elfi di trattare gli animali. Il cavallo di Glorfindel aveva una *testiera* ornamentale, con una piuma, e con le cinghie decorate di gioielli e campanellini; ma Glor. non avrebbe di certo usato un *morso*. Cambierò *briglia e morso* in *testiera*.

5 Il testo a matita, dopo varie forme cancellate, riportava *Ai Rimbedir*; questo fu poi cambiato in *Ai Padathir* ecc. con la traduzione "Salute, Passolesto, Passolesto, ben trovato".

6 *Sulla testa l'elmo e corona*. Nella storia dell'attacco a Svettavento mio padre scrisse inizialmente che tutti e tre gli Spettri dell'Anello erano coronati, ma cambiò il testo per affermare che solo il capo ("il re pallido", come lo chiamerà Bingo) portava una corona (p. 237 e nota 10). Vedi la citazione alla nota 8.

7 La bozza a matita riporta: "Cavalcate verso la Torre Oscura del vostro padrone." Per i primi riferimenti alla Torre Oscura vedi pp. 168-169, nota 5.

8 È interessante tornare al primo abbozzo per la fuga verso il Guado (p. 162):

> Un giorno, infine, sostarono su un'altura e guardarono verso il guado. Un galoppo dietro di loro. Sette (3? 4?) Cavalieri Neri cavalcano in fretta lungo la strada. Hanno anelli e corone d'oro. Fuga al di là del guado. Bingo scaglia una pietra *e imita Tom Bombadil*. Tornate indietro e cavalcate via! I Cavalieri si fermano come istupiditi e, guardando gli hobbit sulla riva, i loro volti restano invisibili sotto i cappucci. Tornate indietro, dice Bingo, *ma lui non è Tom Bombadil*, e i cavalieri scendono nel guado.

A quel punto mio padre prevedeva che gli hobbit attraversassero il Guado assieme; e l'innalzamento del fiume non distrugge i Cavalieri: essi "si ritraggono appena in tempo per lo sgomento".

Le parole del testo attuale, mantenute in CdA, "Bingo (Frodo) non aveva il potere di Tom Bombadil", devono ora riferirsi alla sconfitta dell'Essere dei tumuli a opera di Bombadil; ma dietro di esse si cela sicuramente l'idea non utilizzata del suo potere di arrestare l'avanzata degli esseri malvagi alzando la mano in segno di autorità: vedi lo schema riportato a p. 143, "due Esseri dei Tumuli li inseguono [?galoppando] dietro di loro, ma ogni volta che Tom Bombadil si volta a guardarli essi si arrestano", e la parte precedente dello schema appena citato (p. 162), dove quando raggiungono la strada a ovest di Bree "Tom si volta e alza la mano. Si ritraggono".

9 Questa è la prima occorrenza del nome *Mordor* nel *Signore degli Anelli*, vedi p. 169, nota 5.

10 Nel testo scritto a matita visibile sotto l'inchiostro, Bingo coglieva i nomi di Gil-galad ed Elendil, assieme a quello di Lúthien.

***

In questo capitolo è chiaro che le ingiunzioni degli Spettri dell'Anello vengono comunicate senza parole al portatore dell'Anello stesso e che essi hanno un grande potere sulla sua volontà. Inoltre si è ormai fatta largo l'idea che la ferita del pugnale dello Spettro dell'Anello produca, o cominci a produrre, un effetto simile a quello provocato dall'indossare l'Anello medesimo: il mondo diventa oscuro e sbiadito per Bingo, e alla fine del capitolo egli può scorgere i Cavalieri chiaramente, sotto le vesti nere che per gli altri ammantano la loro invisibilità.

Nota sul percorso della Strada tra Svettavento e Valforra

Si tratta di un elemento della geografia a cui mio padre apportò varie modifiche nell'edizione riveduta del *Signore degli Anelli* (1966). Riporto i primi tre passaggi del capitolo "Fuga verso il Guado" per un confronto.

(1) Pagina 218-219
Testo originale:
(il testo originale non ha passaggi corrispondenti)
Prima edizione: "Quello è Riorombante, il Bruinen di Valforra," rispose Passolungo. "La Strada corre lungo di esso per molte leghe fino al Guado."
Seconda edizione: "Quello è Riorombante, il Bruinen di Valforra," rispose Passolungo. "La Strada corre lungo il ciglio delle colline per molte miglia dal Ponte al Guado del Bruinen."

(2) Pagina 220
Testo originale: Le colline ora si stringevano intorno a loro. La Strada tornava a curvarsi, verso il fiume, ma ora l'una e l'altro erano perduti alla vista.
Prima edizione: Le colline ora iniziavano a stringersi intorno a loro. La Strada tornava a curvare a sud verso il Fiume, ma ora sia l'una sia l'altro si celavano alla vista.

Seconda edizione: Le colline ora iniziavano a stringersi intorno a loro. Dietro, la Strada proseguiva verso il Fiume Bruinen, ma ora sia l'una sia l'altro si celavano alla vista.

(3) Pagina 227

Testo originale: Infine giunsero in cima a un'alta scarpata sopra la Strada. Questa prendeva a curvare piuttosto discosta dal Fiume, tenendosi vicinissima alle pendici delle colline, in qualche modo risalendo il fianco della valle angusta in fondo alla quale scorreva il fiume.

Prima edizione: Dopo qualche miglio giunsero in cima a un'alta scarpata sopra la Strada. A questo punto la Strada si era allontanata dal fiume giù nella sua stretta valle, e ora si teneva vicinissima alle pendici delle colline, serpeggiando ondulata verso nord tra i boschi e i fianchi coperti d'erica in direzione del Guado e i Monti.

Seconda edizione: Dopo qualche miglio giunsero in cima a un'alta scarpata sopra la Strada. A questo punto la Strada, lasciatosi dietro il Pollagrigia nella sua stretta valle, si teneva vicinissima alle pendici delle colline, serpeggiando ondulata verso est tra boschi (ecc.).

Prendendo la prima citazione (2), dalle mappe a piccola e grande scala realizzate da mio padre non c'è dubbio che la Strada, dopo essere passata a sud di Svettavento, facesse prima una grande oscillazione o un'ansa verso nord-est: vedi CdA, p. 217 – quando lasciarono Svettavento era intenzione di Passolungo "accorciare il viaggio tagliando un'altra grande svolta della Strada che a est, oltre Svettavento, cambiava direzione e descriveva un'ampia curva verso nord". Ciò si rifà al testo originale. La strada faceva poi una grande curva verso sud, ai piedi del Bosco dei Troll, come indicato nel testo originale e nella prima edizione nella citazione (2). Tutte le mappe di mio padre mostrano lo stesso percorso della Strada rispetto a queste due grandi curve. I due schizzi a p. 257 sono ridisegnati da mappe a grande scala molto approssimative da lui realizzate (la seconda in particolare è estremamente difficile da interpretare a causa della molteplicità di linee segnate mentre rifletteva su diverse configurazioni).

Nel 1943 realizzai una complessa mappa a matita e gessetti colorati per *Il Signore degli Anelli* e una mappa simile della Contea (vedi p. 135, voce V). A queste mappe si fa riferimento nelle *Lettere*, nn. 74 e 98 (pp. 138-181). Sulla mia mappa per SdA il tracciato della Strada da Svettavento al Guado è mostrato esattamente come nelle mappe di mio padre, con le grandi anse verso nord e verso sud. Sulla mappa che realizzai nel 1954 (pubblicata nei primi due volumi del *Signore degli Anelli*), invece, la Strada ha solo una debole curva verso nord tra Svettavento e il Ponte di Pollagrigia, per poi correre in linea retta fino al Guado. Ovviamente si trattò di una semplice disattenzione dovuta alla fretta da parte mia. Mio padre la notò sicuramente già allora, ma ritenne che su una scala così piccola l'errore non fosse molto grave: in ogni caso la mappa fu realizzata e si trattava di una questione urgente. Credo però che questo errore sia stato il motivo del cambiamento nella seconda edizione riportato nella citazione (3), da "serpeggiando ondulata verso nord" a "serpeggiando ondulata verso est": mio padre voleva rendere meno evidente la discrepanza con la mappa. Un esempio simile è già stato visto nella modifica apportata nella seconda edizione alla direzione del Traghetto di Borgodaino da Boscasilo, a p. 136. Nella lettera ad Austin Olney di Houghton Mifflin del 28 luglio 1965 (un estratto della quale è riportato in *Lettere*, pp. 568-569) egli afferma: "Alla fine ho deciso, laddove sia possibile e non danneggi la storia, di accogliere le mappe come 'corrette' e di adattare la narrazione".

Barbara Strachey (che a quanto pare ha fatto riferimento alla prima edizione) ha dedotto il percorso della Strada in modo molto accurato nel suo *I viaggi Frodo* (1981), mappa 13 "Da Colle Vento alla Terra dei Vagabondi".*

La citazione (1) della prima edizione è perfettamente illustrata negli schizzi a p. 257, che mostrano con precisione la Strada che costeggia il Riorombante "per molte leghe fino al Guado". Mio padre realizzò diverse mappe in scala ridotta che coprivano una parte più o meno grande delle lande del *Signore degli Anelli*, su tre delle quali compare questa regione; e su due di queste la Strada è rappresentata mentre si avvicina al Riorombante con angolo abbastanza acuto, ma non lo costeggia affatto. Nella terza (la più vecchia) la Strada

* Vedi Barbara Strachey, *I viaggi di Frodo. Le mappe de Il signore degli anelli*, Rusconi 1982 (d'ora in avanti *I viaggi di Frodo*). (*N.d.R.*)

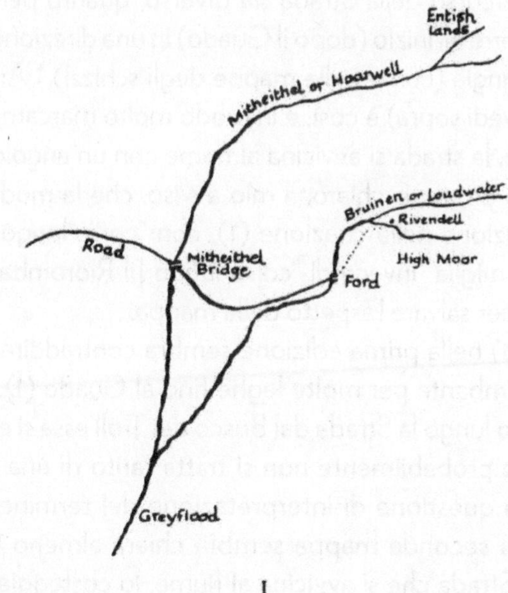
Entish Lands
Mitheithel or Hoarwell
Bruinen or Loudwater
Rivendell
Road
Mitheithel Bridge
High Moor
Ford
Greyflood

I

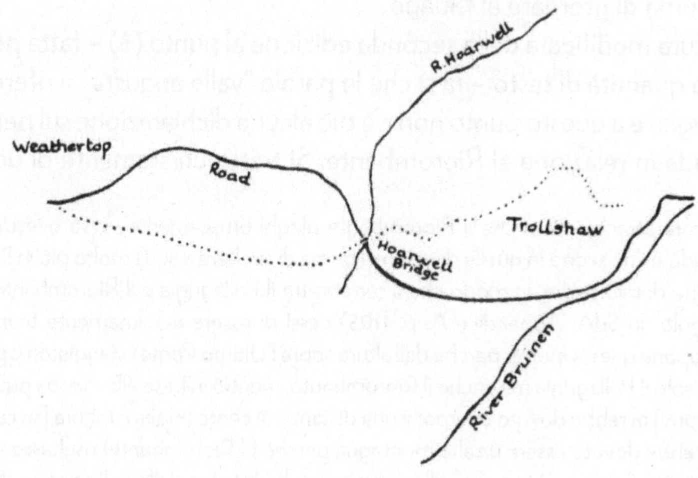
R. Hoarwell
Weathertop
Road
Trollshaw
Hoarwell Bridge
River Bruinen

II

corre vicino al fiume per un lungo tratto prima del Guado; e questo non tanto perché il percorso della Strada sia diverso, quanto perché in questa mappa il fiume scorre all'inizio (dopo il Guado) in una direzione più occidentale verso il Pollagrigia (come nelle mappe degli schizzi).* Anche sulla mia mappa del 1943 (vedi sopra) è così, e in modo molto marcato. Nella mappa pubblicata, invece, la strada si avvicina al fiume con un angolo ampio, e ciò costituiva un altro errore. È chiaro, a mio avviso, che la modifica del testo della seconda edizione nella citazione (1), con "corre lungo il ciglio delle colline per molte miglia" invece di "corre lungo [il Riorombante]", fu fatta ancora una volta per salvare l'aspetto della mappa.

La citazione (3) nella prima edizione sembra contraddire (1): la Strada costeggia il Riorombante per molte leghe fino al Guado (1), ma quando i viaggiatori scesero lungo la Strada dal Bosco dei Troll essa si era allontanata dal fiume (3). Ma probabilmente non si tratta tanto di una contraddizione quanto di una questione di interpretazione del termine "costeggia il Riorombante". La seconda mappa sembra chiara almeno fino a questo punto: mostra la Strada che si avvicina al fiume, lo costeggia per un tratto per poi curvare discostandosene un po' e infine "stringersi ai piedi delle colline" prima di ritornare al Guado.

La lettura modificata della seconda edizione al punto (3) – fatta per non alterare la quantità di testo – fa sì che le parole "valle angusta" si riferiscano al Pollagrigia, e a questo punto non c'è più alcuna dichiarazione sul percorso della Strada in relazione al Riorombante. Si trattò chiaramente di un altro

* Barbara Strachey fa sì che il Riorombante pieghi bruscamente verso ovest appena sotto il Guado e che scorra in quella direzione (prima di svoltare a sud) molto più in là rispetto alle mappe di mio padre, in modo che il terreno tra il Pollagrigia e il Riorombante (chiamato "l'Angolo" in SdA, Appendice A, p. 1105) cessi di essere assolutamente triangolare. L'autrice propone questa ipotesi perché dall'altura sopra l'Ultimo Ponte i viaggiatori potevano vedere non solo il Pollagrigia ma anche il Riorombante, mentre in base alla mappa pubblicata "tra i due [fiumi] avrebbe dovuto interporsi una distanza di cento miglia e l'altura [su cui si trovavano] avrebbe dovuto essere un'alta montagna perché [il Riorombante] risultasse visibile". Portando questo fiume così a ovest sulla sua mappa, la distanza dalla collina sopra l'Ultimo Ponte al punto più vicino del Riorombante si riduce a circa 27 miglia. Sulle mappe di mio padre la distanza più breve dal Ponte al Riorombante varia tra (circa) 45 (sulle prime), 60 e 62 miglia; sulla mappa pubblicata è di circa 75 miglia. Quindi l'obiezione che il Riorombante fosse troppo discosto per essere visto è fondata, ma non può essere risolta in questo modo.

adattamento alla mappa pubblicata (e non è una soluzione del tutto felice), così come la sostituzione di "verso nord" (vedi Abbozzo II) con "verso est".

Nota sul fiume Pollagrigia

È interessante l'assenza del fiume Pollagrigia (p. 246), che non era ancora emerso nella versione successiva di questa parte della storia (p. 433). Nel racconto originale del capitolo II dello *Hobbit*, quando Bilbo, Gandalf e i Nani si stavano avvicinando alle colline coronate da antichi castelli in una sera di pioggia battente, giunsero a un fiume:

... presto fece buio. Si levò il vento e i salici sulle sponde [*nessun fiume era stato menzionato*] si piegarono e sospirarono. Non so di che fiume si trattasse, fragoroso e scarlatto, gonfio delle piogge degli ultimi giorni, che veniva giù dalle colline e le montagne dinanzi a loro.

Presto fece quasi buio. Il vento squarciò le nuvole grigie...

Il fiume qui *costeggiava* la strada (descritta come "un sentiero fangosissimo"); alla fine lo attraversarono solo con un guado, oltre il quale c'era il grande pendio verso i Monti (inizio del capitolo III, "Un breve riposo"). Nella terza edizione (1966) il passo citato fu modificato:

... presto fece buio mentre scendevano in una profonda valle sul cui fondo scorreva un fiume. Si levò il vento e i salici sulle sponde sospirarono e si piegarono. Per fortuna la strada passava sopra un antico ponte di pietra, poiché il fiume, gonfiandosi a causa della pioggia, si precipitava con violenza giù dalle colline e dalle montagne a nord.

Era quasi notte quando arrivarono all'altra parte. Il vento squarciò le nuvole grigie...

Il fiume diventa adesso il Pollagrigia, sul quale la strada passava con l'Ultimo Ponte (e il fiume che guadarono prima di salire verso Valforra diventa distinto (il Riorombante), cambiando "guadarono il fiume" in "guadarono un fiume"). Tuttavia mio padre non fece nulla per cambiare quanto seguiva nella storia originale. La compagnia si fermò per la notte in quel punto perché era lì che si trovavano quando si fece buio, ed era accanto a un fiume. Da quel punto la luce del fuoco dei Troll divenne visibile. Con l'introduzione dell'Ultimo Ponte a questo punto della vecchia narrazione, mentre tutto il resto viene lasciato inalterato, la compagnia si ferma per la notte non appena l'ha attraversato – abbastanza vicino al fiume perché uno dei pony si stacchi e si getti in acqua, perdendo così la maggior parte del cibo – e il fuoco dei Troll è quindi visibile dal Ponte, o molto vicino ad esso. E alla fine del capitolo le pentole d'oro della tana dei Troll sono ancora sepolte "non lontano dal sentiero vicino al fiume" – una frase invariata rispetto alla storia originale, quando il fiume scorreva lungo il sentiero.

Karen Fonstad pone la questione in modo chiaro (*L'Atlante della Terra di Mezzo di Tolkien*, Bompiani, 2021, p. 111), notando l'incongruenza tra *Lo Hobbit* (nella versione attuale) e *Il Signore degli Anelli* per quanto riguarda la distanza tra il fiume e la radura dei Troll:

> Il fuoco dei troll era così vicino al fiume che poteva essere visto "a una certa distanza". I nani lo raggiunsero probabilmente in non più di un'ora, mentre Passolungo guidò gli hobbit a nord della strada [che svolta un miglio oltre il Ponte], dove si perdettero e impiegarono quasi sei giorni per arrivare alla radura dove trovarono i troll di pietra. Perduti o no, sembra impossibile che gli hobbit e il forestale (che avevano poco tempo a disposizione) ci abbiano messo quasi sei giorni per raggiungere un punto che i nani avevano trovato in un'ora.

In precedenza, a quanto pare nel 1960, in un'elaborata riscrittura del capitolo II dello *Hobbit* che non fu mai utilizzata,* mio padre aveva introdotto l'Ultimo Ponte nel medesimo passaggio della narrazione; ma in quel caso la traversata del fiume avveniva al mattino, e l'accampamento da cui

* Mio padre si preoccupò molto di armonizzare il viaggio di Bilbo con la geografia del *Signore degli Anelli*, soprattutto per quanto riguarda la distanza e il tempo impiegato: per quanto riguarda *Il Signore degli Anelli* Gandalf, Bilbo e i Nani impiegarono troppo tempo, visto che erano a cavallo (vedi la discussione di Karen Fonstad nell'*Atlante della Terra di Mezzo*, p. 111). Ma non portò mai questo lavoro a una soluzione definitiva.

si vide il fuoco dei Troll fu fatto alla fine della giornata e molte miglia più a est. L'attuale testo dello *Hobbit*, derivato dalle correzioni apportate nel 1965 e pubblicato per la prima volta nel 1966, introduce un elemento del *Signore degli Anelli*, ma non riesce ad armonizzare le due geografie. Questo errore, decisamente inconsueto, è senza dubbio da attribuire semplicemente alla fretta con cui mio padre lavorò sotto l'estrema pressione impostagli nel 1965.

Nota sul fiume di Valforra

Passolesto dice espressamente che il fiume che attraversa la Strada al Guado passa per Valforra stessa (p. 245). Nel passo corrispondente in CdA (p. 218) Passolungo nomina il fiume: "Quello è Riorombante, il Bruinen di Valforra". Più avanti, in "Molti incontri" (CdA, p. 257), si dice che la stanza di Bilbo "dava sul giardino ed era esposta a sud, faccia al burrone del Bruinen"; e all'inizio del "Consiglio di Elrond" (CdA, p. 259) Frodo "passeggiò sulle terrazze sopra il rumoroso Bruinen". Ciò è abbastanza inequivocabile; su questo punto le mappe, tuttavia, non sono perfettamente chiare.

Nella mappa della Selvalanda dello *Hobbit* (mappa conclusiva), il fiume senza nome raccoglie, poco più a nord del Guado, un torrente affluente, e la casa di Elrond è collocata tra di essi, vicino alla confluenza, e più prossima all'affluente – esattamente come nell'Abbozzo I a p. 257.* Su una delle sue copie dello *Hobbit*, mio padre scrisse a matita alcuni nomi successivi sulla mappa della Selvalanda, tra cui *Bruinen o Riorombante* sul fiume a nord della casa (sempre come nell'Abbozzo I a p. 257), e *Merrill* sull'affluente che scorre a sud di essa.** Quando nello *Hobbit* dunque (capitolo III) l'elfo diceva a Gandalf:

* In due delle mappe in scala ridotta di mio padre il torrente affluente non è segnato, e Valforra è un punto sul Bruinen o accanto a esso; la terza è troppo rovinata e sbiadita per esserne certi, ma probabilmente mostra l'affluente e Valforra tra i due corsi, come nella mappa dello *Hobbit*, e come sicuramente indica la mia mappa del 1943 (e quella pubblicata nel *Signore degli Anelli*).

** Questo nome, che non ho riscontrato da nessun'altra parte, purtroppo non è del tutto chiaro, anche se *Me-* e *-ll* sono certi, ed è difficile leggerlo in altro modo. Un altro nome aggiunto alla mappa della Selvalanda era il *Rhimdath* "Empitorivo", il fiume che dai Monti Brumosi sfocia nell'Anduin a nord della Rupetra (vedi l'*Indice* del vol. V, pp. 546-547).

Siete un po' fuori strada, sempre che vi stiate dirigendo all'unico sentiero che attraversa il ruscello e porta alla casa dall'altra parte. Vi mostreremo la via giusta, ma fareste meglio ad andare a piedi finché non avrete attraversato il ponte

sembrerebbe che sia il Merrill a dover essere solcato dal ponte. Barbara Strachey (*I viaggi di Frodo*, mappe 15-16) indica in modo molto poco ambiguo il burrone di Valforra come quello del torrente affluente, la casa di Elrond si trova a circa un miglio e mezzo dalla sua confluenza con il Riorombante; mentre Karen Fonstad (*L'Atlante della Terra di Mezzo*, pp. 94, 115 ss.) colloca anch'essa Valforra sul torrente più a sud – chiamandolo (p. 141) Bruinen.

Le linee dei fiumi e delle strade nell'Abbozzo I sono state prima disegnate a inchiostro e poi colorate con gesso blu e rosso. Quando mio padre fece questo, cambiò il corso del "torrente affluente" a sud della casa di Elrond, piegandolo verso nord e unendolo al Bruinen un po' più a est; così la dimora di Valforra si trova all'estremità occidentale di un terreno racchiuso tra due torrenti che scendono dai Monti, si separano e poi si uniscono di nuovo. Si potrebbe quindi supporre che entrambi si chiamassero "Bruinen" (escludendo il nome "Merrill" scritto sulla mappa delle Terre Selvagge nello *Hobbit*). Non credo tuttavia che si possano trarre conclusioni dettagliate da questo schizzo di mappa.

Nota sulle Lande Entiche

Il nome *Lande Entiche* nell'Abbozzo I richiede una parola di spiegazione. In origine la regione in cui sorgeva il Pollagrigia si chiamava *Vallea dei Riombrosi* (p. 457), ma quando tale nome fu spostato, per un breve intervallo fu piuttosto chiamata *Valgrigia* (p. 534, nota 3), e poi *Valli Entiche*, *Lande Entiche*. *Ent* quivi era adoperato nel senso antico inglese di *ent*, "gigante"; le *Lande Entiche* erano le "terre dei troll" (vedi i nomi successivi *Ettenvalli* e *Brughiere di Etten* di questa regione in CdA, che contengono l'antico inglese *eoten* "gigante"), e non sono in alcun modo associate agli *Ent* del *Signore degli Anelli*.

XII.
A VALFORRA

Alcune idee preliminari per questo capitolo (che in CdA è il libro II, capitolo 1, "Molti incontri") sono state fornite a p. 162. La bozza narrativa originale è conservata in un manoscritto molto approssimativo, prima a inchiostro, poi a matita, che va sbiadendo. Fu variamente corretta e integrata, ma la riporto qui come sembrerebbe sia stata scritta da mio padre, fermo restando che spesso non c'è una chiara distinzione tra le modifiche apportate subito e quelle aggiunte successivamente (e probabilmente non v'è comunque alcuna distinzione significativa nel tempo). Questa e le due bozze successive portano tutte il numero "IX" senza titolo.

Lui si ritrovò steso su un letto, e si sentiva anche assai meglio. "Dove mi trovo, e che ore sono?" disse a voce alta rivolto al soffitto. Le travi scure riccamente intagliate erano sfiorate dalla luce del sole. Distante udiva il rumore di una cascata.

"Nella casa di Elrond, e sono le dieci del mattino, il mattino del 24 ottobre, per essere esatti,"[1] disse una voce.

"Gandalf!" gridò Bingo, sollevandosi. Ed ecco il mago, su una sedia accanto alla finestra aperta.

"Sì," disse, "sono qui. E sei fortunato a esser qui anche tu, dopo tutte le assurdità che hai combinato da quando sei partito."

Bingo era troppo sereno e rilassato per mettersi a discutere, e comunque non avrebbe avuto la meglio in caso di discussione. Gli tornò alla memoria la disastrosa "scorciatoia" attraverso la Vecchia Foresta, la sua stessa idiozia alla locanda, e la quasi fatale follia d'infilare l'Anello a Svettavento.

Regnò il silenzio, rotto soltanto dai soffici sbuffi di fumo della pipa di Gandalf, che soffiava bianchi anelli fuori dalla finestra.

"Che cosa è successo al Guado?" domandò Bingo infine. "Sembrava tutto così vago; e lo sembra ancora."

"Per forza," rispose Gandalf. "Tu cominciavi a sbiadire. Ancora un poco e avrebbero fatto di te uno spettro – certamente se avessi infilato ancora l'Anello.[2] Come vanno adesso braccio e fianco?"

"Non lo so," disse Bingo. "Non lo sento proprio, il che è meglio del dolore, ma" – fece uno sforzo – "riesco di nuovo a muoverlo un po'. Sì, riprende vita. Non è freddo ora," aggiunse, toccando la mano destra con la sinistra.[3]

"Bene!" disse Gandalf. "Elrond l'ha lavata e medicata per ore ieri sera, dopo che siete stati condotti qui. Egli possiede grande potere e abilità, eppure ero assai preoccupato, perché l'astuzia e la malizia del Nemico sono assai grandi."

"Condotti qui?" disse Bingo. "Certo: l'ultima cosa che ricordo è la cascata d'acqua. Che cosa è successo? Dove sono gli altri? Dimmi, Gandalf!"

"Quanto a ciò che è successo – per ciò che ho potuto arguire da Glorfindel e Passolesto (entrambi dotati d'ingegno non comune, ciascuno a modo suo) – è andata così: gli inseguitori hanno puntato dritto su di te. Gli altri rischiavano d'essere travolti, ma Glorfindel li fece balzare via dalla strada. Niente poteva salvarti se il destriero elfico non vi fosse riuscito; perciò vi hanno seguiti cauti a piedi, tenendosi celati alla vista quanto possibile dietro cespugli e rocce. Quando furono al punto più vicino del Guado a cui osassero avvicinarsi, in fretta accesero un fuoco e corsero fuori contro i Cavalieri brandendo i tizzoni, proprio quando la piena si abbatté. Tra il fuoco e l'acqua gli inseguitori furono spacciati – se davvero possono esserlo con simili mezzi – tutti tranne due che disparvero nelle terre selvagge.

"A quel punto il resto della tua combriccola e l'elfo attraversarono il guado, con qualche difficoltà perché esso è troppo fondo per gli hobbit e persino per un cavallo. Ma Glorfindel traversò sul tuo cavallino e recuperò il suo destriero. Ti trovarono in terra in cima alla salita: pallido e freddo. Da principio temevano tu fossi morto. Ti portarono a Valforra: una faccenda lenta, e non so quando sarebbero arrivati se Elrond non avesse inviato alcuni Elfi a soccorrerti, proprio mentre l'acqua veniva scatenata."

"Elrond ha causato la piena?" chiese Bingo.

"No, sono stato io,"[4] disse Gandalf. "Non è una magia troppo difficile, su un corso che si getta giù dalle montagne. Il sole è stato piuttosto caldo quest'oggi. Ma sono rimasto sorpreso nel constatare quanto bene il fiume abbia risposto. Lo scroscio e l'impeto son stati tremendi."

"Davvero," disse Bingo. "Sei stato sempre tu a mandare Glorfindel?"

"Sì," disse Gandalf, "o meglio, ho chiesto a Elrond di imprestarmelo. È un elfo saggio e nobile. Bilbo gli è – era – molto affezionato. Ho mandato anche Rimbedir[5] (come lo chiamano qui), quel Passolesto. Da quanto m'ha detto Merry, deduco si sia rivelato utile."

"Direi proprio di sì," disse Bingo. "All'inizio ero molto sospettoso nei suoi confronti, ma senza di lui non saremmo mai giunti qui. Mi sono molto affezionato a lui. Vorrei davvero che continuasse a vagare con me finché io dovrò farlo. È una cosa strana, sai, ma continuo ad avere la sensazione di averlo già visto da qualche parte."

"Direi proprio di sì," disse Gandalf. "Spesso ho questa sensazione quando guardo uno hobbit... mi sembra che si assomiglino tutti, sai? Son davvero straordinariamente simili!"

"Sciocchezze," disse Bingo. "Passolesto è assai particolare. Tuttavia anch'io mi sento assai hobbit e vorrei non essere condannato a vagabondare ancora. Ormai è più di un mese che lo faccio, e son circa 28 giorni di troppo per il sottoscritto." Tacque di nuovo e prese a sonnecchiare. "Cosa mi hanno fatto quei terribili inseguitori nella valletta di Svettavento?" disse mezzo tra sé, sul filo di un sogno oscuro.

"Hanno tentato di trafiggerti con la spada del Negromante," disse Gandalf. "Ma per qualche grazia della fortuna, o per il tuo coraggio (mi è stato raccontato lo scontro) e per la confusione causata dal nome elfico che hai gridato, solo la tua spalla è stata sfiorata. Tuttavia era sommamente pericoloso, soprattutto con l'anello addosso. Difatti, mentre indossavi l'anello, tu stesso restavi nel mondo degli spettri e soggetto alle loro armi.[6] Loro potevano vedere te e tu loro."

"Ma come mai vedevamo i loro cavalli?"

"Perché sono cavalli veri; come i mantelli scuri sono mantelli veri che indossano per dare forma alla loro inesistenza."

"E allora perché – mentre altre bestie, cani, cavalli, cavallini – sono travolti dal terrore di costoro, quei cavalli sopportano di essere montati?"

"Perché quei cavalli sono nati e cresciuti sotto il potere del Sire malefico nel reame oscuro. Non tutti i suoi servi e le sue bestie sono spettri!"

"È tutto così minaccioso e confuso," disse Bingo assonnato.

"Orbene, al momento sei ben al sicuro," disse Gandalf, "e guarisci in fretta. Fossi in te, non mi preoccuperei di niente adesso."

"Molto bene," disse Bingo e piombò in un sonno profondo.[7]

Bingo si trovava adesso, come sapete, nell'Ultima Casa Accogliente a ovest dei Monti, ai confini delle terre selvagge, la dimora di Elrond: quella casa era, come aveva riferito Bilbo tanto tempo prima, "una casa perfetta, se vi piace mangiare o dormire o cantare o ascoltare storie, o anche solo star seduti a riflettere, o una piacevole mescolanza di tutte queste cose". Bastava star lì per curare la stanchezza, la paura e la tristezza. Nel tardo pomeriggio Bingo si risvegliò e si accorse che non sentiva più il bisogno di sonno ma che aveva voglia di cibo e di bevande e di canzoni e di racconti. Dunque si alzò e scoprì che il braccio era tornato quasi come prima. Appena si fu vestito andò in cerca dei suoi amici. Questi stavano seduti sotto il portico del lato della casa prospiciente ovest. Le ombre erano calate sulla valle ma una luce bagnava ancora i fianchi orientali delle colline lontane, più in alto, e l'aria era tiepida. Di rado faceva freddo nell'amena valle di Valforra. Il rumore delle cascate scrosciava forte nella quiete. Si coglieva un aroma di alberi e di fiori [?in armonia].

"Ehilà!" disse Merry. "Ecco il nostro nobile zio! Tre urrà per Bingo Signore dell'Anello!"

"Ssst!" disse Gandalf. "Le cose malvagie non entrano in questa valle; ma non per questo è il caso di nominarle. Il Signore dell'Anello non è Bingo ma il padrone della Torre Oscura di Mordor,[8] il cui potere va di nuovo diffondendosi. Noi siamo in una fortezza di pace. Fuori abbuia."

"Gandalf ha raccontato molte altre amenità del genere," disse Odo, "al solo fine di tenerci sotto controllo. Senonché, come si fa a essere mesti o avviliti nella casa di Elrond. Avrei voglia di cantare, se sapessi come: solo che non m'è mai riuscito di cavare parole o motivetti."

"Non t'è mai riuscito, sì," disse Bingo, "tuttavia oso dire che col tempo c'è rimedio, se solo restassi qui abbastanza a lungo. Anch'io mi sento così. Sebbene al presente sia più affamato che altro."

All'appetito si rimediò subito, giacché poco dopo furono convocati per la cena. Il salone era pieno di gente: Elfi per lo più, a parte qualche invitato e viaggiatore d'altro genere. Elrond sedeva sulla sedia alta, e al suo fianco aveva Gandalf. Bingo non vide né Passolesto né Glorfindel: probabilmente erano in una delle altre sale tra i loro amici; con sua gran sorpresa però si trovò seduto accanto a un nano dall'aria importante e riccamente vestito. Aveva una barba bianca quasi quanto la candida stoffa dei vestiti. Indossava una cintura d'argento e una catena di argento e diamanti.

"Benvenuto e ben incontrato!" disse il Nano, alzandosi e inchinandosi. "Glóin, al vostro servizio," e giù un altro inchino.

"Bingo Bolger-Baggins, al servizio vostro e della vostra famiglia," rispose Bingo. "Sbaglio o voi siete *quel* Glóin, uno dei dodici compagni del grande Thorin?"

"Non sbagliate," disse lui. "Invece io non farò domande, perché mi han detto già che siete l'amico e il figlio adottato del nostro caro amico Bilbo Baggins. Mi domando proprio cosa spinga mai *quattro* hobbit a fare un viaggio così lungo. Non è successo niente di simile da quando Bilbo ha lasciato Hobbiton. Ma forse non dovrei chiedere, visto che Elrond e Gandalf non sembrano disposti a parlarne?"

"Direi che non è il caso di affrontare la questione, non ancora almeno," rispose educatamente Bingo – al momento desiderava scordarsi dei suoi affanni. "Sebbene anch'io sia parimenti curioso su che cosa spinga un nano così importante così lontano dalla Montagna."

Glóin lo guardò e rise – a dire il vero gli fece proprio l'occhiolino. "Non sono incline a guastare le cose anzitempo," disse, "perciò non ve lo dirò – ancora. Ci son parecchie altre cose da raccontare, però."

Durante il resto del pasto chiacchierarono tra loro, Bingo gli narrò le nuove della Contea ma più che parlare ascoltava, giacché Glóin aveva molto da raccontare del Regno nanico sotto la Montagna e di Vallea. Laggiù Dáin era ancora sovrano dei Nani,[9] e adesso era vecchio (200 anni grossomodo), venerabile e favolosamente ricco. Dei dieci compagni sopravvissuti alla battaglia sette erano ancora con lui: Dwalin, Dori, Nori, Bifur, Bofur e Bombur.[10] Bombur era ormai così grasso che non riusciva a spostarsi da solo dal divano alla sedia della tavola e ci volevano quattro giovani nani per sollevarlo. A Vallea il nipote di Bard, Brand figlio di Bain, era il sire.

Mio padre si fermò qui e scribacchiò qualche nota prima di ricominciare da capo il capitolo. Le note alla fine della prima stesura comprendono quanto segue:

Che ne è di Balin ecc. Sono andati a colonizzare (l'Anello era necessario per fondare la colonia?) Bilbo deve essere visto. Chi è Passolesto?

Il secondo testo è un manoscritto chiaro, che però non si spinge oltre il racconto di Gandalf sulla piena del Bruinen, quando mio padre si fermò di nuovo e ricominciò. Si tratta di un testo intermedio, molto più vicino al terzo che al primo, e non è necessario esaminarlo più da vicino.

Il terzo testo, l'ultimo di questa fase del lavoro, ma ancora una volta abbandonato prima della sua conclusione (di fatto spintosi poco oltre la prima stesura), è molto vicino a "Molti incontri" in CdA, ma ci sono molte piccole differenze (a parte, naturalmente, quelle che sono costanti in questa fase, come Passolesto/Passolungo-Aragorn e l'assenza di Sam). L'incipit è ora quasi identico a quello di CdA, ma la data è il 26 ottobre e Gandalf aggiunge, dopo "Cominciavi a sbiadire", "Passolesto se ne accorse, con suo grande allarme, sebbene naturalmente non disse nulla". Ma dopo il "Non è stata impresa da poco..." (CdA, p. 238), la vecchia narrazione prosegue:

"... Tuttavia sono felice di avervi tutti qui al sicuro. In effetti la colpa è mia. Ero consapevole dei rischi, ma se ne avessi saputo di più prima di lasciare la Contea, avrei arrangiato la faccenda diversamente. Le cose però si stanno muovendo velocemente," aggiunse a bassa voce, come tra sé, "persino più di quanto temessi. Dovevo giungere qui in fretta. Se solo avessi saputo che i Cavalieri erano già partiti!"

"Non lo sapevi?" chiese Bingo.

"No, non lo sapevo... non prima di essere giunti a Bree. È stato Passolesto a dirmelo.[11] E se non avessi conosciuto Passolesto e non mi fossi fidato di lui, avrei dovuto aspettarti laggiù. E alla fine è stato lui a salvarvi e condurvi al sicuro."

"Non saremmo mai giunti qui senza di lui," disse Bingo. "All'inizio ero molto sospettoso nei suoi confronti, ma mi sono affezionato a lui. Sebbene sia piuttosto strano. Vorrei che continuasse a vagare con me, finché io dovrò farlo. È una cosa strana, sai, ma continuo ad avere la sensazione di averlo già visto da qualche parte, che dovrei essere in grado di dargli un nome, un nome diverso da Passolesto."

"Vorrei ben dire," rise Gandalf. "Ho spesso questa sensazione quando guardo uno hobbit: mi sembra che si assomiglino tutti, se capisci cosa intendo. Sono straordinariamente simili!"

"Sciocchezze!" disse Bingo, raddrizzandosi per protestare. "Passolesto è davvero particolare. E ha le scarpe! Come che sia, al momento mi sento uno hobbit piuttosto comune. Mi son goduto un mese e più di esilio e avventure, il che è quattro settimane più di quanto mi basti."[12]

Il testo adesso diventa molto simile a quello di CdA, pp. 239-240, tuttavia con diverse differenze. Come in CdA, Bingo non riesce a capire come possa aver sbagliato a calcolare la data, ma in questa versione Gandalf gli ha detto che è il 26 ottobre (e non il 24 come in CdA), ed egli calcola che devono aver raggiunto il Guado il 23 (il 20 in CdA). Su questa questione vedi la *Nota sulla cronologia* a p. 278. A differenza della prima stesura, dove Gandalf dice che Bingo è stato portato a Valforra "ieri sera", egli è stato a lungo privo di sensi e il pericolo mortale della sua ferita viene rimarcato. Gandalf chiama l'arma usata contro di lui "una lama mortale, il coltello del Negromante che è rimasto nella ferita", non "un pugnale Morgul", e spiega a Bingo che "saresti diventato uno Spettro dell'Anello (l'unico hobbit Spettro dell'Anello) e sotto il dominio dell'Oscuro Signore. Inoltre essi sarebbero entrati in possesso dell'Anello. E l'Oscuro Signore avrebbe trovato il modo di tormentarti per aver cercato di tenerlo lontano da lui, e colpire tutti i tuoi amici e parenti attraverso di te, se avesse potuto". Dice che i Cavalieri indossano "vesti nere per dare foggia alla loro inesistenza nel nostro mondo"; e include tra i servitori dell'Oscuro Signore "orchi e goblin" così come "re, guerrieri e maghi".

La risposta di Gandalf alla domanda di Bingo, "Valforra è un posto sicuro?" è simile a quella in CdA (pp. 241-242) ma con alcuni elementi degni di nota:

"Sì, così spero. Raramente Egli ha traviato alcuno degli Elfi in passato; e tutti gli Elfi adesso sono suoi nemici. Gli Elfi di Valforra difatti sono discendenti dei suoi principali avversari: gli Gnomi, gli Elfi saggi, che giunsero dall'Estremo Occidente e che Elbereth Gilthoniel protegge ancora.[13] Non temono gli Spettri dell'Anello, giacché dimorano al contempo in entrambi i mondi, e ogni mondo esercita solo metà del suo potere su di essi, mentre loro godono di doppio potere su entrambi. Eppure, luoghi come Valforra (o la Contea, a suo modo) diventeranno presto isole assediate, se le cose procedono come adesso. L'Oscuro Signore si sta muovendo di nuovo. Terribile è il potere del Negromante. Però," disse, alzandosi all'improvviso con il mento proteso, mentre la barba s'irrigidiva come fil di ferro irsuto, "non dobbiamo perderci d'animo, i Saggi dicono che alla fine egli è condannato. Terremo alto il nostro coraggio. Tu stai guarendo rapidamente e non devi preoccuparti di niente per il momento."

Manca il passaggio in cui Gandalf osservava attentamente Frodo per poi parlare tra sé; ma il suo racconto degli eventi al Guado è in tutto e per tutto uguale a quello di CdA, con alcune caratteristiche ancora conservate dalla prima stesura: la più importante è che Gandalf dice ancora che due dei Cavalieri sono fuggiti nelle terre selvagge. Il passaggio difficoltoso del Guado profondo viene ancora descritto, come nella prima stesura, e Gandalf dice ancora "fui sorpreso di scoprire quanto bene il fiume rispondesse a un po' di semplice magia". Ma il potere di Elrond sul fiume e le onde di Gandalf, come cavalli bianchi con bianchi cavalieri, fa adesso la sua comparsa. La conclusione del dialogo di Bingo con Gandalf comprende tuttavia delle differenze:

"Credevo di annegare – e tutti i miei amici e nemici assieme con me. È meraviglioso che Elrond e Glorfindel e persone così importanti si prendano tanto disturbo per me, per non parlare di Passolesto."

"Be', al riguardo ci sono parecchie ragioni. Io sono una di quelle buone. Potresti scoprirne altre.[14] Anzitutto essi sono – erano – molto affezionati a Bilbo Baggins."

"Cosa vuoi dire con 'sono affezionati a Bilbo'?" disse Bingo assonnato.

"Ho detto così? Mi sarà sfuggito per sbaglio," rispose Gandalf. "Credevo d'aver detto 'erano'."

"Vorrei che il vecchio Bilbo fosse qui e sentisse tutto questo," mormorò Bingo. "L'avrei fatto ridere eccome. La mucca saltò sulla luna. Ciao Guglielmo!" disse. "Povero vecchio troll!" e sprofondò in un sonno profondo.

La sezione successiva della narrazione segue abbastanza fedelmente la prima stesura (p. 265), ma la scoperta da parte di Bingo degli abiti verdi preparati per lui fa il suo ingresso nella storia, con un'ulteriore aggiunta che è sopravvissuta solo in parte in CdA:

Indossò il suo panciotto migliore coi bottoni d'oro (che aveva nel bagaglio come unico tesoro rimastogli). Adesso pareva stargli piuttosto largo, però. Guardandosi al piccolo specchio fu sorpreso nel vedere il riflesso di un Bingo molto più magro di quanto ricordasse: somigliava incredibilmente al giovane nipote di Bilbo che girovagava con lo zio per la Contea; ma un po' pallido in viso. "E così mi sento", disse, con uno schiaffetto al petto e stringendo la cintura del panciotto. Poi andò in cerca dei suoi amici.

Non c'è nulla che corrisponda all'ingresso di Sam nella stanza di Frodo.

Il banchetto nella sala di Elrond si sposta molto in là nel testo finale. Le descrizioni di Elrond, Gandalf e Glorfindel fanno adesso la loro comparsa (furono scritte su un foglietto inserito, che però sembra appartenere allo stesso periodo) e quasi con le stesse parole di CdA (p. 245) – tuttavia si parla anche del sorriso di Elrond, "come il sole d'estate", e della sua risata. Non v'è alcun accenno ad Arwen. Bingo "non poteva vedere Passolesto, né i suoi nipoti. Erano stati condotti ad altri tavoli".

La conversazione con Glóin procede come nella prima stesura, con alcuni ritocchi e frasi che la portano al testo finale (CdA, p. 246). Glóin è ora descritto come "un nano di solenne dignità e riccamente vestito", ma fa ancora l'occhiolino (a differenza di CdA).

Al punto in cui termina la prima stesura (p. 268) mio padre aggiunse solo un altro paio di righe prima di arrestarsi di nuovo:

A Vallea regnava il nipote di Bard l'Arciere, Brand figlio di Bain figlio di Bard, e questi era divenuto un sire possente il cui reame comprendeva Esgaroth e molte terre a sud delle grandi cascate.[15]

Sul retro del foglio la conversazione continua con scrittura e inchiostro diversi: Glóin racconta la storia di Balin (il suo ritorno a Moria) – ma è Frodo, non Bingo, a parlare con lui, e questo lato della pagina appartiene a una fase successiva della stesura del libro (vedi pp. 459, 487).

Un passaggio su un foglio staccato, che fa parte della conversazione di Gandalf con Bingo, sembra appartenere al periodo della terza stesura di questo capitolo. Non c'è alcuna indicazione per il suo inserimento nel testo, e non c'è alcuna eco di esso in CdA.

Le cose procedono in modo strano. Non fosse stato per quella "scorciatoia" non avresti incontrato il vecchio Bombadil, né ottenuto l'unica sorta di spada che i Cavalieri temono.[16] Perché non ho pensato prima a Bombadil! Se solo egli non fosse così lontano, tornerei subito a consultarlo. Finora non abbiamo mai avuto molto a che spartire, noi due. Credo che in qualche modo egli non mi approvi del tutto. Appartiene a una generazione molto più vecchia e i miei modi non sono i suoi. Se ne sta per conto suo e non crede nei viaggi. Ma credo che alla fine avremo tutti bisogno del suo aiuto e forse egli dovrà interessarsi a cose che non riguardano il suo paese.

Tra le prime idee di mio padre per questa parte della storia (p. 163) compare: "Gandalf si stupisce a sapere di Tom." – Un altro breve passaggio sullo stesso foglio è stato cancellato al momento della stesura:

"Per non parlare del coraggio – e anche delle spade e di un nome strano e antico. Più tardi dovrai parlarmi di quella tua curiosa spada e come conoscessi il nome di Elbereth."

"Pensavo che tu sapessi tutto."

"No," disse Gandalf. "Tu

Alcuni appunti scarabocchiati a Sidmouth, nel Devon, alla fine dell'estate del 1938 (vedi Carpenter, *La biografia*, p. 283) su una pagina di appunti frettolosi rappresentano evidentemente i pensieri di mio padre per le fasi successive della storia in quel periodo:

Consultazione. Sopra i M[onti] B[rumosi]. Lungo il Grande Fiume fino a Mordor. Torre Oscura. Oltre (?) la quale si erge il Colle di Fuoco.

Storia di Gilgalad raccontata da Elrond? Chi è Passolesto? Glorfindel racconta le sue origini a Gondolin.

"Ricerca della Montagna Fiammea" (preceduta da "Consultazione degli hobbit con Elrond e Gandalf") era stata menzionata nello schema riportato a p. 163, ma qui c'è il primo accenno al viaggio che doveva essere intrapreso da Valforra e la prima menzione del Grande Fiume nel contesto del *Signore degli Anelli*.

Mio padre aveva già posto la domanda "Chi è Passolesto?" e se la sarebbe posta ancora. Un accenno a una soluzione, infine rifiutata, si è già incontrato nelle parole di Bingo a Gandalf in questo capitolo: "È una cosa strana, sai, ma continuo ad avere la sensazione di averlo già visto da qualche parte, che dovrei essere in grado di dargli un nome, un nome diverso da Passolesto"; e anche prima, nella locanda a Bree (p. 198): "Aveva uno sguardo cupo, eppure c'era qualcosa in lui [...] qualcosa che pareva amichevole e persino familiare."

Assai degno di nota è anche "Glorfindel racconta delle sue origini a Gondolin". Anni più tardi, molto tempo dopo la pubblicazione del *Signore degli Anelli*, mio padre rifletté a lungo sulla questione di Glorfindel e all'epoca scrisse: "[L'uso di *Glorfindel*] nel *Signore degli Anelli* è uno dei casi d'impiego un po' casuale dei nomi che si trovano nelle leggende più antiche, ora indicate come *Il Silmarillion*, che è sfuggito alla riconsiderazione nella forma finale pubblicata del *Signore degli Anelli*." Egli giunse alla conclusione che Glorfindel di Gondolin, caduto in combattimento con un Balrog dopo il sacco della città (II.238-40, IV.170), e Glorfindel di Valforra fossero la stessa persona: egli fu liberato da Mandos e tornò nella Terra di Mezzo nella Seconda Era.

Un'unica pagina separata, sprovvista di alcunché che la colleghi ad altri scritti, è forse la "storia di Gilgalad raccontata da Elrond" citata in queste note, e la riporto qui. A parte la prima, le modifiche annotate sono state apportate di seguito, a matita sul manoscritto a inchiostro.

"Dunque, nei giorni bui, Sauron lo Stregone [*in precedenza scritto* Negromante, *poi* Negromante *di nuovo sopra* Stregone] era stato assai potente nelle Grandi Terre, e quasi tutti gli esseri viventi lo servivano per paura. Ed egli perseguitava con odio particolare gli Elfi che vivevano di qua del Mare Divisorio, poiché essi non lo servivano, sebbene ne avessero timore. E v'erano alcuni Uomini che erano amici degli Elfi, seppure non fossero numerosi nei giorni più bui."

"E come fu," disse Bingo, "che venne sconfitto [> il suo potere venne meno]?"

"Fu così che avvenne," disse Elrond. "Molto tempo addietro le terre e le isole nel nord-ovest delle Grandi Terre del Vecchio Mondo erano chiamate il Beleriand. Quivi gli Elfi d'Occidente avevano dimorato a lungo, fino alle [> durante le] guerre contro la Potenza delle tenebre, nelle quali la Potenza fu sconfitta sebbene la terra stessa ne uscì distrutta. Solo Sauron, tra i suoi sommi servitori, riuscì a scampare. Ma persino dopo che la maggior parte degli Elfi partì di nuovo per l'Occidente [> anche se la maggior parte degli Elfi tornò di nuovo nell'Occidente], v'erano molti Elfi e amici degli Elfi che abitavano [> che ancora abitavano] in quella regione. E là giunsero molti dei Grandi Uomini di un tempo, dall'Isola del Lontano Occidente, che gli Elfi appellano Númenor (sebbene alcuni Avallon) [> dalla terra di Occidenza (che essi appellano Númenor)]; poiché Sauron aveva distrutto la loro isola [> terra], ed essi erano esuli e lo odiavano. C'era un re nel Beleriand di razza Númenóreana, di nome Elendil, ovvero Amico degli Elfi. Ed egli strinse alleanza col re degli Elfi di quelle terre, il cui nome è

Gilgalad (Luce stellare), un discendente di Fëanor il rinomato. Rammento bene il loro concilio, poiché mi ricordò i grandi giorni dell'antica guerra: v'erano adunati tanti splendidi principi e capitani, seppure non così tanti o splendidi come un tempo."

"Voi ricordate?" disse Bingo, rimirando stupito Elrond. "Ma pensavo che questo fosse il racconto di un'epoca lontanissima."

"Così è," disse Elrond ridendo. "Ma la mia memoria risale per un lungo corso [> a molto tempo fa]. Mio padre era Eärendel, che nacque a Gondolin prima della sua caduta; e mia madre era Elwing, figlia di Lúthien figlia di re Thingol del Doriath, e io ho visto molte ere nell'Occidente del mondo. Ero presente al concilio di cui parlo, giacché ero menestrello e consigliere di Gilgalad. Gli eserciti degli Elfi e degli Uomini si unirono ancora una volta e marciarono verso est, traversarono i Monti Brumosi e passarono nelle regioni interne, lontane dal ricordo del Mare. Spossati eravamo e la malattia ci opprimeva, causata dagli incantesimi di Sauron, poiché eravamo giunti finalmente a Mordor, la Terra Nera, ove Sauron aveva ricostruito la sua fortezza. È su un lembo di quella terra tetra che adesso sorge la Foresta di Boscuro[17], che trae la sua oscurità e il suo terrore dall'antica malvagità [*aggiunto:* del suolo]. Sauron non riuscì a respingerci, perché a quei tempi il potere degli Elfi era ancora assai grande, seppure in declino; e noi assediammo la sua roccaforte per 7 [> 10] anni. Alla fine, Sauron in persona uscì e duellò con Gilgalad, Elendil venne in suo soccorso ed entrambi furono feriti a morte; ma Sauron stesso fu abbattuto e la sua forma fisica distrutta. I suoi servitori vennero respinti e l'esercito del Beleriand spezzò la sua roccaforte e la rase al suolo. Gilgalad ed Elendil perirono. Ma lo spirito malefico di Sauron fuggì e a lungo rimase celato in luoghi desolati. Tuttavia, trascorsa un'era, riprese forma e da tempo egli flagella il mondo del Nord [*aggiunto:* sebbene il suo potere sia minore che in passato].

Se si confronta questo brano estremamente interessante con la fine della seconda versione della *Caduta di Númenor* (CdN II) in V.39-40 si vedrà che, pur con l'ingresso di un importante elemento nuovo, i due testi sono strettamente correlati e presentano frasi molto simili: citando la forma in CdN II,

"E si narra che nel Beleriand sorse un re, che era di razza Númenóreana, e fu chiamato Elendil, ossia Amico degli Elfi"; le schiere dell'Alleanza "passarono i monti e giunsero nelle terre interne, lontano dal Mare"; "giunsero perfino a Mordor, la Terra Nera, in cui Sauron [...] aveva ricostruito le sue fortezze"; "Thû fu abbattuto, e la sua forma corporea distrutta, e i suoi servitori furono dispersi, e l'esercito del Beleriand distrusse la sua dimora"; "ma lo spirito di Thû fuggì lontano, e si celò in luoghi desolati." Inoltre, in entrambi i testi Gil-galad discende da Fëanor. L'elemento nuovo è la comparsa di Elrond come menestrello e consigliere di Gil-galad (in CdN II, §2, Elrond era il primo re di Númenor, e un mortale; una concezione a questo punto ovviamente abbandonata, con la comparsa di Elros suo fratello, V.415, §28). Non v'è alcun suggerimento che sia in corso una sorta di "Consiglio": sembra piuttosto che Elrond stesse raccontando la storia a Bingo, come Passolesto aveva detto a Svettavento (p. 230): "la ascolterete, credo, a Valforra, quando vi giungeremo. Elrond stesso dovrebbe raccontarla, giacché la conosce bene." Ma un elemento è sopravvissuto in CdA (II), capitolo 2, "Il Consiglio di Elrond": lo stupore di Bingo per l'antica età di Elrond, e la risposta di Elrond che nomina il suo lignaggio e ricorda gli eserciti dell'Ultima Alleanza.[18]

1 Su questa data che lascia perplessi vedi la *Nota sulla cronologia*, p. 278.

2 *l'Anello*: modificato da *quell'anello*.

3 *toccando la mano destra con la sinistra*: sulla ferita che originariamente era sulla spalla destra di Bingo, vedi p. 244.

4 *"No, sono stato io"*: sostituito da *"Sì"*. Vedi l'abbozzo originale della storia (p. 163): Gandalf aveva fatto precipitare l'acqua col permesso di Elrond.

5 *Rimbedir* come nome elfico di Passolesto compare nella bozza a matita dell'ultimo capitolo, p. 253, nota 5 (*Padathir* nel testo sovrascritto a inchiostro). Ciò dimostra che il presente testo fu scritto prima che mio padre riscrivesse l'ultimo capitolo, o almeno prima che lo completasse. In seguito sostituì *Rimbedir* con *Padathir* nel presente passaggio. Con "Ho mandato anche Rimbedir" Gandalf deve intendere che aveva mandato Passolesto da loro al *Cavallino Inalberato*.

6 Questo passaggio fu modificato nel testo successivo nella forma in CdA (p. 234), ossia "tu stesso eri per metà nel mondo spettrale e avrebbero potuto catturarti", con l'eliminazione delle parole "e soggetto alle loro armi".

7 Da questo punto in poi il manoscritto fu proseguito frettolosamente a matita.

8 *la Torre Oscura di Mordor*: vedi nota 17.

9 Sulla forma plurale di *Nani* vedi V.343.

10 Glóin è assente (così anche nel terzo testo, dove il suo nome è stato inserito successivamente). I compagni di Thorin non nominati sono (come in CdA) Balin, Ori e Óin.

11 *È stato Passolesto a dirmelo*: Gandalf lasciò una lettera per Bingo a Bree prima di partire lunedì 26 settembre, in cui diceva: "*In viaggio ho appreso alcune notizie*" (da Hobbiton): "L'inseguimento si avvicina: sono almeno 7, forse di più" (p. 198). Quando mio padre scrisse queste parole non poteva avere in mente l'incontro di Passolesto con Gandalf sulla strada la domenica mattina (pp. 193, 199), perché il primo Cavaliere Nero non giunse a Bree fino a lunedì sera (pp. 95, 202). Fu senza dubbio quando decise che Gandalf venne a sapere dei Cavalieri Neri da Passolesto stesso che aggiunse i passaggi a p. 197, dove Passolesto dice: "Ho visto i Cavalieri per la prima volta sabato scorso, a ovest di Bree, prima di imbattermi in Gandalf", e a p. 199, dove dice che la loro conversazione riguardò anche i Cavalieri Neri.

12 *Un mese e più* (come nella prima stesura) ha sostituito *più di 30 giorni* al momento della stesura. Vedi la *Nota sulla cronologia* a p. 278.

13 *Gli Elfi di Valforra difatti sono discendenti dei suoi principali avversari: gli Gnomi, gli Elfi saggi*: vedi p. 92.

14 Mio padre aggiunse a matita a piè di pagina, ma è impossibile dire quando: "L'Anello è un altro, e sta diventando sempre più importante."

15 Vedi *Lo Hobbit*, capitolo X, "Un'accoglienza calorosa":

> All'estremità meridionale [del Lago Lungo] le loro acque riunite [del Fiume Fluente e del Fiume Selva] scrosciavano giù da alte cascate e scorrevano rapide verso terre sconosciute. Nella quiete della sera si poteva udire il rumore delle cascate come un lontano ruggito.

16 Una nota isolata dice: "Che ne è della spada degli Esseri dei Tumuli? Perché i Cavalieri Neri la temevano? – perché apparteneva agli Uomini dell'Ovest." Vedi *Le due torri*, III.1 (p. 445).

17 È interessante l'affermazione di Elrond qui, secondo la quale Boscuro si trovasse a sua volta a Mordor, "la Terra Nera", e che la foresta "trae la sua oscurità [...] dall'antica malvagità" del tempo in cui Sauron aveva la sua fortezza in quella regione. Sia qui sia nel passo molto simile della seconda versione della *Caduta di Númenor* (V.39) si dice che Sauron avesse "ricostruito" la sua fortezza a Mordor, e io ritengo che sia a Mordor che egli si sia stabilito dopo la caduta di Morgoth e la distruzione di Angband. Quella fortezza fu distrutta dalle schiere dell'Ultima Alleanza; e nella prima versione della *Caduta di Númenor* (V.26) quando Thû fu sconfitto e la sua dimora distrutta egli "fuggì in una foresta tetra e si nascose". Nello *Hobbit* la "torre oscura" del Negromante si trovava nel sud di Boscuro. Alla fine dello *Hobbit* si dice che i maghi bianchi "avevano finalmente scacciato il Negromante dalla sua oscura dimora nel sud di Boscuro", ma non si dice che essa fu distrutta. Se "è su un lembo di quella terra tetra [di Mordor] che adesso sorge la Foresta di Boscuro", si

potrebbe sostenere che (a questo punto dello sviluppo della storia) Sauron fosse tornato lì, alla "Torre Oscura di Mordor" – nel sud di Boscuro. (Non ci sono prove certe che la geografia della Terra di Mezzo fosse estesa a sud e a est rispetto alla mappa delle Terre Selvagge dello *Hobbit,* al di là della concezione della Montagna Fiammea, la cui collocazione effettiva sembra essere del tutto vaga; e non si può certo supporre che mio padre concepisse ancora la terra di Mordor, difesa dalle montagne, lontana a sud-est.)

Tuttavia non lo ritengo affatto probabile. Non molto tempo dopo il punto che abbiamo raggiunto, mio padre scrisse nel capitolo "Storia antica" (p. 321) che il Negromante "Da Boscuro [cioè dopo la sua espulsione da parte dei maghi bianchi] era fuggito *soltanto per rioccupare la sua antica roccaforte nel Sud*, a quei tempi vicino al centro del mondo, nella Terra di Mordor; e correva voce che la Torre Nera fosse stata rinnalzata". La "sua antica roccaforte" era ovviamente la fortezza distrutta nella Guerra dell'Ultima Alleanza.

18 Per i precedenti riferimenti alla storia di Gil-galad ed Elendil nei testi finora citati, vedi pp. 216, 230, 246.

Nota sulla Cronologia

Nella prima stesura di questo capitolo Gandalf dichiara a Bingo, al suo risveglio nella casa di Elrond, che è la mattina del 24 ottobre; ma questo sembra essere in contrasto con tutte le indicazioni di data che sono state fornite. (Il 24 ottobre è la data riportata in CdA, p. 237, ma vi si è approdati in modo diverso.)

A Svettavento corre un giorno di differenza tra la cronologia originale e quella di CdA: vi giunsero il 5 ottobre nella vecchia versione, mentre il 6 ottobre in CdA (vedi p. 202). Gli hobbit tornarono di nuovo sulla Strada dalle terre a sud, e la attraversarono, il sesto giorno da Svettavento (p. 246), ossia l'11 ottobre, mentre in CdA impiegarono un giorno in più (contrapporre "Alla fine del quarto giorno il terreno riprese di nuovo a salire" nella vecchia versione, p. 245, con CdA, p. 218, "Alla fine del quinto giorno"): a questo punto corre quindi uno scarto di due giorni tra i due resoconti, e in CdA essi tornarono sulla Strada e attraversarono l'Ultimo Ponte il 13 ottobre. Sui colli a nord della Strada, invece, nella vecchia versione impiegarono un giorno in più (vedi p. 247) per poi discendere dalle colline, incontrando Glorfindel, la sera del 17 (il 18 in CdA). Non ci sono altre differenze cronologiche in questo capitolo, e quindi nel racconto originale i due raggiunsero il Guado il 19 ottobre (20 ottobre in CdA). Come può allora essere il 24 ottobre quando Bingo si sveglia a Valforra, se, come dice Gandalf, è stato "condotto qui ieri sera"?

Nella seconda e terza versione dell'incipit di questo capitolo, la data in cui Bingo si sveglia nella casa di Elrond diventa il 26 ottobre, e lui dice che dovrebbe essere il 24. "A meno che non abbia perso il conto da qualche parte, dobbiamo aver raggiunto il Guado il 23." Gandalf gli dice che Elrond lo ha curato per "tre notti e due giorni, per essere precisi. Gli Elfi ti hanno portato a Valforra la notte del 23, ed è lì che hai perso il conto"; e fa riferimento al fatto che Bingo ha patito la scheggia della lama per "quindici giorni o più" (diciassette in CdA). Questo non aiuta affatto a risolvere l'enigma cronologico, perché in tutte le bozze per l'apertura del capitolo IX mio padre ipotizzava che gli hobbit avessero raggiunto il Guado il 23 ottobre, e non, come la narrazione reale parrebbe chiaramente mostrare, il 19 ottobre. È altrettanto strano che Gandalf dica che Bingo aveva patito la scheggia della lama per "quindici giorni o più", se l'attraversamento del Guado avvenne effettivamente il 23 ed Elrond rimosse finalmente la scheggia "ieri sera" (25 ottobre): il totale dovrebbe essere 20 (dal 6 al 25 ottobre); in CdA il computo è diciassette giorni (dal 7 al 23 ottobre).

XIII. "INTERROGATIVI E MODIFICHE"

In questo capitolo riporto una serie di note che mio padre intitolò *Interrogativi e modifiche*. Credo che si possa dimostrare chiaramente che risalgono all'epoca in cui siamo giunti.

Egli aveva abbandonato la terza stesura del capitolo IX (che in seguito sarebbe stato intitolato "Molti incontri") nel punto in cui Glóin raccontava a Bingo di Re Brand di Vallea; questo si trova in fondo a una pagina che reca il numero IX.8. Ho già notato (p. 272) che sul retro di questa pagina, numerata IX.9, la conversazione prosegue, ma è evidentemente in discontinuità con quella precedente, essendo scritta con un inchiostro diverso e una scrittura diversa, e adesso Glóin sta parlando a "Frodo", non a "Bingo"; e infatti, dopo questo punto della narrazione del *Signore degli Anelli*, "Bingo" non appare più.

Orbene, il primo di questi *Interrogativi e modifiche* riguarda proprio la conversazione tra Bingo e Glóin, e si riferisce in realtà all'ultima pagina della parte del capitolo ove compare "Bingo", IX.8 (che forse era appena stata scritta). In un altro di questi appunti mio padre prendeva per la prima volta in considerazione la sostituzione di "Bingo" con "Frodo"; ma quivi decise di non farlo – e quando arrivò a scrivere una nuova versione di "Una festa attesa a lungo" (una questione discussa in questi stessi appunti) l'erede di Bilbo era ancora "Bingo", non "Frodo".

Concludo, quindi, che fu proprio nel momento in cui abbandonò il capitolo IX che scrisse *Interrogativi e modifiche*; che quando lo abbandonò ripartì dall'inizio del libro; e che trascorse un po' di tempo – durante il quale

"Bingo" divenne "Frodo" – prima che riprendesse la conversazione con Glóin a Valforra.

Ci sono due pagine di questi appunti, per lo più scritti a inchiostro in modo ordinato e leggibile; ma esse comprendono anche molte aggiunte frettolose a matita, che possono appartenere o meno, in casi particolari, allo stesso periodo (fermo restando che gli intervalli di tempo non sono probabilmente grandi: tuttavia, nel tentativo di tracciare questa storia, sono gli "strati" e le "fasi" a essere significativi piuttosto che le settimane o i mesi). Alcuni dei suggerimenti contenuti in queste note non ebbero futuro, altri invece sono di estremo interesse per mostrare l'effettivo emergere di nuove idee.

Li riporto in quello che sembra essere l'ordine in cui furono scritti, inserendo le aggiunte più opportune e pertinenti e aggiungendo uno o due altri appunti che appartengono a questo stesso periodo.

(1) Uomini di Vallea e Nani alla Festa – è un bene? Guasta l'incontro tra Bingo e Glóin (IX.8). Inoltre non è saggio portare la Grossa Gente a Hobbiton. Basta che Gandalf e i nani stessi portino le cose da Vallea.

Per quanto riguarda i "grossi omaccioni dai capelli lunghi" che andavano "arrancando lungo il viottolo hobbit come altrettanti elefanti" e diedero fondo a tutta la birra della locanda di Hobbiton, vedi p. 30 (il loro racconto è sopravvissuto senza modifiche nella quarta versione di "Una festa attesa a lungo"). Con "Uomini di Vallea e Nani alla Festa" mio padre intendeva "a Hobbiton in quel momento", non ovviamente che fossero presenti alla Festa medesima. Gli Uomini sarebbero stati abbandonati nella versione successiva di "Una festa attesa a lungo", mentre i Nani rimasero in CdA (p. 35) – forse mio padre riteneva che, mentre gli Uomini avrebbero certamente riferito a Bingo le notizie da Vallea, i Nani non dovessero avere un legame particolare con la Montagna Solitaria.

(2) *Troppi hobbit*. Inoltre, Bingo Bolger-Baggins è un brutto nome. Fare che Bingo = Frodo, figlio di Primula Brandaino ma col padre Drogo Baggins (cugino di primo grado di Bilbo). Quindi Frodo (= Bingo) è

cugino di primo grado di Bilbo, sia da parte Took sia da parte Baggins. Inoltre ha come nome proprio *Baggins*.

[Frodo *cancellato*] No, ormai sono troppo abituato a Bingo.

Frodo [cioè Took] e Odo sono al corrente e accompagnano Bingo al cancello dopo la Festa. Non sarebbe bene annullare la *vendita* e avere Odo come erede e responsabile? – Anche se molte cose potrebbero essere regalate. I Sackville-Baggins potrebbero bisticciare con Odo?

Frodo (e forse anche Odo) partono per la prima tappa del viaggio (perché la notizia di Frodo sui Cavalieri Neri è necessaria) [vedi pp. 64-65].

Frodo però si congeda a Borgodaino. Solo Merry e Bingo partono per l'esilio, perché *Merry insiste*. Inizialmente Bingo propendeva per partire da solo.

Probabilmente la cosa migliore sarebbe avere solo Frodo Took – che accompagna Bingo a Borgodaino; e poi Merry. *Eliminare Odo*. Meglio ancora avere Frodo e *Merry* al cancello: Frodo saluta e viene lasciato a capo della Contea [cioè "nella Contea", a Casa Baggins], *Merry* vede i Cavalieri Neri a Nord.

Tutto questo, a partire da "No, ormai sono troppo abituato a Bingo", fu cancellato a matita, e allo stesso tempo mio padre scrisse "Sam Gamgee" a margine, e a "Inizialmente Bingo propendeva per partire da solo" aggiunse "con Sam". È possibile che sia stato questo il punto in cui egli scrisse per la prima volta il nome di Sam Gamgee.

C'è un primo accenno qui, in "Frodo però si congeda a Borgodaino", allo hobbit che sarebbe rimasto a Criconca quando gli altri sarebbero entrati nella Vecchia Foresta; mentre "Troppi hobbit" e "Eliminare Odo" sono i primi segni di quello che in breve tempo sarebbe diventato un grosso problema e un guazzabuglio quasi inestricabile.

La genealogia così com'era nella quarta versione di "Una festa attesa a lungo" si trova a p. 50. Bingo era già cugino di primo grado di Bilbo da parte di Took, ma suo padre era Rollo Bolger (e quando Bilbo lo adottò cambiò il suo nome da Bolger a Bolger-Baggins). Con la comparsa di Drogo Baggins, Bingo diventerà il cugino di primo grado di Bilbo anche da parte Baggins:

dobbiamo supporre che il padre di Drogo fosse il fratello del padre di Bilbo, Bungo Baggins. Nella genealogia successiva Drogo divenne il cugino di secondo grado di Bilbo, come il Veglio Gamgee spiegò al suo pubblico al *Cespo d'Edera*: "Sicché il signor Frodo è suo cugino di primo e di secondo grado nell'uno e nell'altro senso, se mi seguite" (CdA, p. 33).

Una genealogia abbandonata in una di queste pagine mostra come mio padre fece evolvere il lignaggio dei Baggins. Questa piccola tabella inizia con Inigo Baggins (per un precedente detentore di questo nome vedi p. 27), il cui figlio era Mungo Baggins, padre di Bungo: Mungo, che appare per la prima volta qui, è sopravvissuto nell'albero genealogico finale. Bungo ha una sorella, Rosa, che ha sposato il "Giovane Took"; anche Rosa è sopravvissuta, ma non come zia di Bilbo – è diventata cugina di primo grado di Bungo, sempre con un marito Took (Hildigrim). In questa tabella Drogo è il fratello di Bungo, ma a questo punto la tabella fu abbandonata.

Il riferimento alla "vendita" contenuto in questa nota a prima vista risulta davvero sconcertante. "Una festa attesa a lungo" era ancora nella sua quarta versione, quando la Festa fu data da Bingo Bolger-Baggins, e non era ancora stata intrapresa la revisione principale per la quale il libro tornò su Bilbo. Allora a quale "vendita" si fa riferimento? Non c'è stata alcuna vendita di Casa Baggins: Bingo "elargisce e cede per libera donazione l'ambita proprietà" ai Sackville-Baggins (p. 53). La vendita di Casa Baggins ai Sackville-Baggins emerse solo col cambiamento della storia. C'è comunque un altro riferimento alla *vendita*, in un elenco scarabocchiato dei giorni del viaggio degli hobbit da Hobbiton trovato sul manoscritto della Canzone del Troll che Bingo doveva cantare a Bree (p. 183, nota 11): questo elenco inizia con "Festa *giovedì, venerdì* 'vendita' e partenza di Odo, Frodo e Bingo" ecc. Il fatto che la parola sia qui racchiusa tra virgolette può suggerire che mio padre avesse semplicemente in mente la vendita all'asta di Casa Baggins a cui Bilbo fece ritorno alla fine dello *Hobbit*: il precedente sgombero della casa di Bilbo, che era una vendita, rendeva la parola una comoda, sebbene fuorviante, stenografia per lo sgombero della nuova storia, che non era una vendita affatto.

A piè di pagina fu frettolosamente annotata a matita, e poi cancellata, la seguente nota:

(3) Gandalf è contrario a che Bingo informi *chicchessia* su dove sta andando. Bingo deve prendere *Merry*. Bingo è riluttante a rattristare Odo e Frodo. Dice loro – improvvisamente – addio, e Frodo (Odo) incontra quello che sembra uno *hobbit* sulla via della collina. Chiede di Bingo – e Frodo o Odo gli dice che sta andando a Borgodaino. In questo modo i Cavalieri Neri vengono a sapere la cosa e danno la caccia a Bingo.

Questo è l'embrione della storia finale, secondo cui un Cavaliere giunse a parlare col Veglio Gamgee, che lo indirizzò a Borgodaino (CdA, p. 81).

(4) *Pungiglione*. Bilbo l'ha portata con sé? E la cotta? Varie possibilità: (a) Bingo ha la cotta, ma la perde nel Tumulo; (b) Gandalf lo spinge a prendere la cotta, ma è pesante e lui la lascia a Borgodaino; (c) gli piace, e lo salva nel Tumulo, ma viene *rubata* a Bree.

Il punto è, ovviamente, che non può indossare una cotta a Svettavento. Con questa nota si confronti la menzione nell'"abbozzo" originale del capitolo IX (p. 162) della "cotta di maglia di Bingo nel tumulo" – che a quanto pare doveva essere un elemento di "Alcune spiegazioni" quando gli hobbit raggiunsero Valforra.

Un'altra nota, in un'altra pagina, quasi uguale a questa, afferma però che Bilbo ha preso Pungiglione e dice che se la cotta di Bingo è stata rubata a Bree "la scoperta delle stanze svaligiate avverrà prima della notte". Il significato di questa affermazione presumibilmente è che, secondo la storia esistente (pp. 208-209), gli hobbit avevano portato tutti i loro averi dalle camere da letto al salotto prima dell'attacco, e che ciò avrebbe dovuto essere cambiato.

In CdA (pp. 298-299) Bilbo consegnava Pungiglione a Frodo a Valforra, insieme alla cotta di mithril.

(5) La gente di Bree *non* deve essere hobbit. Inserire la parte relativa alle *finestre del piano superiore*. Poiché agli hobbit la cosa non aggrada, l'oste dà loro delle stanze sul lato della casa in cui il secondo piano è a livello del terreno a causa della pendenza della collina.

La "parte relativa alle finestre del piano superiore" è presumibilmente il passaggio del capitolo III originale (pp. 118-119) in cui gli hobbit, avvicinandosi al Fattore Maggot, discutono degli inconvenienti di vivere su più piani (p. 171). In realtà, nell'apertura originaria del capitolo del *Cavallino Inalberato* gli abitanti di Bree erano principalmente uomini (con "hobbit nei paraggi", "alcuni più in alto, sulle pendici di Colbree, e molti nella valle di Conca"); quindi questa nuova idea costituiva, in una certa misura, un'inversione di tendenza. Tuttavia una nota a matita sulla stessa pagina, aggiunta in un secondo momento, si chiede: "Cosa succederà dunque a Bree? Che tipo di discorsi possono sfuggire al signor Colle?" – e ritengo che ciò implichi che gli abitanti di Bree debbano ora essere esclusivamente Uomini (perché sarebbero meno curiosi e meno informati sulla Contea). Vedi p. 301.

(6) È meglio che i Forestali *non* siano hobbit, forse. Ma o Passolesto (in quanto forestale) *non* deve essere uno hobbit, oppure uno molto conosciuto: per esempio Bilbo. Ma quest'ultima ipotesi è scomoda in vista del "vissero felici e contenti". Ho pensato di mutare Passolesto in Fosco Took (cugino di primo grado di Bilbo) che è scomparso da ragazzo, grazie a Gandalf. Chi è Passolesto? Deve aver patito un'amara conoscenza degli Spettri dell'Anello stessi ecc.

Questa nota su Passolesto va interpretata in accordo alla sensazione di Bingo di aver già incontrato Passolesto in passato e di essere in grado di pensare al suo vero nome (vedi p. 273). Fosco Took, cugino di primo grado di Bilbo, non è mai stato menzionato prima; forse doveva essere il figlio della zia di Bilbo, Rosa Baggins, che aveva sposato un Took, secondo la piccola tavola genealogica descritta sopra (p. 284). L'attribuzione della scomparsa di Fosco Took a Gandalf rimanda all'inizio dello *Hobbit*, dove Bilbo gli dice: "Sei proprio il Gandalf che spinse tanti bravi ragazzi e ragazze a partire per l'Ignoto in cerca di pazze avventure?"

Qui c'è il primo suggerimento che mio padre, nel riflettere sul mistero di Passolesto, abbia intravisto la possibilità che egli non fosse uno hobbit. Tuttavia questa notazione, come molte altre, è espressa in modo ellittico.

Il significato è, a mio avviso: se i forestali non sono hobbit, allora Passolesto non lo è; ma qualora fosse entrambe le cose, deve trattarsi d'uno hobbit molto conosciuto.

(7) Bingo NON deve infilare l'anello quando i Cavalieri Neri sono prossimi, in vista degli sviluppi successivi. Deve *pensare* di farlo, ma in qualche modo esserne trattenuto. Ogni volta la tentazione deve farsi più forte.

Questo si riferisce al secondo capitolo originale, pp. 64, 76. Per i modi in cui, nella storia successiva, a Frodo fu impedito di indossare l'Anello, vedi pp. 87 e 91 di CdA. "Sviluppi successivi" si riferisce ovviamente all'evoluzione del concetto di Anello che si era ormai instaurata: i Cavalieri potevano vedere il Portatore dell'Anello, come lui poteva vedere loro, quando questi lo infilava. La tentazione di farlo nasceva dal potere dei Fantasmi dell'Anello di comunicare il loro comando al Portatore dell'Anello e di fargli credere che fosse un suo desiderio impellente (vedi p. 254); ma a Bingo non doveva essere permesso di cedere alla tentazione fino al disastro nella valletta sotto Svettavento.

(8) È necessario trovare una ragione per l'inquietudine di Gandalf e la fuga di Bingo che non includa i Cavalieri Neri. Gandalf sapeva della loro esistenza (ovviamente), ma non aveva ancora idea che fossero in movimento. Ma Gandalf potrebbe dare una sorta di avvertimento contro l'uso dell'Anello (dopo aver lasciato la Contea?). Forse l'idea di usare improvvisamente l'Anello alla festa come scherzo finale dovrebbe essere una Bingata, e contraria al parere di Gandalf (non approvata da lui, come nella mia prefazione).

La "prefazione" cui si fa riferimento è il testo riportato alle pp. 99 ss., forma più antica di CdA, capitolo 2, "L'ombra del passato", – dove in effetti Gandalf non si limita ad "approvare" l'idea, ma in effetti la suggerisce (p. 108).

Per quanto riguarda la prima frase di questa nota, con la "prefazione" si fa riferimento a "alcuni strani segni e presagi di problemi che andavano infittendosi dopo un lungo periodo di pace e tranquillità", ma non c'è alcuna indicazione su quali fossero (p. 109, nota 9). Nello stesso testo Gandalf dice che "ritengo molto probabile che proprio Gollum sia la radice del nostro attuale problema"; ma se il "nostro attuale problema" era il fatto che Gandalf sapeva che l'Oscuro Signore stava cercando l'unico Anello mancante rivolgendosi alla Contea, non viene spiegato in alcun modo come egli potesse esserne a conoscenza. Ciò costituiva un problema molto serio nella struttura narrativa: Gandalf non può sapere dell'arrivo degli Spettri dell'Anello, perché altrimenti non avrebbe mai permesso a Bingo e ai suoi compagni di partire da soli. La soluzione avrebbe richiesto una complessa ristrutturazione di parti della narrazione di apertura nella sua forma attuale per quanto riguarda gli spostamenti di Gandalf nell'estate di quell'anno (a loro volta coinvolti nella mutata storia della Festa di Compleanno); e avrebbe infine portato a Isengard.

(9) Perché Gandalf aveva fretta? Perché il Signore Oscuro *lo* conosceva e lo odiava. Doveva arrivare in fretta a Valforra e pensava di attirare l'inseguimento via da Bingo. Sapeva anche che era stato convocato un consiglio a Valforra per metà settembre (Glóin & co. che venivano a trovare Bilbo?), rimandato quando la notizia dei Cavalieri Neri raggiunse Valforra e non tenuto fino all'arrivo di Bingo stesso.

Per l'idea che Gandalf stesse cercando di stornare l'inseguimento dei Cavalieri Neri vedi p. 221, nota 7; vedi anche le sue parole a Bingo a Valforra (pp. 268-269): "Le cose però si stanno muovendo velocemente, [...] persino più di quanto temessi. Dovevo giungere qui in fretta. Se solo avessi saputo che i Cavalieri erano già partiti!"

Questo è probabilmente il momento in cui nacque l'idea del Consiglio di Elrond, sebbene in precedenza si fosse già menzionato una "consultazione" con Elrond quando gli hobbit avessero raggiunto Valforra (pp. 163, 273).

(10) Gli Elfi dovrebbero avere alcuni anelli del Negromante? Vedi la nota sul loro "dimorare in entrambi i mondi". Ma forse solo gli Alti Elfi dell'Occidente? Inoltre, forse gli Elfi – se corrotti – userebbero gli anelli in modo diverso: normalmente erano *sempre visibili in entrambi*

i mondi e, allo stesso modo, con un anello potevano apparire solo in *uno di essi*, se così sceglievano.

Nella prima dichiarazione sugli Elfi e gli Anelli (p. 98) si dice che "gli Elfi ne possedevano molti, e adesso nel mondo numerosi sono gli elfi-spettri, ma il Signore dell'Anello non può dominarli"; questo viene ripetuto esattamente nella "prefazione" (p. 101), ma senza le parole "ma il Signore dell'Anello non può dominarli". Non ho trovato nessuna "nota" sul fatto che gli Elfi "siano in entrambi i mondi", ma mio padre potrebbe essersi riferito alle parole di Gandalf nel capitolo precedente (p. 270): "[Gli Elfi di Valforra] non temono gli Spettri dell'Anello, giacché *dimorano al contempo in entrambi i mondi*, e ogni mondo esercita solo metà del suo potere su di essi, mentre loro godono di doppio potere su entrambi." In rapporto alla sua osservazione qui "Ma forse solo gli Alti Elfi dell'Occidente [vivono in entrambi i mondi]?", vedi la forma finale di questo stesso passaggio in CdA (p. 241): "Non temono gli Spettri dell'Anello, *perché chi ha dimorato nel Regno Beato vive al contempo in entrambi i mondi*, e grande è il suo potere sia contro il Visibile sia contro l'Invisibile."

(11) A Valforra Bilbo deve essere visto da Bingo & co.
Dormire – in ritiro?
Ombre si addensano a Sud. Il Signore di Vallea è sospettato di essere segretamente corrotto. Strani uomini sono stati visti a Vallea?
Cosa è successo a Balin, Ori e Óin? Sono andati a colonizzare – essendo venuti a sapere di ricche colline nel Sud. Ma dopo un po' di tempo non si seppe più nulla di loro. Dáin temeva l'Oscuro Signore – le voci sui suoi movimenti lo raggiunsero. (Un'idea era che i nani avessero bisogno di *un Anello* come fondamento del loro tesoro, e Balin o Dáin inviati da Bilbo per scoprire che fine l'Anello avesse fatto. I nani potrebbero aver ricevuto messaggi minacciosi da Mordor, poiché il Signore sospettava che l'Anello Unico si trovasse nei loro forzieri.)

Il pensiero che Passolesto fosse in realtà Bilbo non è ovviamente presente in questo caso; e vedi il primo schema riportato a p. 162: "A Valforra *Bilbo* *addormentato*". Una nota isolata altrove* dice: "Glóin è venuto a trovare Bilbo. Notizie dal mondo. Perdita della colonia di Balin & co." Ma le "ricche colline nel sud" nella nota (11) sono probabilmente la prima comparsa dell'idea di Moria, derivata dallo *Hobbit* – per quanto l'assenza del nome qui potrebbe suggerire che l'identificazione non fosse ancora compiuta. Vedi anche le note alla fine della prima stesura abbandonata del precedente capitolo (p. 289): "Cosa è successo a Balin ecc. Erano andati a colonizzare (Anello necessario per fondare la colonia?)". Nel primo racconto sugli Anelli (p. 98) si dice che i Nani probabilmente non ne avevano nessuno ("certuni sostengono che gli anelli non agiscono su di loro: essi son troppo coriacei"); tuttavia nella "prefazione" (p. 101) Gandalf dice a Bingo che si dice che i Nani ne avessero sette, "ma nulla potesse renderli invisibili. In loro si accendeva solo il fuoco dell'avidità, e alla fondazione di ciascuno dei sette tesori dei Nani d'un tempo v'era un anello d'oro".

Alla fine della nota (11), sopra le parole *Anello Unico* mio padre scrisse "mancante". Potrebbe quindi aver inteso solo "l'unico Anello mancante", ma il fatto che abbia usato le lettere maiuscole suggerisce la sua grande importanza – e nella "prefazione" l'Anello mancante è il "più prezioso e potente dei suoi Anelli" (pp. 105 e 112).

(12) L'anello di Bilbo si rivelò essere *l'unico Anello mancante*: tutti gli altri erano tornati a Mordor, questo invece era andato perduto.
Era stato sottratto al Signore stesso quando Gilgalad lottò con lui, e preso da un Elfo di passaggio. Era più potente di tutti gli altri anelli. Perché l'Oscuro Signore lo desiderava tanto?

Che l'Anello di Bilbo fosse l'unico Anello mancante, e che fosse il più potente di tutti, è (come appena notato) affermato nella "prefazione" – la prima frase della nota (12) è la riaffermazione di un'idea esistente. Ciò che è nuovo è il collegamento della sua storia precedente alla lotta di Gil-galad

* Di fatto questa nota fu scritta a inchiostro sull'abbozzo a matita sbiadito per la vicenda dell'Essere dei tumuli (p. 162), e presumibilmente si tratta d'un pensiero occorso a mio padre mentre rifletteva sull'arrivo a Valforra che compare alla fine di tale abbozzo (pp. 162-163).

con il Negromante (vedi p. 275); nella "prefazione" (p. 102) l'Anello di Gollum era caduto "dalla mano di un Elfo mentre traversava a nuoto un fiume; l'anello lo tradì, poiché egli stava fuggendo da un inseguimento nelle antiche guerre, ed egli tornò visibile ai suoi nemici, e i Goblin lo uccisero". È qui che inizia la storia di Isildur; ma adesso l'Elfo (che in seguito diventerà Isildur il Númenóreano) l'ha ricevuto da Gil-galad, che l'aveva sottratto all'Oscuro Signore. Viene anche posta la domanda: "Perché l'Oscuro Signore lo desiderava tanto?" Il che significa, dato che esso è già concepito come il più potente degli Anelli e quindi evidentemente oggetto principale del desiderio dell'Oscuro Signore, "In cosa consisteva la sua potenza?"*

In seguito, mio padre aggiunse a matita delle rapide aggiunte alla nota. Segnò le parole "tutti gli altri erano tornati a Mordor" per rigettarle; e alle parole "era più potente di tutti gli altri anelli" aggiunse:

> sebbene il suo potere dipendesse da chi lo adoperava, e così la sua pericolosità: più semplice chi lo impiegava e meno poteva ottenerne. A Gollum serviva solo per cacciare (rendendolo però miserabile). Per Bilbo era utile, ma lo spingeva a vagare di nuovo. Per Bingo come per Bilbo. Gandalf avrebbe potuto triplicare il suo potere, ma non osò usarlo (non dopo che ebbe scoperto tutto). Un Elfo sarebbe divenuto potente quasi quanto il Signore, ma sarebbe diventato oscuro.

In quello stesso momento sottolineò anche le parole "Perché l'Oscuro Signore lo desiderava tanto?", mise un punto esclamativo su di esse e scrisse:

* Humphrey Carpenter (*La biografia*, p. 284) cita questa nota, ma la interpreta come il momento in cui emerse l'idea dell'Anello dominante:

> C'era anche il problema del perché l'Anello fosse così importante per tutti, argomento che non era stato ancora chiarito. All'improvviso gli venne un'idea e scrisse: "L'Anello di Bilbo si dimostra essere l'*unico Anello del dominio* – tutti gli altri sono ritornati a Mordor: questo solo è stato perduto". L'Anello dominante che controllava tutti gli altri [...].

Ma la nota in questione dice chiaramente "l'anello di Bilbo si rivelò essere *l'unico anello mancante*" (come dimostrano in ogni caso le parole successive), non "*l'unico Anello del dominio*". Non ci sarebbe bisogno di chiedersi "Perché il Signore Oscuro lo desiderava tanto?" se la concezione dell'Anello dominante fosse emersa proprio adesso.

Perché se lo avesse ripreso, avrebbe potuto vedere dove si trovavano tutti gli altri e sarebbe stato padrone dei loro padroni, controllando tutti i tesori dei nani e i draghi, conoscendo i segreti dei Re Elfi e il segreto [?piano] degli uomini malvagi.

Qui l'idea centrale dell'Anello Dominante è finalmente presente, e forse è qui che è effettivamente emersa per la prima volta. Ma la nota a inchiostro e l'aggiunta a matita (un debole scarabocchio adesso appena leggibile) ovviamente sono state scritte in tempi diversi.

Sul retro della seconda pagina di questi appunti è scritto a matita quanto segue:

(13) Storia più semplice.

Bilbo scompare durante la festa del suo centesimo [*scritto sopra:* 111] Compleanno. Bingo è il suo erede, con gran disappunto dei Sackville-Baggins.

["Se volete sapere cosa c'è dietro questi eventi misteriosi, dobbiamo tornare indietro di un mese o due." Poi conversazione tra Bilbo e Gandalf.]

Le chiacchiere si spengono e Gandalf viene visto di rado a Hobbiton.

Il capitolo successivo inizia con la vita di Bingo. Visite di Gandalf. Conversazione. Bingo è annoiato dalla Contea (inquietudine dell'anello?) e decide di andare in cerca di Bilbo. Inoltre è stato piuttosto avventato e i soldi stanno finendo. Così vende casa Baggins ai Sackville-Baggins, che la ottengono con 90 anni di ritardo, intasca i soldi e parte a 72 anni (144) – la stessa tendenza alla longevità di Bilbo. Gandalf lo incoraggia per motivi suoi. Ma lo avverte di non usare l'Anello fuori dalla Contea, se può evitarlo [vedi nota (8)]. Bilbo vi ricorse per un ultimo grande scherzo, ma sarebbe stato meglio di no. (Bingo non dice a Gandalf che la ricerca di Bilbo era il suo vero motivo.)

Tutto questo fu successivamente cancellato; e il passaggio qui racchiuso tra parentesi quadre fu cancellato a parte, forse al momento della stesura medesima.

La struttura narrativa nelle sue relazioni principali è adesso quella del racconto finale:

Bilbo scompare (indossando l'Anello) alla festa del suo 111esimo compleanno e lascia Bingo quale suo erede.

Anni dopo, Gandalf conversa con Bingo a Casa Baggins; Bingo è ansioso di andarsene per motivi suoi, e Gandalf lo incoraggia (ma apparentemente senza dirgli molto, sebbene lo metta in guardia dall'usare l'Anello).

Sebbene la Festa torni su Bilbo e si tenga il giorno del suo 111esimo compleanno – la sua età quando partì dalla Contea nella versione esistente di "Una festa attesa a lungo" (p. 54), Bingo parte ancora all'età di 72 anni – la sua età quando fu lui a indire la Festa. La cifra 144 tra parentesi è presumibilmente l'età di Bilbo all'epoca, come nella versione esistente, da cui si deduce che all'epoca della Festa d'addio di Bilbo, Bingo avesse 39 anni; il totale delle loro due età era 150 anni. Ma cosa avesse in mente mio padre su questo punto non si può dire, perché non ha mai scritto la storia in questa forma.

Il passaggio tra parentesi suggerisce che sarebbe stato fornito un resoconto, in una conversazione tra Bilbo e Gandalf un mese o due *prima* della festa, di ciò che aveva portato alla decisione di Bilbo di lasciare la Contea in tal modo; e questo resoconto avrebbe *seguito* il capitolo di apertura che descriveva la festa. L'argomento di tale conversazione è suggerito da un'altra nota, scritta senza dubbio nello stesso periodo:

Disporre il capitolo "Gollum" dopo "Festa attesa a lungo": con un incipit: "Se volete sapere cosa c'è dietro questi eventi misteriosi, dobbiamo tornare indietro di un mese o due."

Questo presumibilmente significa che mio padre stava pensando di far sì che la conversazione tra Bilbo e Gandalf prima della Festa (ma disposta nella narrazione dopo di essa) coprisse la storia di Gollum e dell'Anello. Il "capitolo Gollum" sarebbe quindi nella sua collocazione finale, sebbene il contesto qui suggerito per esso sarebbe completamente modificato.

Infine, una nota frettolosamente stesa recita:

(14) Bilbo porta delle "memorie" a Valforra.

LA SECONDA FASE

XIV.
RITORNO A HOBBITON

A questo punto mio padre decise per la variante "semplice" della storia che aveva abbozzato in *Interrogativi e modifiche* (nota 13). Pertanto, la Festa di Compleanno a Casa Baggins torna a Bilbo, con cui era iniziata (pp. 21, 28, 54). La seguente bozza fu senza dubbio immediatamente precedente alla riscrittura del capitolo d'apertura: la quinta versione, documento assai complicato.

Bilbo scompare nel giorno del 111esimo compleanno. Il capitolo "Una festa attesa a lungo"[1] fu congruamente cambiato sino al punto in cui Gandalf sparisce in Casa Baggins. Poi, all'interno, avviene una breve conversazione tra Gandalf e Bilbo.

Bilbo afferma di provare tedio, una sensazione di tensione. Deve sbarazzarsene. È stanco di Hobbiton, avverte un gran desiderio di andarsene. La maledizione dell'oro del drago? Oppure l'Anello. Non lo so. Fa' attenzione! Non mi interessa. Fa promettere a Gandalf di consegnare l'Anello al suo erede, Bingo. Glielo lascia, ma non voglio si preoccupi o cerchi di seguirmi, non ancora. Pertanto non racconta nemmeno a Bingo dello scherzo. Al termine del capitolo Bilbo saluta Gandalf al cancello, gli consegna un pacchetto (con l'Anello) e scompare.

Nel capitolo II appare quindi Bingo. Visite furtive di Gandalf. Gandalf lo esorta ad andarsene, per ragioni tutte sue. Dal canto suo, Bingo non dice mai a Gandalf di avere grande desiderio di cercare Bilbo. Gandalf non [dice? racconta?] dell'Anello. La faccenda di Gollum dovrà venire alla luce più tardi (a Valforra), dopo l'incontro tra Bingo e Bilbo. Gandalf, a questo punto, ha scoperto molto altro. Forse occorrerà porre questo capitolo II in testa all'attuale II, "Due è il numero giusto e tre è di più".[2]

La quarta versione di "Una festa attesa a lungo" era di fatto giunta, sotto molti aspetti, a uno stadio abbastanza avanzato, per alcuni versi era pressoché la versione finale. Tuttavia, la Festa era quella di Bingo nel giorno del 72esimo compleanno, dato che Bilbo era silenziosamente scomparso dalla Contea ben trentatré anni prima, quando aveva 111 anni e Bingo 39 e, tolti i fuochi d'artificio, Gandalf non aveva alcun ruolo all'interno del capitolo.

Lo schema sopra riportato afferma che il capitolo deve essere "congruamente cambiato sino al punto in cui Gandalf sparisce in Casa Baggins", e la storia ora inizia: "Quando Bilbo, figlio di Bungo, della rispettabile famiglia dei Baggins, si preparò a festeggiare il suo cento e undicesimo (o undicentesimo) compleanno, ci furono un po' di chiacchiere nel vicinato" ecc. (vedi pp. 39, 49). Segue poi la quarta versione[3] fino a "E in caso contrario, non sapevi mai con chi si accompagnasse: hobbit di famiglie piuttosto indigenti, o gente proveniente da borghi lontani, Nani e talvolta Elfi persino" (p. 50). Qui fu introdotto un nuovo passaggio riguardante Gandalf e Bilbo.

Gandalf il mago, pure, talvolta veniva visto salire su per la collina. La gente diceva che Gandalf lo "spronava", ed egli a sua volta lo accusava di "spronare" alcuni dei suoi nipoti più vivaci (e lontani cugini), soprattutto dalla parte dei Took; ma cosa intendessero esattamente non era chiaro. Magari si rifacevano alle misteriose assenze da casa e alla bizzarra abitudine che avevano Bilbo e i suoi giovani amici di andarsene a zonzo per la Contea in abiti dimessi.

Col passare del tempo, anche il vigore inesausto, per non dire la giovinezza del signor Bilbo Baggins, divenne tema di commento. A novant'anni sembrava all'incirca lo stesso di sempre. A novantanove iniziarono a definirlo "ben conservato": con "immutato" ci sarebbero andati più vicino. Cion准ostante, quell'anno egli li colse tutti di sorpresa con un ragguardevole cambio nelle proprie abitudini: adottò il nipote preferito e meglio "spronato", Bingo. Allora Bingo Baggins era solo un giovanotto di 27 anni[4], e a esser precisi non era il nipote di Bilbo (appellativo che questi usava in maniera alquanto libera) bensì suo cugino sia di primo sia di secondo grado,[5] ma compiva gli anni lo stesso giorno di Bilbo, il 22 settembre, il che pareva rappresentare un ulteriore legame tra i due.[6] Bingo era il figlio della povera Primula Brandaino e [> che sposò tardi, e come ultima spiaggia] Drogo Baggins (procugino di Bilbo, che a parte questo grande importanza non aveva).

In *Interrogativi e modifiche*, nota (2), mio padre aveva scritto di essere "troppo abituato a Bingo" per cambiare il nome in Frodo, ma a questo punto stava seguendo le indicazioni della suddetta nota secondo cui *Bolger-Baggins* ("un brutto nome") andava tolto e Bingo doveva diventare un Baggins a pieno titolo. Più avanti in questo passaggio Drogo subentra a Rollo Bolger nel presunto incidente in barca sul Brandivino (vedi p. 50): "alcuni dissero che Drogo Baggins era morto per le troppe abbuffate intanto che stava con quel vecchio ghiottone di Gorboduc; altri dissero che era stato il suo peso ad affondare la barca." Ora viene detto che Bingo all'epoca aveva dodici anni e che:

in seguito visse per lo più col nonno [Gorboduc Brandaino, p. 50] e i centouno parenti della madre nella Grande Buca di Borgodaino,[7] l'avita e assai gremita dimora dei socievoli Brandaino. Ma le visite allo "zio" Bilbo si fecero via via più frequenti, finché alla fine, come s'è già detto, quando era un giovanotto di 27 anni, Bilbo lo adottò.

Quella, però, era storia vecchia. Negli ultimi dodici anni la gente s'era abituata ad avere Bingo intorno. Né Bilbo né Bingo combinarono alcunché di insolito. Talvolta le loro feste erano un po' chiassose (e neanche troppo selezionate), forse; ma agli hobbit di quando in quando non spiaceva quel genere di fracasso. Bilbo, ora a sua volta "spronato" da Bingo, spese in libertà il proprio denaro e la sua agiatezza divenne una leggenda nel luogo. Si credeva che gran parte della Collina fosse piena di tunnel ricolmi d'oro e d'argento. D'improvviso si venne a sapere che Bilbo, forse colto dalla stranezza del numero 111, pensava di dare qualcosa di alquanto insolito in fatto di feste di compleanno. 111 era una veneranda età, persino per gli hobbit.[8] Naturalmente si diede stura alle chiacchiere, i ricordi si ridestarono e nuove speranze affiorarono. Le ricchezze di Bilbo furono ricalcolate da capo... *(ecc., come in precedenza, vedi p. 42).*

Nel racconto dell'andirivieni a Casa Baggins sono presenti alcuni lievi cambiamenti. Gli Uomini e il carro con dipinta una B (pp. 30, 42) sono stati eliminati, secondo proposta in *Interrogativi e modifiche* (nota (1)), ma sono ancora menzionati sia gli Elfi sia i Nani. I fasci di fuochi d'artificio erano contrassegnati con una grande G rossa e anche da ᛥ – "Quello che era il marchio di Gandalf" (la stessa runa compare nella sua lettera a Bree e nella nota da lui lasciata a Svettavento). Ai bambini delusi vengono dati alcuni centesimi ma non vengono introdotti i fuochi d'artificio (CdA, p. 34), e ora compare la "breve conversazione tra Gandalf e Bilbo" a Casa Baggins di cui si accenna nello schema a p. 297.

Dentro Casa Baggins Bilbo e Gandalf erano seduti davanti alla finestra spalancata del soggiorno che affacciava a ovest sul giardino. Il pomeriggio era luminoso e placido. Rossi e dorati erano i fiori; bocche di leone, girasoli e nasturzi risalivano le pareti ricoperte di cotica e facevano capolino dalle finestre.

"Com'è luminoso il tuo giardino!" disse Gandalf.

"Sì," disse Bilbo. "Non sai quanto ci sono affezionato, come a tutta la cara vecchia Contea; ma credo che il tempo sia giunto."

"Insomma vuoi andare avanti con il tuo piano?" chiese Gandalf.

"Proprio così," rispose Bilbo. "Finalmente ho deciso. Devo davvero sbarazzarmi di Quello."[9] "'Ben conservato', come no!" sbuffò. "Ma io mi sento esile, quasi stiracchiato, non so se ci capiamo; come uno spago che non avvolge bene un pacco, oppure... oppure come burro spalmato su una fetta di pane troppo grande. E non va bene."

"No!" disse Gandalf, pensieroso. "No. Oserei dire che il tuo piano è perfetto, almeno per te. Al momento non ho nulla in contrario e non riesco a pensare a nulla di meglio."

"Sì, suppongo sarà un po' dura per Bingo," disse Bilbo. "Ma che ci posso fare? Distruggerlo non posso, e dopo quello che mi hai detto, non lo butterò; ma non lo voglio, anzi, non lo sopporto oltre. Tu però me l'hai promesso, vero, di tenerlo d'occhio e di dargli una mano se ne avesse bisogno più avanti? Certo, in caso contrario, dovrò farlo io."

"Farò quello che posso," disse Gandalf. "Ma spero che baderai a te stesso."

"Badare? Non m'importa!" disse Bilbo, e poi, d'un tratto in versi (come era sempre più sua abitudine) continuò sottovoce guardando fuori dalla finestra con sguardo distante:

La Strada ecc. come in II.5

(Si tratta di un riferimento al dattiloscritto "Tre è il numero giusto", p. 66.) Tutto questo nuovo passaggio, dalle parole "Devo davvero sbarazzarmi di Quello", fu cancellato a matita e contrassegnato con un "Più avanti" (vedi pp. 303-306).

Il testo continua: "Il giorno dopo altri carri risalirono la Collina, e poi altri ancora. Qualche protesta avrebbe potuto anche levarsi in difesa dei 'prodotti locali'" ecc. (p. 30). Da questo punto nella quarta versione (in sostanza uguale alla terza e alla seconda, pp. 43, 53, e come CdA) la quinta segue in gran parte le vecchie stesure, con "Bingo" che viene cambiato in "Bilbo" laddove occorra. Agli ospiti della cena ristretta si aggiungono ora i membri delle famiglie Gawkroger[10] (Boncorpo in CdA) e Tanatasso, questi ultimi "non vivevano nella Contea, ma a Conca-sotto-Bree, villaggio sulla Strada Orientale oltre il Brandivino. Si supponeva fossero imparentati alla lontana con i Took, ma erano anche amici che Bilbo si era fatto nel corso dei propri viaggi." A questo proposito, vedi *Interrogativi e modifiche*, nota (5), e il mio commento al riguardo; vedi anche l'originale capitolo VII (p. 177), degli hobbit al *Cavallino Inalberato*: "Altri invece avevano nomi normali (per degli hobbit), come Scarpati, Tanatasso, Forilunghi, Montasabbia e Tunnelly, che non risultavano sconosciuti ai più rustici abitanti della Contea."

Fatto curioso è che in questa fase gli invitati alla cena nel padiglione sotto l'albero erano "otto ventine o centosessanta" e non 144; e nel suo discorso Bilbo disse: "Perché, naturalmente, è anche il compleanno del mio nipote ed erede, Bingo. Insieme ne facciamo centosessanta. Voi siete stati scelti per dare questo straordinario totale." Le modifiche alla parte precedente del capitolo riguardano ciò che segue: l'età di Bingo al momento dell'adozione fu cambiata da 27 a 37, di modo che quando Bilbo ne aveva 111 (dodici anni dopo) Bingo ne aveva 49, per un totale di 160. Naturalmente, mio padre aveva deciso (dal momento che era la festa di Bilbo, e sia lui che Bingo erano presenti) che il valore del numero degli ospiti ora doveva riferirsi non come in precedenza agli anni dello hobbit più anziano, ma al totale delle età combinate. Tuttavia non so dire il motivo per cui non mantenne il 144 e non ridusse di conseguenza gli anni di Bingo a 144 meno 111.

Bilbo ora fa riferimento al fatto che è l'anniversario del suo arrivo in botte a Città del lago, ma non è presente alcun lampo al momento in cui esce e scompare.

Nel giro di poco questa parte del testo fu rivista, a dire il vero prima che la storia si spingesse molto oltre,[11] e in una versione riscritta del discorso di Bilbo il numero degli ospiti torna a essere 144, Bingo ad avere 33 anni (l'anno del "raggiungimento della maggiore età"), poi scatta un lampo di luce accecante e Bilbo svanisce. La correzione alla parte precedente del testo ora cambia di nuovo l'età di Bingo al momento dell'adozione, portandola infine a 21 anni.

Nella confusione che seguì la scomparsa di Bilbo

più di tutti gli altri fu colpita una persona, e questo era Bingo. Per qualche tempo restò in silenzio al proprio posto accanto alla sedia vuota dello zio a ignorare tutti i commenti e le domande; e poi, abbandonando la festa per badare a se stesso, sgattaiolò inosservato fuori dal padiglione.[12]

"Che facciamo adesso?" La domanda si fece sempre più frequente, e sempre più sonora. D'improvviso, si udì il vecchio Rory Brandaino, la cui arguzia non era stata del tutto annebbiata dalla vecchiaia, né dallo stupore, né dal lautissimo pasto, gridare: "Non l'ho visto andarsene. E, comunque, dov'è finito ora? Dov'è Bilbo... e anche Bingo, accidenti a lui?" Dei loro ospiti non c'era traccia, da nessuna parte. A dire il vero, Bilbo Baggins, anche durante il suo discorso, aveva in tasca un piccolo anello, il suo anello magico, che per molti anni aveva tenuto segreto. Come scese giù, lo infilò e a Hobbiton non fu più visto.

Ora nella narrazione subentra un elemento del tutto nuovo, e fu senza dubbio in questo momento che il passaggio della conversazione prima della festa tra Gandalf e Bilbo a Casa Baggins fu in larga parte cancellato e contrassegnato con "Più avanti" (pp. 300-301). Inoltre, quella conversazione fu nuovamente ampliata dal punto in cui Bilbo dice "Finalmente ho deciso", nel modo seguente:

"Benissimo," disse Gandalf. "Capisco che vuoi fare a modo tuo. Spero che vada nel migliore dei modi... per tutti noi."

"Lo spero," disse Bilbo. "In ogni caso giovedì ho intenzione di divertirmi e di fare lo scherzetto a modo mio."

"Bene, spero riderai ancora in questo periodo il prossimo anno," disse Gandalf.

"E spero sia lo stesso per te," ribatté Bilbo.

La nuova versione continua (da "a Hobbiton non fu più visto"):

Tornò di buon passo alla sua buca e si fermò per un istante ad ascoltare con un sorriso i rumori della baldoria in diversi punti del campo. Poi entrò. Si tolse l'abito della festa, piegò e avvolse nella carta velina il panciotto con i bottoni di seta [> oro] ricamata e lo ripose. Poi infilò rapidamente un vecchio capo usato,[13] da un cassetto chiuso a chiave (che puzzava di naftalina) tirò fuori una vecchia mantella col cappuccio che pareva essere stata riposta con tanta cura, come se fosse molto preziosa, ma era così rattoppata e chiazzata che il colore originale (forse verde scuro) era quasi impossibile da indovinare. Gli stavano troppo grandi. Mise sulla mensola del camino una grande busta voluminosa, che recava scritto BINGO.

Prese il suo grosso bastone preferito dall'attaccapanni all'ingresso e poi fischiò. Diversi nani apparvero dalle varie stanze dov'erano impegnati.

"È tutto pronto?" domandò Bilbo. "Tutto impacchettato [*aggiunta*: ed etichettato]?"

"Tutto," risposero.

"Be', allora si parte! Lofar, tu fermati dietro, ovviamente [*aggiunta:* e aspetta Gandalf]: per favore, accertati che Bingo prenda la lettera sulla mensola della sala da pranzo appena entra. Nar, Anar, Hannar, tutti pronti?[14] Bene. Si va."

Uscì dal portone. Era una notte tersa e serena e il cielo nero era ricolmo di stelle. Alzò lo sguardo annusando l'aria. "Che bello! Che bello essere di nuovo in partenza, in Viaggio con i nani... È questo che ho desiderato per anni!" Agitò la mano verso la porta. "Addio," disse. Si distolse dalle luci e dalle voci nel campo e nelle tende e, seguito dai compagni, fece il giro del giardino sul lato occidentale di Casa Baggins, e trotterellò giù per il lungo sentiero scosceso. Scavalcarono la siepe sul fondo in un punto basso e presero per i prati, passando come un fruscio nell'erba.

In fondo al versante della Collina giunsero al cancello che dava su uno stretto viottolo. Quando scavalcarono, una sagoma scura con un alto cappello spuntò da sotto la siepe.

"Ciao. Gandalf!" gridò Bilbo. "Mi chiedevo se saresti venuto."

"Mi chiedevo se *tu* saresti venuto," rispose il mago, "o se ci avessi ripensato.[15] Immagino tu abbia l'impressione che tutto sia andato magnificamente, come volevi?"

"Sì," fece Bilbo. "Anche se quel lampo è stato una sorpresa: ha fatto trasalire *me*, figuriamoci gli altri. Un tocco aggiunto da te, dico bene?"

"Esatto," rispose Gandalf. "Tu hai saggiamente tenuto nascosto quell'Anello tutti questi anni; e mi è sembrato necessario dare a tutti qualche motivazione per spiegare che non si erano accorti della tua improvvisa sparigione [> dare a tutti qualcos'altro che potesse spiegare la tua improvvisa sparigione]."

"Sei un vecchio ficcanaso intrigante," Bilbo rise. "Ma tu, come al solito, saprai che cos'è meglio."

"Già..." disse Gandalf, "ammesso che sappia qualcosa. Tutta questa faccenda mi convince poco. Eppure, ora è arrivata la conclusione. Hai fatto il tuo scherzo, hai spaventato e offeso con successo la maggior parte dei parenti, hai dato all'intera Contea di che parlare per nove (o più probabilmente per novantanove) giorni. Vuoi spingerti oltre?"

"Sì," disse Bilbo.[16] "Devo sbarazzarmene, Gandalf. *Ben conservato*, come no," sbuffò. "Ma io mi sento esile, quasi stiracchiato, non so se ci capiamo; come uno spago che non riesce ad avvolgere un pacco oppure raschiato su troppo pane. Non va bene."

"No," disse Gandalf pensieroso. "No. Temevo si potesse arrivare a questo. Direi che il tuo piano è il migliore, se non altro per te. Almeno per il momento non credo di saperne abbastanza per dire qualcosa di definitivo contro quest'ultimo."

"Che altro posso fare? Quella cosa non posso distruggerla e, dopo quello che mi hai detto, non lo butterò. Stranamente, trovo impossibile decidermi a farlo: mi sono limitato a rimetterlo in tasca. Per me è assai difficile lasciarlo! Eppure non lo voglio, anzi non lo sopporto. Tu però hai promesso di tenere d'occhio Bingo e di aiutarlo se ce ne fosse bisogno, in futuro? Altrimenti, com'è ovvio, è difficile che io vada. Dovrei restare qui e sopportarlo."

"Farò quello che posso per lui," disse Gandalf. "Tu nel frattempo cosa ne hai fatto?"

"È nella busta insieme al mio testamento e ad altri documenti. Lofar lo darà a Bingo appena arriva."

"Mio caro Bilbo! E con Otho Sackville-Baggins in giro e sua moglie Lobelia! Davvero stai diventando sconsiderato. E suppongo che tu abbia lasciato la porta aperta come al solito?"

"Sì, temo di averlo fatto. Immagino che Bingo se la svignerà di casa prima di chiunque altro."

"La fantasia non dà sufficienti sicurezze! Ma potresti aver ragione. Lui lo sa, ovviamente?"

"Lui sa che ho, o ho avuto, l'Anello: per prima cosa ha letto le mie memorie,[17] e si è fatto un'idea [> potrebbe avere un sentore] che abbia qualche altro, ehm, effetto oltre a rendere invisibili in alcune occasioni. Ma non sa, o non sapeva, bene cosa iniziavo a provare al riguardo. Dopotutto, però, dato che non può essere distrutto, ma solo tramandato, sarebbe meglio che venisse consegnato a lui: io l'ho scelto quale migliore dell'intera Contea, è lui il mio erede. Sa che lascio a lui questo, come tutto il resto. Non credo domanderebbe di essere dispensato da questa responsabilità, prendendosi solo il denaro."

"Gli mancherai molto, lo sai?"

"Sì, decidermi è stato difficile. Per lui sarà dura, ma non troppo dura, credo. È giunto il momento che diventi padrone di se stesso. Dopotutto, se le cose fossero andate in maniera un po' più... ehm... normale, mi avrebbe comunque perso presto, se non sarebbe già capitato. Mi spiace privare tutta la mia amata gente di un gran funerale... quanto si sono divertiti tutti a quello del Vecchio Took... ma così è."

"Sa dove sei diretto?"

"No! Nemmeno io ne sono certo, in realtà. E penso sia un bene per tutti. Magari gli viene voglia di *seguirmi*."

"Potrebbe venire anche a me. Spero che baderai a te stesso."

"Badare? Non m'importa! E non essere triste per me... sono felice come non mai, e questo la dice lunga. Ma è giunto il momento. Mi sembra di camminare sulle nuvole," aggiunse in tono misterioso e poi, a bassa voce, quasi tra sé e sé, si mise a cantare soavemente nell'oscurità:

La Strada se n'va ininterrotta
A partire dall'uscio onde mosse.
Or la Strada ha preso una rotta,
Che io devo seguir, come posso,
Perseguirla con passo solerte,
Fino a che perverrà a un gran snodo
Ove affluiscono piste e trasferte.
E di poi? Io non so a quale approdo.[18]

Tacque un attimo. Poi "Addio, Gandalf!" gridò e si dileguò nella notte. Nar, Anar e Hannar lo seguirono.[19] Gandalf restò per un po' al cancello, poi lo scavalcò con un balzo e risalì la Collina.[20]

Si noterà che in questo passaggio, molto diverso da quello che occupa lo stesso spazio narrativo in CdA (pp. 42-43), mio padre pensava all'effetto dell'Anello sul possessore all'incirca alla stessa maniera che nel capitolo su Gollum (la "prefazione"), pp. 102-104. Inoltre, in CdA la conversazione (e il litigio) tra Bilbo e Gandalf avviene a Casa Baggins, sicché nella presente versione riguardante la preoccupazione di Gandalf per l'Anello, lasciato incustodito in una busta a Casa Baggins, e la sua risalita della Collina per trovare Bingo, non compare. Gandalf era seduto ad aspettarlo al suo ingresso.

Il repulisti della festa ricalca la versione precedente (CdA, pp. 45-46); ma la conclusione del capitolo esiste in due varianti, segnate come tali. Una, molto più lunga dell'altra e precedente a questa, ha subito essa stessa consistenti modifiche. Per prima cosa l'elenco dei presenti rimane uguale, con qualche nuovo cambiamento nei nomi.[21] Da "Naturalmente questa era solo una parte dei regali", il nuovo testo si avvicina molto alla forma di CdA (pp. 47-48), con considerazioni sulla natura caotica delle buche hobbit (riguardo cui Bilbo aveva osservato: "Presto a Casa Baggins non riusciremo più a sederci sugli sgabelli o a leggere l'ora sugli orologi") e sui regali al Veglio Gamgee (ma la parte sulla collezione dei gingilli magici di Bilbo, pp. 46, 52, permane); la decina di bottiglie dei Vecchi Vigneti va a Rory Brandaino e viene detto che provengono dalla "Contea meridionale", non ancora dal Quartiero Sud.

Da "non un centesimo né un misero spicciolo uscì di lì" sono presenti un testo scartato e uno sostitutivo, differenti soprattutto nella disposizione degli elementi. Come scritto all'inizio, i Sackville-Baggins vengono introdotti subito, chiedendo di vedere il testamento, che viene riportato per esteso;[22] poi segue la diceria secondo cui l'intero contenuto di Casa Baggins sarebbe stato ripartito e "nel mezzo del trambusto" Bingo trova Lobelia che indaga, butta fuori i tre giovani hobbit e litiga con Sancho Pededegno,[23] e il passaggio si conclude con "Il fatto è che il denaro di Bilbo era diventato una leggenda..." (CdA, p. 50).

Nel testo sostitutivo si raggiunge la struttura di CdA (pp. 49-50), con la sola importante differenza che il ruolo di Merry viene preso dal nano Lofar, che era rimasto indietro dopo la partenza di Bilbo (p. 303). Le uniche piccole divergenze rispetto a CdA sono che Otho Sackville-Baggins è ancora un notaio, è indicata la data di entrata di Bingo nell'eredità (mezzanotte del 22 settembre), la convalida del testamento avviene da parte di tre hobbit di oltre 33 anni, secondo tradizione, e i Sackville-Baggins hanno "più che lasciato intendere che lui o il mago (o entrambi) erano dietro l'intera faccenda". Lo scambio tra Frodo e Merry sulla questione di Lobelia che definisce Frodo un Brandaino non è presente: Bingo si limita a "chiuderle la porta alle spalle con una smorfia".

La variante breve è molto breve, e non è stata adottata. La grande folla giunta a Casa Baggins il mattino seguente alla festa si allontana alla vista del cartello sul cancello, che recita: "Il signor Bilbo Baggins se n'è andato. Non si hanno ulteriori notizie. A meno che non si tratti di affari urgenti, si prega di non bussare o suonare. Bingo Baggins." I Sackville-Baggins "pensavano che il loro affare fosse urgente. Diverse volte bussarono e suonarono". Fatti entrare da Lofar il Nano, il resto del passaggio è uguale alla variante lunga (modificata) e a CdA: il colloquio tra Bingo e i Sackville-Baggins nello studio, che si conclude con Bingo che dice a Lofar di non aprire il portone nemmeno se sente colpi d'ariete (e tralascia le operazioni di rastrellamento contro i tre giovani hobbit e Sancho Pededegno). Pertanto, in questa variante, tutta la "faccenda" dei regali e dell'invasione di Casa Baggins fu eliminata. Per le intenzioni di mio padre vedi p. 347.

La ricomparsa di Gandalf a Casa Baggins torna nella storia e inizia esattamente come in CdA (p. 50), ma presto nella conversazione subentrano notevoli differenze, dal punto in cui Gandalf dice a Bingo "Che cosa sai già?":

"Solo il racconto di Bilbo su come l'ha avuto,[24] da quella creatura Gollum, e come l'ha usato dopo, nel suo viaggio. Non credo l'abbia usato molto da quando è tornato a casa, anche se ogni tanto spariva (o non si trovava) in modo alquanto misterioso, se le cose si facevano un po' scomode. Un giorno, eravamo fuori a passeggiare, abbiamo visto arrivare i Sackville-Baggins e lui è scomparso, ed è sbucato da dietro una siepe quando quelli se ne erano andati.[25] Essere invisibile ha i suoi vantaggi."

"Ma ha anche i suoi svantaggi. Per scherzo non è un gran male, nemmeno per evitare 'inconvenienti', ma anche queste cose si pagano. Inoltre, rendersi invisibili, quando lo si desidera, non è l'unica caratteristica dell'Anello."

"So che intendi," disse Bingo. "Bilbo non sembrava molto cambiato. Dicevano fosse ben conservato. Ma devo dire che mi pare abbia anche i suoi vantaggi. Non capisco perché il caro vecchierello abbia lasciato qui l'Anello."

"No, penso che tu non sia ancora in grado. Ma col tempo magari ne scoprirai anche gli svantaggi. Per dirti, negli ultimi anni Bilbo aveva un'aria un po' irrequieta, no?"

"Sì, da parecchio."

"Be', penso fosse anche quello un sintomo. Non voglio spaventarti, ma voglio che tu stia attento. Prenditi cura dell'Anello, prenditi cura di te stesso e guardati le spalle. Non usare l'Anello,[26] e non fare sì che abbia, ehm, *potere* su di te più di quanto tu sia in grado di sopportare. Tienilo *segreto* e fammi sapere se senti, vedi o provi qualcosa di strano."

"Va bene. Ma di che si tratta?"

"Non ne sono del tutto sicuro. Comincio a supporre qualcosa, e non mi piacciono le supposizioni. Ma ora voglio partire per scoprire il più possibile. Prima di farlo non aggiungo altro, eccetto avvertirti e prometterti tutto l'aiuto che posso darti."

"Ma dici che te ne vai..."

"Sì, per un po'. In ogni caso sarai al sicuro per un anno o due. Non preoccuparti. Verrò a trovarti appena posso, senza farmi troppo notare, lo sai. Non credo che farò spesso visita alla Contea in piena vista. Mi pare di essere diventato alquanto impopolare... dicono che io sia una scocciatura e un disturbatore della quiete pubblica; e alcuni mi accusano di aver fatto sparire Bilbo. Pensano si tratti di un piccolo complotto tra me e te (se vuoi saperlo)."

"Pare proprio una cosa da Otho e Lobelia.[27] Bella offesa! Io vorrei sapere soltanto dove e per quale motivo se n'è andato il vecchio Bilbo. Tu lo sai? Pensi che se partissi subito riuscirei a raggiungerlo o trovarlo? Darei Casa Baggins e tutto quello che contiene, se solo potessi."

"Non credo che dovrei provarci. Lascia che il povero Bilbo si sbarazzi dell'Anello, cosa che avrebbe potuto fare (seppur controvoglia) dandolo a te, per un po'.[28] Fa' quello che lui voleva e sperava tu facessi."

"Ovvero?"

"Stai qui, bada a Casa Baggins, custodisci l'Anello... e aspetta."

"Va bene, ci proverò, ma preferirei seguire Bilbo.[29] Non so se questo sia un sintomo, come lo chiami tu, anche se ho l'Anello da un giorno o addirittura meno..."

"No, non ancora. Vuol dire soltanto che eri affezionato a Bilbo. Lui sapeva che sarebbe stata dura per te. Detestava l'idea di abbandonarti. Ma tant'è. Prima della fine, tutti avremo modo di capire meglio. Ora devo salutarti. E aspettati di vedermi, specie nei momenti più impensati! Se davvero hai bisogno di me, manda un messaggio ai nani più vicini, cercherò di far sapere loro dove mi trovo.[30] Addio!"

Bingo lo vide partire. Il nano Lofar gli andò dietro, con una grossa sacca. Si allontanarono lungo il sentiero fino al cancello, a passo più che spedito,[31] ma Bingo pensò che il mago avesse un aspetto alquanto ricurvo, quasi fosse piegato sotto un pesante fardello. Scendeva la sera ed egli sparì nel crepuscolo. Bingo non lo rivide più per molto tempo.

In questo periodo mio padre scrisse un nuovo inizio sperimentale del capitolo, in cui i fatti e le considerazioni sulla storia familiare venivano comunicati attraverso i discorsi di Veglio Gamgee, Vecchio Querciolo e Sabbiaiolo il mugnaio al *Cespo d'Edera*. L'accenno a Sam Gamgee come giardiniere di Casa Baggins dimostra che la stesura è successiva al secondo capitolo, "Storia antica", che segue, e questo perché, se il capitolo fosse già esistito, mio padre non avrebbe spiegato chi fosse Sam Gamgee alla sua comparsa in "Storia antica" (p. 321), mentre qui è opportuno sottolinearlo.

Questa versione del dialogo era ancora molto distante dalla forma in CdA (pp. 33-34). L'apertura del capitolo doveva ora essere molto condensata:

Quando il signor Bilbo Baggins di Casa Baggins, Sottocolle, annunciò che presto avrebbe festeggiato il suo undicentesimo compleanno con una festa oltremodo fastosa, i commenti e i fermenti a Hobbiton si sprecarono. In breve tempo la voce dell'evento si sparse per l'intera Contea, e la storia e il carattere del signor Bilbo Baggins ridivennero il principale argomento di conversazione. Di colpo le reminiscenze degli anziani che rimembravano qualche cosa degli strani avvenimenti di sessant'anni prima tornarono in auge, e affrontarono la gratificante occasione con divertenti trovate, quando i semplici fatti li deludevano.

Nessuno aveva un pubblico più attento del vecchio Ham Gamgee, meglio noto come il Veglio. Sproloquiava al *Cespo d'Edera*,[32] una piccola locanda sulla via di Acquariva; e parlava con una certa autorevolezza, dopo aver fatto per mezzo secolo il giardiniere a Casa Baggins e prima ancora aiutato il suo vecchio nello stesso lavoro. Ora che era invecchiato e con le articolazioni scricchiolanti aveva passato il lavoro a uno dei figli, Sam Gamgee.

L'argomento di Bingo viene trattato in questo modo:

"E che ci dici di questo signor Bingo Baggins che vive con lui?" domandò Vecchio Querciolo di Acquariva.[33] "Ho sentito che raggiungerà la maggiore età lo stesso giorno."

"Esatto," disse il Veglio. "Compie gli anni lo stesso giorno del signor Bilbo, il ventidue settembre. È una sorta di legame tra loro, diciamo. Occorre dire che vanno assai d'accordo, ed è stato così in tutti gli ultimi dodici anni, da quando il signor Bingo è entrato a Casa Baggins. Sono molto simili, sotto ogni punto di vista, dato che sono parenti stretti. Sebbene il signor Bingo sia un mezzo Brandaino di nascita, e quelli sono una strana genia, come ho sentito in giro. Si trastullano con barche e acqua, e non si fa. Per forza poi capitano i guai, dico io.

Per il resto, il signor Duepiedi di vico Scarcasacco non compare; Gorboduc Brandaino viene definito dal Veglio "il capo della famiglia, assai importante giù a Landaino, dicono"; il mugnaio non dice che, oltre al peso di Drogo, ci fosse qualcosa di più inquietante nell'annegamento di Drogo Baggins e della moglie; lo hobbit che introduce il tema dei cunicoli pieni di tesori nella Collina non è "un visitatore di Gran Sterro" ma "uno degli hobbit di Acquariva"; e sono presenti molte differenze di formulazione.

[1] Mio padre in realtà ha scritto "capitolo 'F[esta] Inatt[esa]'" pensando al primo capitolo dello *Hobbit*. Vedi il mio suggerimento sull'uso della parola "vendita" in *Interrogativi e modifiche*, nota (2).

[2] Il titolo effettivo del capitolo II era "Tre è il numero giusto e quattro è di più" (p. 66). Una nota a matita sulla stessa pagina dice: "Bingo dovrebbe spendere tutti i propri soldi? Non è meglio che sacrifichi qualcosa? Però deve ammettere di averli spesi."

[3] Il passaggio riguardo al libro di Bilbo e alla ricezione ad esso riservata, sopravvissuto senza modifiche dalla seconda versione (p. 29), fu dapprima ripetuto qui, ma successivamente sostituito dal seguente:

Naturalmente raccontò molte storie delle sue avventure a chi voleva ascoltarlo. Ma gran parte degli hobbit si stancò presto di queste, e soltanto uno o due dei suoi amici più giovani le presero sul serio. Agli hobbit comuni non serve parlare di draghi: o non ti credono o vogliono non crederti, e in entrambi i casi smettono di ascoltarti. Bilbo, andando avanti con l'età, annotò le proprie avventure in un libro di memorie privato, in cui raccontò alcune cose di cui non aveva mai parlato (come l'anello magico); ma quel libro non fu mai pubblicato nella Contea, e lui non lo mostrò mai a nessuno, tranne al "nipote" prediletto, Bingo.

4 Questa era l'età di Bingo al momento dell'adozione nella quarta versione (p. 50), ma fu modificata nel corso della stesura del presente testo (vedi p. 302).

5 In *Interrogativi e modifiche* (nota 2) si suggeriva che Drogo Baggins dovesse essere il primo cugino di Bilbo.

6 Questa osservazione sul fatto che Bilbo e Bingo compiono gli anni lo stesso giorno fu aggiunta a matita, ma l'idea risale alla terza versione (p. 51), quando Bingo era il figlio di Bilbo.

7 *La Grande Buca di Borgodaino*: Palazzo Brandy è stato nominato e descritto nella versione originale di "Una scorciatoia per i funghi" (p. 127).

8 Aggiunto a matita:

e lo stesso Vecchio Took aveva raggiunto solo l'età di 125 anni (sebbene l'appellativo di Vecchio gli fosse stato dato, è vero, non tanto per la sua età quanto per la stranezza, e per l'enorme numero di giovani, più giovani e giovanissimi Took).

9 Questo doveva essere il primo, volutamente oscuro, riferimento all'Anello nella storia. Con l'abbreviazione e la modifica di questa conversazione iniziale tra Gandalf e Bilbo prima della Festa (p. 303) questo riferimento fu rimosso, e se ne parla quindi per la prima volta solo dopo la scomparsa di Bilbo.

10 *Gawkroger* è un cognome inglese (Yorkshire), che significa "goffo Roger".

11 In questa parte la situazione testuale è di una complessità tremenda, dal momento che il manoscritto è costituito da due "strati", e il più vecchio dei due è composto in parte dal nuovo manoscritto e in parte dal dattiloscritto della quarta versione. Avendo davanti entrambi i testi si può capire il modo in cui procedeva mio padre, ma presentarne i dettagli in un libro non è né possibile, né necessario. È dimostrabile che il secondo "strato", con la datazione riveduta della vita di Bingo e il lampo che accompagna la scomparsa di Bilbo, sia subentrato nel corso della stesura del capitolo.

12 Questo forse suggerisce che a Bingo non fosse stato detto dello "scherzo" di Bilbo; vedi lo schema a p. 297: "Pertanto non racconta nemmeno a Bingo dello scherzo". Una correzione e un'aggiunta a matita hanno cambiato il passaggio verso la forma presente in CdA (p. 41).

L'unico che non disse nulla fu Bingo, il più preoccupato. Da un lato apprezzò lo scherzo (cosa che nessun altro fece). Era proprio ciò che gli andava a genio: gli sarebbe piaciuto ridere e ballare in allegria; ed era contento di esser riuscito a cogliere tutta la piena e piacevole trepidazione, perché d'altro canto gli sarebbe piaciuto piangere. Era assai affezionato a Bilbo e il colpo fu devastante. Davvero non lo avrebbe più rivisto, nemmeno per un ultimo saluto? Per qualche tempo restò in silenzio al proprio posto...

[13] Aggiunta successiva:

e si allacciò con una cintura di cuoio attorno alla vita. Da questa pendeva una corta spada in un malandato fodero di pelle nera.

Vedi *Interrogativi e modifiche*, nota (4), sul tema Pungiglione.

[14] Mio padre prese tutti e quattro i nomi dei Nani dall'*Edda poetica* norrena, come quelli dello *Hobbit*.

[15] Aggiunta successiva:

Solo un'ultima parola per voi. Ora, miei buoni nani, camminiamo ancora un po' lungo il viale. Non vi tratterrò a lungo!" Si voltò di nuovo verso Bilbo. "Bene," disse sottovoce.

[16] Da questo punto la precedente conversazione scartata tra Bilbo e Gandalf prima della Festa (pp. 300-301, là contrassegnata come "Più avanti") viene ripresa, sebbene non nella stessa forma, e molto ampliata.

[17] Un'aggiunta a matita in questo punto probabilmente recita: "(l'unico che l'ha fatto)"; vedi nota 3.

[18] Questi versi nacquero nella forma originale del capitolo "Tre è il numero giusto" (pp. 64, 70-71), dove ora diventeranno una reminiscenza dei versi di Bilbo di anni prima. Le due versioni sono identiche, eccetto che nelle righe 4 e 8 quella di Bilbo presenta *io* anziché *noi*. In CdA (pp. 46, 85) entrambe le versioni presentano *io*, non *noi*; ma nella quinta riga quella di Bilbo presenta *solerte* dove quella di Frodo ha *sofferto*. Nel presente testo *solerte* è scritto sopra *sofferto* e con questo cambiamento si raggiunte la forma finale (vedi p. 357, nota 10).

[19] Questa frase fu cancellata quando fu fatta l'aggiunta riportata in nota 15.

[20] Il resto di questa parte del testo è in forma molto approssimativa a matita, con la modifica dell'ultimo passaggio in inchiostro che lo precede:

"Addio, Gandalf!" urlò e si dileguò nella notte. Gandalf restò per un momento al cancello, scrutando il buio dietro di sé. "*Adieu*, mio caro Bilbo," disse "...o *au revoir*" [Questo fu contrassegnato da una X: Gandalf non avrebbe usato il francese, per quanto fosse utile la distinzione.] E poi balzò oltre il basso cancello e si incamminò veloce su per la collina. "Se becco Lobelia a ficcanasare in giro," mormorò, "la faccio diventare una donnola!"

Ma non aveva nulla da preoccuparsi. A Casa Baggins trovò Bingo seduto su una sedia all'ingresso con la busta in mano. Si rifiutò di immischiarsi oltre con la festa.

[21] L'ombrello ora anziché a Mungo Took va a Uffo Took (Adelardo Took in CdA). Semolina Baggins diventa la sorella di Drogo, di 92 anni (in CdA è Dora Baggins, 99 anni). Il letto di piume non va a Fosco Bolger (che era zio di Bingo quando era ancora un Bol-

ger), ma a Rollo Bolger (un destinatario altrettanto adatto), "dal suo amico"; Rollo Bolger è sopravvissuto al cambiamento dall'essere il marito di Primula Brandaino e alla morte per annegamento nel Brandivino. Il servizio da tavola "alquanto ornato" va a Primo (non Inigo) Scavieri; e il Soffiacorno che ha ricevuto il barometro cambia da Cosimo (passando per Carambo) a Colombo. Rimangono Caramella Paciocco, Orlando Covacciolo (*Burrows*), Angelica Baggins, Ugo Pancieri e naturalmente Lobelia Sackville-Baggins, insieme ai loro doni. Per gli elenchi precedenti, vedi pp. 24, 45-46, 52.

22 Così recitava il testamento:

Bilbo (figlio di Bungo figlio di Mungo) Baggins, da qui in avanti chiamato il testatore, ora in partenza, essendo il legittimo proprietario di tutte le proprietà e i beni da qui in avanti chiamati l'eredità, cede e lascia la proprietà e il podere o buco-dimora conosciuta come Casa Baggins Sottocolle vicino a Hobbiton con tutte le terre appartenenti e annesse al cugino ed erede adottivo Bingo (figlio di Drogo figlio di Togo figlio di Bingo figlio di Inigo) Baggins da qui in avanti chiamato l'erede, affinché abbia possesso occupi affitti o venda o ne disponga altrimenti a proprio piacimento a partire dalla mezzanotte del ventiduesimo giorno di settembre nel centoundicesimo o undicentesimo anno del suddetto Bilbo Baggins. Inoltre, il suddetto testatore lascia in eredità al suddetto erede ogni moneta in oro argento rame ottone o stagno e tutti i ninnoli, le armature, le armi, i metalli non coniati, gemme, gioielli, pietre preziose e tutti i mobili annessi beni deperibili e perenni e beni mobili e immobili di proprietà del testatore e dopo la sua partenza ubicati, conservati o nascosti in ogni parte del suddetto buco e residenza di Casa Baggins o delle terre a questa annesse, a eccezione dei beni o beni mobili contenuti nell'elenco allegato, selezionati e destinati a dono d'addio agli amici del testatore e che l'erede spedirà recapiterà o affiderà secondo propria comodità. Con la presente il testatore rinuncia a tutti i diritti o pretese su tutte queste proprietà terreni monete o beni immobili e porge i propri saluti di commiato agli amici. Firmato Bilbo Baggins.

Otho, che era un notaio, lesse con attenzione il documento e sbuffò. In apparenza era corretto e incontestabile, secondo i principi giuridici degli hobbit. "Beffati di nuovo!" disse alla consorte.

(ecc. come in CdA, p. 49).

23 "Figlio del vecchio Pededegno" (in CdA "nipote del vecchio Odo Pededegno", p. 50).

24 Questa frase fu ampliata a matita, come segue:

"Proprio quello che diceva la lettera d'addio di Bilbo: 'Eccoti l'Anello. Ti prego di accettarlo. Prenditi cura di lui e di te stesso. Se vuoi sapere altro, chiedi a Gandalf.' E naturalmente ho letto e ascoltato la storia di Bilbo su come l'ha ottenuto..."

25 Questa menzione della scomparsa di Bilbo quando vide avvicinarsi i Sackville-Baggins fu cancellata a matita, con la nota "Inserire più avanti". Vedi p. 376.

26 "Non usare l'Anello" fu cancellato a matita, sostituito con "Se segui il mio consiglio non userai l'Anello"; e prima delle parole "Tienilo *segreto*" nella frase successiva fu aggiunto "Ma tienilo sempre con te".

27 In questa versione, sono Otho e Lobelia a dire questo a Bingo (p. 307), un passaggio non presente in CdA.

28 Questo fu riscritto a matita: "Non credo che dovrei provarci. Penso non farebbe piacere o aiuterebbe Bilbo. Lascia che si liberi dell'Anello, cosa che può fare solo se lo prendi, per un po'."

29 Questo fu riscritto a matita: "Va bene, ci proverò. Ma voglio seguire Bilbo. Credo che alla fine lo farò, in ogni caso, se non sarà troppo tardi per ritrovarlo."

30 Questa frase ("Se davvero hai bisogno di me...") fu messa tra parentesi (a inchiostro) per una possibile esclusione.

31 Questo fu riscritto a matita:

> Bingo accompagnò Gandalf alla porta. Là aspettava il nano Lofar. Quando la porta si aprì, lui sbucò e raccolse una grande borsa che stava nel portico. "Addio, Bingo," disse, con un inchino profondo. "Vado con Gandalf." "Arrivederci," disse Bingo. Gandalf fece un ultimo cenno di saluto con la mano e, con il nano a fianco, si allontanò lungo il sentiero a passo più che spedito...

Alla fine del capitolo mio padre scrisse: "Forse cambiare: Gandalf *ha l'anello*. Ritrovo al cancello prestabilito: consegna dell'anello laggiù. L'ultima visita di Gandalf è avvenuta per darlo a Bingo?" La cancellò e accanto scrisse "No". Questa infatti era stata la sua idea quando scrisse lo schema di p. 297, dove Bilbo deve "saluta Gandalf al cancello, gli consegna un pacchetto (con l'Anello) e scompare".

32 *Cespo d'Edera*: cambiato al momento della stesura di questa versione da *Drago Verde*. Vedi nota 33.

33 *Vecchio Querciolo di Acquariva*: cambiato al momento della stesura da *Ted Sabbiaiolo, figlio del mugnaio*. È un altro indizio del fatto che questa versione di apertura di "Una festa attesa a lungo" è successiva a "Storia antica", in cui il figlio del mugnaio portava il nome di Tom fino alla conclusione (p. 338, nota 9). La conversazione tra Sam Gamgee e Ted Sabbiaiolo in "Storia antica" era al *Drago Verde* di Acquariva, e probabilmente mio padre cambiò l'appuntamento degli amici del Veglio Gamgee al *Cespo d'Edera* (nota 32) per la stessa ragione per cui sostituì il figlio del mugnaio con il Vecchio Querciolo.

***

Restituisco qui tutta la genealogia di Bilbo e Bingo stabilita a questo punto nel testo. La discendenza dei Baggins deriva dal testamento di Bilbo (nota 22); i nomi tra parentesi sono quelli che differiscono nell'Appendice C di SdA, i Baggins di Hobbiton.

A quanto pare era già noto che il Vecchio Took aveva avuto molti figli, oltre le "tre notevoli figlie" (vedi nota 8).

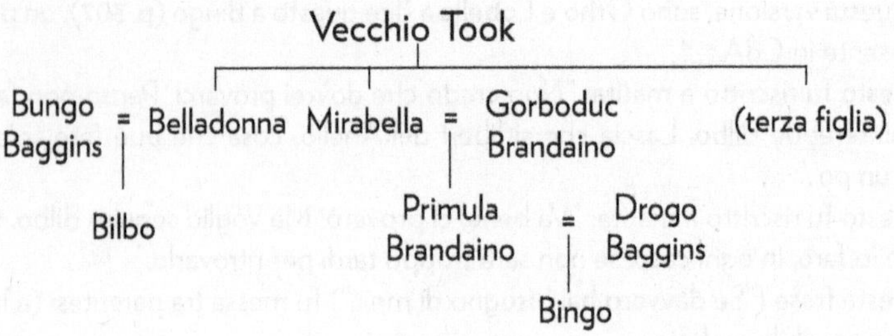

XV. STORIA ANTICA

Un capitolo intitolato "II: Storia antica", predecessore di "L'ombra del passato" in CdA, fu a questo punto introdotto per succedere a "Una festa attesa a lungo". Nello sviluppo del *Signore degli Anelli* è di fondamentale importanza, dal momento che è qui che nella narrazione emerge il concetto dell'Anello Dominante e di Sam Gamgee come compagno di Bingo (Frodo) nel suo grande viaggio. Della stesura precedente non c'è traccia, eccezion fatta per alcune note frammentarie e sconnesse difficilmente riproducibili. In queste ultime mio padre scribacchiò i tratti salienti della vita di Bingo dopo la scomparsa di Bilbo e per la prima volta concepì la storia della partenza di Bingo diciassette anni dopo, celebrata da una cena per Merry, Frodo e Odo (qui pare si dica che si sia tenuta con il ricavato della vendita di Casa Baggins). Accanto a questi appunti, mio padre scrisse: "Sam Gamgee va a sostituire Odo" (vedi *Interrogativi e modifiche*, p. 283).

Il manoscritto è grossolano e in alcuni punti davvero grezzo, ma leggibile in ogni sua parte. È presente qualche modifica di una fase successiva, qui ignorata, e una buona parte di correzioni a matita che in alcuni casi possono essere considerate come apportate durante la scrittura del capitolo. Queste ultime le adotto nel testo, ma in qualche caso faccio riferimento al testo in prima stesura.

Le chiacchiere non cessarono né in nove né in novantanove giorni. A Hobbiton e Acquariva, e a dire il vero in tutta la Contea, la seconda scomparsa del signor Bilbo Baggins fu argomento di discussione per il canonico anno e un giorno, e venne ricordata assai più a lungo. Per i giovani hobbit divenne una fiaba del focolare; e alla fine (circa un secolo dopo) Baggins il Matto, che era solito svanire con un botto e un lampo e ricomparire con sacchi pieni di oro e gioielli, divenne uno dei personaggi leggendari prediletti e continuò a vivere a lungo dopo che tutti i fatti reali furono dimenticati.

Nel frattempo, però, gli adulti ragionevoli si fecero pian piano l'opinione che alla fine Bilbo fosse (dopo aver mostrato a lungo i sintomi della comparsa) d'un tratto impazzito e si fosse volatilizzato; e doveva essere senza dubbio caduto in qualche stagno o fiume facendo una tragica ma tutt'altro che prematura fine. Di Baggins ce n'era uno in meno e questo è quanto.[1] Di fronte all'evidenza che la scomparsa fosse stata pianificata e preparata dallo stesso Bilbo, Bingo alla fine fu sollevato dai sospetti. Era anche chiaro che la partenza di Bilbo fosse per lui un colpo doloroso, più che per chiunque altro, anche tra gli amici più cari di Bilbo. Tuttavia, alla fine Gandalf fu ritenuto responsabile di aver istigato e incoraggiato il "povero vecchio signor Bilbo", per propri fini oscuri e ignoti.

"Se solo quel mago lasciasse in pace il giovane Bingo, forse si darebbe una calmata e svilupperebbe un minimo di buon senso hobbit," dissero. E a quanto pare il mago lasciò in pace Bingo, e si diede una calmata, malgrado il buon senso hobbit tardasse a venire. Anzi, il giovane si affrettò seduta stante a perpetuare la nomea di eccentrico dello zio. Rifiutò di portare il lutto; e l'anno dopo diede una festa in onore del 112esimo compleanno di Bilbo, che chiamò il Banchetto delle Centododici libbre, benché furono invitati soltanto pochi amici e fra tutti non arrivarono certo a papparsi centododici libbre. La gente era alquanto rattristata; ma Bingo mantenne l'usanza della festa di compleanno di Bilbo un anno dopo l'altro fino a che si abituarono. A sentir lui, Bilbo non doveva essere morto. Quando gli chiedevano: "E allora dov'è?" faceva spallucce.[2] Viveva da solo, ma andava parecchio in giro con alcuni hobbit più giovani cui Bilbo era affezionato e che continuava a "spronare". I capi di questi erano Meriadoc Brandaino (di solito chiamato Merry), Frodo Took e Odo Bolger.[3] Merry era il figlio di Caradoc Brandaino (cugino di Bingo) e Yolanda Took, e quindi il cugino di Frodo, figlio di Folco (la cui sorella era Yolanda). Frodo, o Frodo il Secondo, era il pronipote di Frodo il Primo (altrimenti detto il Vecchio Took), e l'erede e la speranza alquanto disperata della Buca dei Took, come veniva chiamato il clan. Pure la madre di Odo era una Took ed egli era terzo cugino degli altri due.[4] E con questi Bingo se ne andava a zonzo (spesso in abiti dimessi) e giravano per tutta la Contea. Sovente era lontano da casa. E continuava a spendere il proprio denaro in maniera generosa, anzi, in maniera più generosa di quanto avesse fatto Bilbo. E pareva ne avesse ancora in abbondanza, perciò le sue bizzarrie venivano ignorate, per quanto possibile. Col tempo è comunque vero che cominciarono a notare che lo stesso Bingo mostrava segni di buona "conservazione": esteriormente manteneva l'aspetto forte e alquanto grosso e ben piantato di uno hobbit appena uscito dall'età "prepubere". "C'è chi ha tutte le fortune," dicevano, riferendosi a quell'invidiabile connubio di danaro e preservazione; ma non gli diedero granché importanza, nemmeno quando Bingo iniziò ad avvicinarsi alla più morigerata età di 50 anni.

Lo stesso Bingo, dopo il primo choc, apprezzava alquanto essere padrone della propria vita, e *il* signor Baggins di Casa Baggins. Per un po', anzi per diversi anni, fu assai felice e non pensò molto al futuro. A differenza d'altri certo sapeva che il denaro non era infinito e che se ne andava in fretta svanendo. In quei giorni il denaro era di straordinario aiuto e molte cose si potevano anche ottenere senza averlo; Bilbo però aveva intaccato seriamente la propria eredità e le ricchezze acquisite nel corso di sessant'anni, e aveva investito almeno 500 monete d'oro nell'ultima Festa.[5] Pertanto, prima o poi, la fine sarebbe arrivata. Bingo, tuttavia, non se ne curava: nel proprio intimo, benché represso, ancora rimaneva il desiderio di seguire Bilbo, o comunque di lasciare la Contea e volatilizzarsi, o dovunque il caso lo portasse.

Un giorno, pensava, l'avrebbe fatto. Quando fu vicino ai 50, un numero che chissà come aveva l'impressione fosse importante (o infausto), ed era in ogni caso a quell'età che per Bilbo era giunta per la prima volta l'avventura, cominciò a pensarci con maggiore serietà. Si sentiva irrequieto. Era solito guardare le mappe e domandarsi cosa ci fosse oltre i confini: le carte hobbit realizzate nella Contea non si estendevano molto a est o a ovest dei suoi confini. E a volte, cominciò ad avvertire una sorta di senso di debolezza, quasi fosse stato stiracchiato su molti giorni, settimane e mesi, ma in qualche modo non fosse davvero lì. A Gandalf non sapeva spiegarlo meglio, anche se ci provava. Gandalf annuiva pensieroso.

Gandalf aveva preso a giungere di soppiatto per rivederlo, in segreto e senza far troppo rumore, e di solito quando non c'era nessuno in giro. Picchiettava un segnale convenuto alla finestra o alla porta, ed entrava: quando arrivava di solito era buio, e fintanto che era lì non usciva. Ripartiva, sovente senza preavviso, di notte o al mattino presto, prima dell'alba. Le sole persone oltre a Bingo che sapevano di queste visite erano Frodo e Merry; benché senza alcun dubbio la gente di campagna lo vedeva passare per la strada o nei campi, e si grattava il capo cercando di ricordare chi fosse o domandandosi cosa facesse.

Gandalf ricomparve per la prima volta circa tre anni dopo la partenza di Bilbo; diede un'occhiata a Bingo, ascoltò le sparute notizie della Contea e, notato che Bingo era ancora alquanto sistemato, presto se ne andò. Ma un paio di volte l'anno se ne tornava (eccetto per un lungo intervallo di quasi due anni) fino al quattordicesimo anno. Bingo allora aveva 47 anni. Poi andò spesso e rimase più a lungo.[6] Cominciò a preoccuparsi per Bingo; e accadevano pure cose strane. Voci avevano cominciato a giungere alle orecchie persino degli hobbit più sordi e paesanotti. Bingo ne aveva sentito parlare ben più di qualsiasi altro hobbit della Contea, dato che naturalmente proseguiva nell'usanza di Bilbo di accogliere nani e bizzarri stranieri, e di tanto in tanto anche di far visita agli elfi. Comunque, gli amici intimi Merry e Frodo credevano che gli elfi fossero amichevoli nei suoi confronti [*messo tra parentesi al momento della stesura:* e che lui conoscesse alcuni dei loro pochi rifugi. E, in effetti, era tutto vero. Bilbo aveva insegnato a Bingo tutto ciò che sapeva, e lo aveva istruito su quello che aveva imparato sulle due lingue elfiche usate in quei tempi e luoghi (dagli elfi, tra loro). In realtà, nella Contea gli elfi erano pochissimi e venivano visti molto di rado da chiunque, tranne che da Bilbo e Bingo. *Al momento della stesura, questo passaggio fu sostituito da:*] e che lui conoscesse qualche cosa dei loro linguaggi segreti, probabilmente appresi da Bilbo. E avevano ragione.

Sia gli elfi che i nani erano turbati, soprattutto quelli che talvolta giungevano o passavano da lontano, da oriente o da meridione. Di rado, però, dicevano qualcosa di assai preciso. Ma sempre menzionavano il Negromante, o [l'Oscuro Signore >] il Nemico; e talora si riferivano alla Terra di Mordor e alla Torre Nera. Il Negromante pareva fosse tornato a muoversi, e la fiducia di Gandalf nel fatto che il Nord sarebbe stato liberato da lui per molte ere non pareva esser stata fondata.[7] Da Boscuro era fuggito soltanto per rioccupare la sua antica roccaforte nel Sud, a quei tempi vicino al centro del mondo, nella Terra di Mordor; e correva voce che la Torre Nera fosse stata rinnalzata. Già il suo potere si diffondeva nuovamente sulle terre e le montagne e le foreste erano abbuiate. Inquieti erano gli Uomini e si spostavano a settentrione e occidente, e molti ora parevano essere in parte o del tutto sotto il dominio dell'Oscuro Signore. Avvennero guerre e molti incendi e devastazioni. I nani cominciavano a temere. I goblin erano tornati a moltiplicarsi e a ricomparire. Fuori si incontravano Troll di una nuova assai malvagia razza. Si parlava di giganti, Grossa Gente solo ben più grande e forte degli Uomini, la Grossa Gente [?comune], e non più stupidi, anzi, spesso colmi d'astuzia e capaci in arti magiche. E sussistevano vaghi accenni a cose o creature più temibili di goblin, troll o giganti. Gli elfi svanivano o erravano senza posa verso occidente.

A Hobbiton si cominciò a parlare della strana gente in circolazione e che spesso capitava oltre confine. Il seguente resoconto di una conversazione al *Drago Verde* di Acquariva [all'incirca in questo periodo >] una sera nella primavera del 49esimo o del 50esimo[8] anno di Bingo dà un'idea di ciò che si sentiva nell'aria.

Sam Gamgee (il figlio [maggiore >] minore del vecchio Veglio Gamgee e bravo giardiniere) era seduto in un angolo vicino al fuoco, e di fronte a lui c'era Ted Sabbiaiolo,[9] il figlio del mugnaio di Hobbiton; e vari altri hobbit campagnoli erano lì ad ascoltare.

"Certo che di questi tempi se ne sentono di cose strane, Ted," disse Sam.

Nel manoscritto segue la bozza originale, scritta in maniera approssimativa e frettolosa, della conversazione presso il *Drago Verde* presente in CdA, pp. 55-56; e poi non venne pressoché per nulla modificato, salvo piccoli dettagli nella formulazione. Lo hobbit che vide l'Uomo-albero oltre le

Brughiere del Nord (in CdA il cugino di Sam, Halfast Gamgee, che lavorava per il signor Boffin a Sopraccolle) qui è "Jo Bottone, quello che lavora per i Gawkroger [vedi p. 301] e va a Nord per la caccia". Il riferimento di Sam alla "strana gente" allontanata dai Confinieri ai margini della Contea è assente. Sam parla degli Elfi in viaggio verso i porti "lontano a Occidente, distante oltre le Torri,"[10] ma manca il riferimento ai Grigi Approdi.

Ciò che è più interessante è il rimando agli Uomini-albero. Quando mio padre scrisse per la prima volta le parole di Sam, questi diceva: "E che mi dici di questi, come li chiami... giganti? Dicono che uno grande quasi quanto una torre o almeno quanto un albero sia stato visto non molto tempo addietro lassù oltre le Brughiere del Nord." Questo fu cambiato al momento della stesura in: "E che mi dici di questi Uomini-albero, questi... giganti? Dicono che uno grande quasi quanto una torre" ecc. (Questo passaggio [rimasto in CdA, p. 55] fu il primo segno premonitore degli Ent? Tuttavia ben prima mio padre aveva fatto riferimento agli "Uomini-albero" in relazione ai viaggi di Eärendel: II.317, 326.)

Le parole di Sam sui Baggins alla fine della conversazione sono diverse (e spiegano perché l'egregio Ted Sabbiaiolo usò la parola "suonato" in CdA):

"Be', non so. Ma quel signor Baggins di Casa Baggins crede sia vero; lo ha detto a me e a mio padre; e sia lui che il vecchio signor Bilbo sanno qualcosa sugli Elfi, o almeno così dice mio padre e lui dovrebbe saperlo. Conosce quelli di Casa Baggins sin da quando era ragazzo e lavorava nei loro giardini finché le articolazioni non gli scricchiolavano troppo per piegarsi, e io ho preso il suo posto.

"E sono entrambi suonati..."

Dopo le ultime parole di Ted Sabbiaiolo,

Sam rimase seduto in silenzio e non disse altro. Il giorno successivo doveva fare un certo lavoro nel giardino di Bingo, e pensava che avrebbe avuto la possibilità di scambiare due chiacchiere con Bingo, cui aveva riferito il grande rispetto del padre per il vecchio Bilbo. Era aprile, dopo molta pioggia il cielo era alto e terso. Il sole era tramontato e un cielo chiaro e fresco adagio svaniva. Sam tornò a casa passando per Hobbiton e su per la collina, fischiettando piano e pensoso.

All'incirca allo stesso momento Gandalf entrava silenzioso dalla porta socchiusa di Casa Baggins.

La mattina seguente, dopo colazione, in due, Gandalf e Bingo, erano seduti accanto alla finestra aperta. Il fuoco scoppiettava nel camino; ma il sole era tiepido e il vento soffiava da sud: tutto aveva un'aria fresca e il verde nuovo della Primavera luccicava nei campi e sulla punta delle dita degli alberi. Gandalf stava pensando a una primavera di quasi ottant'anni prima, quando Bilbo era scappato da Casa Baggins senza neanche un fazzoletto. I capelli di Gandalf erano forse più bianchi di allora, la barba e le sopracciglia forse più lunghe, e il viso più segnato dalle preoccupazioni e dalla saggezza; ma gli occhi non luminavano di meno e fumava e faceva anelli di fumo con lo stesso vigore e piacere di sempre. Ora fumava in silenzio perché avevano parlato di Bilbo (come sovente facevano) e [di altre cose >] del Negromante e dell'Anello.

"È tutto molto inquietante, terrificante, a dire il vero," disse Bingo. Gandalf grugnì, il rumore in apparenza voleva dire: "Concordo, ma la tua osservazione non è d'aiuto." Un nuovo silenzio. Dal giardino giungeva il rumore che faceva Sam Gamgee nel tagliare l'erba per la prima volta.

"Da quanto tempo lo sai?" domandò infine Frodo. "E a Bilbo l'hai detto?"

"Ha capito subito parecchio," rispose Gandalf adagio...

Mio padre era tornato al testo riportato alle pp. 99 ss., la "prefazione" come lui la chiamava (vedi p. 287), di cui ho parlato alle pp. 110-112, e in cui era presente la storia dove Bingo diede la Festa: la conversazione con Gandalf avvenne poche settimane prima, e fu davvero un'idea di Gandalf. Mio padre però seguì fedelmente alcune parti del vecchio testo, seppure ampliandolo sotto molti aspetti assai significativi.

Nella risposta di Gandalf alla domanda di Bingo (testo originale, p. 100), egli dice:

"Ho capito molto, ma all'inizio ho detto poco. Pensavo che le cose con Bilbo andassero bene, che fosse abbastanza al sicuro, perché quel tipo di potere su di lui non aveva presa. Così ho pensato, e in un certo senso avevo ragione; ma non del tutto. Naturalmente, lo tenevo d'occhio, ma forse non ero abbastanza attento. Allora non sapevo quale fosse quell'Anello dei tanti. Se lo avessi saputo, mi sarei comportato in modo diverso, o forse no. Ora però lo so." La voce sfumò in un sussurro. "Perché sono tornato nella terra del Negromante... due volte."[11]

"Sono sicuro che hai fatto il possibile" disse Bingo...

Gandalf disse altro su Bingo: "Non ero granché preoccupato per Bilbo... istruito lo era quasi del tutto e non mi sentivo più responsabile per lui. E quando l'ha capito, ha dovuto seguire ciò che gli diceva la mente." E parla degli hobbit della Contea che sono stati "ridotti in schiavitù" (come in CdA, p. 60), non "diventati Spettri".

Ma con la risposta di Gandalf alla domanda di Bingo "Non capisco bene cosa c'entri tutto questo con me, Bilbo e l'Anello" mio padre si allontanò completamente dal testo originale.

"A dire il vero," replicò Gandalf, "credo che finora – bada bene, *finora* – abbia completamente ignorato l'esistenza degli hobbit, allo stesso modo di Smaug. Dovreste esserne riconoscenti. E non credo che nemmeno adesso li desideri granché: sarebbero (forse) servitori obbedienti, ma di scarsa utilità. Tuttavia, esistono cattiveria e vendetta. E preferirebbe di gran lunga hobbit miserabili a hobbit felici. E per quanto riguarda te e l'Anello: penso di potertelo spiegare, almeno in parte. Ancora non so tutto. Dammi l'Anello un attimo."

Bingo lo tirò fuori dalla tasca dei calzoni, dov'era assicurato a una catenella che lo cingeva come una cintura. "Bene," disse Gandalf. "Vedo che lo porti sempre con te. Continua a farlo." Bingo lo sganciò e lo porse a Gandalf. Sembrava pesante, come se quello, o Bingo, fossero riluttanti che Gandalf lo toccasse. Pareva fatto d'oro puro e massiccio, spesso, appiattito, senza giunte.[12] Gandalf lo sollevò.

"Ci vedi qualche segno?" disse. "No!" disse Bingo. "È perfettamente liscio, non è consumato e non ha un graffio."

"Be', allora guarda!" Con stupore e angoscia di Bingo, il mago all'improvviso lo gettò in un punto ardente del fuoco. Bingo cacciò un urlo e fece per prendere l'attizzatoio; ma Gandalf lo trattenne. "Aspetta!" disse in tono imperioso, lanciando a Bingo una rapida occhiata da sotto le sopracciglia.

L'Anello non subì il benché minimo cambiamento. Dopo un po' Gandalf si alzò, chiuse le imposte della finestra rotonda e tirò le tende. La stanza divenne buia e silenziosa. Perveniva ancora attutito il rumore delle cesoie di Sam, ora più vicino al buco. Per un attimo il mago restò in piedi a fissare il fuoco; poi si chinò, recuperò l'Anello dal camino con le molle e subito lo raccolse. Bingo rimase a bocca aperta.

"È proprio freddo," disse Gandalf. "Prendilo."

Bingo lo ricevette nel palmo ritratto: sembrava diventato più spesso e pesante che mai. "Sollevalo," disse Gandalf. "E guarda dentro." Nel farlo Bingo scorse linee sottilissime, più sottili del più sottile tratto di penna, che correvano lungo l'Anello: linee di fuoco che sembravano formare le lettere di uno strano alfabeto. Sfoggiavano una luminosità intensa e pur remota, come se emergessero da profondità abissali.

"Non riesco a leggere queste lettere fiammeggianti," disse Bingo con voce tremula. "Tu no," disse Gandalf, "ma io sì... ora. La scritta dice:

Un Anello per trovarli, Uno per vincerli,
Uno per radunarli e al buio avvincerli.[13]

"Sono parte di una poesia che ora conosco per intero.

Tre Anelli ai Re degli Elfi sotto il cielo,
Sette ai Principi dei Nani nell'aule di pietra,
Nove agli Uomini Mortali dal fato crudele,
Uno al Nero Sire sul suo trono tetro
Nella Terra di Mordor dove le Ombre si celano.
Un Anello per trovarli, Uno per vincerli,
Uno per radunarli e al buio avvincerli
Nella Terra di Mordor dove le Ombre si celano.[14]

Descrizione originale dell'iscrizione dell'Anello

"Questo è l'Anello Principe, l'Anello Unico per vincerli. Questo è l'Anello Unico che perse molti secoli fa, con grande indebolimento del suo potere, e ancora lo desidera ardentemente.[15] Ma *non* deve averlo."

Bingo sedeva silenzioso e immobile. La paura parve protendere una mano smisurata, come una nube scura sorta a Oriente che minacciasse di fagocitarlo. "Quest'anello!" balbettò. "Com'è potuto finire in mano mia?"

"Posso raccontarti parte della storia che conosco," rispose Gandalf. "Nei giorni antichi il Negromante, l'Oscuro Signore Sauron,[16] forgiò molti anelli magici con differenti proprietà che davano differenti poteri a chi li possedeva. Li elargì in generosità e li disseminò dovunque per irretire tutti i popoli, ma soprattutto Elfi e Uomini. Poiché questi usavano gli anelli, a seconda della loro forza e volontà e cuore, cadevano chi prima chi poi sotto il potere degli anelli e il dominio del loro creatore.[17] A Tre, Sette, Nove e Uno egli assegnò un particolare potere:[18] i possessori non soltanto divenivano invisibili a tutti in questo mondo, se lo desideravano, ma erano in grado di vedere sia il mondo alla luce del sole che l'altro in cui si muovono le cose invisibili.[19] E avevano (quella che viene chiamata) buona fortuna e (quella che sembrava) vita senza fine. Tuttavia, come ho detto, il potere dato dagli Anelli a ciascun possessore dipendeva dall'uso che questi ne faceva, da quello che erano loro stessi e da ciò che desideravano.

"Ma gli Anelli erano sotto il controllo del creatore e attiravano sempre i possessori a lui. Poiché deteneva l'Anello Dominante che, quando lo indossava, gli permetteva di vedere tutti gli altri e di scorgere anche i pensieri di chi li possedeva.[20] Tuttavia, perse questo Anello e di conseguenza anche il controllo sugli altri. Nel corso degli anni li ha riuniti e cercati, nella speranza di trovare l'Unico perduto. Gli Elfi, però, resistono al suo potere più di tutte le altre razze. E gli alti elfi dell'Ovest, alcuni dei quali ancora permangono nel mondo di mezzo, percepiscono e dimorano allo stesso tempo sia [in] questo mondo che dall'altro lato senza l'ausilio di anelli.[21] E dal momento che hanno a lungo sofferto e combattuto contro Sauron, non vengono facilmente trascinati nella sua rete o da lui ingannati. Che ne sia stato dei Tre Anelli di terra, aria e cielo, non ne ho idea.[22] Alcuni dicono siano stati trasportati lontano, oltre il mare. Altri dicono

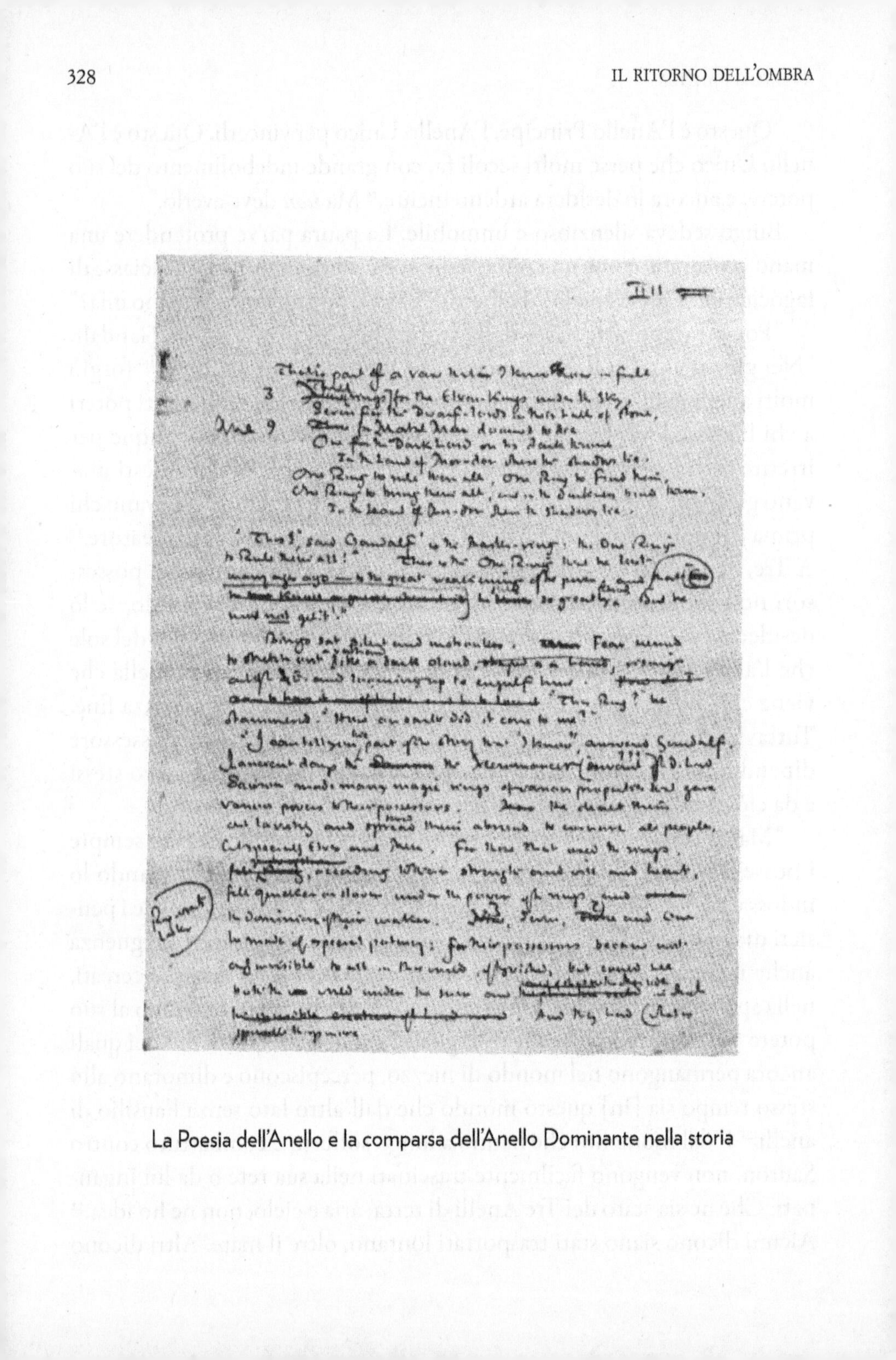

La Poesia dell'Anello e la comparsa dell'Anello Dominante nella storia che i re degli Elfi nascosti li detengano ancora. Pure i nani si dimostrarono tosti e intrattabili, poiché essi non sopportano a cuor leggero alcuna sottomissione o dominio (persino nei confronti della loro stessa razza). Né possono essere facilmente fatti ombra. Presso i nani il maggiore potere degli Anelli era di attizzare i loro cuori con il fuoco dell'avidità (da cui è sorto il male che ha aiutato Sauron). Si narra che la base di ciascuno dei Sette Grandi Tesori dei nani dell'antichità fosse un Anello d'oro. Ma si dice che quelle ricchezze siano state trafugate e che i draghi le abbiano divorate, e che gli Anelli si siano consumati nelle loro fiamme; eppure si dice anche che non tutti i tesori siano andati distrutti e che alcuni dei Sette Anelli siano ancora custoditi.

"Ma tutti i Nove Anelli degli Uomini tornarono a Sauron e si portarono appresso i possessori, re, guerrieri e maghi dell'antichità,[23] che divennero Spettri dell'Anello e servirono il creatore, e furono i suoi più temibili servitori. Gli Uomini spesso furono sotto il suo dominio, e ora ovunque nella Terra di Mezzo[24] cadono di nuovo in suo potere, soprattutto nell'Est e nel Sud del mondo, dove gli Elfi sono pochi."

"Spettri dell'Anello!" esclamò Bingo. "Cosa sono?"

"Non ne parleremo ora," disse Gandalf. "Evitiamo di parlare di cose terribili senza che sia necessario. Costoro appartengono ai giorni antichi e speriamo che non tornino mai. Se non altro, Gilgalad in questo è riuscito."[25]

"E chi era Gilgalad?" chiese Bingo.

"Colui che privò l'Oscuro Signore dell'Anello Unico," rispose Gandalf. "Nella Terra di Mezzo fu l'ultimo dei grandi re degli Elfi della razza dell'alto occidente e strinse alleanza con Orendil[26] Re dell'Isola che in quei giorni tornò nel mondo di mezzo. Ma non racconterò tutta quella storia adesso. Un giorno forse la sentirai raccontare da qualcuno che la conosce davvero. Basti dire che marciarono contro Sauron e lo assediarono nella sua torre; ed egli uscì e lottò con Gilgalad e Orendil, e fu sconfitto. Ma abbandonò le sue sembianze corporee e fuggì come un fantasma in lande desolate finché non si fermò a Boscuro e riprese forma nell'oscurità. Gilgalad e Orendil rimasero entrambi feriti a morte e perirono nella terra di Mordor; ma Isildor figlio di Orendil mozzò l'Anello Unico dal dito di Sauron e lo prese per sé.[27]

"Quando tornò da Mordor, però, Isildor fu sopraffatto dai Goblin che scesero a frotte dalle montagne. E si narra che Isildor indossò l'Anello e scomparve alla loro vista, ma questi lo seguirono a fiuto, finché giunse alle rive di un ampio fiume. Poi Isildor si tuffò e nuotò, ma l'Anello lo tradì,[28] e gli scivolò di mano, ed egli divenne visibile ai nemici; e questi lo uccisero a colpi di freccia.[29] Tuttavia un pesce prese l'Anello e colto dal delirio nuotò controcorrente balzando oltre le rocce e su salti d'acqua finché non si lanciò su una riva, sputò l'Anello e morì." Gandalf fece una pausa. "E a quel punto," disse "l'Anello uscì da conoscenza e leggenda; e perfino questo frammento della sua storia è ormai noto e ricordato solo da pochi. Eppure, ora posso completarlo, credo.

"Molto tempo dopo, ma sempre tanto tempo fa, viveva sulle sponde di un fiume al limitare della Selvalanda una saggia piccola famiglia, agile di mano e silente di piede...

Per la storia di Gollum mio padre seguì molto fedelmente il testo originale (pp. 102-103) e introdusse solo qualche piccolo cambiamento di parole qua e là. Qui Dígol è ancora Gollum stesso e non il suo amico. Al termine del passaggio, le parole "e anche il Padrone lo perse" diventano "e anche il creatore, quando il suo potere tornò a crescere, non scoprì nulla" e la frase seguente, sul Negromante che conta gli anelli e trova che ne manchi sempre uno, fu eliminata.

Anche la discussione di Gandalf riguardante il pensiero e le motivazioni di Gollum al momento dell'incontro con Bilbo (ancora basato sulla storia originale dello *Hobbit*, vedi pp. 110-111) è molto vicina alla vecchia versione (pp. 103-104). Sono invero presenti molti piccoli miglioramenti nella formulazione, ma è necessario notare due sole modifiche. Le parole di Gandalf riguardo alla longevità di cui beneficia il possessore dell'Anello (p. 103) sono ampliate nella seguente, interessante maniera:

... Uno spaventoso logorio, Bingo, anzi un definitivo tormento (persino se non diventi uno Spettro). Gli Elfi soltanto sono in grado di sopportarlo, e pure loro sbiadiscono.

E quando Gandalf parla di "arrivo inaspettato di Bilbo" (p. 104), prosegue:

Ricordi quanto ne fu sorpreso, e quanto presto iniziò a parlare di un dono, benché si fosse concesso la possibilità di tenerlo se la fortuna avesse guardato dalla parte giusta. Eppure, oserei dire che le sue vecchie cattive abitudini alla fine presero il sopravvento e si sarebbe mangiato Bilbo, fosse stato semplice. Ma non ne sono certo... credo usasse il Gioco degli Indovinelli (cui nemmeno Gollum s'azzarda a barare, dato che è sacro e di veneranda antichità), quasi fosse una specie di tiro a sorte a decidere per lui. E comunque Bilbo aveva Pungiglione, se ricordi, quindi semplice non era.

Dal punto in cui Bingo obietta che Gollum non diede mai l'Anello a Bilbo, dato che Bilbo già lo aveva, la storia di Gandalf compie un importante passo avanti, ed egli comunica di aver lui stesso trovato Gollum (nel testo originale non è presente alcuna spiegazione di come ne conoscesse la storia). Riporto integralmente la parte successiva del capitolo, scritta in gran parte in maniera assai approssimativa.

"Lo so," disse Gandalf. "Ed è per questo che ho detto che le origini di Gollum spiegano solo in parte gli eventi. C'era, naturalmente, qualcosa di molto più misterioso dietro l'intera questione, qualcosa che andava ben oltre il Signore degli Anelli stesso, specifico di Bilbo e della sua personale Avventura. *Bilbo era 'destinato' ad avere l'Anello*, non esiste modo più chiaro di dirlo, e forse è stato coinvolto nella Ricerca del tesoro soprattutto per questo. Nel qual caso, il 'destino' voleva che lo avessi tu. Il che può (oppure no) essere un pensiero rassicurante. E gli stessi Anelli hanno avuto sempre un destino strambo. Vanno perduti e ricompaiono in posti strani. L'Unico era già sfuggito al suo proprietario e lo aveva tradito a morte. E ora era sfuggito anche a Gollum. Ma il male che infliggono secondo il disegno del loro creatore spesso muta in un bene da lui non voluto, e persino nella sua caduta e sconfitta.[30] E anche questo può essere un pensiero rassicurante, oppure no."

"Nessuno dei tuoi pensieri è granché incoraggiante," disse Bingo; "anche se non capisco di preciso cosa intendi. Ma come fai a sapere o supporre tutte queste cose su Gollum?"

"Per il supporre, o metterle insieme una a una, per la gran parte non è stato difficile," disse Gandalf. "L'Anello che tu hai avuto da Bilbo, e Bilbo ha avuto da Gollum, si distingue come l'Anello Unico dalle scritte di fuoco. E a questo proposito la storia di Gilgalad e Isildor è ben nota... ai saggi. Colmare la storia di Gollum e adattarla nello spazio rimasto vuoto non è di particolare difficoltà: per chi sa molto che non ti dice sulla storia, sul pensiero e i comportamenti delle creature della Terra di Mezzo. Quale fu il primo indovinello formulato da Gollum, te lo ricordi?"

"Sì," disse Bingo, pensieroso.

Radici invisibili ha,
Più in alto degli alberi sta,
Lassù fra le nuvole va
E mai tuttavia crescerà.

"Giusto, più o meno!" disse Gandalf. "Radici e montagne! Ma in realtà non ho dovuto fare molte supposizioni da indizi di questo tipo.[31] Lo so. Lo so perché ho trovato Gollum."

"Hai trovato Gollum!" disse Bingo, stupito.

"La cosa più ovvia da fare, di sicuro," disse Gandalf.

"Allora cosa è successo dopo che Bilbo se n'è andato? Lo sai?"

"Non molto bene. Quello che ti ho detto, Gollum era disposto a raccontarlo; anche se naturalmente non nella maniera in cui l'ho detto io... pensava di essere incompreso e maltrattato, ed era colmo di pietà per se stesso e di odio verso tutte le altre cose. Ma dopo il Gioco degli Indovinelli non era propenso a dire nulla, se non con allusioni misteriose. Si capiva che in un modo o nell'altro Gollum si sarebbe vendicato e che la gente allora avrebbe visto se poteva essere maltrattato, sdegnato, cacciato in un buco, fatto morire di fame e *derubato*. Avvicinandosi, avrebbero solo peggiorato le cose; perché ora Gollum aveva amici, amici potenti. Puoi immaginare la malevolenza. Alla fine aveva scoperto che Bilbo in qualche maniera si era preso il 'suo' Anello, e come si chiamava."

"Come?" chiese Bingo.

"Gliel'ho chiesto, ma lui si è limitato a sorridere e ridacchiare, e ha detto: 'Gollum non è sssordo, no, Gollum, e ha gli occhi, no, sì, mio tesssoro, sì, Gollum.' Ma[32] è facile immaginare diversi modi in cui la cosa può capitare. Ad esempio, potrebbe aver sentito i goblin parlare della fuga di Bilbo dalla porta. E la notizia degli ultimi accadimenti ha fatto il giro di Selvalanda e avrebbe dato a Gollum molto cui pensare. Comunque, dopo essere stato 'derubato e ingannato', che è come la vede lui, lasciò i Monti: i goblin, dopo la Battaglia, erano pochi e stanchi; la caccia era scarsa e i luoghi nelle profondità erano oscuri e solitari più che mai. Anche il potere dell'Anello lo aveva abbandonato: non era più vincolato. Se sentiva vecchio, assai vecchio, ma meno timoroso, sebbene non meno malvagio.

"Ci si sarebbe potuti aspettare che il vento e anche la semplice ombra del sole lo avrebbero ucciso abbastanza in fretta. Ma era astuto. Si nascondeva dalla luce del giorno o dal chiarore della luna, si spostava adagio e veloce di notte con i suoi pallidi occhi a mandorla, e catturava piccoli esseri spaventati e incauti. Difatti, per un po', grazie al nuovo cibo e alla nuova aria, diventò più forte. Strisciò dentro Boscuro, il che non sorprende affatto."

"L'hai trovato lì?"

"Sì, lo seguii là, aveva lasciato dietro di sé una scia di azioni tremende, tra bestie e uccelli e anche Uomini dei Boschi di Selvalanda. Aveva imparato ad arrampicarsi sugli alberi per trovare nidi e a insinuarsi nelle case per trovare culle. Se ne vantava con me.

"Ma le sue tracce correvano a sud, ben più a sud di dove lo avevo incontrato, grazie all'aiuto degli Elfi dei Boschi. Quello non voleva spiegarlo. Si limitava a sorridere e a lanciare uno sguardo malizioso, e disse *Gollum*, sfregandosi le orribili mani con fare allegro. Ma io sospetto, e ora è molto più di un sospetto, che molto tempo fa si sia inoltrato furtivo, poco a poco, fino alla terra di... *Mordor*," disse Gandalf, quasi in un sussurro. "Creature del genere si dirigono là per natura; e in quella terra ha imparato molto, e dopo poco lo hanno scoperto e interrogato. Penso davvero che Gollum rappresenti l'inizio dei nostri attuali guai;[33] perché, se ci azzecco, è per mezzo di lui che il Negromante ha scoperto cosa ne era stato dell'Anello Unico che aveva smarrito. Il timore è anche che abbia sentito dell'esistenza degli hobbit e che ora sia alla ricerca della Contea, se non ha già scoperto dove si trova. A dire il vero, ho paura che sia venuto a conoscenza[34] dell'umile e per lungo tempo ignorato cognome... Baggins."

"Ma è terribile," gridò Bingo. "Molto peggio di quanto temessi! O, Gandalf, che devo fare? Perché adesso sono davvero sono terrorizzato... Ma è un peccato che Bilbo non abbia pugnalato quell'essere abominevole, quando se ne andò!"

"Che scempiaggini dici a volte, Bingo!" disse Gandalf. "Peccato! È stato un peccato che gliel'abbia impedito. E non poteva farlo, senza commettere un torto. Era contro le Regole. Se l'avesse fatto, non avrebbe avuto l'Anello, sarebbe stato l'Anello ad avere lui immediatamente. Sarebbe divenuto schiavo del Negromante."

"Certo, certo," disse Bingo. "Che brutta cosa da dire di Bilbo! Caro vecchio Bilbo! Ma sono spaventato; e non provo nessuna pietà per quel vile di Gollum. Vuoi dire che tu e gli Elfi lo lasciaste vivere, dopo tutte quelle storie orribili? Ora, in ogni caso, è peggio di un goblin, ed è soltanto un nemico."

"Sì, si meritava di morire," disse Gandalf; "ma noi non l'abbiamo ucciso. È molto vecchio e molto disgraziato. Gli Elfi dei boschi lo tengono in prigione, ma [lo] trattano con tutta la premura che trovano nel loro saggio cuore. Gli danno del buon cibo. Ma non credo si possa fare molto per curarlo: eppure anche Gollum potrebbe rivelarsi utile una volta per tutte, prima della fine."[35]

"Be', comunque," disse Bingo. "Se Gollum non poteva essere ucciso, vorrei che tu non avessi lasciato a Bilbo tenere l'Anello. Perché l'hai fatto? Perché gliel'hai permesso? Gli hai raccontato tutte queste cose?"

"Sì, gliel'ho permesso," disse Gandalf. "Ma all'inizio, ovviamente, non immaginavo neppure che fosse [uno] dei diciannove[36] Anelli del Potere: pensavo non fosse più pericoloso di uno degli anelli magici minori che un tempo erano più comuni e venivano usati (secondo intenzione del creatore) soprattutto da mascalzoni e canaglie, per cattiverie meschine. Non temevo che Bilbo venisse influenzato dal *loro* potere. Ma quando ho cominciato a sospettare che la faccenda fosse più seria di così, gli ho detto tutto quello che i miei sospetti legittimavano. Alla fine sapeva che arrivava dal Negromante. Ma ricorda che doveva fare i conti con l'Anello stesso. Persino Bilbo non poteva sfuggire al potere dell'Anello Dominante. Ha sviluppato... un sentimento. Se l'è tenuto come ricordo. In tutta franchezza, è diventato alquanto orgoglioso della sua Grande Avventura e di tanto in tanto guardava l'Anello (e sempre più spesso col passare del tempo) per rinfocolare la memoria: lo faceva sentire alquanto eroico, anche se non ha mai perso la capacità di ridere di quella sensazione.

"Ma alla fine si è impossessato di lui in quel modo. Bilbo infine ha capito che gli stava dando 'lunga vita' e lo stava consumando. Ha cominciato ad averne abbastanza – 'Non ce la faccio più,' ha detto – ma liberarsene non era tanto facile. Convincersi fu difficile. Pensaci un attimo... non è proprio una passeggiata sbarazzarsi dell'Anello una volta che ce l'hai."[37]

Da questo punto il testo segue fedelmente il vecchio (pp. 105-107). Ora Bingo estrae "di nuovo" l'Anello dalla tasca con l'intenzione di gettarlo "di nuovo" nel fuoco; e Gandalf dice (come in CdA, p. 72) che "Questo anello è passato nel tuo fuoco e ne è uscito intatto, persino senza scaldarsi". Resta Adamo Soffiacorno, il fabbro di Hobbiton. Gandalf qui dice che "dovresti trovare una delle Crepe della Terra nelle profondità della Montagna Fiammea e lasciarlo lì, se vuoi davvero distruggerlo... o far sì che sia fuori dalla portata di tutti fino alla Fine". Accanto a "Crepe della Terra" (il nome nel testo originale, p. 106) mio padre scrisse a margine, in quel momento: "? Crepe del Fato"; alla seconda occorrenza del nome scrisse "Crepe del Fato", ma mise "Terra" sopra "Fato".

Il testo originale è sviluppato e ampliato dal punto in cui Bingo dice "certo che voglio distruggerlo per davvero" (p. 107):

... Non riesco a capire come abbia fatto Bilbo a sopportarlo per tutto questo tempo. E poi, devo ammettere, non riesco a fare a meno di domandarmi perché l'abbia lasciato a me. Certo, sapevo che ce l'aveva, anche se ero o sono l'unico a saperlo; ma ne parlava in tono scherzoso, e le uniche due o tre occasioni in cui l'ho beccato a usarlo, l'ha fatto all'incirca per burla, soprattutto l'ultima volta.

"Bilbo lo farebbe... e quando il destino ti ha donato tesori tanto pericolosi, è giusto prenderli... finché puoi. Ma quanto a lasciartelo, lo ha fatto soltanto perché pensava fossi al sicuro, al sicuro dall'abusarne, al sicuro dal non farlo cadere in mani malvagie; al sicuro dal suo potere, per un po'; e al sicuro come un qualsiasi hobbit sconosciuto e irrilevante nel cuore della piccola Contea, tranquilla e senza dubbio ignorata dal nemico. Gli ho promesso anche di aiutarti e consigliarti, se si fosse presentata qualche difficoltà. E poi, posso affermare di non aver scoperto le lettere di fuoco, né di aver pensato che questo fosse l'Anello Unico, finché Bilbo non ha deciso di andarsene e lasciarlo qui.[38] E a lui non l'ho detto, altrimenti non ti avrebbe dato questo fardello, né sarebbe partito. Ma per il suo bene, sapevo che doveva andare. Aveva quell'Anello da 60 anni e questo, Bingo, gli stava pesando. Tu hai già provato a descrivermi la tua sensazione: una sensazione di tensione.[39] La sua era assai più forte. Alla fine l'Anello lo avrebbe logorato. Eppure l'unico modo di sbarazzarsene era lasciare che qualcun altro prendesse su di sé il peso per qualche tempo. Ora è libero. Ma tu sei il suo erede. E ora che (da allora) ho scoperto molto altro, so che hai una pesante eredità. Vorrei fosse altrimenti. Ma non dare la colpa a Bilbo... o a me, se ci riesci. Sopportiamo ciò che ci viene imposto (se possiamo). Eppure dobbiamo fare qualcosa, presto. Il nemico si sta muovendo."

Ci fu un lungo silenzio. Gandalf tirò una boccata dalla pipa con apparente aria soddisfatta...

La nuova versione sviluppa quindi il vecchio testo (p. 107), quasi nella forma di CdA (p. 74), con Bingo che dice di aver spesso pensato di partire, ma di immaginarlo come una vacanza, e il suo repentino e forte desiderio, non comunicato a Gandalf, di seguire e forse di trovare Bilbo, e di scappare da Casa Baggins seduta stante. Il nuovo testo prosegue:

"Mio caro Bingo!" disse Gandalf. "Bilbo non ha sbagliato nella scelta dell'erede. Sì, credo dovrai andare, tra non molto, anche se non subito o senza un po' di riflessione e attenzione. Ma secondo me non hai bisogno di andar da solo. Purché conosca qualcuno di cui fidarti, uno disposto a stare al tuo fianco... e che tu saresti disposto a trascinare in mezzo a pericoli ignoti. Ma fa' attenzione a chi scegli e a quello che dici anche agli amici più cari. Il nemico ha molte spie e molti sistemi per informarsi." D'un tratto s'interruppe come se ascoltasse.

Il resto del capitolo (la sorpresa di Sam fuori dalla finestra e la decisione di Gandalf di fargli accompagnare Bilbo: vedi *Interrogativi e modifiche*, nota (2), p. 283) segue quasi parola per parola la versione finale (CdA, pp. 74-75), che fu raggiunta quasi immediatamente[40] senza poi cambiare.

1 Questo passaggio si rifà alla versione originale di "Una festa attesa a lungo" (p. 26).

2 Questo passaggio risale alla quarta versione di "Una festa attesa a lungo" (p. 51) e in parte anche alla terza (p. 41), quando Bilbo era il padre di Bingo.

3 *Odo Bolger*: finora Odo è stato Odo Took o almeno lo era ancora quando il suo cognome fu menzionato per l'ultima volta, che era nel testo originale del capitolo "Bree" (p. 182, nota 5). All'inizio Odo Took poteva dire a Bingo di non "fare come i Bolger" (p. 67), ma forse mio padre sentiva che Odo aveva sviluppato forti tratti Bolger man mano che la storia procedeva. Tuttavia, ha ancora una madre Took.

4 Questo passaggio, da "Merry era il figlio di Caradoc Brandaino", fu messo tra parentesi quadre, probabilmente al momento della stesura. La genealogia (parte della quale è già apparsa, p. 128) è naturalmente molto diversa dalla forma finale, ma quando si nota che Frodo Took occupa il posto nell'albero poi preso da Peregrino Took (Pippin) essa diventa di colpo molto più simile. Nella tabella seguente i nomi in SdA (Appendice C, *Took dei Grandi Smial*) sono riportati tra parentesi.

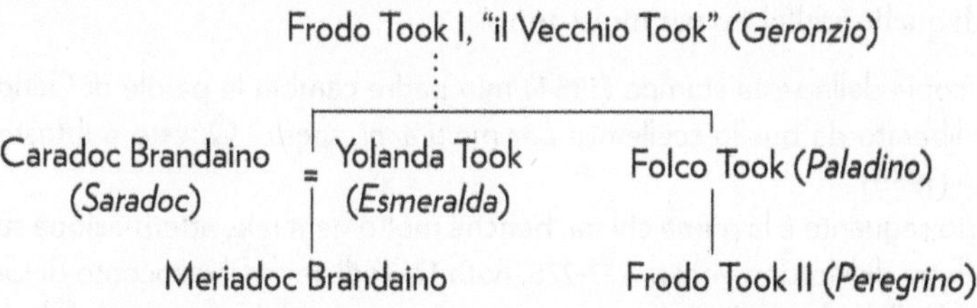

Dal momento che qui si dice che Caradoc Brandaino, il padre di Merry, è cugino di Bingo, si può presumere che la genealogia riportata nell'albero genealogico dei Brandaino in SdA fosse già presente, ovvero Caradoc era il figlio del Vecchio Rory, fratello della madre di Bingo, Primula. Che Rory Brandaino fosse lo zio di Bingo non è esplicitato in SdA, anche se naturalmente compare nell'albero genealogico, ma compare nelle versioni scartate dell'episodio del Fattore Maggot (pp. 363, 371), e ancora più avanti (p. 481).

Merry Brandaino e Frodo Took sono i pronipoti del Vecchio Took, così come Merry e Pippin in SdA.

5 Questo passaggio risale alla terza versione di "Una festa attesa a lungo" (p. 47). "500 pezzi d'oro" fu poi sostituito in "500 doppi-dragoni" (monete d'oro di valore maggiore nella Contea); ma questo non fu ripreso nella versione seguente di "Storia antica", che ritorna a "500 monete d'oro". *sessant'anni*: 111 meno 51 (vedi p. 44).

[6] *Visite di Gandalf a Hobbiton.* Nella *Conta degli Anni* (SdA, Appendice B) la Festa d'Addio di Bilbo ebbe luogo nel 3001; Gandalf fece visita a Frodo nel 3004-08; l'ultima avvenne nell'autunno 3008; e tornò nell'aprile 3018 (dopo 9 anni e mezzo): il cinquantesimo compleanno di Frodo nel settembre di quell'anno, quando lasciò Casa Baggins. Vedi CdA, p. 54.

Anche nel testo presente c'era un intervallo di tre anni dalla Festa al ritorno di Gandalf; ma poi egli andava una o due volte l'anno, con un intervallo di due anni, fino al 14° anno dopo la Festa, quando Bingo aveva 47 anni, e passato quell'anno "di frequente". Il passaggio fu poi riscritto come segue:

> ... notato che Bingo era ancora alquanto sistemato. In seguito tornò parecchie volte, finché d'un tratto scomparve. Bingo non ebbe più notizie di lui tra il 7° e il 14° anno dopo la partenza di Bilbo, quando una notte d'inverno Gandalf riapparve all'improvviso. Poi il mago andò spesso e rimase più a lungo.

Per l'anno in cui ebbe luogo la conversazione in "Storia antica" (era il mese di aprile, p. 322), vedi nota 8.

[7] Si tratta di un riferimento allo *Hobbit*, capitolo XIX "L'ultima tappa":

> ... tutti insieme erano finalmente riusciti a scacciare il Negromante dalla sua oscura tana a sud di Boscuro.
>
> "Fra non molto," diceva Gandalf, "la foresta diventerà più sicura. Il Nord si è liberato di quello scellerato per molti anni.

Sulla sua copia della sesta stampa (1954) mio padre cambiò le parole di Gandalf in: "Il Nord *sarà* liberato da quello scellerato per *molti anni, spero.*" Questo è il testo della terza edizione (1966).

Il passaggio seguente è la prima chiara, benché molto generale, affermazione su dove si trovasse la Terra di Mordor; vedi p. 277-278, nota 17. Vedi anche il resoconto di Gandalf del viaggio di Gollum (p. 333): "le sue tracce correvano a sud, ben più a sud di dove lo avevo incontrato" (che era Boscuro).

[8] *nella primavera del 49esimo? o del 50esimo? anno di Bingo.* All'inizio del capitolo successivo di questa "fase" si dice che Bingo avesse deciso di lasciare Casa Baggins il 22 settembre "in questo (il suo cinquantesimo) anno".

[9] Mio padre scelse dapprima Tom Tunnelly come figlio del mugnaio, cambiandolo durante la stesura in Tom Sabbiaiolo; *Tom* fu poi cambiato in *Ted* a matita, prima che il capitolo fosse finito, dal momento che *Ted* appare, scritto in prima stesura, alla fine di quest'ultimo. Vedi p. 315, nota 33.

[10] Quella che compare qui è un'idea molto vecchia; vedi II.406 e nota 44. Bingo descrive le torri degli Elfi ai compagni durante il cammino verso il Fattore Maggot: dice di averle viste una volta, risplendenti di bianco al chiarore della Luna (p. 119). Passolesto a Bree le chiama Torri Occidentali (pp. 200, 204).

[11] Sulle visite di Gandalf nella terra del Negromante vedi p. 109, nota 12.

12 Qui mio padre scrisse: "Bingo non l'aveva mai visto su nessun dito tranne che sul proprio indice", ma lo cancellò subito.

13 Mio padre scrisse dapprima "Un anello per avvincerli", cambiandolo a matita in "e al buio avvincerli", che è la forma scritta sin dall'inizio nell'intera poesia che segue subito dopo.

14 *Il testo della poesia dell'Anello*. Le bozze originali di mio padre per questa poesia sono sopravvissute. La prima forma completa recita:

Nove ai Re degli Elfi sotto luna e stelle,
Sette ai Principi dei Nani nell'aule di pietra,
Tre agli Uomini Mortali che errano lontano
Nella Terra di Mordor dove le Ombre si celano.
Un Anello per trovarli, Uno per vincerli,
Uno per radunarli e al buio avvincerli
Nella Terra di Mordor dove le Ombre si celano.

A quel tempo mio padre era ancora incerto riguardo alla ripartizione degli Anelli tra i diversi popoli. La poesia nel testo del presente capitolo, secondo prima stesura, presentava anch'essa "Nove anelli ai Re degli Elfi" e "Tre per gli Uomini Mortali" (nel testo originale, p. 101, "gli Elfi ne possedevano molti", "Gli Uomini possedevano tre anelli", ma "altri li avevano scovati in luoghi segreti, gettati via dagli elfi-spettri"). Ma scrisse a margine (con inchiostro e allo stesso tempo) "3" contro "Nove" e "9" contro "Tre", modificando le parole nella poesia stessa, vedi nota 22.

Un'altra versione preliminare della poesia è la seguente:

Dodici agli Uomini Mortali dal fato crudele,
Nove ai Principi dei Nani nell'aule di pietra,
Tre ai Re degli Elfi, di terra, mare e cielo,
Uno al Nero Sire sul suo trono tetro.

"Dodici" e "Nove" furono poi cambiati in "Nove" e "Sette". Sull'esistenza contemporanea di dodici Cavalieri Neri vedi p. 250. Nel testo del capitolo (p. 327) i Tre Anelli sono chiamati gli Anelli "di terra, aria e cielo".

15 Qui scritto in origine era "e ora che sa o immagina dove sia, lo desidera ardentemente".

16 In questo punto mio padre scrisse: "Nei giorni antichi il Negromante [servitore di???] l'Oscuro Signore Sauron." Le parentesi e i punti interrogativi sono stati inseriti al momento della stesura o subito dopo. Me lo spiego soltanto presupponendo che, prima di scrivere Sauron, pensasse in quel momento a Morgoth come all'Oscuro Signore; ma è strano che non si sia limitato a cancellare le parole "servitore di".

17 A margine del passaggio mio padre scrisse: "Spettri dell'Anello più avanti" (vedi p. 327). Nel testo originale (p. 101, e vedi la bozza su cui si basava, p. 98) gli Spettri sono menzionati a questo punto.

18 Mio padre scrisse "Nove, Sette, Tre e Uno", invertendo "Nove" e "Tre" a matita. Qui compare esplicitamente per la prima volta la distinzione tra Anelli minori e Anelli del Potere.

19 Il testo così come scritto, ma con tutta probabilità cambiato subito, era: "ma poteva vedere sia il mondo alla luce del sole che il mondo fantasma [> il mondo delle ombre] in cui si muovevano le creature invisibili del Signore."

20 Con questo racconto della relazione tra il potere degli Anelli e le innate qualità di coloro che li portavano e della potenza dell'Anello Unico nelle mani del suo artefice; vedi *Interrogativi e modifiche*, nota (12) (p. 290), dove appare per la prima volta esplicitamente l'idea dell'Anello Dominante.

21 Vedi p. 270 e *Interrogativi e modifiche*, nota (10) (pp. 288-289).

22 Qui i *Tre* Anelli degli Elfi compaiono nel testo dalla prima stesura (e *i Nove* Anelli degli Uomini nel paragrafo successivo): vedi nota 14. Nella bozza della poesia dell'Anello riportata alla fine della nota 14 i Tre Anelli sono di "terra, mare e cielo".

23 *maghi*: vedi p. 270, in cui anche Gandalf a Valforra include "maghi" tra i servitori dell'Oscuro Signore.

24 *la Terra di mezzo* fu sostituito a *il mondo di mezzo*, usato in precedenza in questo passaggio e di nuovo in seguito.

25 Pare voler dire che dopo aver perso l'Anello Dominante del Negromante, gli Spettri dell'Anello non potevano più agire da suoi servitori; essi non furono distrutti definitivamente, ma non avevano alcuna esistenza effettiva. Naturalmente questa opinione di Gandalf presto si rivelò errata e può darsi che mio padre l'abbia introdotta a questo punto per spiegare lo sbaglio di Gandalf nel tenerli in considerazione. In CdA Gandalf è meno sicuro: "Tanto tempo fa caddero sotto il dominio dell'Unico, diventando Spettri dell'Anello, ombre sotto la sua grande Ombra, i suoi servi più terribili."

26 Il nome del Re degli Uomini era dapprima scritto *Valandil*. Sopra mio padre scrisse *E* e *Orendil*. La parte successiva della storia di Gandalf venne cambiata di continuo durante la stesura e nelle occorrenze seguenti il nome del Re varia tra *Valandil* > *Orendil/Elendil*, *Elendil* > *Orendil*, e poi *Orendil* invariato; io ho letto *Orendil* ovunque. Per precedenti insicurezze sul nome vedi p. 222, nota 25 e p. 252, nota 3.

27 Qui mio padre dapprima scrisse: "ma prima di cadere Gilgalad mozzò l'Anello Unico dal dito della mano di Sauron e lo diede a Ithildor che era lì accanto, ma Ithildor lo prese per sé." Questo fu poi modificato al momento della stesura nel testo dato; *il dito della mano* fu lasciato così; leggo *dito* perché questa è la parola usata nella versione successiva di questo capitolo. – *Ithildor* fu cambiato in *Isildor* a ogni occorrenza fino all'ultima di questo passaggio, dove *Isildor* era la forma scritta in origine. Vedi nota 29.

28 In origine si leggeva: "ma l'Anello [o >] e il suo destino lo tradirono."

29 La storia dell'Anello Unico ora si muove ulteriormente. Nel testo originale (p. 102) l'Anello semplicemente "scivolò dalla mano di un elfo mentre traversava a nuoto un fiume; lo tradì, perché egli stava fuggendo da un inseguimento nelle vecchie guerre, e divenne visibile ai suoi nemici, e i goblin lo uccisero". In *Interrogativi e modifiche*, nota (12) (p. 290) fu suggerito un nuovo elemento: che l'Anello era stato "sottratto al Signore stesso quando

Gilgalad lottò con lui, e preso da un Elfo di passaggio"; questo vuol dire senza dubbio che lo prese Gilgalad (come detto all'inizio nel presente testo, vedi nota 27). Ora l'Elfo diventa Isildor figlio di Orendil (Elendil: nota 26).

30 Questo passaggio, da "E gli stessi Anelli hanno avuto sempre un destino strambo", fu messo tra parentesi con un punto di domanda; e l'ultima frase: "Ma il male che infliggono...", racchiusa tra doppie parentesi con un doppio punto di domanda. Le frasi subito seguenti (Gandalf che dice: "E anche questo può essere un pensiero rassicurante, oppure no", e la prima parte della risposta di Bingo) sono un'aggiunta a matita. Ma non mi è chiaro il motivo per cui Bingo dovrebbe perdersi d'animo a causa del suggerimento che il male provocato dagli Anelli potrebbe trasformarsi in bene e andare contro il disegno del loro artefice.

31 La versione di Bingo presenta lievi variazioni rispetto al testo dello *Hobbit*. Non è molto chiaro cosa Gandalf avesse dedotto dal primo indovinello di Gollum.

32 Al posto di questo passaggio, da "Alla fine aveva scoperto...", il testo in prima stesura all'inizio presentava (in modo simile alla versione originale, p. 104): "Penso sia certo che Gollum seppe dopo qualche tempo che Bilbo chissà come si era preso il 'suo' Anello. È facile immaginare..." Con l'ampliamento a matita, la spiegazione di Gandalf su come Gollum sapesse che lo hobbit aveva preso l'Anello viene estesa per coprire il fatto che Gollum scoprì anche qual era il suo nome. Però è strano, dal momento che nella storia originale dello *Hobbit* come nella versione rivista Bilbo disse a Gollum il proprio nome: "Che cosss'è, tesssoro?" sussurrò Gollum. "Sono il signor Bilbo Baggins..." Vedi nota 34 (e vedi CdA, p. 65).

33 Questa frase di Gandalf, "Penso davvero che Gollum rappresenti l'inizio dei nostri attuali guai", viene ripetuta dal testo originale (p. 105), e qui come in precedenza pare riferirsi al fatto che Gandalf fosse al corrente che l'Oscuro Signore stesse cercando l'Anello nei pressi della Contea. Tuttavia non è ancora spiegato realmente quale tipo di ricerca potesse portare Gandalf a descriverlo come "il nostro problema attuale", dal momento che non sapeva nulla dei Cavalieri Neri (vedi *Interrogativi e modifiche*, p. 287). Difficile possa riferirsi a ciò che è stato menzionato prima nel capitolo (p. 321): Uomini che muovono a Nord e Ovest, i goblin che si moltiplicano, nuove razze di troll; dal momento che queste erano sicuramente importanti manifestazioni del crescente potere dell'Oscuro Signore, anziché della ricerca dell'Anello.

34 Qui a seguire: "(poiché le sue orecchie sono acute e le sue spie legione)", segnato a matita per essere cancellato. Questo cambiamento forse va di pari passo alla misteriosa aggiunta cui si fa riferimento nella nota 32, in cui Gandalf suggerisce che alla fine Gollum avesse scoperto il nome di Bilbo; dal momento che in quel caso, se Gollum fosse stato davvero a Mordor, lui stesso avrebbe potuto dire al Negromante che "Baggins" aveva preso l'Anello.

35 Da questo punto il testo è stato scritto a matita leggera.

36 Sopra "diciannove" è scritto a matita "20". Questa è la prima volta che compaiono le parole "Anelli del Potere".

37 Da questo punto il testo è scritto di nuovo a inchiostro, un manoscritto chiaro fino alla fine del capitolo.

[38] Questo significa senza dubbio che Gandalf *aveva* "scoperto le lettere di fuoco" sull'Anello prima della partenza di Bilbo da Hobbiton; il che è curioso, dal momento che Gandalf afferma anche di non averlo detto a Bilbo, ed è difficile immaginarlo effettuare la prova senza che Bilbo lo sappia. In CdA (p. 67), quando Frodo gli chiese quando avesse scoperto la scritta a fuoco, rispose: "Proprio ora, in questa stanza, ovviamente. [...] Ma me l'aspettavo. Sono tornato da oscuri viaggi e lunghe ricerche per fare quest'ultima verifica." Le parole di Gandalf a p. 324 potrebbero essere interpretate nel senso che finora non lo sapeva ancora con certezza: "Ancora non so tutto. Dammi l'Anello un attimo." Ma non possono significare questo; ed egli si riferisce (p. 332) all'iscrizione di fuoco sull'Anello come se fosse stata una delle prove principali nella deduzione della storia che ora raccontò a Bingo.

Mio padre in seguito fece una "X" a matita a margine del testo e scribacchiò "fino a poco tempo fa non lo sapevo".

[39] Vedi p. 320.

[40] La stesura originale dell'episodio esiste, scribacchiata leggera alla fine del manoscritto della versione originale del capitolo, ed è naturalmente meno rifinita; ma già in questa versione il testo finale è completamente presente eccetto che nei dettagli di formulazione.

XVI.
I RITARDI SONO PERICOLOSI

Da "Storia antica" mio padre passò alla revisione del secondo capitolo originale, cui era stato dato il titolo "Tre è il numero giusto e quattro è di più" (p. 66); questa nuova versione diventa il capitolo III, pur senza alcun titolo. Poi scribacchiò all'inizio del testo "I ritardi sono pericolosi" (titolo *ab initio* della versione successiva del capitolo) ed è bene qui adottarlo.

Alcune note assai approssimative e scorrevoli (la prosecuzione di quelle citate all'inizio dell'ultimo capitolo, p. 317) sono tutto ciò che esiste a titolo di scritti preparatori della presente revisione. Ho già avuto modo di notare (p. 317) che la storia della festa di Bingo per Merry, Frodo Took e Odo Bolger alla vigilia della partenza fu concepita a questo punto e che per questo mio padre scrisse "Sam Gamgee va a sostituire Odo" (queste note precedevano la stesura di "Storia antica", dove comparve per la prima volta Sam Gamgee). Ma Odo non era tanto facile da eliminare. Le note continuano:

Gandalf *sarebbe dovuto andare alla festa* ma *non* si presentò. Bingo attende fino a venerdì [23 settembre] ma scioccamente non aspettò oltre, perché i Sackville-Baggins minacciano di cacciarlo, ma riparte il venerdì sera. Rivela che andrà a stare da Merry e tornerà dai parenti Brandaino.

L'ipotesi scartata secondo cui Odo sarebbe rimasto a Hobbiton "per dare notizie a Gandalf" mostra che mio padre rifletteva già sulla questione, che dopo una lunga serie di cambiamenti avrebbe infine portato Fredegario

Bolger a rimanere a Criconca (CdA, p. 122). In queste annotazioni un Brandaino dal nome arturiano di Lanorac (cambiato da Bercilak), cugino di Merry, "ricevette l'ordine di preparare tutto" a Landaino; e un suggerimento per la storia si trova quando essi lasciano Landaino ed entrano nella Vecchia Foresta: "Frodo vuole andare ma gli viene risposto di *no*: per dare notizie a Gandalf. Merry non dice nulla, ma va: chiude la porta e getta la chiave oltre la siepe". Vedi *Interrogativi e modifiche*, nota (2) (p. 283): "Frodo però si congeda a Borgodaino. Solo Merry e Bingo partono per l'esilio, perché *Merry insiste*. Inizialmente Bingo propendeva a partire da solo" (scritto prima della comparsa di Sam Gamgee).

Il testo della nuova versione di questo capitolo è il documento più complesso mai incontrato. Inizia come manoscritto, in cui parte della narrazione è in due varianti, per poi tornare al dattiloscritto originale (riportato per intero alle pp. 66-85), pesantemente corretto in due forme (con inchiostri diversi per coprire le diverse versioni): alcune delle modifiche più consistenti riguardano i foglietti inseriti. Alla fine mio padre abbandonò il vecchio dattiloscritto e concluse il capitolo in un nuovo manoscritto, la prima parte in tre versioni. Presentare l'intera struttura in questo libro è ovviamente impossibile e del resto non è per nulla necessario a comprendere lo sviluppo della narrazione.

La parte iniziale del manoscritto si sviluppa fino al principio della camminata degli hobbit la prima notte ("Camminavano in gran silenzio nei campi e lungo le siepi e la bordura di piante cedue, finché la notte calò", p. 67) e l'apertura del capitolo presenta una narrazione del tutto nuova. Tralasciando per il momento il passaggio esistente in diverse varianti, il nuovo testo, pur essendo molto approssimativo, raggiunge in tutti gli elementi essenziali la forma finale in CdA, pp. 77-84). Nella formulazione vi sono ancora molte differenze e il capitolo inizia con le chiacchiere locali sulla vendita di Casa Baggins e poi prosegue con la discussione di Bingo con Gandalf riguardo alla sua partenza, anziché il contrario;[1] tuttavia le differenze sostanziali sono poche e per lo più minime. Maggiore enfasi viene posta sul fatto che il 22 settembre anche quell'anno cadeva di giovedì (come in CdA, p. 80): "parve capriccio [di Bingo] segnare la data come quella giusta per partire all'inseguimento di Bilbo". Il tono di Gandalf nei confronti di Bingo è un po' più cupo e aspro; ed egli non fa riferimento alla possibilità che possa o non possa essere compito di Bingo trovare le Crepe del Fato. Le sue parole di commiato sono assai diverse da quanto dice in CdA; e allo stato d'animo di Bingo alla vigilia della partenza viene data un'enfasi differente. Riporto qui parte del testo, riprendendo dal punto in cui Gandalf afferma che la direzione intrapresa da Bingo quando lascia Hobbiton non si dovrebbe sapere (CdA, p. 78, in fondo):

"Orbene," disse Bingo, "sai che per lo più ho pensato soltanto a partire, senza mai decidere la direzione! Dove andrò, e con cosa mi orienterò, e quale sarà lo scopo della mia ricerca? Sarà davvero il contrario dell'avventura di Bilbo: partire senza alcuna destinazione conosciuta, e sbarazzarsi di un tesoro, non trovarne uno."

"E un'*andata* senza un *ritorno*, alquanto probabile," aggiunse Gandalf in tono cupo.

"Lo so," disse Bingo, fingendo di non essere impressionato. "Ma, sul serio, da che direzione devo cominciare?"

"Verso il pericolo; senza fretta però, né troppo direttamente verso di esso," rispose il mago. "Dirigiti verso Valforra, se vuoi tenere conto del consiglio. Poi vedremo... se mai ci arriverai: la Strada è meno comoda di un tempo."

"Valforra!" disse Bingo. "Benissimo. Di questo Sam sarà felice." Non aggiunse che ne era felice anche lui stesso; e che, sebbene non avesse deciso, aveva spesso pensato di dirigersi verso la casa di Elrond; se non altro perché credeva che forse anche Bilbo, dopo essersi ripreso la libertà, avesse scelto quella via.

La decisione di puntare verso Est guidò i piani successivi di Bingo. Fu per questa ragione che rivelò che si sarebbe trasferito a Landaino e chiese ai cugini Brandaino, Merry e Lanorac e gli altri, di cercargli un posticino per vivere.[2] Nel frattempo continuò come al solito e l'estate passò. Gandalf se n'era andato di nuovo. Ma era stato invitato alla festa d'addio e aveva promesso di arrivare il giorno precedente, o al massimo per il 22 stesso. "Non andare finché non mi vedi, Bingo," disse, quando si congedò in un'umida e buia serata maggiolina. "Potrei avere notizie e informazioni utili sulla Strada. E magari vorrò venire con te."[3]

Arrivò l'autunno. Nessuna notizia giunse da Gandalf. A Casa Baggins iniziarono a notarsi segni di fermento. Due carri coperti partirono carichi. Si pensava trasportassero nella nuova casa a Landaino, passando per il Ponte Brandivino, i mobili che il signor Baggins non aveva venduto ai Sackville-Baggins. Odo Bolger, Merry Brandaino e Frodo Took stavano lì con Bingo. Parevano tutti e quattro indaffarati a fare i bagagli e il buco era tutto messo a soqquadro. Mercoledì 21 settembre Bingo cominciò a cercare Gandalf con ansia, ma non c'era traccia di lui. Spuntò l'alba del suo compleanno, il 22 settembre, bella e chiara come lo era stata alla festa di Bilbo molto tempo addietro (come ora sembrava a Bingo). Ma ancora Gandalf non si presentava. La sera Bingo diede la sua festa d'addio. L'assenza di Gandalf preoccupava Bingo e gli intaccava un po' il morale, che era in costante ascesa, poiché ogni fresca e brumosa mattina d'autunno lo avvicinava al giorno della partenza. La sola difficoltà era separarsi dai suoi giovani amici. Il pericolo non pareva spaventarlo più di tanto. Voleva andarsene, subito. A tutti era stato detto che sarebbe partito per Borgodaino quanto prima dopo il compleanno. I Sackville-Baggins prendevano possesso dei beni passata la mezzanotte del 23. Però prima voleva vedere Gandalf. Ma i suoi tre amici erano euforici...

Dalla fine della cena di compleanno di Bingo all'inizio della camminata notturna degli hobbit il nuovo testo è pressoché identico a quello in CdA (pp. 79-82), tranne per gli hobbit presenti (e tralasciando la parte esistente in forme varianti). Il terzo carro, che trasportava "le cose rimanenti e di maggior valore", partì la mattina del 23, come in CdA. All'inizio si diceva che a esserne incaricato fosse Odo Bolger, ma a quanto pare fu subito cambiato in Merry Brandaino. (In CdA Merry fu accompagnato da Fredegario Bolger e mio padre scrisse a margine: "Merry e Odo?") A questo punto subentra la storia di Bingo che sente il Veglio Gamgee parlare (quasi con le stesse parole di CdA) con uno sconosciuto alla fine di vico Scarcasacco: l'idea embrionale era già stata discussa in *Interrogativi e modifiche*, nota (3) (p. 285). L'unica reale differenza è che la precedente conversazione tra gli hobbit (p. 67) riguardo all'andare lontano o meno è ancora presente, con Odo che dissente con Frodo e Bingo; tuttavia ora sono in quattro e Bingo chiede a Sam la sua opinione:

"Ebbene, signore," rispose, togliendosi il cappello e con lo sguardo rivolto al cielo, "immagino che domani potrebbe fare abbastanza caldo. E camminare sotto il sole, anche in questo periodo dell'anno, con un fardello sulla schiena, può essere faticoso. Io voto con il signor Frodo, se me lo chiedete."

La variante fu scritta in continuità con la narrazione precedente, ovvero si tratta della storia come mio padre intendeva raccontarla all'inizio, e l'altra versione fu scritta in seguito, dapprima come alternativa. La discordanza inizia dopo la partenza di Merry per Landaino venerdì 23 settembre, l'ultimo giorno di Bingo a Casa Baggins.

Dopo pranzo cominciò ad arrivare la gente: alcuni su invito, altri portati da chiacchiere e curiosità. Trovarono la porta aperta e Bingo sul tappeto d'ingresso che attendeva di accoglierli. Nell'ingresso era impilata una serie di pacchi, cianfrusaglie e piccoli oggetti di arredamento. A ogni pacco e articolo era legata un'etichetta...

Sul manoscritto mio padre annotò più tardi che "questa variante dipendente dall'accorciamento del capitolo I e dal trasferimento dei doni d'addio ecc. al III" era stata scartata. L'accorciamento proposto del capitolo I è in effetti la variante breve della storia dell'indomani della festa di Bilbo, descritta alle pp. 307-308. Come ho fatto notare allora, "in questa variante, tutta la 'faccenda' dei regali e dell'invasione di Casa Baggins fu eliminata", perché doveva essere spostata alla partenza *di Bingo*, o almeno c'era la possibilità che venisse spostata. Pertanto viene così data una nuova svolta alla tortuosa storia di questo elemento nel *Signore degli Anelli*. Difatti, non si tratta di un semplice ritorno alla storia nella forma in cui era alla fine della "prima fase" di "Una festa attesa a lungo", in cui anche i regali erano di Bingo, non di Bilbo. La nuova idea era che i doni,[4] l'invasione di Casa Baggins, la cacciata degli hobbit che rovistavano nella dispensa e lo scontro con Sancho Pededegno (qui il suo avversario è Cosimo Sackville-Baggins,[5] appoggiato dalla madre, che ruppe l'ombrello sulla testa di Sancho), che tutto ciò avvenisse non dopo la grande Festa di Compleanno (che ora era di Bilbo), ma dopo la discreta festa di compleanno *di Bingo* prima della *sua* partenza.

È possibile e anche probabile che con questo mio padre avesse l'intenzione di ridurre l'elemento commedia a Hobbiton in cui il lettore si imbatte all'inizio, e di introdurre più presto, in "Storia antica", le questioni molto più importanti emerse da quando "Una festa attesa a lungo" fu scritto in prima stesura.

In questa versione la storia di Bingo che si allontanava un po' da Casa Baggins, e sentiva Veglio Gamgee parlare con il Cavaliere Nero, non era ancora presente; e una volta mandato via Sam con la chiave dal padre, Bingo se ne va da solo. Non è presente alcuna menzione di Odo Bolger e Frodo Took prima della fine del testo alternativo, con Bilbo che scende lungo il sentiero del giardino, salta la recinzione in fondo e si inoltra nel crepuscolo. Non so dire per certo se questo sia importante o meno. Pare improbabile che si tratti di una semplice svista casuale; ma se così non fosse, forse significa che mio padre rifletteva su un corso del tutto nuovo per la storia: Bingo e Sam in viaggio da soli per la Contea. Senza dubbio aveva già meditato qualcosa del genere in precedenza. Ad ogni modo, risultò in un nulla di fatto. Poi passò subito alla seconda versione di questa parte del racconto (la forma in CdA) in cui Bingo, dopo aver sentito il Veglio Gamgee parlare con lo sconosciuto, torna a Casa Baggins e trova Odo e Frodo (Pippin in CdA) seduti sulle loro sacche nel porticato.

In definitiva, il terzo capitolo di CdA, fino alla partenza di Bingo (Frodo) da Casa Baggins, era adesso di fatto concluso. Qui mio padre, come detto, tornò al dattiloscritto originale e lo utilizzò come base per il nuovo testo fino pressoché alla fine del capitolo. Apportò modifiche con inchiostri differenti e aggiunse la seguente nota al dattiloscritto: *Le correzioni in nero valgono per tutte le versioni. Quelle in rosso per la versione rivista (con Bilbo da organizzatore della festa e con Sam).*[6] Nel nuovo materiale, correzioni e aggiunte, distinse con grande attenzione tra i due tipi di modifiche: in un caso scrisse "correzione rossa" vicino alla prima parte di un nuovo passaggio e "correzione nera" accanto alla successiva, in continuità con la prima (il brano è riportato alla nota 11, e il motivo della distinzione è chiarissimo). Non è facile comprendere il motivo per cui avrebbe dovuto darsi tanto disturbo, a meno che a questo punto non fosse ancora (per quanto strano) incerto riguardo alla nuova storia, con "Bilbo da organizzatore della festa e con Sam", e considerasse la possibilità di tornare alla vecchia.

Come ho già detto, è impossibile presentare i risultati del processo in questa sede,[7] e innecessario anche se possibile. Tutte queste modifiche hanno come effetto di avvicinare molto la versione originale alla forma di CdA (pp. 82 ss.). In alcuni punti la nuova versione è una via di mezzo tra le due, e nell'ultima parte le correzioni sono meno scrupolose, ma solo ogni tanto si trova qualcosa di importante da notare da un punto di vista narrativo; e in ciò che segue si può presumere, salvo indicazioni contrarie, che il testo di CdA fosse già presente sotto ogni aspetto a parte la scelta della formulazione. Gli hobbit però sono quattro: Bingo, Frodo Took, Odo Bolger e Sam Gamgee, tanto che in tal senso è presente una fase intermedia tra la storia originale (dove sono tre, Bingo, Frodo Took e Odo Took) e CdA (dove sono ancora tre, ma diversi, Frodo Baggins, Peregrino Took e Sam Gamgee), e qualche variazione tra le versioni nell'attribuzione di commenti a personaggi diversi (a questo proposito, vedi pp. 89-90). Ma le cose dette da Sam in CdA vengono dette anche in questo testo da lui.[8]

All'inizio di questa parte del capitolo, dove il vecchio testo (p. 67) diceva: "Adesso erano in Tooklandia, e cominciarono a salire verso il Paese delle Verdi Colline a sud di Hobbiton", il nuovo recita: "Adesso erano in Tooklandia, diretti a sud, ma un paio di miglia più avanti percorsero la strada principale da Gran Cicuta (nella regione dei Soffiacorno) ad Acquariva e il Ponte Brandivino. Poi puntarono a est e iniziarono a salire."[9] Accanto mio padre scrisse: "?Gran Sterro (la città principale della Contea a ovest dei Poggi Bianchi)". Si è di fronte alla prima comparsa di Gran Sterro e dei Poggi Bianchi (vedi p. 356). "Gran Cicuta" [*Much Hemlock*] ricorda il nome Much Wenlock nello Shropshire (*Much* "Gran", uguale a *Michel*).

Fondo Boschivo non è chiamato "un angolo selvaggio del Quartiero Est", i "Quartieri" non erano ancora stati concepiti, ma viene aggiunto che "Non molti di loro [hobbit] vi abitavano".

La poesia *La Strada se n'va ininterrotta*, ora attribuita a Bingo e non a Frodo Took, è ancora uguale alla versione originale (p. 64).[10]

Una leggera differenza rispetto a CdA è presente nella prima comparsa del Cavaliere Nero sulla strada (vecchia versione, p. 72):

Odo e Frodo corsero a sinistra in un piccolo affossamento non lontano dalla strada. E si stesero a terra. Bingo esitò un istante: la curiosità o un altro sentimento lottava contro il desiderio di nascondersi. Sam attese che il padrone si muovesse. Il rumore degli zoccoli si avvicinava. "Scendi, Sam!" disse Bingo, appena in tempo. Fecero appena in tempo a buttarsi in un folto d'erba alta dietro un albero che proiettava ombra sulla strada.[11]

Nella discussione che seguì la partenza del primo Cavaliere Nero, per ora mio padre conservò la vecchia versione (p. 72), in cui Frodo Took raccontava del suo incontro con un Cavaliere Nero nel nord della Contea:

"... Non ho visto uno di quella Genìa nella nostra Contea da anni."

"In giro ci sono Uomini, comunque," disse Bingo; "e ho sentito molti racconti di gente strana ai nostri confini, e all'interno di questi, negli ultimi tempi. Ho saputo che giù nella Contea meridionale hanno avuto qualche problema con la Grossa Gente. Ma non ho sentito parlare di cose tipo questo cavaliere."

"Io sì, però," disse Frodo, che aveva ascoltato con attenzione la descrizione di Bingo del Cavaliere Nero. "Ricordo qualcosa che avevo del tutto scordato. Camminavo nella Brughiera del Nord – ai confini settentrionali della Contea, sapete – proprio quest'estate, quando mi sono imbattuto in un alto cavaliere vestito di nero. Cavalcava verso sud e si fermò a parlare, anche se non sembrava in grado di masticare granché molto bene la nostra lingua; mi chiese se sapessi se da quelle parti ci fossero dei Baggins. In quel momento mi sembrò bizzarro assai e provai anche una strana sensazione di disagio. Non riuscivo a vedere nessun volto sotto il suo cappuccio. Ho detto di *no*, il suo aspetto non mi piaceva. Da quanto ho sentito, non è mai riuscito a raggiungere Hobbiton e il paese dei Baggins."

"Chiedo perdono," intervenne Sam all'improvviso, "ma è riuscito a trovare la strada per Hobbiton senza problemi, lui o uno simile a lui.

Comunque viene da Hobbiton questo Cavaliere Nero e so dove sta andando."

"Come sarebbe a dire?" disse Bingo voltandosi di scatto. "Perché non hai parlato prima?"

Il racconto di Sam riguardo a quanto dettogli dal Veglio sul Cavaliere che arrivò a Hobbiton è uguale a CdA, p. 88. Poi prosegue:

"Tuo padre, in ogni caso, non ha nessuna colpa," disse Bingo. "Ma avrei fatto più attenzione lungo la strada, se me lo avessi detto prima. Vorrei aver aspettato Gandalf," mormorò; "ma questo avrebbe forse solo peggiorato le cose."

"Allora sai o immagini qualcosa sul conto di questo cavaliere?" disse Frodo che aveva colto le parole sussurrate. "Che cos'è?"

"Non so e preferisco non immaginare," disse Bingo. "Ma non credo che questo cavaliere (o il tuo, o quello di Sam, se sono tutti diversi) fosse davvero uno della Grossa Gente, non un Uomo comune, intendo. Vorrei che Gandalf fosse qui, ma ora l'unica speranza è che arrivi presto a Borgodaino. Chi mai si sarebbe aspettato che una tranquilla passeggiata da Hobbiton a Landaino si rivelasse tanto strana... Non avevo idea di coinvolgervi in qualcosa di pericoloso."

"Pericoloso?" disse Frodo. "Allora credi sia pericoloso, giusto? Sei piuttosto reticente, no, zio Bingo? Non importa... prima o poi sveleremo il tuo segreto. Ma se è pericoloso, allora sono felice che siamo con te."

"Certo che sì!" disse Odo. "Ma qual è il prossimo passo? Andiamo avanti subito o restiamo qui a mangiare qualcosa?...

Mio padre manteneva ancora lo svolgimento (vedi p. 74 e nota 11) secondo cui un Cavaliere Nero passò e si fermò per breve tempo accanto al grande albero cavo in cui sedevano gli hobbit, e cambiò questa storia solo nel finale:

... Probabilmente stiamo facendo molto rumore per nulla [disse Odo]. In ogni caso, questo secondo cavaliere era quasi sicuramente solo uno straniero errante che si era smarrito; e se lo incontrassimo, si limiterebbe a chiederci la strada per Landaino o per il Ponte Brandivino, e proseguirebbe."

"E se si ferma e ci chiede se sappiamo dove abita il signor Baggins di Casa Baggins?" disse Frodo.

"Gli dici la verità," disse Bingo. "Gli dici: *A Hobbiton*, dove se ne trovano a centinaia; oppure *Da nessuna parte*. Perché il signor Bingo Baggins se n'è andato da Casa Baggins e ancora non ha trovato un'altra casa. A dire il vero, penso sia scomparso; qui e ora io divento il signor Colle di Sperdulandia."

Poi viene data una versione alternativa:

"E se si ferma e ci chiede se sappiamo dove abita il signor Baggins di Casa Baggins?" disse Frodo.

"Digli che è scomparso!" disse Odo. "Dopotutto un certo Baggins di Casa Baggins è scomparso, e come facciamo a sapere che non è il vecchio Bilbo quello a cui vuole fare una visita tardiva? Durante i suoi viaggi Bilbo si è fatto degli strani amici, secondo quanto raccontava."

Bingo girò veloce lo sguardo a Odo. "Questa sì che è un'idea," disse. "Ma spero che non ci facciano questa domanda; e se succede, io ho la netta sensazione che il silenzio sia la risposta migliore. Ora proseguiamo. Mi compiaccio che la strada sia tortuosa."

In CdA questa parte fu rimossa (p. 89).

Quando si sente il canto degli Elfi (vecchia versione p. 77), Bingo attribuisce ancora a Bilbo il fatto di riconoscerlo perché talvolta a Fondo Boschivo si trovavano degli Elfi (vedi il passaggio in "Storia antica", p. 321) e dice che vagavano nella Contea in primavera e autunno "fuori dalle loro terre ben oltre il fiume"; in CdA (p. 91) Frodo sa, a prescindere da Bilbo, che a Fondo Boschivo ci si può imbattere negli Elfi, e afferma che provenivano "dalle loro terre lontane oltre i Colli Turriti". L'idea delle terre elfiche a ovest della Contea era pienamente presente in questa fase: vedi le parole di Sam sugli Elfi "lontano a Occidente, distante oltre le Torri" (p. 322). Il canto a Elbereth presenta l'ultima modifica necessaria per portarlo alla forma finale (vedi p. 78): da *freddo* a *luminoso* nel secondo verso della seconda strofa. Si dice ancora che viene intonato nella "segreta lingua elfica". Alla fine, Bingo parla degli Alti Elfi come Frodo in CdA (p. 92), sebbene non dica "Hanno fatto il nome di Elbereth!", quindi non viene spiegato come faccia a sapere che sono Alti Elfi.[12]

L'infelice osservazione di Odo ("Suppongo che ci ritroveremo con un giaciglio e una cena come si comanda?") viene mantenuta, e il saluto che Bingo aveva appreso da Bilbo, "Le stelle brillano sull'ora del nostro incontro", resta in traduzione. Gildor, nella sua risposta, si riferisce al fatto che Bingo sia "uno studioso della lingua degli Elfi", cambiato da "il latino-elfico" (p. 80), dove CdA presenta "Lingua Antica". È ancora la Luna, e non le stelle autunnali, a vedersi nel cielo; e dal vecchio testo vengono mantenuti i diversi ricordi degli hobbit sul pasto consumato con gli Elfi, con l'aggiunta del passaggio su Sam (CdA, p. 95).

Da questo momento mio padre abbandonò il vecchio dattiloscritto e, pur ritornandovi solo alla fine, continuò il testo in manoscritto. L'inizio della conversazione di Bingo con Gildor esiste in tre forme. Tutte cominciano come in CdA, p. 95 ("Parlarono di molte cose, vecchie e nuove..."), ma nella prima Gildor prosegue da "Il segreto non giungerà al Nemico per bocca nostra" con "Ma perché non sei partito prima?", la prima cosa che dice Bingo nella versione originale ("Perché hai scelto proprio questo momento per partire?", p. 82). Bingo risponde con un brevissimo accenno al pensiero contrastante riguardo al lasciare la Contea, e poi Gildor si dà una spiegazione:

"Lo capisco," disse Gildor. "Metà del tuo cuore avrebbe voluto partire, ma l'altra metà ti ha trattenuto. La Contea era la sua casa, e il diletto era tra tavola e giaciglio e nelle voci degli amici, e nel mutare delle stagioni miti tra prati e alberi. Ma dal momento che sei uno hobbit, quella metà prevale, così com'era per Bilbo. Cosa l'ha spinto ad arrendersi?"

"Sì, sono un normale hobbit, e immagino lo sarò sempre," disse Bingo. "Ma mi è stato imposto un destino tutt'altro che hobbitesco."

"Allora non sei uno hobbit qualunque," disse Gildor, "perché in caso contrario non sarebbe così. Ma la metà hobbit soffrirà molto, temo, nel vedersi costretta a seguire l'altra metà degna dello strano destino, finché anch'essa non sarà degna (e resterà tuttavia hobbit). Perché questo deve essere il fine del tuo destino, o lo scopo di quella parte del tuo destino che ti riguarda. La metà hobbit che ama la Contea non va disdegnata, ma deve essere istruita e deve riscoprire il mutare delle stagioni e le voci degli amici quando questi se ne vanno."

Qui termina il testo. La seconda di queste versioni scartate è più vicina a CdA, ma Gildor parla in tono severo del ritardo di Bingo lungo la strada:

"Gandalf non ti ha detto niente?"
"Niente riguardo a simili creature."
"Non è dunque dietro suo consiglio che hai lasciato casa? Neanche ti ha esortato a sbrigarti..."
"Sì. Voleva che partissi prima quest'anno. Ha detto che ritardare poteva rappresentare un pericolo; e comincio a temere che sia così..."
"Perché non sei partito prima?"

Bingo parla poi delle sue due "metà", senza commentare, spiega il motivo per cui ha indugiato fino all'autunno e parla del suo sgomento per il pericolo incombente.

Il terzo testo è molto vicino e in gran parte identico alla forma finale sino pressoché al termine della conversazione, dove la questione, sebbene sia in sostanza la stessa, è disposta in maniera leggermente diversa. Il consiglio di Gildor riguardo al prendere con sé dei compagni è più esplicito che in CdA ("Porta con te amici fidati e volenterosi", p. 97): qui viene detto "Se hai qualcuno di cui fidarti ciecamente, e che è disposto a condividere il pericolo, portalo con te". Si riferisce agli attuali compagni di Bingo, dato che continua (proprio come nella vecchia versione, p. 84): "Ti proteggeranno. Sono convinto che i tuoi tre compagni ti abbiano aiutato a fuggire: i Cavalieri non sapevano che erano con te, e la loro presenza ha confuso gli odori." Ma proprio alla fine si incontra questo passaggio:

"Questo nostro incontro non è forse dovuto solamente al caso; ma lo scopo non mi è chiaro e ho paura di dire troppo. Ma..." fece una pausa e guardò fisso Bingo, "hai forse l'anello di Bilbo con te?"

"Sì," disse Bingo, colto alla sprovvista.

"Allora aggiungerò solo questo. Se un Cavaliere si avvicina o ti insegue, non usare l'anello per sfuggirgli. Credo che l'anello aiuti più lui che te."

"Altri misteri!" disse Bingo. "Come fa un anello a rendere invisibile me e aiutare un Cavaliere Nero a trovarmi?"

"Risponderò solo questo," disse Gildor, "l'anello giunse in principio dal Nemico e non fu forgiato per ingannare i suoi servitori."

"Ma Bilbo ha usato l'anello per scappare dai goblin e dalle creature malvagie," disse Bingo.

"I Cavalieri Neri non sono goblin," disse l'Elfo. "Non chiedermi altro. Ma il mio cuore presagisce che prima della fine, tu Bingo figlio di Drogo ne saprai più di Gildor Inglorion su queste felle creature. Che Elbereth ti protegga!"

"Sei molto peggio di Gandalf," gridò Bingo; "e ora sono più terrorizzato di quanto lo sia mai stato in vita. Ma ti sono profondamente grato."

La fine del capitolo è pressoché la stessa nella vecchia versione, nel testo attuale e in CdA. Ora però Gildor aggiunge un saluto: "e che le stelle brillino alla fine del tuo cammino".

1 La differente disposizione di apertura del capitolo introduce l'intenzione di Bingo di andare a vivere a Landaino prima che questa emergesse a seguito della conversazione con Gandalf. È possibile che mio padre avesse poi invertito l'ordine di questi elementi per evitare ciò.

2 Questo passaggio, da "e chiese ai cugini Brandaino", fu cancellato a matita e sostituito da:

Con l'aiuto di un suo cugino Brandaino, Merry, scelse e comprò una casetta [*aggiunta successiva:* a Criconca] nella campagna dietro Borgodaino e diede inizio ai preparativi per il trasloco.

3 Le parole di Gandalf furono modificate a matita in questo modo:

"Vorrei vederti prima che tu parta, Bingo," disse, mentre si congedava in un'umida e buia sera maggiolina. "Potrei avere notizie e informazioni utili sulla Strada." Bingo non capiva se Gandalf intendesse andare con lui a Valforra oppure no.

4 In questa variante non è presente un nuovo elenco di regali: mio padre si limitò a far riferimento all'ultima versione di "Una festa attesa a lungo", che doveva essere "debitamente modificata" (pp. 313-314, nota 21).

[5] Per la prima volta compare qui il figlio dei Sackville-Baggins. In entrambe le varianti si dice che Lobelia "e il figlio foruncoloso Cosimo (e la moglie Miranda, sempre messa in ombra) vissero a Casa Baggins a lungo / per molti anni". In entrambe le versioni di quel periodo Lobelia aveva 92 anni e aveva dovuto aspettare settantasette anni (come in CdA) per Casa Baggins, il che fa di lei un'avida quindicenne quando alla fine dello *Hobbit* Bilbo torna e la trova a prendere le misure delle stanze. In CdA aveva cent'anni e nella seconda di queste varianti "92" viene cambiato in "102". In CdA suo figlio è "Lotho dai capelli color sabbia" e non viene fatto accenno ad alcuna moglie.

[6] Le correzioni sono in inchiostro blu, nero e rosso. In precedenza ho affermato (p. 85, nota 1) che quelle in inchiostro nero appartengono a una fase di revisione molto iniziale. Quelle in blu e rosso furono apportate allo stadio attuale; ma nella nota riguardante la questione, con "correzioni in nero" mio padre intendeva senza alcun dubbio includere tutte quelle che non erano in rosso.

[7] Riporto comunque un esempio per mostrare la natura del processo (versione originale p. 68):

> "Il vento soffia da ovest," disse Odo. "Se discendiamo dall'altra parte della collina che stiamo risalendo, dovremmo trovare un posto abbastanza riparato e comodo."

Le correzioni in inchiostro rosso sono qui messe in corsivo; altre modifiche rispetto all'originale sono in nero (in realtà blu, vedi nota 6).

> "Il vento soffia da ovest," disse *Sam*. "Se discendiamo dall'altra parte della collina che stiamo risalendo, troveremo un posto abbastanza riparato e comodo, *signore*. Se la memoria non m'inganna, più avanti dovrebb'esserci un'abetaia asciutta." *Sam conosceva bene il paese nel raggio di venti miglia da Hobbiton, ma quello era il limite delle sue cognizioni geografiche*.

Vedi anche nota 11.

[8] Il testo è in realtà reso ancora più complicato da uno strato di correzioni successive derivanti dalla volontà di mio padre di disfarsi del tutto di Odo, tenendo Bingo, Frodo Took e Sam, ma qui tutto ciò viene ignorato.

[9] Nei testi originali era stato omesso l'attraversamento della Strada Est (vedi pp. 62-63, 67). Con "Gran Sterro" per "Gran Cicuta (nella regione dei Soffiacorno)" e "sud-est" per "verso est", questo si legge in CdA, nella prima edizione di SdA. Nella seconda edizione (1966) il testo fu modificato come segue:

> Un paio di miglia più a sud attraversarono in fretta la grande strada dal Ponte Brandivino; adesso erano in Tooklandia e, presa la direzione sud-est, si avviarono verso il Paese delle Verdi Colline. Quando iniziarono a salire le prime pendici si girarono e videro i lumi di Hobbiton brillare in lontananza...

Robert Foster, in *The Complete Guide to Middle-earth*, voce *Hornblower* [Soffiacorno], dice che "tutti o la maggior parte" dei Soffiacorno "abitavano nel Quartiero Sud"; ciò sembra basarsi sull'affermazione presente nel *Prologo* di SdA secondo cui Tobold Soffiacorno, primo coltivatore di erba pipa, viveva a Vallelunga nel Quartiero Sud, ma potrebbe trattarsi di una fondata deduzione. Alcuni "territori familiari" degli hobbit sono segnati sulla mappa della Contea di mio padre (p. 135, punto I) ma i Soffiacorno non sono tra questi. (I Pancieri sono collocati a ovest della Cintisola nel Brandivino; i Bolger a sud della Strada Est e a nord di Fondo Boschivo; i Boffin a nord della Collina di Hobbiton, vedi il signor Boffin di Sopraccolle, CdA, p. 55; e i Took in Tooklandia, a sud di Hobbiton.) Vedi p. 381, nota 1.

[10] Vedi p. 313, nota 18. La canzone è una ripetizione, dal momento che Bilbo l'aveva già recitata prima di lasciare Casa Baggins (p. 306); ma mentre in CdA (pp. 85-86) l'unica differenza tra le due declamazioni è Bilbo che dice "passo solerte" nel quinto verso e Frodo "passo sofferto", qui Bingo dice anche "noi" al posto di "io" nel quarto e nell'ottavo verso (mantenuto dal testo originale, pp. 70-71).

[11] Questo passaggio illustra in modo interessante il sistema di correzione "a due livelli" utilizzato da mio padre in questo testo (vedi pp. 348-349). Il nuovo brano in cui Bingo si chiede se sia Gandalf a inseguirli e suggerisce di coglierlo alla sprovvista, pur essendo sicuro che non sia lui (come in CdA, pp. 86-87), è una correzione "rossa" perché secondo la nuova storia si crede che Gandalf li abbia mancati di poco a Hobbiton e li abbia seguiti, mentre secondo la vecchia storia (in cui la Festa era di Bingo) Gandalf se ne andò subito dopo i fuochi e si diresse a est (vedi p. 129 e nota 12).

Il resto del nuovo passaggio (citato nel testo), che descrive i desideri contrastanti di Bingo di nascondersi o meno, è una correzione in "nero" (vale a dire che copre sia le "vecchie" sia le "nuove" storie), così come l'aggiunta quasi immediata seguente, in cui Bingo avverte l'impellente desiderio di indossare l'Anello, ma non lo fa: perché, qualunque sia la versione seguita, la natura dell'Anello esige tali cambiamenti (vedi *Interrogativi e modifiche*, nota (7) [p. 287]: "Bingo NON deve infilare l'anello quando i Cavalieri Neri sono prossimi, in vista degli sviluppi successivi. Deve *pensare* di farlo, ma in qualche modo esserne trattenuto.").

[12] Il testo di CdA in questo punto: "Non sapevo che alcuno di quella gente leggiadrissima fosse mai stato visto nella Contea", fu modificato nella seconda edizione in "Nella Contea se ne vedono pochi di quella gente leggiadrissima". Per i precedenti riferimenti agli Alti Elfi (che ora sono gli Elfi di Valinor), vedi pp. 239, 288-289, 327.

XVII.
UNA SCORCIATOIA PER I FUNGHI

Il terzo dei capitoli originali (pp. 113 ss.) fu riscritto, numerato con "IV" e intitolato "Una scorciatoia per i funghi". Si tratta di un manoscritto di facile lettura ma molto rimaneggiato, con diverse varianti e materiale scartato. Il risultato finale, tuttavia, al punto in cui era già in questo momento (se per ora si ignora una lunga variante della parentesi del Fattore Maggot, non immediatamente rigettata) è di fatto il capitolo 5 della *Compagnia dell'Anello*, in larga misura parola per parola, e non v'è molto da dire al riguardo.

La differenza principale rispetto a CdA sta nel fatto che erano ancora presenti Frodo Took e Odo Bolger, non soltanto Pippin. La parte di Pippin e tutte le cose da lui dette in CdA si trovano qui pressoché nella medesima forma; ma dove in CdA è Pippin a conoscere bene la regione e il Fattore Maggot, nel testo attuale (proprio come nella versione originale) è ruolo di Frodo Took, e una volta scesi nella pianura Odo è una figura di sfondo.

Una buona parte di nuova geografia subentra con la discussione sul prendere o meno una scorciatoia (CdA, p. 101). Sebbene l'umida terra pianeggiante venga descritta nel racconto originale (pp. 117-118), qui viene chiamata Marcita, e la curva a nord del sentiero (p. 115) viene descritta come "aggirare a nord la Marcita". Ora compare la strada a sud del Ponte Brandivino, chiamata dapprima "la strada rialzata" [*the raised road*, poi *the banked road*, *N.d.R.*], poi "il sentiero rialzato": "il sentiero rialzato che va dal Ponte, attraversa Magione e passa il Traghetto fin giù lungo il Fiume a Concafonda." Per la prima volta viene qui nominato il villaggio di Magione (e la sua locanda, il *Persico d'Oro*, dove secondo Odo c'era la migliore birra della "Contea Orientale"), e anche Concafonda, che nonostante sia segnato sulla mappa della Contea di mio padre e su quella di CdA, non viene mai menzionato nel testo del *Signore degli Anelli.* (Nella versione originale di questo capitolo non vi è alcun accenno alla strada rialzata e gli hobbit che abbandonavano il vicolo di Maggot sbucavano sulla strada che avevano lasciato, poco prima che questa raggiungesse il Traghetto: vedi p. 124 e nota 8. Magione allora non era ancora stata concepita. Più avanti nella vecchia versione Marmaduk, sostenendo di dover attraversare la Vecchia Foresta, afferma che sarebbe sciocco da parte loro "scarpinare lungo una noiosa strada che costeggia un fiume – sotto gli occhi delle frotte di Hobbit di Landaino", ma parla della strada interna a Landaino, sulla sponda orientale del Brandivino, p. 132, nota 18.)

La discussione su quale strada prendere è soprattutto tra Odo e Frodo, ed è sotto certi aspetti diversa dalla forma finale. Odo, non conoscendo il paese, affermò che una volta scesi nella Marcita ci sarebbero stati "tutti i tipi di ostacoli", al che Frodo replicò che lo sapeva, e che la Marcita era ormai "rabbonita e prosciugata" (in CdA Pippin, che prende la parte di Frodo Took in quanto conosce la regione, e di Odo poiché punta al *Persico d'Oro*, discute con Frodo [Baggins] sul fatto che nelle paludi "ci sono acquitrini e difficoltà d'ogni sorta").[1]

Il ruscello che sbarrava loro il passaggio è ora identificato con il ruscello di Magione. L'unico altro elemento da menzionare prima di arrivare al Fattore Maggot è un passaggio scartato che doveva sostituire lo strano fiutare che interrompeva la canzone di Odo in onore alla bottiglia nella versione originale (p. 117). Lì, una nota a matita sul manoscritto (p. 133, nota 3) recitava: "Rumore di zoccoli poco lontano."

Ho! Ho! Ho! riattaccarono più forte. "Silenzio!" disse Sam. "Mi pare di sentire qualcosa." Si bloccarono di colpo. Bingo si mise a sedere. Ascoltando colse o credette di cogliere il rumore di zoccoli, in lontananza, andare al trotto. Rimasero seduti in silenzio per un po', dopo che il rumore si era smorzato; alla fine Frodo parlò. "Molto strano," disse. "Non c'è nessuna strada che io conosca nelle vicinanze, eppure gli zoccoli non calpestavano erba o foglie, ammesso fossero zoccoli." "Ma se lo erano, non vuol dire che fosse un Cavaliere Nero," disse Odo. "La terra da queste parti non è del tutto disabitata, ci sono fattorie e villaggi."

A questo si sostituirono le terribili grida di segnalazione, proprio come in CdA (pp. 104-105). Da una pagina scartata poco dopo, quando giunsero nella "campagna meno selvaggia e più curata", è chiaro che il rumore degli zoccoli che udirono non era in realtà tanto misterioso. "Cominciavano a pensare di essersi immaginati il rumore degli zoccoli, quando giunsero al cancello: al di là, un sentiero impervio serpeggiava verso un distante folto d'alberi" (ovvero quello del Fattore Maggot). Il cavaliere che sentirono era il Cavaliere Nero che era giunto alla porta di Maggot.

Quando mio padre arrivò in questa versione al Fattore Maggot, seguì il vecchio racconto in questo modo: Bingo indossò l'anello nel vialetto fuori dalla fattoria, poi entrò invisibile in casa e bevve la birra del Fattore Maggot, al punto che la partenza degli altri fu assai imbarazzante e infelice. Considerato tutto ciò che era stato detto riguardo all'Anello, questo è notevole. Tuttavia, credo che mio padre fosse restio a perdere questo intermezzo (vedi nota 13), e sebbene in quel periodo scrisse anche la storia della visita a Maggot nella forma presente in CdA, conservò questo primo, del tutto diverso racconto di quanto accaduto in casa del Fattore e lo segnò come variante.

Qui, Maggot diventa un personaggio violento e intransigente, con un odio viscerale verso tutti i Baggins, uno sviluppo che a mio avviso deriva senza alcun dubbio dalla necessità di spiegare l'intensità della reazione di Bingo una volta venuto a sapere chi è il proprietario della fattoria, un timore tanto grande (insieme ai cani feroci) da spiegare a sua volta come aveva potuto indossare l'Anello a dispetto dei consigli. Nella versione originale Bingo portava l'Anello quasi fosse una cosa naturale, come lo aveva indosso all'arrivo dei Cavalieri Neri. Inoltre, allo stato attuale della storia, Frodo e Odo avevano dimestichezza con il possesso di un anello magico che dava l'invisibilità e, dopo la partenza dal Fattore Maggot, Odo si rivolse a Bingo quando questi era ancora invisibile, definendo il suo comportamento uno "stupido scherzo" (p. 124). Ora, però, non l'avevano più (vedi p. 312, nota 3: Bilbo "annotò le proprie avventure in un libro di memorie privato, in cui raccontò alcune cose di cui non aveva mai parlato (come l'anello magico); ma quel libro non fu mai pubblicato nella Contea, e lui non lo mostrò mai a nessuno, tranne al 'nipote' prediletto, Bingo."). A margine del manoscritto, mio padre annotò che il grande problema di questa storia era che sarebbe stato necessario far sì che Odo, Frodo e Sam fossero tutti a conoscenza dell'anello di Bingo – "il che è un peccato"; oppure, aggiunse: "far sì che gli altri fossero tanto stupiti quanto il Fattore Maggot... il che è difficile." Tuttavia, era anche pronto, come scritto nella stessa nota, a considerare l'idea di modificare la struttura per togliere Odo e Frodo da questo episodio facendo di loro il gruppo di avanscoperta per Landaino, mentre la strada di Bingo da Hobbiton si sarebbe svolta assieme a Merry e Sam, il che pare voler dire che Merry fosse stato reso partecipe del segreto dell'Anello. È ipotizzabile che Sam lo sapesse, dato che aveva origliato alla finestra di Casa Baggins in conclusione del capitolo "Storia antica"; e mio padre rivide anche il testo qui e là a matita per "permettere a questa versione di reggere in caso *il solo Sam* sapesse dell'anello di Bingo". Una cosa che nella nota non prese in considerazione fu la distinzione tra il fatto che gli altri sapessero dell'Anello e il fatto che Bingo sapesse che lo sapevano; e quando arrivò alla conversazione nella casa di Landaino (poco dopo, dal momento che il testo dei due capitoli è continuativo nel manoscritto) aveva deciso che gli altri lo sapevano, ma se l'erano tenuto per sé (come in CdA, p. 119).

Riporto ora gran parte di questa prima variante.

Giunsero al cancello, al di là del quale un sentiero impervio correva tra basse siepi verso un distante folto d'alberi. Frodò si fermo. "Conosco questi campi!" disse. "Sono parte delle terre del vecchio Fattore Maggot.[2] Quella laggiù tra gli alberi deve essere la sua fattoria."

"Un guaio dopo l'altro!" disse Bingo con aria allarmata, come se Pippin avesse dichiarato che il viottolo era la fenditura che conduceva alla tana di un drago. Gli altri lo guardarono sorpresi.

"Che cos'ha che non va il vecchio Maggot?" domandò Frodo.[3]

"Lui non piace a me e io non piaccio a lui," disse Bingo. "Se avessi pensato che la scorciatoia mi avrebbe portato oggi vicino alla sua fattoria, avrei scelto la strada più lunga. Sono anni che non ci passo accanto."

"Perché no?" disse Frodo. "Lui è uno a posto, se riesci a prenderlo per il verso giusto. Pensavo fosse amichevole verso tutto il clan dei Brandaino. Malgrado incuta terrore agli intrusi e possieda alcuni cani dall'aspetto feroce. Ma dopotutto siamo prossimi ai confini e la gente deve stare più in guardia."

"Proprio così," disse Bingo. "Quando ero ragazzo, a Borgodaino, sconfinavo nel suo terreno. Nei suoi campi crescevano i funghi migliori.[4] Una volta ho ucciso uno dei suoi cani. Gli ho spaccato la testa con una pietra pesante. Un colpo di fortuna, perché ero terrorizzato e credo mi avrebbe sbranato. Quello mi ha picchiato e ha detto che mi avrebbe ammazzato la prossima volta che avessi messo piede dentro la sua proprietà. 'T'ammazzerei adesso,' ha detto, 'non fossi il nipote del signor Rory,[5] purtroppo una vergogna per i Brandaino'."

"Ma è successo un sacco di tempo fa," disse Frodo. "Non ucciderà il signor Bingo Baggins, già di Casa Baggins, per via dei suoi misfatti quando era uno dei tanti furfantelli di Palazzo Brandy. Anche se dovesse ricordarlo ancora."

"Non credo che Maggot sia uno che si scorda le cose facilmente," disse Bingo, "soprattutto se si tratta dei suoi cani. Dicevano che amasse i cani più dei figli. E Bilbo mi ha raccontato (solo un paio d'anni prima di lasciare la Contea) che una volta era da queste parti e si è fermato alla fattoria per bere e mangiare qualcosa. Quando gli ha detto il suo nome, il vecchio Maggot gli ha intimato di andarsene. 'Non voglio Baggins alla mia porta. Un mucchio di ladri, mascalzoni e assassini. Torna da dove vieni,' ha detto, minacciandolo con un bastone. Da allora, se ci incrociavamo per strada, agitava il pugno contro di me."[6]

"Be', che fortuna," disse Odo. "Dunque ora suppongo che verremo tutti picchiati o morsicati, se ci vedono con Bingo il saccheggiatore."

"Scempiaggini!" disse Frodo. "Imbocca il vialetto e non commetterai alcuno sconfinamento. Maggot si comportava in maniera abbastanza cordiale con me e Merry. Gli parlerò."

Seguirono il viottolo finché non videro i tetti di paglia di una grande casa e altre costruzioni spuntare in mezzo agli alberi. I Maggot e i Piedipozza di Magione, come la maggior parte degli abitanti della Marcita, dimoravano dentro case...

A questo punto fu introdotta una lunga digressione (seguente a quella della versione originale, pp. 118-119) a proposito degli hobbit che dimorano in case; vedi pp. 369-370.

... e la fattoria era costruita con solidi mattoni e circondata da un muro molto alto. Nel muro una grande porta di legno dava sul viale. Bingo rimase indietro. Mentre si avvicinavano, all'improvviso si sentì latrare e abbaiare furiosamente e una voce tuonò: "Morsa! Zanna! Lupo! Andate, ragazzi, andate!"

Per Bingo fu troppo. Si infilò l'Anello e scomparve. "Stavolta non può combinare nulla di male," pensò. "Sono certo che Bilbo avrebbe fatto lo stesso."

Fece appena in tempo. La porta si aprì e tre enormi cani si fiondarono nel viottolo puntando sui viandanti. Odo e Sam si rannicchiarono contro il muro, mentre due grossi cani grigi dall'aria lupesca li annusavano. Il terzo cane si arrestò accanto a Bingo, annusò e ringhiò, col pelo ritto sul collo e uno sguardo perplesso negli occhi. Frodo fece qualche passo, indisturbato.

Dalla porta giunse uno hobbit tarchiato con la faccia tonda e rubiconda[7] e un alto cappello morbido. "Salve! Salve! E voi chi sareste, e che cosa mai fareste?" domandò.

"Buon pomeriggio, signor Maggot," disse Frodo.

Il fattore lo squadrò ben bene. "Bene, bene," disse. "Vediamo un po'... tu sei il signor Frodo Took, il figlio del signor Folco, se non sbaglio. Di rado mi capita, ho un'ottima memoria per i volti. È da un po' che non ti vedo da queste parti, con il signor Merry Brandaino..."

L'incontro iniziale con Maggot è esattamente come nell'altra variante, ovvero come in CdA, pp. 105-106, fino a "con grande sollievo di Odo e Sam, i cani li lasciarono liberi". Poi continua:

Odo e Frodo varcarono subito il cancello, ma Sam esitò. Così fece il terzo cane. Restò fermo, drizzando il pelo e rugliando.

Questo fu poi modificato a matita e si legge:

Odo raggiunse Frodo al cancello, ma Sam esitò nel viottolo. Frodo si voltò per fare un cenno a Bingo e si chiese in che modo presentarlo, se dire o meno il suo nome, oppure sperare che la memoria di Maggot fosse meno buona di quanto si vantasse, e non dire nulla; ma di Bingo non v'era traccia. Sam osservava uno dei cani. Era ancora fermo, rugliante e col pelo dritto. Sembrava tutto alquanto strano.

Questa fu una delle modifiche apportate "per permettere a questa versione di reggere in caso il solo Sam sapesse dell'Anello di Bingo" (p. 362).

"Qui, Lupo!" urlò il Fattore Maggot, guardandosi indietro. "Dannazione! Che cosa gli prende al cane? Qui, Lupo!"

Il cane obbedì con riluttanza, e alla porta si voltò e abbaiò.

"Cosa ti succede?" disse il fattore. "È stata una giornata strana, non c'è che dire. Lupo è quasi impazzito quando quell'uomo è arrivato a cavallo e ora si direbbe che veda o annusi qualcosa che non c'è."

Entrarono nella cucina del fattore e si sedettero vicino al grande camino. I cani furono rinchiusi, dato che né Odo né Sam nascondevano l'inquietudine di vederseli intorno. "Non ti fanno nulla," disse il fattore, "a meno che non glielo dica io". La signora Maggot tirò fuori un'enorme caraffa di birra e riempì quattro grossi boccali. Era di ottima qualità, e Odo si sentì ampiamente ricompensato per la mancata sosta al *Persico d'Oro*. Non fosse stato in ansia per il padrone, Sam se la sarebbe goduta di più.

"E da dove mai verrai e dove mai vorresti andare, signor Frodo?" chiese il Fattore Maggot con uno sguardo astuto. "Venivi a trovarmi? In tal caso, hai superato la mia porta senza farti vedere."

"Be' no," rispose Frodo. "A dire il vero (tanto ci sei già arrivato da solo) siamo capitati nei tuoi campi. Ma è stato per puro caso. Ci siamo smarriti nei boschi vicino a Boscasilo mentre cercavamo di prendere una scorciatoia per il sentiero rialzato accanto al Traghetto. Abbiamo una certa fretta di andare nel a Landaino."

"La strada avrebbe fatto meglio al caso vostro," disse il fattore. "Tu e il signor Merry avete il permesso di camminare sui miei terreni, purché non facciate danni. Non come quei ladri dell'ovest... perdonatemi, dimenticavo che di nome fai Took e sei solo mezzo Brandaino, diciamo.[8] Ma non sei un Baggins, altrimenti non saresti qui dentro. Quel signor Bingo Baggins una volta mi ha ucciso un cane. Sono passati oltre trent'anni, ma non l'ho scordato e glielo ricorderò per bene se mai si azzarda a venire da queste parti. Ho sentito dire che tornerà a vivere a Landaino. Purtroppo. Non capisco come facciano i Brandaino a permetterlo."

"Ma anche il signor Bingo è mezzo Brandaino," disse Odo (cercando di trattenere un sorriso). "È davvero una brava persona quando riesci a prenderlo dal verso giusto; anche se se ne andrà a zonzo per la campagna e gli piacciono i funghi."

Parve udirsi un sospiro, l'ombra di un'esclamazione, poco distante dall'orecchio di Odo, benché egli non ne fosse del tutto certo.[9]

"Proprio così," disse il fattore. "Si prendeva anche i miei, pure se lo menavo. E gliene darò ancora, se lo becco. Ma questo mi fa venire in mente una cosa... secondo voi che cosa mi ha domandato quello strano tipo?"

Il Fattore Maggot passa poi al racconto dello strano tipo e quel racconto, sebbene più breve, funziona abbastanza bene come l'altra variante e CdA,[10] con la seguente differenza:

"... un brivido mi è corso lungo la schiena. Ma quella faccenda era troppo per me. 'Qui non c'è nessun Baggins e non ci saranno finché sarò in vita. Se sei un amico loro, non sei il benvenuto. Ti do un minuto di tempo, poi sguinzaglio i cani.'"

Da "'Non so proprio che cosa pensare,' disse Frodo", in questa versione la storia prende la direzione di una farsa.

"Allora vi dico cosa penso," disse Maggot. "Questo signor Bingo Baggins si è cacciato nei guai. Ho sentito dire che ha perso o buttato gran parte del danaro avuto dal vecchio Bilbo Baggins. E *quello* fu fatto in modo strano anche in luoghi sconosciuti, dicono. Date retta a me, tutto questo è dovuto ai traffici del signor Bilbo. Forse qualcuno vorrà sapere che cosa ne è stato dell'oro e cosa è rimasto. Date retta a me."

"Lo farò di certo," disse Frodo, alquanto sorpreso dalle supposizioni del vecchio Maggot.[11]

"E se vuoi darmi retta," disse il fattore, "stai alla larga dal signor Bingo, altrimenti finirai in guai più grossi di quelli che ti immagini."

Pochi dubbi vi furono sul respiro e sul sussulto soppresso vicino all'orecchio di Frodo a quel punto.[12]

"Ricorderò il consiglio," disse Frodo. "Ma ora dobbiamo andare a Borgodaino. Il signor Merry Brandaino ci aspetta stasera."

"Che peccato," disse il fattore. "Volevo chiedere a te e ai tuoi amici di fermarvi a mangiare un boccone e a bere qualcosa con me e mia moglie."

"Molto gentile da parte tua," disse Frodo; "ma temo che ora dobbiamo partire, vogliamo arrivare al Traghetto prima che faccia buio."

"Be', allora facciamoci un altro bicchiere!" disse il fattore e sua moglie versò della birra. "Alla salute e alla fortuna!" disse, prendendo il boccale. Ma in quel momento la tazza lasciò il tavolo, si alzò, si inclinò in aria e poi tornò vuota al suo posto.

"Che mi venga un colpo!" gridò il contadino saltando in piedi, a bocca aperta. "Che giornata maledetta. Prima il cane e poi ecco anche io che vedo cose che non ci sono."

"Oh, pure io ho visto il boccale in aria," disse Odo con scarsa discrezione, senza riuscire a nascondere del tutto un sorriso.

Quest'ultima frase fu cancellata a matita, in quanto considerata indesiderata "nel caso il solo Sam sapesse dell'Anello". Il resto di questa versione fu scritto su quella base.

Odo e Frodo erano seduti a guardare. Sam aveva un'aria ansiosa e preoccupata. "A me non hai chiesto di mangiare un boccone o bere qualcosa," disse una voce che pareva provenire dal centro della stanza. Il Fattore Maggot indietreggiò verso il caminetto; la moglie cacciò un grido. "Ed è un peccato," continuò la voce, che Frodo, con suo grande stupore, riconobbe essere quella di Bingo, "perché mi piace la tua birra. Ma non ti vantare che nessun Baggins entrerà mai in casa tua. Uno ce l'hai qui dentro adesso. Un ladro di un Baggins. Un Baggins molto arrabbiato." Calò il silenzio.

"BINGO, per l'appunto!" urlò d'improvviso la voce all'orecchio del contadino. Nello stesso tempo qualcosa gli rifilò una spinta nel panciotto e cadde con un tonfo tra gli arnesi da fuoco. Si alzò di nuovo a sedere giusto in tempo per vedere il cappello lasciare la panca dove l'aveva buttato e volare fuori dalla porta, che si aprì per lasciarlo passare.

"Ehi! Qui!" gridò il fattore, balzando in piedi. "Ehi, Morsa, Zanna, Lupo!" A quel punto il cappello schizzò a grande velocità verso il cancello; ma mentre il fattore gli correva dietro, quello tornò indietro fluttuando nell'aria e gli cadde ai piedi. Lo prese con cautela e lo guardò stupito. I cani sguinzagliati dalla signora Maggot giunsero a balzi; ma il fattore non diede loro alcun comando. Restò immobile, si grattò la testa e rigirò il cappello più e più volte, quasi s'aspettasse di scoprire se gli erano cresciute le ali.[13]

Odo e Frodo, seguiti da Sam, uscirono di casa.

"Bene, che mi venga un colpo se non è la cosa più strana mai accaduta in casa mia!" disse il fattore. "Qui si parla di fantasmi! Immagino mi abbiate fatto uno scherzo..." disse all'improvviso, guardandoli a turno.

"Noi?" disse Frodo. "Ma quando mai! Eravamo sbalorditi quanto te. Non ho la capacità di far svuotare le tazze da sole o che i cappelli se ne escano di casa."

"Ebbene, è davvero strano," disse il fattore, non sembrando del tutto soddisfatto. "All'inizio quel cavaliere chiede del signor Baggins. Poi arrivate anche voi e mentre siete in casa la voce del signor Baggins inizia a fare dei brutti scherzi. E voi siete suoi amici, a quanto pare. 'È davvero una brava persona,' hai detto. Se tutte queste stregonerie non sono legate tra loro, mi mangio questo cappello. Ditegli da parte mia di tenere a bada la voce, altrimenti vado io a imbavagliarlo, anche dovessi nuotare nel fiume e dargli la caccia per tutto Borgodaino. E adesso fareste meglio a tornare dai vostri amici e lasciarmi in pace. Buongiorno."

Li osservò con sguardo pensieroso finché non svoltarono l'angolo del vicolo e scomparvero alla vista.

"Che ne pensi?" chiese Odo intanto che procedevano. "E dove diamine è Bingo?"

"Quello che ne deduco," rispose Frodo, "è che lo zio Bingo sia uscito di senno; e immagino che lo incontreremo presto in questo vicolo."

"Non mi incontrerete, perché sono già qui dietro," disse Bingo. Ed eccolo lì, a fianco di Sam Gamgee.

Questa versione dell'episodio si chiude qui, con la nota: "Questa variante procederebbe in maniera assai simile al precedente dattiloscritto del capitolo III", riferita agli hobbit che vanno dalla casa del Fattore Maggot al Traghetto, se non vengono trasportati laggiù sul carro di Maggot (vedi pp. 124-126).

A prescindere da ogni altra considerazione (che forse già c'è stata), penso che sia stato soprattutto il problema dell'Anello a sopprimere questa versione. Nel capitolo successivo si scopre che gli altri hobbit sapevano dell'Anello, ma che Bingo non sapeva che gli altri sapevano. Dunque l'odioso Fattore Maggot, incline al rancore, era già scomparso e con lui l'ultimo (all'incirca) spensierato uso dell'Anello.[14] La seconda versione dell'episodio di Maggot in questo manoscritto segue a quanto pare abbastanza fedelmente la prima e questa, come già affermato, è (nomi a parte) identica, salvo qualche parola qua e là, alla storia di CdA.

Resta da osservare il passaggio sull'architettura hobbit summenzionato (p. 363). Accanto mio padre scrisse "Mettere in Prefazione",[15] e non è incluso nella seconda versione della storia di Maggot. In qualche misura è stato sviluppato da quello della forma originale del capitolo (pp. 118-119), ma presenta meno dettagli di quello del *Prologo* a CdA (pp. 17-18). La suddivisione degli hobbit in Pelòpedi, Cutèrrei, Nerbuti ancora non esisteva e il fatto che alcuni abitanti della Marcita fossero "assai robusti, con gambe massicce e alcuni pare avessero un po' di peluria sotto il mento" viene attribuita al fatto che non siano di pura razza hobbit. In questo resoconto, l'arte di costruire le case aveva ancora origine, o si pensava l'avesse, tra gli stessi hobbit, nelle regioni lungo i fiumi (nel *Prologo* viene suggerito che questa derivi dai Dúnedain, o persino dagli Elfi); tuttavia "era stata per lungo tempo modificata (e forse migliorata) prendendo spunto da nani, elfi e persino dalla Grossa Gente e da altre persone al di fuori della Contea."

Nel *Prologo* si trova il passaggio riguardante la presenza di case in molti villaggi hobbit e qui compare per la prima volta Borgo Tuck. Nella prima stesura del brano si leggeva:

Anche a Hobbiton e Acquariva, e a Borgo Tuck, lontano in Tooklandia, e sui Pogginterni gessosi nel mezzo della Contea, dove era presente una popolazione numerosa

Mio padre cancellò *Pogginterni*, forse con l'intenzione di farlo anche con *gessosi*, e lo sostituì con [*Much* >] *Micheldelving* [Gransterro], prima di scartare la frase e ricominciare daccapo. Gran Sterro sui Poggi Bianchi è comparso nell'ultimo capitolo (p. 349), in sostituzione di "Gran Cicuta (nella regione dei Soffiacorno)". Probabilmente stava per scrivere anche qui "Gran Cicuta". Sembra che fino a ora non avesse deciso che la città principale fosse nell'ovest della Contea, ammesso che esistesse una città principale. Tuttavia, riscrisse subito il passaggio e con tutta probabilità fu a questo punto che nacque Gran Sterro sui Poggi Bianchi (che fu poi introdotto in "I ritardi sono pericolosi"). Secondo la forma finale, la frase recita:

A Hobbiton, a Borgo Tuck lontano in Tooklandia, e anche [nel villaggio >] nella città più popolosa della Contea, Gransterro [Micheldelving] sui Poggi Bianchi a ovest, si trovavano molte case di pietra, legno e mattoni.

Il nome *Pogginterni* non si ripete più; vedi *Entroterra* (*Mittalmar*), la regione centrale di Númenor, *Racconti Incompiuti*, p. 254.

Il testo di questo capitolo, seguendo la disposizione della versione originale, prosegue dritto senza interruzioni da "A un tratto Frodo rise: dal cesto chiuso che teneva in mano veniva odore di funghi", che chiude il capitolo 4 in CdA, a "'Adesso faremmo bene a tornarcene a casa anche noi,' disse Merry", che in CdA apre il capitolo 5. Tuttavia, poco tempo dopo, mio padre interruppe il testo a questo punto, inserendo il numero "V" e il titolo "Una congiura è smascherata", e qui seguo questa disposizione.

[1] Questo passaggio della discussione fu molto riscritto. Nelle versioni scartate Odo propone di dividersi: "Perché andare tutti dalla stessa parte? Chi vota per le scorciatoie, tagli. Chi no, faccia il giro... e questi (badate bene) raggiungeranno il *Persico d'Oro* a Magione prima del tramonto"; e Frodo sostiene di dover attraversare la campagna: "Merry

non si preoccuperà se tarderemo." In un altro, Odo dice: "Allora devo rimanere indietro o andare da solo. Be', non credo che i Cavalieri Neri mi faranno qualcosa. È te, Bingo, che fiutano. Se chiedono di te, dirò: 'Ho discusso col signor Baggins e me ne sono andato. La scorsa notte ha alloggiato dagli Elfi... chiedete a loro'."

Un piccolo punto in relazione alla geografia può essere qui menzionato. In "i boschi aggrappolati lungo le pendici orientali delle colline", CdA, p. 102, "colle" doveva essere "colline", come nel testo presente.

2 Alla prima menzione in questo testo il fattore viene chiamato *Fattore Piedipozza*, ma fu subito cambiato in Maggot e Maggot poi diventa il suo nome in tutto il testo. Nello stesso punto del dattiloscritto originale, e solo in quel punto, Maggot fu cambiato in Piedipozza (p. 133, nota 4).

3 Frodo continuò: "Certo queste persone giù nella Marcita sono un po' strane e ostili, ma i Brandaino ci vanno d'accordo", ma questo fu cancellato quasi subito dopo la scrittura.

4 È qui che i funghi subentrano nella storia: nella versione originale non viene fatta alcuna menzione dei funghi.

5 Riguardo al fatto che Bingo sia nipote di Rory Brandaino (nonno di Merry), vedi p. 337, nota 4.

6 Un'altra versione del racconto di Bingo vede Bilbo e Bingo incontrarsi con Maggot e il fattore nelle sembianze di un vero orco:

> "È proprio così," disse Bingo. "L'ho preso dal verso sbagliato, lui e la sua siepe. Stavamo sconfinando, come dice lui. Eravamo stati nella valle del fiume Luminoso e attraversavamo la campagna verso Magione, un po' come oggi, quando siamo arrivati nei suoi terreni. L'oscurità è calata, si è alzata una nebbia bianca e ci siamo persi. Abbiamo superato una siepe e ci siamo ritrovati in un giardino, e Maggot ci ha beccato. Ci ha lanciato addosso un cane enorme, che somigliava più a un lupo. Io sono caduto col cane sopra di me e Bilbo gli ha rotto la testa con un grosso bastone. Maggot era furibondo. È un tipo robusto, e mentre Bilbo cercava di spiegargli chi eravamo e come eravamo arrivati lì, quello lo ha preso e l'ha scagliato oltre la siepe in un fosso. Poi mi ha tirato su e mi ha squadrato bene. Ha visto che ero uno del clan dei Brandaino, anche se non ero stato nella sua fattoria da quando ero ragazzino. 'Stavo per romperti il collo,' disse, 'e lo farò, se ti trovo di nuovo da queste parti, che tu sia o no il nipote del signor Rory. Vattene prima che te le suoni!' Mi ha lasciato cadere al di là della siepe, sopra Bilbo.
>
> "Bilbo si è alzato e ha detto: 'La prossima volta vengo con qualcosa di più affilato di un bastone. Né tu né i tuoi cani sareste una gran perdita per la campagna.' Maggot ha riso. 'Anch'io ho un paio di armi,' ha detto, 'e la prossima volta che uccidi uno dei miei cani, ti ammazzo. Adesso vattene, o ti ammazzo stasera.' Sarà stato vent'anni fa. Ma non credo che Maggot sia uno che si scorda le cose facilmente. Il nostro non sarebbe un incontro amichevole."

L'accoglienza riservata al racconto da Frodo Took fu stranamente mite. "Che sfortuna"! [disse]. "Sembra che nessuno sia stato molto da biasimare. Dopotutto, Bingo, devi ricordare che siamo vicino ai Confini e che la gente di queste parti è molto più sospettosa che nella regione dei Baggins."

Allo stesso modo di Concafonda (p. 360), il fiume Luminoso, menzionato in questo passaggio, non viene mai nominato in SdA, sebbene sia segnato sulla mappa della Contea di mio padre e su quella pubblicata in CdA (entrambi sono menzionati nelle *Avventure di Tom Bombadil*, p. 10).

[7] Il Fattore Maggot è ancora una volta inequivocabilmente uno hobbit: vedi p. 158 e nota 7.

[8] A dire il vero, non vi è alcuna indicazione che la madre di Frodo Took fosse una Brandaino, come si nota dall'osservazione di Maggot in questo punto, supportata anche dalla conoscenza di Frodo della Marcita e dalla confidenza di Maggot con lui come compagno di Merry Brandaino. In SdA la madre di Peregrino (imparentato con Meriadoc come lo è in questa frase Frodo Took, vedi p. 337, nota 4) era Eglantina Scarpati.

[9] Questa frase è segnata a matita per essere cancellata.

[10] In questa versione il Cavaliere Nero non dice altro se non: "Hai visto il Si-gnor Bagg-ins?" Nella seconda versione le parole sono quasi come in CdA, anche se lo chiama ancora "Signor Baggins".

[11] Nella seconda versione, come in CdA (p. 108): "le ipotesi sagaci del fattore erano alquanto sconcertanti" per Bingo (Frodo); ma qui le ipotesi di Maggot sconvolgono Frodo Took, il che suggerirebbe che sapesse cosa cercavano i Cavalieri Neri.

[12] Questa frase è segnata a matita per essere cancellata; vedi nota 9.

[13] Le modifiche apportate a matita in questo passaggio sostituiscono il cappello del Fattore Maggot con il boccale di birra: "Si alzò di nuovo a sedere giusto in tempo da vedere il boccale (che ancora conteneva un po' di birra) lasciare il tavolo dove l'aveva appoggiata e volare fuori dalla porta [...]. A quel punto il boccale schizzò a grande velocità verso il cancello, rovesciando birra nel cortile; ma mentre il fattore gli correva dietro, quello all'improvviso si fermò e si posò sullo stipite della porta [...]. Restò immobile, si grattò la testa, girò e rigirò il boccale..." (e "boccale" per "cappello" nel seguito).

A margine del manoscritto mio padre scrisse: "Christopher chiede: perché il *cappello* non era invisibile se i vestiti di Bingo lo erano?" Secondo la storia Bingo probabilmente indossava il cappello di Maggot, in caso contrario l'obiezione pare di facile risoluzione (il cappello era un oggetto esterno a chi indossava l'Anello quanto il boccale di birra o qualsiasi altra cosa, quale che fosse il suo scopo). Sorge chiaramente una questione sottile, se l'Anello viene utilizzato per tali scopi, domanda ovviata da mio padre sostituendo il boccale. Io fui grandemente divertito dal fatto che Bingo aveva ribaltato la situazione contro il Fattore Maggot, e anche se ora ne serbo solo un vago ricordo credo fossi decisamente contrario al suo abbandono: il che forse spiega il fatto che mio padre lo conservasse dopo che era diventato evidente che presentava seri problemi.

[14] A meno che non si possa descrivere in questo modo l'episodio avvenuto in casa di Tom Bombadil (CdA, p. 149).

[15] Il passaggio nella "Prefazione" è riportato alle pp. 389-390.

XVIII. DI NUOVO DA LANDAINO AL CIRCONVOLVOLO

(i)

Una congiura è smascherata

Il testo di "Una scorciatoia per i funghi", come detto, continua senza alcuna interruzione, ma mio padre aggiunse (non molto tempo dopo, vedi p. 370) un nuovo capitolo "V" e il titolo "Una congiura è smascherata". Il testo ora si avvicina molto al capitolo 5 di CdA (a parte il numero e i nomi degli hobbit) e ci sono solo pochi punti particolari da sottolineare. Per la prima versione vedi pp. 127 ss.

La storia dei Brandaino ancora non vede Gorhendad Vecchiodaino nel ruolo di fondatore (CdA, p. 113). Quando il manoscritto fu steso per la prima volta, il villaggio era chiamato Borgodaino-oltre-il-Fiume e (nello sviluppo del testo originale, p. 127) "l'autorità del capo dei Brandaino era ancora riconosciuta dai contadini a ovest fino a Boscasilo (che era considerato nella regione dei Boffin);[1] questo fu poi cambiato in "ancora riconosciuto dai contadini tra Magione e Vinciglio". Questa è la prima comparsa di Vinciglio [*Rushey* in inglese, *N.d.R.*].[2]

Fu in questo passaggio che furono nominati per la prima volta i Quattro Quartieri della Contea, come mostrato dalla frase: "Non erano poi così diversi dagli altri hobbit dei Quattro Quartieri (Nord, Ovest, Sud ed Est), come sono chiamati i quartieri della Contea." Qui ricorrono per la prima volta anche i nomi Coldaino e Alto Strame, ma Finistrame ritorna dalla versione originale, p. 127. La grande siepe è ancora "da un capo all'altro qualcosa più di quaranta miglia".[3] In risposta alla domanda di Bingo "I cavalli possono guadare il fiume?", Merry risponde: "Possono percorrere quindici miglia fino al Ponte Brandivino" con "20?" scritto a matita sopra "quindici". In CdA Alto Strame è "da un capo all'altro più di venti miglia", eppure Merry afferma ancora che: "Possono percorrere venti miglia a nord fino al Ponte Brandivino". Barbara Strachey (*I viaggi di Frodo*, mappa 6) evidenzia queste difficoltà e presume che Merry "intendesse dire venti miglia in tutto, vale a dire dieci verso nord fino al Ponte e dieci verso sud lungo la riva opposta"; ma questo significa forzare la frase: Merry non intendeva questo. Si tratta infatti di un errore che mio padre non notò mai: quando la lunghezza di Landaino da nord a sud fu ridotta, la stima di Merry della distanza dal Ponte al Traghetto avrebbe dovuto essere modificata in proporzione.[4]

La strada principale di Landaino è descritta (solo in una pagina scartata) come "dal Ponte a Standelf e Finistrame". Standelf non viene mai menzionato nel testo di SdA, sebbene sia segnato nella mappa della Contea di mio padre e su entrambe le mie; in tutti e tre i casi la strada si ferma lì e non prosegue fino a Finistrame, che non è raffigurato come un villaggio o un'abitazione.[5]

Nelle prime due occorrenze di Criconca in questo capitolo il nome era *Siepanello*, cambiato in *Criconca* (nel passaggio citato a nota 2 di p. 355 il nome è un'aggiunta successiva al testo). Alla terza occorrenza a essere scritto per primo fu *Criconca*. *Siepanello* si riferisce a un "ampio cerchio di prato circondato da una cintura d'alberi dentro la siepe esterna".[6]

Lo sviluppo più importante del capitolo è che, dopo le parole "la sponda lontana era avvolta nella nebbia e non lasciava scorgere nulla" (CdA, p. 114), mio padre interruppe il racconto con la seguente nota, prima di proseguire:

Da questo punto in poi si presume che Odo sia andato con Merry. Il viaggio iniziale era solo per Frodo, Bingo e Sam. Frodo ha un carattere più simile a quello che aveva Odo un tempo. Odo ora è piuttosto silenzioso (e goloso).

Accanto mio padre scrisse: "Christopher vuole che tenga Odo." Purtroppo ho solo un vago ricordo di quelle conversazioni di mezzo secolo fa; e non mi è chiaro quale fosse il reale problema. A prima vista, il mio "volere che Odo fosse tenuto" doveva significare che volevo restasse membro del gruppo partito da Hobbiton, dal momento che mio padre non aveva suggerito che Odo venisse eliminato definitivamente. D'altra parte, dato che aveva in mente di fondere le caratteristiche di "Odo" nel personaggio di Frodo Took, potrebbe benissimo essere che avesse intenzione di escluderlo dalla spedizione dopo che gli hobbit avevano lasciato Criconca. Forse l'idea che Odo dovesse rimanere a Criconca era già una possibilità presente, e "Christopher vuole che tenga Odo" era una richiesta affinché sopravvivesse nella narrazione più ampia, in quanto membro della spedizione principale. Non si tratta altro che di supposizioni, ma se qualcosa di vero c'è, sembra che la mia obiezione avesse avuto temporaneamente la meglio, dal momento che alla fine del capitolo Odo fu pienamente recuperato, pronto ad andare con gli altri nella Vecchia Foresta, come poi fa, nella revisione del capitolo in questa "fase".

La situazione nel testo seguente a questa nota su Odo è comunque molto difficile da interpretare. Secondo quanto scritto all'inizio, Merry dice che proseguirà e dirà a *Olo* che sono in arrivo; quando Bingo bussa alla porta di (Siepanello) Criconca, è Olo Bolger ad aprirla, e Merry fa riferimento a "me e Olo" arrivati a Criconca con l'ultimo carro il giorno precedente; Merry e Olo prepararono la cena in cucina. "Olo" qui prende il ruolo di Ciccio (Fredegario) Bolger in CdA (pp. 115-116), ma dopo queste menzioni scompare dal testo (e non ricompare più). In inchiostro rosso, mio padre annotò: "Se Odo resta modificare in rosso" e per un breve tratto furono apportate correzioni in inchiostro rosso, cambiando "In ogni caso tu saresti l'ultimo, Frodo" (riguardo all'ordine del bagno) in "Odo", sostituendo "tre vasche" con "quattro vasche" ed eliminando i riferimenti a "Olo".[7]

La miglior spiegazione pare essere che quando Odo doveva essere tolto dal gruppo in viaggio e affiancato a Merry, anche il suo nome andava sostituito. Per mantenere la possibilità di conservare la storia generalmente accettata furono apportate alcune modifiche. Ma dal momento in cui si sedettero a cenare, Odo ricompare nel testo come scritto in partenza, non solo in quanto presente (il che dimostrerebbe soltanto che *Olo* era stato scartato e *Odo* recuperato) ma come se fosse partito da Hobbiton (sebbene in questo caso il suo nome fosse tra parentesi). Tuttavia, Frodo Took fa ora le osservazioni di "Odo-Pippin" (come "Oh! Quella era poesia!", CdA, p. 122, difficilmente in precedenza avrebbe detto qualcosa del genere). Vedi pp. 401-403.

La canzone del bagno (qui cantata da Frodo nel nuovo personaggio odoesco) è pressoché identica a quella che Pippin intona in CdA; ma in un'aggiunta in inchiostro rosso (una di quelle accessorie apportate per ridare a Odo il ruolo originale) vengono dati esempi delle "canzoni in gara" (CdA, p. 116) cantate da Bingo e Odo: la prima strofa della canzone del bagno cantata da Odo quando si diressero dal Fattore Maggot verso il Traghetto nella versione originale (p. 125) e quindi non più utilizzata, e i primi due versi del canto del bagno intonato da Odo una volta giunti a destinazione (p. 130), questi ultimi cancellati.

La scoperta della congiura è quasi uguale a CdA, il fardello di esporla viene anche qui preso da Merry (l'intervento di Pippin, "Non capisci!", viene qui affidato a Frodo Took). Come in CdA, Merry racconta la storia di come è venuto a conoscenza dell'anello di Bilbo, che in precedenza era collocata in un contesto diverso (vedi p. 314 e nota 25), e racconta di aver dato una rapida occhiata alle "memorie" di Bilbo ("libro segreto", in CdA).[8]

Il resoconto di ciò che Gildor aveva detto, qui citato da Merry invece che dallo stesso Sam, a proposito dei compagni di Bilbo rispecchia il testo di quell'episodio (vedi p. 354): "So che ti è stato detto di prenderci. Gildor te l'ha detto e non puoi negarlo!"

La canzone che Merry e Pippin cantavano in CdA (p. 121) è qui intonata da Merry, Frodo Took e Odo,[9] ed è molto diversa:

Addio, addio al camino e al portoncino!
Tiri il vento o faccia brina,
Via di torno anzi ch'è giorno
Via per boschi e per colline.

Caccia è aperta! Sulla terra tutta
La grinfia l'ombra innanzi allunga
Avanti l'alba dobbiam partire
Dove son le Torri di natura oscura

Dietro l'abietto, l'oste appetto,
Sotto il cielo avremo il letto
Finché l'Anello non vien lanciato
Nel Monte Rosso in sé affocato

Ma via di torno! Ma via di torno!
Ce ne andiamo anzi ch'è giorno.

In una versione scartata della risposta alla domanda di Bilbo che chiedeva se sarebbe stato sicuro aspettare Gandalf a Criconca per un giorno (CdA, p. 122), passaggio riscritto diverse volte, Merry fa riferimento alle guardie al cancello che ricevono un messaggio tramite "mio padre, Signore del Palazzo". Il padre di Merry era Caradoc Brandaino (Saradoc "Spandioro" in SdA); vedi p. 318 e nota 4.

Quando Bingo solleva la questione circa il passaggio attraverso la Vecchia Foresta, è Odo che, terrificato al solo pensiero, esprime le obiezioni che in CdA sono rivolte a Ciccio Bolger (che rimarrà indietro).

La fine del capitolo è differente da quella in CdA, e appartiene alla versione originale (p. 133). (Merry non accenna, per inciso, che Bingo sia stato nella foresta.)

"... ci sono stato varie volte: per lo più di giorno, beninteso, quando gli alberi sono abbastanza tranquilli e assopiti. Comunque, qualcosa ne so e cercherò di guidarti."

Odo non era affatto convinto e aveva senz'altro molta meno paura di imbattersi in un gruppo di Cavalieri lungo la strada che di avventurarsi nella losca Foresta. Anche Frodo era contrario al piano.

"Non mi piace l'idea," disse Odo. "Preferisco rischiare di imbattermi negli inseguitori lungo la Strada, dove possiamo incontrare anche comuni viaggiatori rispettabili. Non mi piacciono i boschi e le storie sulla Vecchia Foresta mi hanno sempre terrorizzato. Sono sicuro che i Cavalieri Neri saranno molto più a loro agio di noi in quel luogo tetro." Persino Frodo in questa occasione si schierò dalla parte di Odo.

"Ma probabilmente saremo già fuori prima che scoprano o si immaginino che ci siamo entrati," disse Bingo. "Comunque, se volete venire con me, non è bene spaventarsi al primo pericolo: quasi sicuramente avete dinanzi a voi cose ben peggiori della Vecchia Foresta. Seguite Capitan Bingo o ve ne restate a casa?"

"Seguiamo Capitan Bingo," dissero subito.

"Bene, allora è deciso!" disse Merry. "Ora bisogna rimettere in ordine e controllare un'ultima volta gli imballaggi. E poi a letto. Vi chiamerò io prima dell'alba."

Quando finalmente fu a letto, per un po' Bingo non riuscì a prender sonno. Aveva le gambe indolenzite. Era contento di montare in sella l'indomani. Alla fine piombò in un vago sogno, nel quale gli sembrava di affacciarsi a una finestra su un oscuro mare di alberi intricati. Sotto, in mezzo alle radici, si udivano creature strisciare e annusare.

In una nota precedente sul manoscritto si legge "Annotazioni a matita = Odo rimane indietro". Queste annotazioni a matita sono in effetti limitate alla sezione appena presentata. "Persino Frodo in questa occasione si schierò dalla parte di Odo" è tra parentesi e sostituito da altre parole di Odo: "Sono anche certo che sia un errore non aspettare Gandalf." E dopo "'Seguiamo Capitan Bingo,' dissero subito" è inserito:

"Seguirò Capitan Bingo," dissero Merry, e Frodo, e Sam. Odo rimase in silenzio. "Guardate qui!" disse dopo una pausa. "Non ho problemi ad ammettere che sono terrorizzato dalla Foresta, ma penso anche che dovresti provare a metterti in contatto con Gandalf. Io me ne resto qui e tengo lontano i curiosi. Quando Gandalf arriverà, come è certo che sia, gli dirò quello che hai fatto e vi seguirò con lui, se mi porterà." Merry e Frodo furono d'accordo che si trattava di un buon piano.

Si sarebbe trattato di uno sviluppo importante, anche se alla fine fu scartato. Queste modifiche derivano però da una fase un po' più tarda.

(ii)

La Vecchia Foresta

Dopo aver completato "Una congiura è smascherata", mio padre continuò la revisione del capitolo seguente, intitolato "La Vecchia Foresta". In questo caso non stese un nuovo manoscritto, ma si limitò ad apportare correzioni al testo originale (descritto alle pp. 143-147), che come detto aveva raggiunto con minime differenze la forma del racconto pubblicato. A questo punto il capitolo fu rinumerato, da IV a VI, mostrando che il Capitolo V "Una congiura è smascherata" era stato separato da "Una scorciatoia per i funghi". Un gran numero di correzioni, apportate in inchiostro rosso al manoscritto originale, ravvicina ancora di più il testo in termini di formulazione a quello di CdA (rimangono però le differenze topografiche notate alle pp. 145-147). I ruoli nell'episodio dell'Uomo-salice vengono cambiati ancora per la presenza di Sam Gamgee nella compagnia. I due intrappolati nelle fessure dell'albero sono ancora Bingo e Odo, mentre Frodo Took resta quello spinto nel fiume. Tuttavia, laddove nella storia originale era Marmaduk (ovvero Merry) a radunare i pony e salvare Frodo Took dalle acque, ora a interpretare questa parte è Sam (come in CdA) e Merry è "steso come un ciocco".

(iii)

Tom Bombadil

Il manoscritto del capitolo di Tom Bombadil, il numero cambiato da V a VII ma ancora privo di titolo, subì (con una importante eccezione) una revisione minima in questa fase (a dire il vero le modifiche ad esso apportate furono sempre poche): appena più di una menzione di Sam che dorme, con Merry, come un ciocco, e il cambio del numero degli hobbit da quattro a cinque. I punti di differenza sottolineati alle pp. 155-159 rimasero pressoché invariati; ma il commento di Bombadil sul Fattore Maggot ("Siamo parenti, lui e io...") fu contrassegnato con una X, forse risalente a quello stesso momento.

L'unica modifica sostanziale apportata risulta di grande interesse. Sul manoscritto mio padre annotò "Inserire" prima del passaggio riguardante i sogni degli hobbit la prima notte nella casa di Tom Bombadil; e che l'inserimento appartenga a questa fase è dimostrato dal fatto che Criconca era *deserta* (ovvero Odo era andato con gli altri nella Vecchia Foresta).

Intanto che dormivano nella casa di Tom Bombadil, l'oscurità si adagiava su Landaino. La bruma vagava nei luoghi deserti. La casa di Criconca era silente e solitaria, desolata subito dopo essere stata preparata per un nuovo padrone.

Il cancello nella siepe si aprì e lungo il sentiero, piano ma in tutta fretta, giunse un uomo grigio, avvolto in un grande mantello. Si fermò con lo sguardo rivolto alla casa buia. Bussò con delicatezza alla porta e aspettò. Poi passò da una finestra all'altra e infine scomparve dietro l'angolo della casa. Calò di nuovo il silenzio. Dopo diverso tempo si udì un rumore di zoccoli avvicinarsi veloce nel vicolo. Cavalli in arrivo. Si fermarono fuori dal cancello. Poi, rapide lungo il sentiero giunsero altre tre sagome, incappucciate, avvolte in nero e chine verso terra. Una andò alla porta, una agli angoli della casa su entrambi i lati. E lì restarono in silenzio come ombre di tassi neri, e il tempo scorreva adagio, e la casa e gli alberi intorno parevano attendere col fiato sospeso.

D'improvviso ci fu un movimento. Era buio e non brillava quasi nessuna stella, ma la lama sguainata scintillò all'improvviso, come se custodisse una luce gelida, tagliente e minacciosa. Un colpo lieve ma forte, e la porta tremò. "Aprite ai servitori del Signore," disse una voce sottile, fredda e chiara. A un secondo colpo la porta cedette e cadde con la serratura rotta.

In quel momento dietro la casa suonò un corno. Squarciò la notte come il fuoco sulla cima di una collina. Cacciò uno strepito forte e audace che riecheggiò sui campi e sui poggi. *Sveglia, sveglia, paura, fuoco nemico! Sveglia!*

Da dietro l'angolo della casa venne l'uomo grigio. Gettò da parte mantello e cappello. La barba fluiva ampia. In una mano teneva un corno e nell'altra una bacchetta. Un fulgore di luce gli balenò dinanzi. Si udirono un lamento e un grido, come di bestie feroci che, colpite inaspettatamente, si girano per fuggire irose e colme d'angoscia.

Nel viottolo s'avvertì un improvviso rumore di zoccoli che, radunatisi rapidi al galoppo, corsero forsennati nell'oscurità. In lontananza si udirono corni in risposta. Suoni lontani di sveglia e allerta si levarono. Lungo le strade la gente cavalcava e correva verso nord. E dinanzi a loro galoppava un cavallo bianco. Su di questo sedeva un vecchio dai lunghi capelli argentati e una barba fluente. Il suo corno risuonava per valli e colline. Nella mano la bacchetta avvampava e tremolava simile a un fascio di fulmini. Gandalf cavalcava verso la Porta Settentrionale alla velocità del tuono.

Alla fine di questa inserzione, mio padre scrisse a matita: "Saranno necessarie modifiche in caso Odo resti indietro"; vedi il passaggio a matita aggiunto alla fine dell'ultimo capitolo (p. 378). E in chiusura del testo, dopo le parole "fascio di fulmini", aggiunse: "Alle spalle era attaccata una piccola figura con un mantello svolazzante" e il nome "Odo". Il significato di questo risulterà chiaro più avanti.

[1] Sulla mappa della Contea di mio padre i Boffin sono collocati a nord di Hobbiton e i Bolger a nord di Fondo Boschivo (p. 357, nota 9), ma si trattava di una modifica di quanto scritto in precedenza: si può vedere che i nomi sottostanti sono in posizione inversa.

[2] L'ortografia *Rushy* sulla mappa pubblicata della Contea è un errore, commesso all'inizio sulla mia vecchia mappa (p. 135, elemento V) dopo aver letto in maniera errata su quella di mio padre. Il secondo elemento è l'antico inglese *ey*, "isola".

[3] Sulla mappa originale di mio padre si può calcolare approssimativamente (dato che Bingo stimò che avessero diciotto miglia da percorrere in linea retta da dove avevano passato la notte con gli Elfi fino al Traghetto di Borgodaino) che l'Alto Strame aveva una misura di circa 43 miglia dal capo settentrionale a quello meridionale.

[4] Nelle mappe successive di mio padre (vedi p. 135) la misurazione è possibile soltanto in maniera assai approssimativa, ma sulla stessa base dei calcoli in nota 3, l'Alto Strame non può esser lungo in quelle più di 20 miglia (in linea retta tra le estremità).

[5] *Standelf* [Pietracava] significa "cava di pietra" (antico inglese *stān-(ge)delf*, rimasto nel toponimo *Stonydelph* nel Warwickshire).

[6] Proprio come in CdA, gli hobbit che lasciavano il Traghetto superarono Coldaino e Palazzo Brandy alla loro sinistra, presero la strada principale di Landaino, svoltarono a nord per mezzo miglio e poi imboccarono il sentiero per Criconca. Nella mia mappa origi-

nale della Contea, realizzata nel 1943 (p. 135), il testo (che qui non fu mai modificato) era già rappresentato in maniera errata, dal momento che la strada principale viene mostrata tra il Fiume e Palazzo Brandy (e il sentiero per Criconca lascia la strada a sud della dimora, così che gli hobbit, secondo questa mappa, la passerebbero ancora alla loro sinistra). Dovette trattarsi di una semplice interpretazione erronea del testo di cui mio padre non si accorse (vedi p. 136); e ricomparve sulla mia mappa pubblicata nella prima edizione di CdA. Mio padre fece riferimento all'errore nella lettera ad Austin Olney di Houghton Mifflin, 28 luglio 1965 (*Lettere*, pp. 568-569); e fu corretto, in un certo senso, sulla mappa pubblicata nella seconda edizione. Karen Fonstad (*L'Atlante della Terra di Mezzo*, p. 135) e Barbara Strachey (*I viaggi di Frodo*, mappa 7) mostrano la topografia corretta.

[7] Queste modifiche per recuperare Odo furono apportate nello stesso momento delle note sul mantenimento della storia secondo cui Bingo entrò invisibile nella casa del Fattore Maggot (p. 362); vedi 372, nota 13.

[8] In questo testo Merry dice "ero solo preadolescente", mentre in CdA dice "adolescente". In SdA (Appendice C) Merry era nato nel (1382 =) 2982, e quindi nell'anno precedente alla Festa d'Addio aveva diciotto anni. Qui Merry è un po' più vecchio. Alla domanda di Merry sul libro di Bilbo ("Ce l'hai tu, Bingo?"), Bingo risponde: "No! L'ha portato con sé, o almeno così sembra." Vedi l'ultima nota in *Interrogativi e modifiche* (p. 293): "Bilbo porta delle 'memorie' a Valforra."

[9] Cambiato da "Merry e Frodo".

LA TERZA FASE

XIX.
LA TERZA FASE (1): IL VIAGGIO A BREE

Credo sia assai probabile che la "seconda fase" di scrittura, cominciata con la quinta versione di "Una festa attesa a lungo" (capitolo XIV di questo libro), sia ormai volta al termine e ancora una volta ci si trovi di fronte a un nuovo inizio del lavoro. Questa "terza fase" è costituita da una lunga serie di manoscritti omogenei che portano la storia da una sesta versione di "Una festa attesa a lungo" fino a Valforra. Sebbene in seguito sovrascritti, interfogliati, riempiti di cancellature e "cannibalizzati" per dare forma a parti di testi successivi, dapprima questi manoscritti erano chiari e ordinati, e la loro grafia regolare e alquanto distinta consente di ricostituire la serie in modo abbastanza preciso nonostante il trattamento ricevuto in seguito e il fatto che alcune parti rimasero in Inghilterra mentre altre finirono alla Marquette University. Si trattava infatti di una bella copia dei testi esistenti, ormai molto confusi, e furono apportate poche importanti modifiche narrative. Tuttavia, in questi nuovi testi "Bingo" viene sostituito da "Frodo" e "Frodo Took" diventa a sua volta "Folco Took", riprendendo il nome di suo padre (vedi pp. 318, 364). Nel descrivere queste versioni della terza fase mi limiterò quasi esclusivamente alla forma della prima stesura e tralascerò le tremende complessità di trattamento posteriore.

Per determinare la data "esterna" sono presenti tre elementi. Uno è la lettera di mio padre del 13 ottobre 1938, in cui diceva che il libro era "arrivato al capitolo XI (anche se è in uno stato decisamente poco leggibile)" (*Lettere*, p. 67). Un altro è la lettera del 2 febbraio 1939, in cui annotava che, sebbene non avesse avuto modo di metterci mano dal dicembre precedente, aveva ormai "raggiunto il capitolo 12 (ed è stata riscritta numerose volte), per più di 300 pagine di manoscritto grandi come questo foglio e generalmente scritte altrettanto fitte". Il terzo è un insieme di appunti, schemi di trama e brevi abbozzi narrativi, tutti recanti la data "agosto 1939": da questi, come si vedrà in seguito, risulta che la terza fase era già in svolgimento.

La mia ipotesi (che difficilmente si potrebbe considerare altrimenti) è che nell'ottobre 1938 la terza fase non fosse iniziata, né avanzata di molto, dal momento che il libro era "in uno stato decisamente poco leggibile"; sebbene quando mio padre scrisse di aver dovuto accantonare l'opera nel dicembre 1938, si riferiva alla terza fase. Pertanto disse che era stata "riscritta numerose volte" (oltretutto il "capitolo XII" di questa fase rappresenta l'arrivo a Valforra ed è a questo punto che credo la nuova versione sia stata interrotta).

La terza fase si può descrivere abbastanza in fretta, fino alla fine di "Nebbia sui Poggitumuli". Prima, però, va riportato un nuovo testo interessante. Mio padre la chiamò *Prefazion*e (precursore del *Prologo* nell'opera pubblicata). Materiale preparatorio non ne esiste, ma per una sezione riprese il passaggio riguardante l'architettura hobbit dalla seconda versione di "Una scorciatoia per i funghi", accanto alla quale scrisse "Mettere in Prefazione" (vedi pp. 369-370). I cambiamenti per inserirlo nella *Prefazione* non furono molti, ma venne aggiunto un nuovo riferimento alle "torri degli Elfi", che risale alla forma più vecchia del passaggio dell'architettura nella versione originale del capitolo (pp. 118-119), dove Bingo dice di aver visto lui stesso le torri una volta.

Al manoscritto della *Prefazione* sono state apportate numerose modifiche, ma eccetto quelle che sembrano chiaramente appartenere all'epoca della stesura, qui le ignoro e riporto il testo così come scritto in prima battuta.

PREFAZIONE

A proposito di Hobbit

Questo libro tratta in larga parte di Hobbit, ed è infatti possibile scoprire da qui cosa sono (o erano) e se vale la pena sentirne parlare oppure no. Tuttavia, scoprire delle cose intanto che s'arranca lungo una strada o si avanza a fatica lungo una storia è alquanto faticoso, anche quando (come di tanto in tanto accade) interessante o emozionante. Chi vuole avere le cose ben chiare sin dall'inizio troverà qualche informazione utile nel breve racconto della grande Avventura del signor Bilbo Baggins, che portò alle avventure ancor più ardue e pericolose raccontate in questo libro. Questo racconto fu chiamato *Lo Hobbit* o *Andata e Ritorno*, perché riguardava soprattutto il più famoso di tutti gli antichi hobbit leggendari, Bilbo; e perché questi se ne andò alla Montagna Solitaria e tornò a casa. Ma una sola storia forse è tutto ciò per cui i lettori hanno tempo o voglia. Pertanto annoterò qui alcune informazioni utili.

Gli Hobbit sono un popolo molto antico, un tempo più numeroso, ahimè, di quanto lo sia oggi, che (o almeno così mi giungono tristi voci) sta in fretta scomparendo; essi infatti amano la pace, la tranquillità e la buona terra coltivata: il loro rifugio naturale è una campagna ben ordinata e curata. Macchine più complesse di un mantice o di un mulino ad acqua sono loro di scarsa utilità, benché ci sappiano abbastanza fare con gli attrezzi. Nei confronti della Grossa Gente (come ci chiamano) hanno sempre serbato timidezza e ora hanno decisamente paura di noi.

Eppure è chiaro che devono essere nostri parenti: sono più vicini a noi di quanto lo siano gli elfi o anche i nani. Per prima cosa, parlavano una lingua (o più lingue) molto simile e apprezzavano o detestavano all'incirca le stesse cose nostre di un tempo. Quale sia esattamente il legame sarebbe difficile da dire. Per rispondere a questa domanda si dovrebbe riscoprire gran parte della storia e delle leggende dei Primi Giorni,[1] e questo è improbabile che accada, poiché soltanto gli Elfi conservano qualche tradizione sui Primi Giorni, e le loro tradizioni riguardano anzitutto se stessi, naturalmente: gli Elfi erano di gran lunga le genti più importanti di quei tempi. Ma anche le loro tradizioni sono monche: gli Uomini di rado vi si trovano e gli Hobbit non vengono menzionati. Elfi, Nani, Uomini e altre creature vennero a conoscenza degli Hobbit solo dopo che questi già esistevano, procedendo nella loro maniera tranquilla, da molte ere. E continuavano, di norma, ad andarsene in giro, standosene per conto loro e tenendosi fuori dalle storie. All'epoca di Bilbo (e di Frodo suo erede) divennero per qualche tempo molto importanti, per il cosiddetto caso, e i grandi del mondo, compreso il Negromante, furono obbligati a tenerne conto, come mostrano queste storie. Sebbene gli Hobbit avessero già una lunga storia (di quelle quiete), quei giorni sono oramai assai lontani, e la geografia (e molte altre cose) erano allora tanto diverse. Ma le terre in cui vivevano, per quanto oggi siano cambiate, devono essere state all'incirca nello stesso luogo delle terre in cui ancora si trovano: il nord-ovest del vecchio mondo.

Sono (o erano) gente piccola, più piccola dei nani: meno robusti e tozzi, anche se in realtà non erano molto più bassi. L'altezza era, proprio come per noi Grossa Gente, alquanto variabile, oscillava tra i due e i quattro piedi (della nostra lunghezza): un metro all'incirca era la media. Pochissimi hobbit, all'infuori delle loro leggende fantastiche, toccavano il metro e dieci. Il solo Bandobras Took, figlio di Isengrim Primo, noto in genere come Muggitoro, di tutti gli hobbit della storia superava il metro e venti. Era alto un metro e quaranta e andava a cavallo.[2]

Negli hobbit v'è, e v'è sempre stata, poca magia. Certo, possiedono quel potere che a volte confondiamo con la vera magia, che in realtà è solo una sorta di maestria, divenuta sorprendente attraverso una lunga pratica, grazie all'amicizia intima con la terra e tutte le cose che su di essa crescono: il potere di scomparire rapidi e silenziosi al goffo sopraggiungere di persone robuste e sciocche come noi, che emettono versi elefantini, udibili a un miglio di distanza. Anche molto tempo addietro il loro maggiore desiderio era di evitare i guai, ed erano pronti nell'udito e acuti nella vista. Ed erano precisi e agili nei movimenti, benché tendessero a ingrassare di pancia e a prendersela comoda.

Indossavano vesti di colori vivaci, prediligevano soprattutto il verde e il giallo; scarpe però non ne portavano, poiché ai piedi crescevano suole coriacee naturali e caldi e folti peli castani, ricci come i capelli castani che avevano in testa. L'unico mestiere che nessuno di loro conosceva era il calzolaio; eppure avevano lunghe e scaltre dita marroni, in grado di fare molte altre cose utili. Dal momento che erano bonari, avevano un viso bonario; e si facevano lunghe e grasse risate, amanti com'erano degli scherzi ingenui, ma soprattutto dopo il pranzo (che consumavano due volte al giorno, quando potevano permetterselo). Apprezzavano molto i doni, che offrivano con generosità e accettavano volentieri.

In origine tutti gli Hobbit vivevano in buche nella terra, o così credevano; benché in realtà già ai tempi di Bilbo era così di norma soltanto per gli hobbit più facoltosi e per quelli più poveri. Gli hobbit poveri continuarono a vivere in buche di tipo antiquato: in effetti erano semplici buche, con una finestra o addirittura nessuna. Le famiglie più importanti continuavano a vivere (quando potevano) in versioni lussuose dei sobri scavamenti di un tempo. Ma siti adatti a quelle gallerie ampie e ramificate non si trovavano dovunque. A Hobbiton, a Borgo Tuck in Tooklandia, e anche nell'unica città davvero popolosa della loro Contea, Gran Sterro sui Poggi Bianchi, c'erano adesso molte case di legno, pietra o mattoni. A preferirle erano soprattutto i mugnai, i fabbri, i carradori e persone del genere, perché anche quando avevano buche in cui vivere, gli hobbit erano soliti costruire capanni e fienili per botteghe e magazzini.

Si pensava che l'usanza di costruire fattorie e dimore abitative avesse avuto inizio tra gli abitanti delle regioni rivierasche (soprattutto la zona della Marcita lungo il Brandivino), dove il terreno era piatto e umido; e dove forse la razza hobbit non era del tutto pura. Alcuni degli hobbit della Marcita nel Quartiero Est, comunque, erano assai robusti e con gambe massicce; alcuni avevano addirittura un po' di peluria sotto il mento (nessuno hobbit di razza pura aveva la barba); e un paio indossavano persino gli stivali quando il tempo era fangoso.

È possibile che l'idea di costruire, al pari di tante altre cose, provenisse dagli Elfi. Ai tempi di Bilbo esistevano ancora tre torri elfiche appena oltre i confini occidentali della Contea. Queste brillavano alla luce della luna. La più alta era la più lontana, si ergeva solitaria su una collina. A detta degli Hobbit del Quartiero Ovest, dall'alto della torre si vedeva il Mare; ma non risultava che uno Hobbit ci fosse mai salito. Ma anche se l'idea di costruzione proveniva in origine dagli Elfi, gli Hobbit se ne servivano a modo loro. Non avevano interesse per le torri. Le loro case in genere erano lunghe, basse e comode. Quelle più antiche erano vere e proprie buche artificiali di fango (e poi di mattoni), con il tetto d'erba secca o paglia, o coperto di cotica, e le pareti erano leggermente rigonfie. Certo, però, che quella fase apparteneva a una storia molto antica. Le costruzioni hobbit furono a lungo modificate (e forse migliorate) dopo aver preso spunto dai nani e persino dalla Grossa Gente e da altri fuori della Contea. Una predilezione per le finestre tonde e anche (seppure in misura minore) per le porte tonde era la principale particolarità rimasta dell'architettura hobbit.

Sia le case che le buche degli Hobbit erano spesso grandi e abitate da grandi famiglie. (Bilbo e Frodo Baggins erano quanto a questo, così come a molto altro, alquanto un'eccezione.) A volte, come nel caso dei Brandaino di Palazzo Brandy, molte generazioni di parenti convivevano in (relativa) pace in una dimora ancestrale e ramificata. Comunque tutti gli Hobbit avevano un forte senso di appartenenza al gruppo e curavano con estrema attenzione i legami di parentela. Tracciavano lunghi ed elaborati alberi genealogici dai molti rami. Se si ha a che fare con gli Hobbit è importante ricordare chi è imparentato con chi, come e perché.

In questo libro sarebbe impossibile tracciare un albero genealogico che includesse anche solo i più importanti membri delle famiglie più importanti all'epoca di cui si parla. Sarebbe necessario un libro intero e tutti, eccetto gli hobbit, lo troverebbero noioso. (Gli hobbit lo adorerebbero, se fosse attendibile: a loro piace avere libri colmi di cose che già sanno, esposte in modo corretto e privo di contraddizioni.) Contea era il nome con cui chiamavano il piccolo e ameno angolo di mondo in cui viveva il maggior numero di hobbit rappresentativi e di sangue puro dei tempi di Bilbo. A quel tempo, infatti, era l'unica parte di mondo in cui gli abitanti bipedi erano tutti Hobbit, e in cui i Nani, la Grossa Gente (e persino gli Elfi) erano soltanto stranieri e visitatori occasionali. La Contea era divisa in quattro parti, chiamate i Quattro Quartieri, Nord, Sud, Est e Ovest; e anche in un certo numero di tenute, che portavano il nome delle grandi famiglie, sebbene oramai quei nomi non si trovassero più soltanto nelle rispettive tenute. Quasi tutti i Took vivevano ancora in Tooklandia, ma questo non valeva per molte altre famiglie come i Baggins o i Boffin. In questo libro è contenuta una mappa della Contea, nella speranza che torni utile (e venga accettata come abbastanza corretta da quegli hobbit che si interessano di storia hobbit).

A completare le informazioni vengono riportati anche alcuni alberi genealogici (ridotti) che mostrano come gli hobbit menzionati siano imparentati e quali erano le differenze di età al momento dell'inizio della storia. Questo farà chiarezza in ogni caso nei rapporti tra Bilbo e Frodo, e tra Folco Took e Meriadoc Brandaino (di solito chiamato Merry) e gli altri personaggi principali.[3]

Frodo Baggins divenne l'erede di Bilbo tramite adozione, erede non solo di ciò che restava della considerevole ricchezza di Bilbo, ma anche del suo tesoro più misterioso: un anello magico. L'anello giunse da una grotta nei Monti Brumosi, nel lontano Oriente. Apparteneva a una creatura triste e alquanto ripugnante chiamata Gollum, di cui si sentirà parlare ancora in questa storia, anche se spero che alcuni di voi troveranno il tempo di leggere il racconto della gara di indovinelli con Bilbo nello *Hobbit*. Per questa storia è importante, come cercò di spiegare il mago Gandalf a Frodo. L'anello aveva il potere di rendere invisibile chi lo indossava. E ne aveva anche altri, che Bilbo scoprì solo molto tempo dopo aver fatto ritorno ed essersi risistemato a casa. Pertanto, non se ne fa accenno nel racconto del viaggio. Ma quest'ultima storia riguarda anzitutto l'anello, e quindi non è necessario dire altro su di esso in questa sede.

Si narra che Bilbo "fu molto felice sino alla fine dei propri giorni, che furono straordinariamente lunghi". E lo furono. Quanto straordinariamente lunghi potete ora scoprirlo, e potete anche imparare che essere felici non significava continuare a vivere per sempre a Casa Baggins. Bilbo tornò a casa il 22 giugno nel suo cinquantaduesimo anno e nulla di granché importante accadde nella Contea per i successivi sessant'anni, quando Bilbo iniziò i preparativi per festeggiare il centoundicesimo compleanno. A questo punto ha inizio il presente racconto dell'Anello.

Capitolo I: "Una festa attesa a lungo"

All'inizio di questa sesta versione del capitolo d'apertura, il passaggio rivisto sul libro di Bilbo (pp. 311-312, nota 3) fu rimosso e sostituito da: "Si supponeva che stesse scrivendo un libro, con un racconto completo del suo anno di misteriose avventure, che nessuno aveva il permesso di vedere."

La conversazione al *Cespo d'Edera* è ripresa dalla versione preliminare alle pp. 310-311 e raggiunge ora pressoché la forma di CdA; ma la narrazione del Veglio riguardo a Bilbo e Frodo e i loro precedenti era ancora raccontata in anticipo anche dal narratore.[4]

Dei "Carri dall'aria curiosa con pacchi dall'aria altrettanto curiosa" guidati da "elfi o nani avvolti da pesanti cappucci", sopravvissuti dalla seconda versione del capitolo (p. 30), ora ne era rimasto uno soltanto, guidato da nani senza alcun elfo (vedi p. 300); ma il segno di Gandalf sui fuochi d'artificio, qui definito "runico", è ancora presente e lui resta un "vecchietto". Tra gli ospiti figuravano ancora i Gaukroger (così scritto) ma la considerazione secondo cui i Tanatasso erano arrivati da Conca-sotto-Bree (p. 301) viene abbandonata. Il giovane Took che ballava sul tavolo cambia il nome da Prospero a Everardo (come in CdA), ma la compagna rimane Melissa Brandaino (Melilot in CdA).

L'aggiunta a matita alla quinta versione (pp. 312-313, nota 12), che mostra Bingo/Frodo ben consapevole di quanto Bilbo intendeva fare, viene ripresa (ma come in CdA Frodo rimane abbastanza a lungo a tavola per soddisfare la sete di Rory Brandaino: "Ehi, Frodo, passa ancora la caraffa!"); così come il passo in cui Bilbo porta con sé Pungiglione (p. 313, nota 13). Ora Bilbo (come in CdA) prende un manoscritto rilegato in pelle da una cassaforte ("pacchetto avvolto in vecchi panni"), ma dà la busta voluminosa, che indirizza a Frodo e nella quale mette l'Anello, al nano Lofar, chiedendogli di metterla nella stanza di Frodo.

Gandalf incontra ancora Bilbo ai piedi della Collina dopo che ha lasciato Casa Baggins con i Nani (ancora chiamati Nar, Anar e Hannar), e la conversazione rimane uguale (pp. 304-306): in risposta alla domanda di Gandalf "Lui [Frodo] lo sa, ovviamente?" Bilbo risponde: "Lui sa che ho l'Anello. Ha letto le mie memorie (è l'unico a cui ho permesso di leggerle)." Il ritorno di Gandalf a Casa Baggins dopo aver salutato Bilbo è incorporato dalla forma molto approssimativa della quinta versione (p. 313, nota 20), l'unica differenza sta nel fatto che Frodo ora legge la lettera di Bilbo intanto che se ne sta seduto in sala.

La lista dei regali d'addio di Bilbo (pp. 313-314, nota 21) è ora modificata dalla scomparsa di Caramella Paciocco e del suo orologio e di Primo Scavieri e del suo servizio da tavola (rimasti dalla bozza originale, p. 24, quando ancora erano Caramella Took e Inigo Scavieri-Took). Spariscono anche Colombo Soffiacorno e il barometro. Lofar interpreta ancora il ruolo di Merry Brandaino il giorno successivo alla Festa, e la conversazione di Gandalf con Frodo di quel giorno resta la medesima, con incorporate varie aggiunte e omissioni successive apportate alla quinta versione (pp. 314-315, note 24-26, 28-30): pertanto il riferimento di Bingo all'utilizzo dell'Anello da parte di Bilbo per fuggire dai Sackville-Baggins viene ovviamente rimosso, in vista dell'uso in "Una congiura è smascherata" (p. 376), allo stesso modo del suggerimento di Gandalf secondo cui Bingo poteva essere in grado di mettersi in contatto con lui, se necessario, tramite "i nani più vicini".

Genealogia dei Took

Sul retro di una delle pagine di questo manoscritto di "Una festa attesa a lungo" è presente la più corposa genealogia dei Took mai apparsa. Le cifre allegate ai nomi sono a prima vista molto sconcertanti: naturalmente non si tratta né di date che seguono un calendario indipendente, né di età alla morte. La chiave è data da "Bilbo Baggins 111" e dall'affermazione nella *Prefazione* (p. 390) secondo cui gli alberi genealogici (di cui questo è l'unico a sopravvivere o realizzato in quel momento) mostrerebbero "quali erano le differenze di età al momento dell'inizio della storia". La base è l'anno della Festa, che è lo zero; e le cifre sono le età delle persone *in relazione alla Festa*. Tra due cifre vengono date le età relative alle persone. Pertanto, 311 vicino a Ferumbras e 266 accanto a Fortinbras significa che Ferumbras nacque 45 anni prima di suo figlio; Isengrim Primo nacque 374 anni prima di Meriadoc Brandaino otto generazioni dopo; Drogo Baggins aveva 23 anni meno di Bilbo, e se non fosse annegato nel Brandivino e fosse riuscito ad andare alla Festa ne avrebbe avuti 88; e così via. Naturalmente, gli obelischi mostrano persone morte al momento della Festa.

Alcune cifre furono modificate nel manoscritto, in precedenza erano: Isengrim II 172, Isambard 160, Flambard 167, Rosa Baggins 151, Bungo Baggins 155, Yolanda 60, Folco Took 23, Meriadoc 25, Odo 24.

Si noterà che nonostante non ci sia una struttura cronologica esterna, la struttura interna o relativa non è molto differente da quella dell'albero genealogico dei *Took dei Grandi Smial* in SdA, Appendice C. In SdA Meriadoc nacque 362 anni dopo Isengrim II (= Isengrim I nel vecchio albero) e otto generazioni dopo.

Bandobras il Muggitoro (vedi p. 388 e nota 2) è qui il figlio di Isengrim, primo della stirpe dei Took nell'albero; e nel *Prologo* di SdA (p. 20) è allo stesso modo il figlio di quell'Isengrim (il Secondo). Questo fu oggetto di una svista al momento della creazione dell'ultimo albero dei Took, dal momento che Bandobras fu spostato di una generazione, diventando il figlio (non il fratello) del figlio di Isengrim, Isumbras (III).[5]

Il Vecchio Took prende ora il nome Geronzio, come in CdA (in precedenza era "Frodo il Primo", p. 319). Qui vengono nominati quattro figli; in SdA ne aveva nove. Rosa Baggins, moglie di uno di loro (Flambard), è comparsa nella piccola genealogia presente in *Interrogativi e modifiche* (p. 286): è la sorella di Bungo Baggins che sposò il "Giovane Took". L'albero riportato a p. 337 viene qui conservato per quanto riguarda i genitori di Merry; Frodo Took è diventato Folco Took e il padre Folcard (vedi p. 385). In precedenza (p. 318) si diceva che Odo, qui con un doppio cognome Took-Bolger, avesse una madre Took e fosse un cugino di terzo grado di Merry e Frodo (Folco), come mostrato in questo albero.

Ora viene nominata Donnamira Took, seconda delle figlie del Vecchio Took, ed è la moglie di Ugo Boffin, come in CdA, dove però nell'albero non è stata annotata alcuna discendenza; a proposito di questo vedi p. 482.

Infine, oltre a Primula, vengono citati altri cinque figli (sei in CdA) di Mirabella Took e Gorboduc Brandaino, uno dei quali è Rory Brandaino (vedi p. 337, nota 4), il cui vero nome qui è Roderick (Rorimac in SdA); gli altri figli hanno nomi visigoti del tutto diversi da quelli dell'albero dei Brandaino in SdA.

Capitolo II: "Storia antica"

Le forme precedenti di questo capitolo si trovano alle pp. 99 ss. e 317 ss. La versione della terza fase è in alcuni punti difficile da interpretare, perché fu molto cambiata durante la stesura e molto modificata in seguito, e non è facile distinguere gli "strati"; inoltre, venne divisa, con alcune delle pagine che rimasero in Inghilterra e altre destinate alla Marquette University.

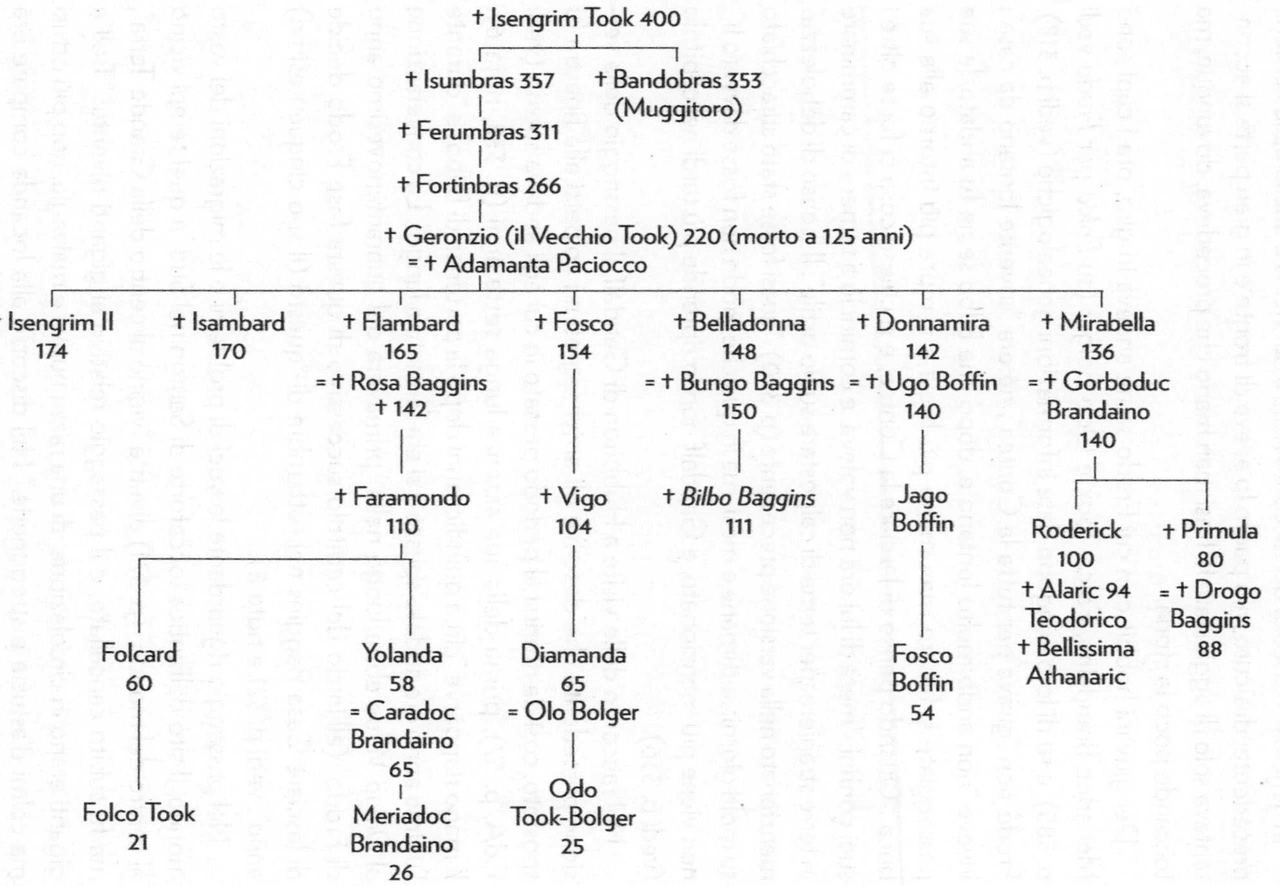
† Isengrim Took 400
† Isumbras 357
† Bandobras 353 (Muggitoro)
† Ferumbras 311
† Fortinbras 266
† Geronzio (il Vecchio Took) 220 (morto a 125 anni)
= † Adamanta Paciocco
† Isengrim II 174
† Isambard 170
† Flambard 165
= † Rosa Baggins † 142
† Fosco 154
† Belladonna 148
= † Bungo Baggins 150
† Donnamira 142
= † Ugo Boffin 140
† Mirabella 136
= † Gorboduc Brandaino 140
† Faramondo 110
† Vigo 104
† *Bilbo Baggins* 111
Jago Boffin
Roderick 100
† Primula 80
† Alaric 94
Teodorico
† Bellissima
Athanaric
= † Drogo Baggins 88
Folcard 60
Yolanda 58
= Caradoc Brandaino 65
Diamanda 65
= Olo Bolger
Fosco Boffin 54
Folco Took 21
Meriadoc Brandaino 26
Odo Took-Bolger 25

In generale, l'essenza del racconto resta assai vicina a quella della versione precedente; di sicuro mio padre lo aveva di fronte e in gran parte si accontentava solo di aggiustare le frasi man mano che procedeva, dovunque, ma toccando poco la storia.

Dei giovani hobbit con cui Frodo se ne andava in giro, ora i capi sono Meriadoc Brandaino, Folco Took e Odo Bolger (su *Folco* per *Frodo* vedi p. 385), e su di loro vengono date informazioni genealogiche (vedi p. 318). Frodo non "girava per tutta la Contea", né era "sovente lontano da casa"; invece "non andò molto lontano e, dopo che Bilbo se ne fu andato, le sue passeggiate si fecero man mano più brevi e sempre più intorno alla sua buca". Quando pensò di lasciare la Contea, e si chiese cosa ci fosse oltre i suoi confini, "metà di lui ora non voleva, e cominciò a temere di camminare in terre straniere, per tema di calpestare suolo ostile". Il "senso di debolezza" menzionato nella versione precedente (p. 320), "quasi fosse stato stiracchiato su molti giorni, settimane e mesi, ma in qualche modo non fosse davvero lì", non viene più menzionato, e Gandalf non lo riprende più tardi nel capitolo (vedi p. 336).

Nel racconto delle visite a Hobbiton di Gandalf, il passaggio della versione precedente che descrive gli arrivi segreti e i colpetti alla finestra fu spostato, così da riferirsi al periodo passato in cui egli andava spesso (vedi CdA, p. 57), prima della sua assenza lunga sette anni (p. 338, nota 6). Il mago riapparve "circa quindici anni dopo la partenza di Bilbo" e "durante l'ultimo anno era andato spesso e si era fermato a lungo". La conversazione al *Drago Verde* ebbe luogo nella "primavera del quarantanovesimo anno di Frodo" (all'inizio del capitolo successivo di questa fase Frodo decide di lasciare Casa Baggins nel settembre di "questo (il suo cinquantesimo) anno": vedi p. 321 e nota 8).

Nel passaggio riguardante le voci di problemi e le migrazioni del vasto mondo, il sito dell'antica roccaforte di Sauron nel Sud "a quei tempi vicino al centro del mondo" (p. 321) diventa "vicino al centro della Grande Terra", ma fu subito cancellato; e il passaggio relativo ai giganti diventa: "Troll e giganti erano in circolazione, di una razza nuova e malvagia, non più ottusi ma colmi d'astuzia e stregonerie." Nel discorso alla locanda compare ora il passaggio ai Grigi Approdi e l'intera conversazione si avvicina quasi alla forma in CdA (p. 55); ma è ancora Jo Bottone che vide gli "Uomini-albero" oltre la Brughiere del Nord, anche se ora lavora per il "signor Fosco Boffin" con un "di Valleaborea" aggiunto in seguito e poi cambiato in "a Sopraccolle". Fosco Boffin, cugino di primo grado di Bilbo, appare nella genealogia dei Took riportata a p. 395; vedi p. 482.

L'apertura della conversazione tra Gandalf e Frodo a Casa Baggins fu cambiata, forse al momento della stesura o subito dopo, da una forma molto simile a quella della versione precedente (p. 323) e includendo ancora l'accenno di Gandalf delle sue due visite nella terra del Negromante. La nuova versione recita:

"Tu dici che l'anello è pericoloso, molto più pericoloso di quanto io non immagini," disse infine Frodo. "Da quanto tempo lo sai? E Bilbo lo sapeva? Ora vorrei che mi dicessi di più."

"All'inizio ne sapevo molto poco," rispose Gandalf adagio, quasi frugasse nella memoria. Ormai i giorni del viaggio, del Drago e della Battaglia dei Cinque Eserciti cominciavano a sembrare offuscati e lontani. Forse persino lui iniziava infine a sentire l'età; e in ogni caso da allora gli erano capitate strane e misteriose avventure. "Poi, al ritorno da Sud e dal Bianco Consiglio ho cominciato a chiedermi che tipo di anello magico possedesse, ma a Bilbo non dissi nulla. Pareva essere tutto a posto e pensai che quel genere di potere non avesse effetto su di lui. Così pensai... e in un certo senso avevo ragione... ma non ero del tutto nel giusto. Forse avrei dovuto scoprire altro, prima di quanto è successo, e poi avrei dovuto avvertirlo prima. Però prima che se ne andasse, gli ho detto quello che sapevo... a quel punto avevo cominciato a sospettare la verità, ma sapevo ben poco di certo."

"Sono sicuro che hai fatto tutto ciò che potevi," disse Frodo. "Per noi sei stato un buon amico e un saggio consigliere. Ma per te la scomparsa di Bilbo deve essere stato un duro colpo."

Nel racconto degli Anelli fatto da Gandalf (p. 327) viene ora detto: "Nel corso degli anni li ha cercati, nella speranza di richiamare il loro potere nelle sue mani, e sempre nella speranza di trovare l'Unico"; e le sue parole relative ai Tre Anelli furono presto cambiate rispetto alla forma che avevano nella seconda versione (p. 327, ma con "terra, mare e cielo" invece di "terra, aria e cielo").

Che ne facessero dei Tre Anelli di Terra, Mare e Cielo, non ne ho idea; né so che ne sia stato di loro. Alcuni dicono che i Re nascosti degli Elfi li custodiscano ancora in luoghi sicuri nella Terra di mezzo; ma io credo siano stati da tempo trasportati lontano oltre il Grande Mare.

Gandalf, sempre con una modifica precoce o immediata, ora conclude le osservazioni sui Sette Anelli dei Nani, che alcuni dicono essere stati distrutti nel fuoco dei draghi, con le parole: "Eppure questo racconto, forse, non è del tutto vero"; ora non fa riferimento alla credenza secondo cui alcuni dei Sette Anelli furono preservati, anche se senza dubbio lo sottintende (vedi la prima bozza del Consiglio di Elrond, p. 495).

Quando mio padre scrisse per la prima volta il passaggio su Gil-galad, iniziò seguendo pressoché esattamente il testo precedente, con "Valandil, Re dell'Isola" (vedi p. 329 e nota 26), ma lo cambiò in stesura con: "e strinse un'alleanza con Valandil, Re degli uomini di Númenor, che in quei giorni ritornò dall'Occidenza alla Terra di Mezzo". *Valandil* fu poi cambiato in *Elendil*, probabilmente quasi subito, e anche nelle successive occorrenze del nome in questo passaggio. *Isildor* del secondo testo è ora scritto *Isildur*. L'esercito di Isildur fu sopraffatto da "Orchi" e non da "Goblin" (vedi p. 539, nota 35).

Nella storia di Gollum narrata da Gandalf non viene aggiunto o modificato nulla rispetto alla versione precedente (vedi p. 330), tranne che "la nonna che governava tutta la famiglia lo cacciò fuori dalla sua buca".

Il significato della discussione di Gandalf riguardo al carattere e alle motivazioni di Gollum in relazione all'Anello resta invariato rispetto alla seconda versione, anche se naturalmente con una leggera evoluzione nell'espressione, e in alcuni passaggi con un massiccio ampliamento. Le parole "Gli Elfi soltanto sono in grado di sopportarlo, e pure loro sbiadiscono" (p. 330) ora sono omesse. Il significato della risposta di Gandalf all'obiezione di Frodo secondo cui Gollum non diede mai l'Anello a Bilbo è reso in maniera più chiara:

"Ma l'Anello a Bilbo non l'ha mai dato," disse Frodo. "Bilbo l'aveva già trovato per terra."

"Lo so," rispose Gandalf, "e ho sempre pensato che quella fosse una delle cose più strane dell'avventura di Bilbo. Ecco perché ho detto che le origini di Gollum spiegano solo in parte quanto successo..."

È ancora Gandalf a trovare Gollum, sebbene l'esclamazione di Frodo "Hai trovato Gollum!" (p. 332) fu poi cambiata in "Hai visto Gollum!", e la risposta di Gandalf alla domanda di Frodo "L'hai trovato lì [a Boscuro]?" (p. 333) fu cambiata in "L'ho visto lì, ma sono stati i miei amici a rintracciarlo, con l'aiuto degli Elfi dei Boschi". Vedi la prima versione del Consiglio di Elrond, p. 499 e nota 20. Il racconto di Gandalf della storia di Gollum è ampliato nel seguente modo:

"Gollum era disposto a raccontarlo anche se, ovviamente, non come te l'ho riferito io. Gollum è un bugiardo e le sue parole vanno passate al vaglio. Per esempio, forse ricordi che definiva l'Anello il suo regalo di compleanno. Molto improbabile a prima vista, incredibile quando si sospetta quale anello fosse in realtà. Lo disse solo per fare sì che Bilbo fosse disposto ad accettarlo quasi fosse un gingillo innocuo... un pensiero hobbitesco di Gollum. Mi ha ripetuto queste sciocchezze, ma ho riso di lui. Poi mi ha raccontato una storia più vera, con un sacco di ringhi e piagnistei. Si considerava frainteso e bistrattato..."

Gandalf afferma ancora, stranamente, che Gollum "alla fine aveva di sicuro scoperto che Bilbo in qualche maniera si era preso il 'suo' Anello, e come si chiamava, e da dove veniva" (vedi p. 333 e nota 32); in effetti, il concetto è ora sottolineato con maggiore enfasi: "E la notizia degli eventi seguenti si sparse per l'intera Selvalanda e il *nome di Bilbo fu pronunciato* in lungo e in largo."

Quando Gandalf fa una pausa dopo aver detto "si sia inoltrato furtivo, poco a poco, fino alla terra di... Mordor", il silenzio gravoso menzionato in CdA, p. 70, cala e "non si udiva più il rumore delle cesoie di Sam". La frase "Penso davvero che Gollum rappresenti l'inizio dei nostri attuali guai" viene mantenuta: vedi p. 333, nota 33. Da "'Be', comunque,' disse Bingo. 'Se Gollum non poteva essere ucciso'" mio padre seguì dapprima molto fedelmente il testo precedente (p. 334), ma poi lo riscrisse cambiandolo.

"Be', comunque," disse Frodo, "se Gollum non si poteva uccidere, vorrei che Bilbo non avesse tenuto l'Anello. Perché l'ha fatto?"

"Non è chiaro da quello che hai appena sentito?" rispose Gandalf. "Ricordo che hai detto, quanto ti è capitato in mano la prima volta, che aveva i suoi vantaggi e ti domandavi il motivo per cui Bilbo fosse partito senza [vedi pp. 308-309]. Lo aveva da molto tempo prima che sapessimo avesse tutta questa importanza. Poi era troppo tardi... bisognava fare i conti con l'Anello stesso. Ha un potere e un obiettivo che offuscano i consigli saggi. Persino Bilbo non è riuscito a sfuggire del tutto alla sua influenza. Ha sviluppato un sentimento. Benché sapesse che dopotutto proveniva dal Negromante, voleva tenerselo come ricordo..."

Infine, il passaggio che inizia con "voglio distruggerlo per davvero!" (p. 335) fu modificato e ampliato:

"Voglio distruggerlo per davvero!" esclamò Frodo. "Ma ancora di più vorrei che l'Anello non fosse mai dovuto arrivare a me. Perché sono stato prescelto?"

"Bilbo te l'ha lasciato per salvarsi dalla rovina; e perché non trovava nessun altro. L'ha fatto a malincuore ma credendo che, quando ne avessi saputo di più, ti saresti caricato il fardello per l'affetto che hai nei suoi confronti. Pensava fossi al sicuro, al sicuro dall'abusarne, al sicuro dal non farlo cadere in mani malvagie; al sicuro dal suo potere, per un po'; e al sicuro nella tranquilla Contea degli hobbit all'insaputa del suo creatore. E gli ho promesso di aiutarti. Lui ci contava. A dire il vero, per il tuo bene e per il suo, ho intrapreso molti viaggi pericolosi. E poi, posso dire di non aver scoperto le lettere di fuoco, né il loro significato, e di non aver saputo con certezza che quello era l'Anello Dominante finché lui non aveva già deciso di partire. E a lui non l'ho detto, altrimenti non ti avrebbe dato questo fardello. L'ho lasciato andare. Aveva quell'Anello da 60 anni e questo, Frodo, gli stava pesando. Alla fine lo avrebbe consumato e non oso immaginare cosa sarebbe potuto accadere.

"Ma ora, ahimè! Ne so di più. Ho visto Gollum. Ho viaggiato sino alla Terra di Mordor. Temo che il Nemico sia alla ricerca. Sei in un guaio molto più grave di quanto Bilbo si sarebbe sognato. Pertanto, non biasimarlo."

"Però non sono abbastanza forte!" disse Frodo. "Tu sei saggio e potente. Perché non prendi tu l'Anello?"

"No!" gridò Gandalf, balzando in piedi. "Con quell'Anello avrei un potere troppo grande e terribile. E su di me acquisterebbe un potere ancor più grande e micidiale." Gli occhi lampeggiavano e il viso era acceso da un fuoco interiore. "Non mi tentare! Non voglio diventare come l'Oscuro Signore. L'Anello tocca il mio cuore con la pietà, pietà per la debolezza, e il desiderio di avere la forza per compiere il bene. Non mi tentare!"

Andò alla finestra e spalancò tende e imposte. La luce del sole tornò a inondare la stanza. Sam passò lungo il sentiero, fischiettando. "Ad ogni modo," disse il mago, rivolgendosi di nuovo a Frodo, "ormai è troppo tardi. Mi detesteresti e mi daresti del ladro... e la nostra amicizia finirebbe. Questo è il potere che ha l'Anello. Ma insieme sopporteremo il fardello che ci è stato imposto." Si avvicinò e posò la mano sulla spalla di Frodo. "Ma dobbiamo far qualcosa subito. Il Nemico è in moto."

È qui ancora presente la stessa curiosa idea secondo cui Gandalf scoprì le lettere di fuoco sull'anello di Bilbo, venendo così a conoscenza che si trattava dell'Anello Dominante, prima che Bilbo se ne andasse, ma senza dirglielo (ossia senza che Bilbo sapesse dell'esperimento): vedi p. 336 e nota 38. L'osservazione di Gandalf (p. 333) "Penso davvero che Gollum rappresenti l'inizio dei nostri attuali guai", mantenuta dalla seconda versione, ora forse si fa meno oscura (vedi p. 341, nota 33): "Sono stato nella Terra di Mordor. Temo che il Nemico sia alla ricerca."

Capitolo III: "I ritardi sono pericolosi"

Il nuovo testo del terzo capitolo, che ora prende questo titolo (scribacchiato nella seconda versione), era un altro buon manoscritto pulito che andava a sostituire il precedente, assai complicato (pp. 343 ss.). Il capitolo inizia ancora con le chiacchiere al *Cespo d'Edera* e al *Drago Verde* (p. 344 e nota 1) prima di concentrarsi sulla conversazione tra Gandalf e Frodo. In quello scambio Gandalf si riferisce, come in CdA, alla possibilità che possa essere compito di Frodo trovare le Crepe del Fato, e si spinge oltre:

"E un'*andata* senza un *ritorno*," aggiunse Gandalf in tono cupo. "Perché alla fine credo dovrai arrivare alla Montagna Fiammea, anche se non sei ancora pronto a portelo come obiettivo."

Il fatto che con l'aiuto di Merry[6] Frodo avesse scelto una casetta a Criconca (vedi p. 374) viene ripreso dalla correzione a matita della versione precedente (p. 355, nota 2). Gandalf lascia ancora Hobbiton "in un'umida e buia serata maggiolina". Ma nella storia subentra un cambiamento importante con la partenza di Odo Bolger (non Took-Bolger, come nell'albero genealogico, p. 395) con Merry Brandaino nel terzo carro da Hobbiton. Mio padre l'aveva suggerito in precedenza (p. 374): "Da questo punto in poi [ovvero dopo l'arrivo a Landaino] si presume che Odo sia andato con Merry. Il viaggio iniziale era solo per Frodo, Bingo e Sam. Frodo ha un carattere più simile a quello che aveva Odo un tempo. Odo ora è piuttosto silenzioso (e goloso)." Il testo che seguiva quell'indicazione era però confuso e contraddittorio, apparentemente a causa della mia opposizione al suggerimento (vedi p. 375). Ora invece l'azione veniva svolta correttamente.

Nelle versioni precedenti i giovani hobbit Frodo e Odo avevano caratteri distinti (vedi pp. 89-90). Il fatto che Odo fosse stato tolto dalla spedizione, tuttavia, non significa che il carattere di Odo fosse stato rimosso, dal momento che mio padre lavorava sempre basandosi sulle stesure precedenti e gran parte del materiale originale del capitolo sopravvisse. Sebbene Frodo Took, ora ribattezzato Folco Took (dato che Bingo ora era diventato Frodo), fosse l'unico rimasto nella nuova narrazione, egli doveva diventare il portavoce di quanto diceva l'assente Odo, a meno che mio padre non riscrivesse ciò che aveva scritto in una maniera molto più drastica di quanto avrebbe voluto. Nonostante la nota iniziale "Sam Gamgee va a sostituire Odo" (p. 317), Sam era stato concepito in un modo troppo particolare sin dall'inizio perché si adattasse ad avere la disinvoltura di Odo. Inoltre, in questa versione del capitolo l'apporto originario di Folco (Frodo) Took fu comunque ridotto. La canzone *La Strada se n'va ininterrotta* era già stata passata a Bingo nella seconda versione (p. 349); ora il racconto dell'incontro con un Cavaliere Nero nelle Brughiere del Nord fu abbandonato e l'esclamazione di gioia al canto degli Elfi ("Gli Elfi! Che meraviglia! Ho sempre desiderato ascoltare gli Elfi cantare sotto le stelle") fu tagliata in apparenza durante la stesura e sostituita da un roco sussurro di Sam: "Elfi!" Così Folco Took, con una parte "propria" ridotta e acquisendo molto di quella di "Odo", diviene "Odo" in maniera più completa di quanto mio padre avesse previsto quando disse "Frodo [Took] ha un carattere più simile a quello che aveva Odo un tempo".[7]

Eppure la posizione *genealogica* di Folco resta, dal momento che Odo stesso (in precedenza un Took, ma ora un Bolger con madre Took) è andato avanti a Landaino, dove un'avventura separata e distinta (già intravista, pp. 378, 381) lo coglierà di sorpresa, mentre nella posizione di Folco nell'albero genealogico dei Took come cugino di primo grado di Merry Brandaino (pp. 337, 395), subentrerà in seguito Peregrino Took (Pippin).

Miranda, moglie "messa in ombra" di Cosimo Sackville-Baggins, scompare di nuovo, insieme all'osservazione secondo cui lui e la madre Lobelia vissero a Casa Baggins "per molti anni" (p. 356, nota 5). *La strada se n'va ininterrotta* ora raggiunge la forma finale (p. 357, nota 10). Alla prima apparizione del Cavaliere Nero sulla strada, nel passaggio citato a p. 350, "Odo e Frodo" diventano "Folco e Sam", e viene raggiunto il testo di CdA (pp. 85-86).

Come già visto, il racconto di Frodo Took dell'incontro con un Cavaliere Nero nelle Brughiere del Nord della Contea (p. 350) viene abbandonato e la conversazione tra Bingo e Frodo Took sui Cavalieri Neri (p. 351) che segue la rivelazione di Sam arriva alla forma in CdA (p. 88), con Folco al posto di Pippin. La breve sosta del Cavaliere presso l'albero morto in cui gli hobbit consumarono la cena viene però conservata in questa versione e nella conversazione che segue Frodo afferma ancora, come fece Bingo, che prenderà il nome di signor Colle di Sperdulandia.

Quando si sente il canto degli Elfi, Frodo dice, come in CdA, p. 91, "A volte s'incontrano a Fondo Boschivo", ma dice ancora come nella versione precedente (p. 352) che giungono in primavera e in autunno "dalle loro terre lontane ben oltre il Fiume". Allo stesso modo di CdA, si dice che l'inno a Elbereth sia cantato "nella bella lingua elfica" e alla fine Frodo afferma: "Ma questi sono Alti Elfi! Hanno fatto il nome di Elbereth!"

La frase inappropriata di Odo sulla fortuna di trovare inaspettatamente cibo e alloggio ora scompare e non viene passata a Folco. "Le stelle brillano sull'ora del nostro incontro" di Frodo fu dapprima riportata come in precedenza (p. 353) solo in traduzione, ma mio padre cambiò, senza dubbio durante la stesura del manoscritto, introducendo anche le parole in elfico, *Eleni silir lúmesse omentiemman*, e poi ancora *Elen silë*..., "Una stella brilla..." A quel punto Gildor dice, come in CdA, "Qui abbiamo uno studioso della Lingua Antica".

È ancora la Luna a smuovere gli Elfi a cantare; ma la vecchia formulazione ("La luna sorse gialla, spuntando rapida dall'ombra per poi trascorrere adagio in cielo"), rimasta dalla versione originale del capitolo (p. 80), venne modificata, in apparenza al momento o molto vicino al momento della stesura, in: "Sulle distanti brume d'Oriente spuntò la lieve scorza argentea della Luna Nuova, che chiara e rapida si levò dall'ombra e ciondolò rilucente nel cielo." Senza dubbio mio padre operò questa modifica a causa di ciò che aveva scritto altrove sulla Luna, dal momento che durante l'approssimarsi degli hobbit a Svettavento la luna era crescente, ed era "quasi al primo quarto" la notte dell'attacco (pp. 215, 236): l'attacco avvenne il 5 ottobre (p. 224), e il 24 settembre non poteva esserci Luna piena o quasi piena nella notte trascorsa con gli Elfi a Fondo Boschivo (vedi p. 206). Quella notte doveva essere quasi Luna Nuova. Le date delle fasi lunari di autunno e inizio inverno di quell'anno citate a p. 536, nota 19, mostrano infatti Luna Nuova il 25 settembre, il Primo Quarto (mezza piena) il 2 ottobre, la Luna Piena il 10 ottobre. Ma è una strana e insolita anomalia che mio padre prevedesse una Luna Nuova che sorgeva a tarda notte a Est.[8] In CdA, naturalmente, non si fa menzione della Luna in questo passaggio: fu "lo Spadaccino del Cielo, Menelvagor con la sua cinta lucente" a destare gli Elfi al canto.

Nel brano che descrive i ricordi del pasto consumato con gli Elfi si arriva al testo di CdA, con Folco che mantiene quelli di Frodo Took insieme al ricordo del pane di Odo.

Il consiglio di Gildor a Bingo (Frodo) di prendere con sé compagni fidati e l'idea che gli attuali compagni avessero già disorientato i Cavalieri vengono mantenuti (vedi p. 354); ma alla fine non si parla più dell'Anello e la conversazione termina come in CdA (p. 97).

Capitolo IV: "Una scorciatoia per i funghi"

In questa nuova versione del capitolo resta da notare solo il curioso risultato dell'esclusione di Odo Bolger, con Folco Took che somma la parte di Odo a quella che aveva acquisito da Frodo Took nella narrazione precedente. Nella versione passata, Odo si diceva contrario a prendere una scorciatoia per il Traghetto, perché, sebbene non conoscesse il territorio, sapeva del *Persico d'Oro* a Magione, e Frodo Took lo appoggiava, perché conosceva il territorio.[9] Ora l'elemento-Frodo in Folco, conservando il fatto di conoscere la zona, viene sfruttato per supportare il desiderio dell'elemento-Odo per la birra a Magione, e il suo avversario nella discussione è Frodo (Baggins); pertanto Folco qui, e per l'intero capitolo, è Pippin tranne che per il nome (pp. 359-360).

Concafonda ora scompare dal testo (vedi pp. 359-360).

Capitolo V: "Una congiura smascherata"

Questo capitolo aveva già raggiunto nella seconda versione (pp. 373 ss.) una forma molto vicina a quella in CdA, ma rimaneva confusione sul fatto se Odo fosse stato o meno in cammino da Hobbiton o se fosse andato avanti o meno in direzione di Landaino con Merry (vedi pp. 374-375, 402). Dopo la nuova versione del capitolo III, questo viene risolto: Odo è a Criconca, apre la porta al loro arrivo e prepara la cena con Merry, difatti, entro la fine del capitolo, diventa Fredegario (Ciccio) Bolger. Il testo, fino alla fine del capitolo, raggiunge ora la forma di CdA, fin nei minimi particolari espressivi, con le sole seguenti differenze: il passaggio su Gorhendad Vecchiodaino non è ancora presente (p. 373); la Siepe è ancora quaranta miglia da un capo all'altro; e la "canzone dei nani" *Addio! Addio al camino e al portoncino!* mantiene ancora la forma della versione precedente (pp. 376-377).[10]

La fine del capitolo, tuttavia, è ancora diversa da quella di CdA. La forma della seconda versione fu mantenuta, con le aggiunte a matita incorporate (p. 378). Odo dice: "Ma nella Vecchia Foresta non *avremo* fortuna" (mentre in CdA Fredegario dice "Ma nella Vecchia Foresta non *avrai* fortuna"), perché teoricamente è ancora membro di una nuova spedizione, benché mio padre avesse deciso che sarebbe rimasto a Criconca fino all'arrivo di Gandalf. Riporto il testo da "Seguite Capitan Frodo, o ve ne rimanete a casa?"

"Seguiremo capitan Frodo," dissero Merry, e Folco (e naturalmente Sam). Odo rimase in silenzio. "Guardate qui!" disse dopo una pausa. "Non ho problemi ad ammettere che la Foresta mi terrorizza più di qualsiasi altra cosa io conosca. Non mi piacciono i boschi, di alcun genere, ma le storie sulla Vecchia Foresta sono da incubo. Credo però anche che dovreste cercare di rimanere in contatto con Gandalf, che penso ne sappia più di voi sui Cavalieri Neri. Io me ne resto qui e tengo lontano i curiosi. Quando Gandalf arriverà, come è certo che sia, gli dirò quello che avete fatto e vi seguirò con lui, se mi porterà."

Gli altri concordarono che sembrava, nel complesso, un ottimo piano; e Frodo scrisse subito una breve lettera a Gandalf, e la consegnò a Odo.

"Be', è deciso," disse Merry.

Il resto del capitolo è uguale alla versione precedente.

Una curiosa traccia di questo stadio sopravvive nel testo pubblicato. Dal momento che il fatto che Odo restasse indietro non era parte della "congiura", Merry aveva preparato sei cavallini, cinque per gli hobbit e uno per i bagagli. Quando la storia cambiò e il compito di Fredegario Bolger "secondo il piano originario dei congiurati" (CdA, p. 123) fu espressamente di rimanere indietro, quel dettaglio fu oggetto di una svista e in questo punto restarono i sei cavallini (CdA, p. 122).

Capitolo VI: "La Vecchia Foresta"

Ora al capitolo viene dato il suo titolo. Odo salutò gli altri all'ingresso del tunnel sotto la Siepe con le seguenti parole:

"Vorrei tanto non vedervi andare nella Foresta. Non credo ne uscirete sani e salvi; e penso che sia davvero necessario che qualcuno avverta Gandalf che ci siete entrati. Sono certo che vi dovranno venire a salvare prima della fine della giornata. Vi auguro comunque buona fortuna e spero, forse, di riuscire a ritrovarvi un giorno."

La collina che si innalza dalla foresta era ancora coronata da un ciuffo d'alberi (p. 145), ma questo fu cambiato nella "testa calva" di CdA durante la stesura del manoscritto. La gola che gli hobbit furono costretti a percorrere verso il basso dal momento che non erano in grado di arrampicarsi fuori si chiude come in precedenza (*ibid.*):

All'improvviso gli alberi del bosco finirono e la gola si fece profonda e ripida; il fondo era quasi del tutto riempito dall'acqua che scorreva rumorosa. Alla fine scendeva sino a un'angusta cengia in cima a una sponda rocciosa, sopra cui il torrente si tuffava e cadeva in una serie di piccole cascate. Guardando in basso videro che sotto di loro c'era un ampio spazio di erba e canne...

La storia precedente della discesa lungo l'argine di trenta piedi è quindi ancora presente, con Folco che cadeva per gli ultimi quindici piedi. Nella versione originale dell'incontro con il Vecchio Uomo Salice (p. 144), Bingo e Odo erano intrappolati nell'albero, e Merry (allora chiamato Marmaduk) fu colui che radunò i cavallini e salvò Frodo Took dal fiume. Nella fase successiva (p. 379) tutto ciò venne cambiato nella misura in cui Sam prese il posto di Merry e Merry semplicemente giaceva "come un ciocco". Ora, con Frodo Took e Odo "riuniti" in Folco Took, rimangono Frodo Baggins e Folco imprigionati nell'albero, ma Merry assume il ruolo, prima di Frodo Took, di quello spinto nel fiume.

Nella versione più vecchia il sentiero accanto al Circonvolvolo svoltava curiosamente brusco a sinistra sotto la casa di Tom Bombadil e superava un piccolo ponte. Nella revisione successiva ciò venne mantenuto e più tardi la parola "sinistra" fu sostituita da "destra", a significare che la casa di Bombadil si trovava sulla sponda meridionale del Circonvolvolo (vedi p. 146). Nel presente testo si legge:

[Il sentiero] svoltò brusco a destra e li condusse a un ponte di legno che attraversava un altro ruscello minore che scendeva gorgogliante.

Pertanto vengono mantenuti la svolta del sentiero e il ponte, ma essendo il ponte su un torrente tributario, la casa di Bombadil è sulla sponda settentrionale del Circonvolvolo. Mio padre cancellò però il passaggio, in apparenza durante la stesura.

Capitolo VII: "Nella casa di Tom Bombadil"

Allo stesso modo del precedente, anche questo capitolo ora prende il suo titolo. L'episodio dell'attacco a Criconca (pp. 379-381) fa ora parte del testo ed è stato ripreso dalla forma precedente con pochi cambiamenti significativi e quasi parola per parola. L'"uomo grigio" risalì il sentiero conducendo un cavallo bianco, ma il fatto che Gandalf avesse un cavallo bianco compare più avanti nella prima versione. Ancora più importante, mio padre all'inizio ripeté le parole "D'improvviso ci fu un movimento", ma le cancellò e le sostituì: "Una tenda delle finestre si mosse. Poi d'improvviso la figura accanto alla porta si mosse rapida" (questo cambiamento appartiene senza dubbio alla stesura del manoscritto). Odo era in casa, naturalmente. Con le parole scritte a matita al termine della prima versione dell'episodio, "Alle spalle era attaccata una piccola figura con un mantello svolazzante" e "Odo", non v'è alcuna corrispondenza nella successiva, e credo non fossero state ancora scritte sulla prima. A questo punto, a quanto pare, mio padre non aveva altri progetti per Odo. Ma è presente un'aggiunta a matita al secondo testo di cui, benché cancellate, il signor Taum Santoski è riuscito a decifrare le seguenti parole: "Dietro di lui correva Odo... e... vento. Vedi IX.22." Riguardo a tale questione vedi p. 420.

I sogni. Il contenuto del sogno di Frodo resta lo stesso, quasi parola per parola, di quello di Bingo nella versione originale (p. 152), tranne che dopo le parole "gli zoccoli martellavano e il vento soffiava" seguono "e fievole e lontano l'eco di un corno": questo riprende il suono del corno di Gandalf a Criconca, che in questo testo precede subito il sogno di Frodo. Tuttavia, mentre nella storia raccontata nella prima fase "Bingo si svegliò" e poi "si riaddormentò" (sui suoni che udì, vedi p. 153), in questa versione Frodo "era immerso in un sogno senza luce": questo è uguale a CdA, ma non viene detto nulla che suggerisca che si sia svegliato (al contrario di CdA: "'I Cavalieri Neri!' pensò Frodo svegliandosi"). D'altra parte il passaggio nel presente testo termina come in CdA: "ma ora tutto taceva e alla fine si girò e si riaddormentò o intraprese un altro sogno poi scordato." Folco sogna quello che in origine era il sogno di Odo, e come in CdA Pippin "si svegliò" e poi "si riaddormentò". Merry riprende il sogno dell'acqua di Frodo Took, con le parole "sentiva colargli nel sonno e svegliarlo dolcemente" mantenute dalla vecchia versione, anche se cancellate, probabilmente subito; il passaggio si chiude, come in CdA, "fece un respiro profondo e si riaddormentò". Sam fece "una notte di sonno profondo e appagante, se un ciocco può provare appagamento".

Nel discorso di Tom con gli hobbit il secondo giorno, la vecchia frase "Dal centro del mondo emerse un'ombra" viene mantenuta (vedi p. 156); e la risposta di Tom alla domanda di Frodo "Tu chi sei, Signore?" è pressoché uguale alla vecchia versione (p. 156): "Sono un Ab-Origine, ecco cosa sono" e le parole "il Sole sorgere a Occidente e la Luna seguire, prima che fosse stabilito il nuovo ordine dei giorni" vengono mantenute (vedi la mia discussione riguardo a questo passaggio, pp. 157-158).

In tutte le altre minori differenze menzionate alle pp. 158-159, il testo attuale giunge alla forma definitiva.

Capitolo VIII: "Nebbia sui Poggitumuli"

Su questo capitolo v'è poco da dire: segue il testo originale (pp. 163-168) e ora prende il titolo attuale. Il braccio "avanzando sulle dita" nel poggio brancolò verso Folco e Frodo cadde in avanti sopra di lui (p. 164). Le parole di Merry al risveglio restano immutate (p. 165); e delle spade di bronzo che Tom Bombadil scelse per gli hobbit dai tesori del tumulo non si dice altro oltre alle parole aggiunte nel testo originale: Tom dice che "erano state forgiate molte ere prima da Uomini d'Occidente: erano nemici dell'oscuro Signore".

La conclusione del capitolo si avvicina in qualche modo alla forma finale, ma vengono mantenuti gli elementi della versione originale (pp. 166-168). Frodo, scendendo lungo la Strada, dice ancora: "Spero riusciremo a seguire la strada battuta", al che Bombadil risponde: "È ciò che dovreste fare, finché potete: seguire la strada battuta, ma cavalcare cauti e veloci." Nel consiglio di commiato dice ancora: "Barnabasso Farfaraccio è il degno tenutario: conosce Tom Bombadil e il nome di Tom vi aiuterà. 'È Tom che ci manda,' dite e con gentilezza vi tratterà." Dopo che se ne va, non è annotata alcuna conversazione tra gli hobbit, e il capitolo si chiude in modo molto simile al testo originale. Sam cavalcava con Frodo davanti, Merry e Folco dietro, conducendo il cavallino di riserva; e Bree è ancora "un piccolo villaggio".

[1] *Primi Giorni*, che ricorre due volte in questo passaggio, fu poi cambiato in *Tempi Antichi*. Quest'ultima espressione ricorre una volta nel *Quenta Silmarillion*, ma non in maiuscolo (V.321); vedi anche *Anni Antichi* (V.116), *giorni più remoti* (V.306).

[2] Bandobras il Muggitoro ricompare dallo *Hobbit* (capitolo I); vedi più avanti p. 394.

[3] Conosco soltanto un albero di questo tipo, forse l'unico tracciato da mio padre in questo momento; vedi pp. 393-394.

[4] Pertanto, mentre nella versione preliminare del discorso al *Cespo d'Edera* (p. 310) l'apertura del narratore doveva essere ridotta a un breve paragrafo, mio padre ora manteneva sia il resoconto della storia passata dalle versioni precedenti del capitolo sia aggiungeva anche il modo tutto caratteristico del Veglio Gamgee di raccontarlo nuovamente. In CdA il Veglio è l'unica fonte.

[5] Nello *Hobbit* Bandobras fu definito prozio di Bilbo, ma Bilbo stesso lo chiama suo pro-pro-pro-prozio, come nell'albero attuale.

[6] Il cugino Lanorac Brandaino (p. 345) è scomparso.

[7] La discussione se camminare o meno la prima notte era ancora presente (p. 347), ma Folco non si assume la riluttanza di Odo; il risultato è che tutti e tre sono concordi, ed essendo ormai il discorso piuttosto inutile mio padre lo cancellò e lo sostituì con le parole di CdA (p. 83): "'Be', piace a tutti camminare al buio,' disse, 'perciò lasciamoci qualche miglio alle spalle prima di coricarci.'"

8 È invero così straordinaria, data la sua profonda e costante conoscenza di tutte le modalità e le apparizioni, che uno va alla ricerca di una spiegazione: magari intendeva "Luna Calante" ma scrisse "Luna Nuova" perché pensava alla mezzaluna (tipicamente la "Luna Nuova") anziché alla fase? Pare improbabile; e in ogni caso una "Luna calante" in forma di "lieve scorza argentea" non è visibile sino all'alba, dal momento che la Luna per avere quell'aspetto deve essere molto vicina al Sole.

9 Nella variante passata, poi abbandonata, dell'episodio del Fattore Maggot nella versione precedente del capitolo Maggot dice che Frodo Took è "mezzo Brandaino" (p. 366). Ciò era già stato omesso nella seconda variante; ma egli era il cugino di primo grado di Merry Brandaino e dice a Bingo che Maggot "è un amico di Merry e per un certo periodo sono venuto spesso qui con lui", proprio come Pippin dice a Frodo in CdA, p. 105.

10 Dapprima mio padre scrisse che erano Merry, Folco e Odo a cantarla, ma il nome Odo era senza dubbio dovuto alla sua presenza nella versione precedente (p. 376) e lo cancellò subito.

XX.
LA TERZA FASE (2): ALL'INSEGNA DEL CAVALLINO INALBERATO

Con il Capitolo IX, ora intitolato "All'insegna del Cavallino Inalberato", la narrazione di questa fase fu soggetta a un'evoluzione ben più considerevole, ma non nella direzione della storia finale in CdA. Prima di arrivarci, però, è da prendere in considerazione un aspetto curioso in apertura del capitolo.

L'inizio è ora molto progredito rispetto alle prime forme date alle pp. 171-174: un racconto iniziale in cui Bree era un villaggio di Uomini, ma dove "v'erano hobbit nei paraggi", cambiò in una storia in cui a Bree si trovavano soltanto hobbit e il signor Farfaraccio era lui stesso uno hobbit. Una nota tarda (p. 285) diceva tuttavia che "la gente di Bree *non* deve essere hobbit". Mio padre risolse il problema tornando, all'incirca, all'idea originale: Uomini e Hobbit vivevano insieme a Bree. Ma trovò difficile arrivare a una forma d'apertura di cui fosse soddisfatto e ci sono versioni su versioni che presto si fermano, per essere sostituite dalle successive. Tutte queste bozze sono molto simili, differiscono nell'ordinamento del materiale o nell'ammissione o omissione di dettagli; naturalmente appartengono tutte allo stesso momento. Non è necessario esaminarle con attenzione, tranne che in un particolare. Tutte contengono il passaggio in CdA (p. 165) riguardante l'origine degli Uomini di Bree, una di esse aggiunge pure che si tratta di "discendenti dei figli di Bëor", e il ritorno dei Re degli Uomini dai Grandi Mari.[1] Il passaggio che segue, come in CdA, riguarda i Forestali ed è quasi uguale in tutte le bozze:

Nessun altro Uomo viveva ormai tanto lontano a Occidente, né tanto vicino alla Contea per un centinaio di leghe e oltre. Nessun popolo stanziale, naturalmente: v'erano difatti i Forestali, misteriosi viandanti che gli Uomini di Bree consideravano con grande rispetto (e un po' di timore), poiché si diceva che fossero gli ultimi rimasti del regale popolo d'oltremare. Ma i Forestali erano pochi e di rado si mostravano, ed erravano liberi nelle terre selvagge verso est, persino fino ai Monti Brumosi.

È curioso che nella versione di apertura del capitolo cui fu permesso di conservarsi la storia dei Forestali è del tutto diversa, e non segue le parole "Nessun altro Uomo viveva ormai tanto lontano a Occidente, né tanto vicino alla Contea per un centinaio di leghe e oltre", ma è collocata più avanti (dopo "Peraltro nei Brandaino scorreva sangue di Bree", CdA, p. 166). Questa versione recita:

Nelle terre selvagge a est di Bree vagavano alcune persone erranti (uomini e hobbit). E il popolo della terra di Bree li chiamava Forestali. Alcuni di questi erano molto conosciuti a Bree, che visitavano abbastanza di frequente, ed erano i benvenuti poiché portavano nuove ed erano narratori di strane storie.

Più avanti nel capitolo, Farfaraccio risponde in questo modo alla domanda di Frodo su Passolesto:

Non lo so bene. È uno di un popolo di vagabondi... Forestali, li chiamiamo noi. Non che sia davvero un Forestale, se mi spiego, benché si comporti come tale. Pare essere una specie di hobbit. Nell'ultimo anno è capitato abbastanza spesso, soprattutto dalla primavera scorsa; ma parla poco.

Nella versione originale, in questo punto (p. 178), Farfaraccio dice: "È uno di quei vagabondi: Forestali li chiamiamo noi." E Gandalf nella sua lettera a Frodo nel testo della terza fase fa ancora riferimento, come nella vecchia versione, a Passolesto come un "forestale [...] uno hobbit scuro e alquanto magro, indossa zoccoli di legno" (p. 437).

Si confronti questi estratti con la nota in *Interrogativi e modifiche* (p. 286): "È meglio che i Forestali *non* siano hobbit, forse."

Questo è difficile da interpretare. Nella terza fase troviamo la frase (nelle versioni in bozza) secondo cui i Forestali sono "gli ultimi rimasti del regale popolo d'oltremare"; e anche le affermazioni che i Forestali sono uomini e hobbit, che un particolare hobbit è un Forestale (così dice Gandalf), e che quello stesso hobbit "non è davvero un Forestale, sebbene agisca come tale" (così dice Farfaraccio). La spiegazione più semplice è supporre che l'origine Númenóreana dei Forestali fosse un'idea cui mio padre pensava nelle bozze, ma che accantonò quando scrisse il capitolo e la narrazione seguente (vedi più avanti, pp. 489-490). Qualunque sia la spiegazione, è chiaro che il concetto definitivo dei Forestali fece fatica a emergere, ed è significativo che, anche quando sorse il concetto dei Forestali quali ultimi discendenti degli esuli Númenóreani, e uno spazio fu così allestito, per così dire, per Passolesto, questi non vi si trasferì subito.

Ricompare ora il villaggio di Stabbiolo (vedi p. 171), sull'altro versante della collina; e Conca è situata in una "profonda valle un po' più a est", Archet "ai margini di Bosco Chet", come in CdA, p. 165. Ora sembra evidente che Bree si trovava su un vecchio crocevia di strade, la Strada Est e la Viaverde, che correvano da nord a sud. Nell'unica delle bozze dell'apertura a raggiungere la narrazione vera e propria, gli hobbit

passarono davanti a un paio di case isolate prima di arrivare alla locanda, e Sam e Folco le fissarono meravigliati. Sam era colmo di profonda diffidenza e dubitava che fosse saggio cercare un alloggio in un posto tanto eccentrico. "Bella seccatura salire una scala per andare a letto!" disse. "Per quale motivo lo fanno? Mica sono uccelli."

"È più arieggiato," disse Frodo, "e anche più sicuro in un paese tanto selvaggio. Non vedo recinzioni attorno a Bree."

Qui mio padre si fermò. Forse in quel momento decise che era qualcosa di improbabile. Nel testo completo del capitolo compaiono fossato, siepe e cancello.

Frodo e i compagni giunsero infine al crocevia di Viaverde e si avvicinarono al villaggio. Scoprirono che era circondato da un profondo fossato con una siepe e una recinzione sul lato interno. Sopra correva la Strada, ma era chiusa (come era consuetudine dopo il tramonto) da un grande cancello di sbarre piegate fissate su robusti stipiti su ambo i lati.

Una piccola mappa abbozzata, riprodotta a p. 418, appartiene con molte probabilità a questo periodo. Accanto alla linea che segna il perimetro esterno di Bree si legge "fossato & r.", ovvero "recinzione". (Per un precedente schizzo di Bree vedi p. 222, nota 20.) Il testo continua:

Appena oltre la barriera c'erano una casa e un uomo seduto alla porta. Questo balzò in piedi, andò a prendere una lanterna e, sorpreso, li guardò da sopra il cancello.

"Siamo diretti alla locanda," rispose Frodo. "Siamo in viaggio verso est e non possiamo proseguire oltre per stanotte."

"Hobbit!" disse l'uomo. "Per giunta hobbit dalla Contea, a giudicare dalla parlata! Ebbene, se non è una cosa incredibile questa... Gente della Contea che cavalca di notte e diretta a est!"

Adagio tolse le sbarre e li lasciò passare. "E a renderlo ancora più strano," continuò, "è che negli ultimi giorni diversi viaggiatori hanno percorso la stessa strada e chiesto di un gruppo di quattro hobbit in sella a cavallini. Io però gli ho riso in faccia e ho detto che un gruppetto del genere non era passato e che probabilmente mai sarebbe successo. Ed eccovi qui! Ma se andate dal vecchio Farfaraccio non dubito che vi darà il benvenuto, e forse qualche notizia dei vostri amici."

Gli augurarono la buonanotte; ma Frodo non fece commenti sul discorso, sebbene vedesse alla luce della lanterna che l'uomo li osservava, curioso. Fu felice di sentire le sbarre cadere al loro posto quando avanzarono. Almeno un Cavaliere Nero adesso era davanti a loro, o almeno così immaginava dalle parole dell'uomo, ma era alquanto probabile che gli altri li stessero ancora seguendo. E Gandalf? Era passato pure lui nel tentativo di raggiungerli intanto che si erano attardati nella Foresta e sui Poggi?

Gli hobbit salirono a cavallo un dolce pendio, superarono alcune case isolate e si fermarono di fronte alla locanda...

Il resoconto dello sgomento di Sam alla vista delle case alte, della struttura della locanda e del loro arrivo, è quasi letterale rispetto a CdA, p. 167; e Barnabasso Farfaraccio ora è un uomo, non uno hobbit. Ma viene mantenuto il passaggio della versione originale in cui Bingo (Frodo) fa riferimento al consiglio di Tom Bombadil riguardo al *Cavallino Inalberato* e viene poi accolto dal padrone di casa (pp. 174-176). Frodo ora li presenta con i nomi corretti, tranne per il fatto che si fa chiamare "signor Colle di Sperdulandia" (vedi pp. 352, 403). Farfaraccio risponde all'incirca come nella vecchia versione (p. 175), ma le sue osservazioni sui Took vengono ora passate ai Brandaino e non soltanto nel contesto generale del popolo della Contea ma perché Merry viene presentato come un Brandaino; e ora menziona i forestieri giunti lungo la Viaverde la notte precedente. Il passaggio relativo alle scorte di denaro (vedi p. 176 e nota 7) viene mantenuto, sebbene l'impellenza sia calata ("Frodo aveva portato con sé del denaro, ovviamente, quel tanto che era sicuro o pratico; ma non avrebbe coperto le spese per buone locande all'infinito").

Da "L'oste si aggirò intorno a loro per un po' e poi si apprestò[2] a lasciarli," il nuovo capitolo raggiunge per un lungo tratto la forma finale con soltanto alcune piccole differenze e per la maggior parte con le stesse parole. Le persone nella sala comune della locanda (compresi gli stranieri del Sud, che "guardavano con curiosità") sono come in CdA (e così i nomi botanici degli Uomini di Brea, vedi p. 177 e nota 8); ma "fra la compagnia [Frodo] notò il piantone e si chiese se fosse la sua notte fuori servizio". Il "tipo brutto e strabico" che in CdA predisse che molte altre persone sarebbero arrivate a nord nell'immediato futuro è qui semplicemente "uno dei viaggiatori" che avevano percorso la Viaverde. Folco Took è ora "il ridicolo giovane Took"; ma ancora non racconta la storia del crollo del tetto della Buca comunale a Gran Sterro. Frodo "sentì qualcuno chiedere in quale parte delle Colline vivessero e dove fosse Sperdulandia; e sperava che Sam e Folco fossero prudenti".

Come già fatto notare, Passolesto resta uno hobbit;[3] la sua descrizione ricalca infatti fedelmente la versione originale (p. 178), compresi gli zoccoli di legno; durante la stesura la pipa fu cambiata da "rotta" a "cannello corto" e aveva di fronte a sé "un boccale enorme (grande persino per un uomo)".

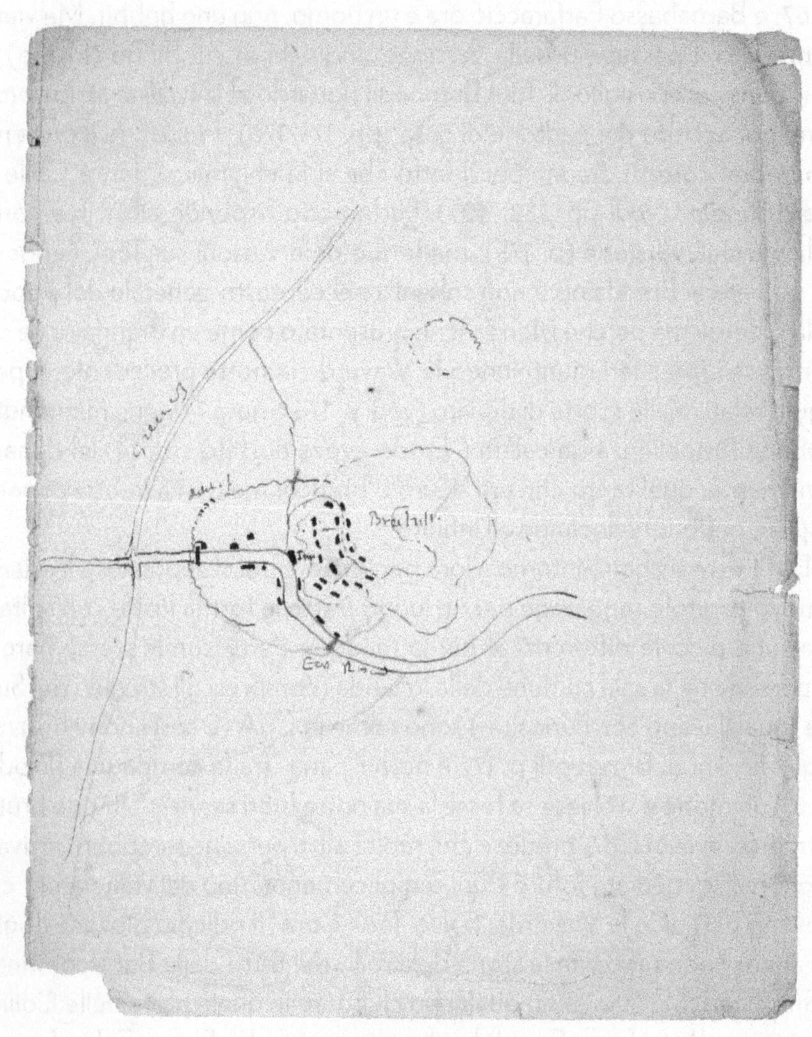

Pianta di Bree

Nel primo dialogo con Passolesto, e in tutto ciò che segue fino alla fine del capitolo 9 in CdA, il presente testo si avvicina quasi alla forma finale (che è stata comunque pressoché raggiunta, nell'ultima parte, già nella versione originale, vedi p. 181). È presente l'impressione di Frodo che il suggerimento di indossare l'Anello gli sia giunto "dall'esterno, da qualcuno o da qualcosa nella stanza". Dapprima mio padre scrisse soltanto che "il tipo dalla faccia scura" (Bill Felcioso)[4] "sgusciò fuori dalla porta seguito da uno venuto dal sud: una coppia poco ben assortita"; ma con una modifica che pare successiva alla stesura del manoscritto, questo diventò:

Presto sgusciò fuori dalla porta, seguito da Harry il piantone, e da uno dei meridionali: i tre avevano conversato insieme in un cantone per gran parte della serata. Per un momento si domandò se l'Anello stesso non gli avesse giocato uno scherzo o avesse obbedito a ordini diversi dai suoi. L'aspetto dei tre uomini usciti non gli piaceva, soprattutto quello dell'uomo del sud [dagli occhi scuri >] strabico.

In questo testo si è già detto che nella locanda era presente il piantone, che è assente in CdA, benché si dica che sia uscito proprio dietro agli altri due. Il testo del *Gatto e il Violino* arriva ora alla forma finale.

Nella versione originale ho diviso il testo per comodità nel punto in cui termina il capitolo 9 in CdA, sebbene nel manoscritto non sia presente alcuna interruzione. Anche la versione attuale continua senza pause, e in questo caso è più opportuno trattare il capitolo nel suo insieme.

La parte successiva della storia segue molto da vicino la forma originale (pp. 191-193) fino al punto in cui Passolesto racconta a Bingo del suo "origliare" sulla Strada. Lì, Passolesto aveva sentito Gandalf, i Nani e gli Elfi (di ritorno da Hobbiton dopo la "festa attesa a lungo" e la scomparsa di Bingo Bolger-Baggins) parlare di Bingo e dei suoi compagni che avrebbero dovuto essere sulla Strada dietro di loro: l'appuntamento era domenica mattina, 25 settembre (p. 206). La versione attuale introduce un'importante modifica della struttura narrativa, ma non alla storia in CdA, dove Passolungo sente gli hobbit parlare con Bombadil quando questi li abbandona sulla Strada Est (e sente Frodo dire che deve presentarsi come un Sottocolle, non un Baggins).

Pare probabile che la nuova storia, in cui le avventure di Odo Bolger compaiono per la prima volta in forma narrativa, sia nata quando mio padre arrivò a questo capitolo nella stesura dei manoscritti della terza fase, e che fu in questa che segnò a matita le annotazioni sulla partenza di Odo da Criconca con Gandalf[5] dopo la disfatta dei Cavalieri Neri (vedi p. 408): ecco perché, nella nota al secondo testo dell'attacco a Criconca, dà il riferimento "IX.22". IX.22 è la pagina del manoscritto in cui compare nel presente capitolo la storia di Passolesto riguardo all'origliare Gandalf *e Odo* sulla Strada Est.

Si noterà che viene utilizzata la versione "A" della storia originale: vedi pp. 191 e 219-220, nota 1.

L'inizio di questa sezione della storia è ripetuto, entrambe le versioni sembrano appartenere allo stesso periodo di stesura e nessuna delle due è cancellata; ma fu preferita la seconda qui riportata. La prima recita:

... Ero dietro una siepe, quando un uomo a cavallo si è fermato sulla Strada non molto lontano a [ovest di Bree > (*al momento della stesura*)] est di Bree. Con mia sorpresa uno hobbit era in sella dietro di lui sullo stesso cavallo! Sono smontati per mangiare e hanno iniziato a parlare. Strano a dirsi, parlavano di un certo Frodo Baggins e dei suoi tre compagni. Ho capito che questi quattro strani tizi erano hobbit scappati dalla Contea (per vie clandestine, si direbbe) lunedì scorso e avrebbero dovuto essere da qualche parte sulla Strada. I viaggiatori erano molto preoccupati per il signor Baggins e si chiedevano se fosse sulla Strada, davanti o dietro di loro. Volevano trovarlo e *avvertirlo*.

"Un poco imprudente, devo dire, da parte di Gandalf... ma tu guarda! Era Gandalf, di certo: impossibile scambiarlo per qualcun altro, concorderai... a fare quei discorsi sul bordo della Strada. In realtà però parlava sottovoce e si dà il caso che io fossi molto vicino. Sarà stato ieri a mezzogiorno: mercoledì."

L'altra recita:

... Ero nascosto sotto una siepe, lungo la Strada da qualche parte a ovest di Bree; cercavo di ripararmi dalla pioggia, quando un uomo a cavallo si è fermato poco distante. Con mia grande sorpresa uno hobbit era in sella dietro di lui sullo stesso cavallo! Sono smontati per riposarsi, hanno mangiato qualcosa e iniziato a parlare. Se proprio lo vuoi sapere, discutevano di un certo Frodo Baggins e dei suoi tre compagni. Ho capito che si trattava di quattro hobbit che avevano lasciato la Contea in gran fretta il giorno precedente. Il cavaliere cercava di raggiungerli, ma non sapeva se fossero sulla Strada o fuori, davanti o dietro. Aveva un'aria molto preoccupata, ma sperava di trovarli a Bree. Era assai strano, perché non capita spesso che i piani di Gandalf vadano storti."

Sentito quel nome, Frodo sobbalzò di colpo e Passolesto sorrise. "Sì, Gandalf!" disse. "So che faccia ha e, una volta visto, non lo si dimentica, concorderai con me. Parlava a voce molto bassa, ma non sapeva che il vecchio Passolesto gli fosse ben vicino. Sarà successo martedì sera, al calare del giorno."

Gli hobbit lasciarono Criconca di primo mattino, lunedì 26 settembre, e arrivarono a Bree all'imbrunire di giovedì 29 settembre (p. 206). La prima di queste varianti dice che Passolesto vede Gandalf e Odo sulla strada a est di Bree il mercoledì, ovvero dopo esser passati per il villaggio; la seconda colloca l'incontro il giorno precedente, il martedì sera, prima di raggiungere Bree. Pertanto Frodo, nel passaggio seguente, calcola che Gandalf sia arrivato a Criconca "lunedì, dopo che loro erano partiti", dal momento che Bree era a un giorno di cavallo dal Ponte Brandivino. La pioggia del martedì da cui Passolesto si stava riparando era la stessa caduta durante il secondo giorno passato dagli hobbit nella casa di Tom Bombadil. Il testo continua:

"Ed ecco che arrivano uno hobbit e tre amici dalla Contea e, sebbene costui dica di essere un Colle, gli amici lo chiamano Frodo, e sembrano tutti sapere molto sui fatti di Gandalf e dei Baggins di Hobbiton. Quando è così facile, so fare due più due. Ma non ti angustiare, terrò la risposta per me. Forse, il signor Baggins ha un motivo onesto per lasciarsi alle spalle il proprio nome. In tal caso, forse dovrei avvisarlo di rammentare che ci sono altri oltre a Passolesto in grado di fare conti facili e non tutti costoro sono degni di fiducia."

"Sono in debito con te," disse Frodo, assai sollevato. Ad ogni modo, ecco che vi erano notizie di Gandalf; e anche di Odo, a quanto pareva. Gandalf doveva essere giunto a Criconca il lunedì, dopo che loro erano partiti. Ma Frodo nutriva ancora sospetti nei confronti di Passolesto ed era deciso a far finta che la faccenda non avesse particolare importanza. "Non mi sono lasciato alle spalle il mio nome, come hai detto tu," disse in tono secco. "In questa locanda mi facevo chiamare Colle solo per evitare domande inutili. Il signor Farfaraccio ha già così abbastanza di cui parlare. Non capisco come qualcuno potrebbe indovinare il mio vero nome da quello che è successo, a meno che non avesse la tua abilità a origliare. E non capisco nemmeno quale particolare interesse abbia il mio nome per qualcuno a Bree, o per te, del resto."

Passolesto rise di lui. "Ah, no?" disse in tono cupo. "Ma origliare, come lo chiami tu, non è una cosa sconosciuta a Bree. E poi, non ti ho ancora detto tutto di me."

In quel momento fu interrotto perché bussarono alla porta. Il signor Barnabasso Farfaraccio era lì, con un vassoio di candele, e Nob al codazzo con delle taniche di acqua calda. "Sono venuto ad augurarvi la buonanotte," disse l'oste, mettendo le candele sul tavolo. "Nob! Porta l'acqua nelle stanze!" Entrò e chiuse l'uscio. "Le cose stanno così, signor... ehm... Colle" esordì. "Mi è stato domandato più volte di tenere gli occhi aperti per una combriccola di quattro hobbit e cinque cavallini. Salve, Passolesto, anche voi da queste parti?"

"Va tutto bene," disse Frodo. "Di' ciò che vuoi! Passolesto ha il mio benestare qui." Passolesto sogghignò.

"Insomma," riprese Farfaraccio, "le cose stanno così: un paio di giorni fa, sì, era martedì sul tardi, proprio mentre stavo per chiudere, una scampanellata è arrivata dalla corte. E chi mai doveva esserci alla porta se non il vecchio Gandalf, se sai che intendo! Era tutto fradicio... aveva piovuto a dirotto tutto il giorno. Con lui c'erano uno hobbit e un cavallo bianco... la povera bestia era molto stanca, perché a quanto pare se li era portati in groppa per un bel pezzo. 'Perdonami, Gandalf!' dico. 'Che ci fai fuori con questo tempo a quest'ora della notte? E chi è il tuo piccolo amico?' Ma lui mi strizza l'occhio e non risponde. 'Bevande bollenti e letti caldi!' ha detto con voce roca e ha salito a fatica i gradini.

"Più tardi mi ha mandato a chiamare. 'Farfaraccio,' ha detto. 'Sono in cerca di alcuni amici, quattro hobbit. Uno è un piccoletto panciuto dalle guance rosse,' chiedo venia, 'e gli altri semplici giovani hobbit. Dovrebbero avere con sé cinque cavallini e un bel po' di bagagli. Tu li hai visti? Dovevano passare oggi per Bree,[6] a meno che non si siano fermati qui.'

"Pareva assai contrariato quando gli ho detto che al *Cavallino* non c'era alcuna compagnia del genere e che, per quanto ne sapevo, nessuno era passato di qui. 'Brutta notizia, questa!' ha detto, tirandosi la barba. 'Faresti un paio di cose per me? Se il gruppetto si presenta, dagli questo messaggio: *Sbrigatevi! Gandalf è davanti a voi.* Solo questo. Non scordarlo, è importante! E se chiunque – chiunque, bada bene, per quanto strano sia – chiede di uno hobbit chiamato Baggins, digli che Baggins si è diretto a est con Gandalf. Non scordare neanche questo e ti sarò riconoscente.'" L'oste fece una pausa e guardò fisso Frodo.

"Grazie mille!" disse Frodo, pensando che il signor Farfaraccio avesse finito, e fu sollevato nello scoprire che la sua storia era all'incirca la stessa di Passolesto, e non più preoccupante. Tuttavia rimase assai perplesso dalle enigmatiche parole su *Baggins*. Si domandò se Farfaraccio avesse capito male.

"Ah! Ma aspetti un attimo," disse l'oste, abbassando la voce. "Non è finita lì. Ed è questo a lasciarmi perplesso. Lunedì sera un tipaccio grosso e nero è arrivato su un grande cavallo nero, e tutti ne parlavano. Quando quello ha attraversato il villaggio, i cani si sono messi a uggiolare e le oche a starnazzare. Ma ho sentito dire, più tardi, che tre di questi cavalieri sono stati visti procedere lungo la Strada verso Conca, anche se non saprei dire donde provenissero gli altri due.

"Gandalf e il suo piccolo amico Baggins se ne sono andati ieri, dopo aver dormito fino a tardi, verso metà mattinata. La sera, poco prima della chiusura del cancello, sono entrati di nuovo i tizi neri, o altri che come loro erano notte e buio. "Uomo Nero alla porta!" ha gridato Nob venendo a prendermi coi capelli dritti sulla zucca. Eccome se c'era, ma non uno e nemmeno tre, erano quattro! Uno se ne stava in groppa nella penombra col suo grosso cavallo nero vicino alla porta di casa mia. Tutto cappuccio e mantello. Si è chinato e mi ha parlato, e ho pensato che avesse una voce gelida. E pensate un po'? Chiedeva notizie *di quattro hobbit* che viaggiavano a est dalla Contea![7]

"Non mi piaceva né di aspetto né per come parlava e ho tagliato corto. 'Gruppetti del genere non ne ho visti,' ho detto, 'ed è improbabile che li veda. E cosa vorreste da loro o da me?' A quel punto ha sospirato e m'ha fatto rabbrividire. 'Vogliamo loro notizie. Cerchiamo *Baggins*,' ha detto, sibilando il nome come un serpente. 'Baggins è con loro. Se arriva, ce lo dirai e noi ti ricompenseremo con dell'oro. Se non ce lo dirai, ti ripagheremo... con altro.'

"'Baggins!' ho detto io. 'Non è con loro. Se cercate uno hobbit con quel nome, è partito stamattina diretto a est con Gandalf.'

"A quel nome ha tirato un sospiro e si è drizzato a sedere. Poi si è chinato di nuovo verso di me. 'È la verità?' ha detto, molto severo e quieto. 'Non ci mentire!'

"Tremavo come una foglia, ve lo confesso, ma ho risposto con la maggiore audacia che potevo: 'Certo che è la verità! Conosco Gandalf, e lui e il suo amico erano qui ieri sera, ve lo assicuro.' Poi i quattro hanno fatto voltare i cavalli e hanno cavalcato nell'oscurità senza aggiungere altro.

"Ora, signor Colle, cosa ne pensa di tutto questo? Spero di aver fatto bene. Non fosse stato per gli ordini di Gandalf, non avrei mai dato loro notizie sui Baggins, né su nessun altro. Quei Cavalieri Neri non portano nulla di buono a nessuno, lo so per certo."

"Sei stato molto bravo, per quanto mi risulta" disse Frodo. "Da quel che ne so di Gandalf, di solito è meglio fare quello che chiede."

"Sì," disse l'oste, "ma sono perplesso lo stesso. Quegli Uomini Neri come sono arrivati a pensare che Baggins fosse uno del gruppo? E devo dire che, da quello che ho sentito e visto stasera, mi chiedo se forse non avessero ragione. Ma Baggins o meno, vi do volentieri tutto l'aiuto che posso dare a un amico del vecchio Tom, e di Gandalf."

"Vi sono molto grato," disse Frodo. "Mi spiace non potervi raccontare tutta la storia, signor Farfaraccio. Sono molto stanco e preoccupato. Ma se volete saperlo, io *sono* Frodo Baggins. Non ho idea di cosa intendesse Gandalf dicendo che Baggins era andato a est insieme a lui; perché penso che il nome dello hobbit fosse Bolger. Ma questi... ehm... Cavalieri Neri ci danno la caccia e siamo in pericolo. Vi sono molto grato per il vostro aiuto, ma spero che non finirete nei guai a causa nostra. Spero che questi immondi Cavalieri non si facciano più vivi."

"Spero proprio di no," disse Farfaraccio con un brivido.

"Se capita, non dovete rischiare per me. Sono pericolosi. Una volta che saremo lontani, grandi danni non ci farà se direte loro che un gruppo di quattro hobbit è passato da Bree. Buonanotte, signor Farfaraccio! Grazie ancora per la vostra bontà. Un giorno forse Gandalf vi dirà di cosa si tratta."

"Buonanotte, signor Baggins... signor Colle, direi! Buonanotte, signor Took! Perdonatemi... dov'è il signor Brandaino?"

"Non so," disse Folco, "ma immagino sia fuori. Diceva qualcosa riguardo all'andare a prendere una boccata d'aria. Dovrebbe arrivare fra poco."

"Molto bene!" disse il signor Farfaraccio. "Farò in modo che non lo chiudano fuori. Buonanotte a tutti!" Lanciò uno sguardo perplesso a Passolesto, scosse la testa, uscì e i passi si smorzarono nel corridoio.

"Ci risiamo!" disse Passolesto prima che Frodo avesse modo di parlare. "Tu ti fidi troppo! Che motivo c'era di raccontare al vecchio Barnabasso tutta quella cosa che siete braccati... e perché gli hai detto che l'altro hobbit era un Bolger?"

"Non è un tipo a posto?" chiese Frodo. "Tom Bombadil ha detto di sì e Gandalf pare fidarsi di lui."

"A posto?" urlò Passolesto, alzando le braccia. "Sì, è a posto, più a posto di una casa. Ma perché dargli da scervellarsi più del necessario? E perché interferire con il piano di Gandalf? Non sei molto sveglio, altrimenti avresti capito subito che Gandalf voleva *far credere* che lo hobbit insieme a lui fosse un Baggins... proprio per dare a te maggiori possibilità, se fossi stato ancora indietro. E io? Sono a posto? Non ne sei certo (lo so), eppure parli con Farfaraccio davanti a me! Comunque, ora so tutto quello che aveva da dire; almeno tagliamo corto su quello che avevo ancora da dire a te, che riguarda soprattutto quei Cavalieri Neri, come li chiami tu. Li ho visti coi miei occhi. Da lunedì sono passate per Bree sette persone in tutto. Ora smetterai di fingere di non capire che interesse può suscitare il tuo vero nome. C'è una ricompensa per chiunque dica di aver visto gli hobbit e che uno di questi forse è un Baggins."

"Sì, sì," disse Frodo. "Capisco tutto. Ma già sapevo che mi davano la caccia, e almeno fino adesso sembra li abbiano indirizzati su una pista sbagliata."

"Non sarei troppo sicuro che se ne siano andati tutti," disse Passolesto, "o che siano tutti davanti a voi a inseguire Gandalf. Sono astuti e dividono le forze. Posso ancora dirti alcune cose che non hai sentito da Farfaraccio. Ho visto un Cavaliere lunedì sera, per la prima volta, a est di Bree mentre arrivavo dalle terre selvagge. Ci ho quasi sbattuto contro, correndo al buio lungo la Strada. Gli ho urlato dietro un insulto, perché m'aveva quasi tirato sotto; e quello s'è fermato ed è tornato indietro. Io sono rimasto immobile, senza fare un fiato, ma un passo alla volta si è avvicinato a cavallo verso di me. Quando è stato abbastanza vicino, si è chinato e ha annusato. Poi ha emesso un sibilo, ha girato il cavallo e se n'è andato.[8] Ieri ho visto i quattro che sono venuti in questa locanda. La scorsa notte ero di vedetta. Ero sdraiato su un argine sotto la siepe del giardino di Bill Felcioso e l'ho sentito parlare. È un tipo scontroso e ha una cattiva reputazione nella terra di Bree, ed è risaputo che di tanto in tanto qualche tizio strano venga a fargli visita. Forse l'avrete notato tra i presenti: un tipo scuro con un'aria corrucciata. Stasera era intimo con Harry Caprifoglio, il custode del cancello orientale (un vecchio burbero e meschino); e con uno degli stranieri del sud. Se la sono svignata assieme dopo la tua canzone e l'incidente. Non mi fido di Felcioso. Venderebbe *qualsiasi cosa* a *chiunque*, se capisci che intendo."

"Non ti capisco," disse Frodo.

"Be', non lo dirò in modo più chiaro," disse Passolesto. "Mi domando solo se queste inusuali visite di strani viaggiatori lungo la Viaverde e la comparsa dei cavalieri alla caccia siano dovuti a un semplice caso. Magari entrambi cercavano la stessa cosa... o persona. Comunque, ieri sera ho sentito parlare Bill Felcioso. Conosco la sua voce, anche se non sono riuscito ad afferrare tutto quello che diceva. L'altra voce sussurrava o sibilava. E questo è tutto ciò che ho da dirti. Sulla mia ricompensa, fa' ciò che vuoi.

Ma per quanto riguarda venire con voi, ti dico questo: io conosco tutte le terre tra la Contea e i Monti Brumosi, perché le ho battute molte volte in vita... e ora sono più vecchio di quanto sembri. Potrei rivelarmi utile. Dopo stasera dovrai lasciare la Strada perché, se vuoi il mio parere, direi che quei Cavalieri la pattugliano e sono ancora in cerca del vostro gruppo. Non credo tu voglia incontrarli. Io no! Mi fanno venire i brividi!" concluse di colpo con un sussulto.

Gli altri lo guardarono e con stupore videro che aveva il viso sepolto tra le mani e il cappuccio abbassato. La stanza era immersa nella quiete e nel silenzio, e la luce sembrava essersi affievolita.

"Ecco!" urlò dopo un attimo, gettando indietro il cappuccio e scostando i capelli dal viso. "Forse ne so più di voi sui vostri inseguitori. Non li temete abbastanza, ancora. Ma mi sembra fin troppo probabile che la notizia riguardante voi li raggiunga prima che la notte sia finita. Domani dovete fuggire in fretta e in segreto, se riuscite. Passolesto è in grado di condurvi per sentieri assai poco battuti. Glielo farete fare?"

Frodo non rispose. Guardò Passolesto: torvo e selvatico e vestito rozzamente. Difficile sapere cosa fare. Non dubitava che la maggior parte della sua storia fosse vera; ma era meno facile sentirsi sicuri della sua buona fede. Perché aveva tutto quell'interesse? Aveva uno sguardo cupo, eppure c'era qualcosa in lui che pareva amichevole e persino stranamente attraente. E il modo di parlare era cambiato intanto che parlava, dai toni inconsueti degli Estranei a qualcosa di più familiare, qualcosa che a Frodo ricordava forse qualcuno.[9] Il silenzio cresceva e non riusciva ancora a decidersi.

"Be', io sto con Passolesto, in caso ti servisse una mano a decidere," disse Folco all'improvviso. "Comunque, m'azzardo a dire che potrebbe seguirci ovunque andassimo, anche se ci rifiutassimo."

"Grazie!" disse Passolesto, sorridendo a Folco. "Potrei, e dovrei, perché lo ritengo un dovere. Ma ecco una lettera che ho per te: credo proprio che ti aiuterà a decidere."

Con grande stupore di Frodo, prese da una tasca una piccola lettera sigillata e gliela porse. Sull'esterno era scritto *Per F da G* ᚷ.

"Leggi!" disse Passolesto.

Qui il capitolo si chiude. Si noterà che in questa narrazione, nonostante le differenze drastiche in quello che comunicano Passolesto e Farfaraccio, la forma originale della storia (nella versione "A", ma vedi nota 8) era ancora seguita fedelmente.

Il manoscritto di questo capitolo subì in seguito modifiche assai complesse, con lunghi inserimenti e cancellature, poiché mio padre adoperò il testo originale per due sviluppi distinti, che comportarono entrambi grossi cambiamenti strutturali. Una la chiamava la versione "rossa", contrassegnata e con le pagine numerate in rosso, l'altra "blu"; quindi un allegato su una striscia di carta inserita porta il numero "allegato a IX.3(g) = rosso IX.9 =blu IX.4"! Le correlazioni si possono trovare in maniera soddisfacente. La versione "blu" è la successiva e si esaurisce verso la fine. Questa rappresenta una trama più recente, in cui sono eliminati tutti i riferimenti alla visita di Gandalf e di Odo al *Cavallino Inalberato*. La versione "rossa", d'altra parte, è forse contemporanea o quasi al testo primario; è scritta con cura (le modifiche della versione "blu" sono assai più grossolane) e racconta la stessa storia di Gandalf e Odo, ma in modo diverso. Riprende la fine della descrizione di Bree e inizia con l'arrivo di Gandalf laggiù insieme a Odo, ora raccontato direttamente e non nella narrazione farfaracciana.

Martedì fu una giornata di pioggia battente. La notte era calata da qualche ora e non smetteva di diluviare. L'oscurità era tanto fitta che si udivano soltanto il rumore ribollente dello scroscio e il mormorio dei fiumi in piena che scorrevano giù per la collina, e lo scalpicciamento degli zoccoli che sguazzavano sulla Strada. Un cavallo risaliva lento il lungo pendio verso il villaggio di Bree.

D'improvviso si profilò un grande cancello: s'estendeva lungo tutta la Strada da un robusto stipite all'altro, ed era chiuso. Dietro, si trovava una piccola casa, buia e grigia. Il cavallo si fermò con il naso sopra la sbarra superiore del cancello e il cavaliere, un vecchio, smontò rigido e sollevò per far scendere una figura minuta che stava su un cuscinetto dietro di lui. Il vecchio picchiò sul cancello, e già aveva cominciato a scavalcarlo quando la porta di casa si aprì e uscì un uomo con una lanterna, che borbottava e brontolava.

"Bella notte per picchiare sul cancello e buttare un vecchio giù dal letto!" disse.

"E bella notte per starsene fuori, fradicio e infreddolito, e dalla parte sbagliata di un cancello!" rispose il cavaliere. "Su, Harry! Sbrigati ad aprire!"

"Perdonami!" gridò il guardiano, tenendo alta la lanterna. "Sei Gandalf... dovevo immaginarmelo. È sempre impossibile sapere quando ti rifarai vivo." Aprì adagio il cancello e osservò stupito la minuta figura inzaccherata al fianco di Gandalf.

"Grazie!" disse Gandalf, conducendo avanti il cavallo. "Lui è un amico, uno hobbit della Contea. Ne hai visti altri lungo la Strada? Dovrebbero essercene quattro più avanti, un gruppetto su cavallini."

"Da quando sono qui, non ho visto alcun gruppetto del genere" disse Harry. "*Magari* è capitato entro mezzogiorno, perché io ero a Stabbiolo e qui c'era mio fratello. Ma non ho sentito nulla. Non che teniamo d'occhio la Strada tra l'alba e il tramonto, quando il cancello è aperto. Credo dovremmo stare più attenti."

"Perché?" chiese Gandalf. "Avete visto gente strana in giro?"

"Ci puoi giurare! Gente strana e potente. Uomini neri a cavallo... e molti stranieri del Sud arrivati dalla Viaverde al crepuscolo. Ma se vai al *Cavallino*, mi muoverei prima che chiudano. Lì sentirai tutte le novità. Ora torno a letto, e ti auguro una buona notte." Chiuse il cancello ed entrò.

"Buonanotte!" disse Gandalf, e proseguì verso il villaggio, conducendo il cavallo. Lo hobbit gli procedette accanto con passo incerto.

Sopra l'ingresso della locanda, una lampada riluceva ancora, ma la porta era chiusa. Gandalf suonò il campanello del cortile e, dopo un po', un uomo alto e grasso, in maniche di camicia e con le pantofole ai piedi, aprì la porta di uno spiraglio e sbirciò fuori.

"Buonasera, Farfaraccio!" disse il mago. "Hai posto per un vecchio amico?"

"Santo cielo, se non sono stati tutti spazzati via dalla pioggia!" gridò l'oste. "Gandalf! E tu cosa ci fai fuori con questo tempo e a quest'ora della notte? E chi è il tuo piccolo amico?"

Gandalf gli strizzò l'occhio. "Bevande bollenti e letti caldi... ecco cosa vogliamo, e non troppe domande," disse, e salì i gradini a passo pesante.

"E il cavallo?" chiese l'oste.

"Dategli il meglio che avete!" rispose Gandalf. "E se Bob si lamenta di essersi alzato di nuovo a quest'ora, ditegli che la bestia se lo merita: Narothal[10] ci ha portato entrambi in groppa, veloci e lontano. Ripagherò Bob domattina, secondo quanto il mio cavallo mi dirà!"

Un po' più tardi il mago e il compagno sedevano alle braci calde di un fuoco nella stanza del signor Farfaraccio, a scaldarsi e asciugarsi, bevendo birra brulè. L'oste entrò a dire che la stanza per loro era pronta.

"Fate con calma," disse, "ma quando sarete pronti, io me ne andrò a letto. Oggi è passato un insolito numero di viaggiatori, più di quanti ne ricordassi da anni, e sono stanco."

"Qualche hobbit tra loro?" chiese Gandalf. "Io ne cerco quattro, un amico della Contea e tre compagni." Descrisse Frodo con cura, ma non gli rivelò il nome. "Dovrebbero avere con sé cinque cavallini e una discreta quantità di bagagli... e dovevano arrivare a Bree oggi. Harry non li ha visti, ma speravo fossero entrati senza che se ne accorgesse."

"No," disse l'oste, "di gruppetti del genere ne avrebbe sentito parlare anche Harry, per quanto ottuso e brontolone sia. A oggi non vengono molti Estranei dalla Contea a Bree. Al *Cavallino* non abbiamo alcun gruppetto simile, e per quanto ne so non ce n'era lungo la Strada."

"Brutta notizia, questa!" disse Gandalf, tirandosi la barba. "Chissà dove sono finiti!"[11] Rimase in silenzio per un momento. "Ascolta, Farfaraccio!" continuò. "Tu e io siamo vecchi amici. Occhi e orecchie ce l'hai, e sebbene tu dica molto, sai cosa evitare di dire. Io voglio mantenere una certa riservatezza intanto che sono qui, e mi farebbe piacere non vedere altra gente, oltre a te e Bob. Non dire a nessuno che ti ho chiesto di quel gruppetto! Ma tieni gli occhi aperti e, se arrivano dopo la mia partenza, dagli questo messaggio: *Sbrigatevi! Gandalf è davanti a voi.* Solo questo. Non scordarlo, è importante! E se chiunque – chiunque, bada bene, per quanto strano sia – chiede di uno hobbit chiamato *Baggins*, digli che Baggins si è diretto a est con Gandalf. Non scordare neanche questo e ti sarò riconoscente!"

"D'accordo!" disse il signor Farfaraccio. "Spero di non scordarlo, anche se una cosa scaccia l'altra, quando sono occupato con gli ospiti in casa. Baggins, hai detto? Aspetta... ricordo quel nome. In quelle strane storie che raccontavano nella Contea non c'era forse un Bilbo Baggins? Mio padre diceva che era stato qui più di una volta. Ma il tuo amico non è lui... è scomparso in una qualche bizzarra maniera quasi vent'anni fa, svanito di botto mentre parlava, o almeno così ho sentito. Non che io creda a tutte le storie che arrivano da Occidente."

"Non ce n'è bisogno," disse Gandalf, ridendo. "Comunque, il mio giovane amico qui presente non è il vecchio Bilbo Baggins. Sono solo parenti."

"Giusto!" disse lo hobbit. "Solo parenti, un cugino, per la verità."

"Capisco," disse l'oste. "Be', va a tuo credito. Bilbo era un brav'uomo, e per giunta ricco quanto un re, se metà di quello che ho sentito è vero. Gandalf, riferirò i tuoi messaggi, se capita l'occasione... e non farò domande, per quanto mi suoni strano. Ma tu sai il fatto tuo e molte volte mi hai reso buon servigio."

"Grazie, Barnabasso!" disse Gandalf. "E ora te ne renderò un altro... ti lascio andare subito a letto." Si scolò il boccale e si alzò. L'oste spense le luci e, con una candela in ciascuna mano, li condusse nella loro stanza.

Al mattino Gandalf e il suo amico si alzarono tardi. Fecero colazione in una stanza privata e non parlarono con nessuno eccetto che con il signor Barnabasso Farfaraccio. Erano quasi le undici prima che Gandalf chiamasse per regolare i conti, e per il suo cavallo.

"Di' a Bob di portarlo sul sentiero e di aspettarmi vicino alla Viaverde," disse. "Stamattina non me ne andrò lungo la Strada per farmi guardare a bocca aperta."

Si congedò dall'oste da una porta secondaria. "Addio, amico mio," disse. "E non ti scordare i messaggi! Un giorno, forse, ti racconterò tutta la storia e ti ricompenserò con qualcosa di persino meglio di una buona notizia... sì, se l'intera faccenda non finirà male. Arrivederci!"

Si allontanò con lo hobbit lungo uno stretto viottolo che correva a nord della locanda, oltre il fossato attorno al villaggio e poi verso la Viaverde.[12] Bob lo stalliere attendeva fuori dai confini del villaggio. Il cavallo bianco riluceva, era ben strigliato e aveva un'aria davvero molto riposata, impaziente di affrontare un altro giorno di viaggio. Gandalf lo chiamò per nome, e Narothal[13] nitrì, alzò il capo e tornò al trotto dal padrone, strofinando il naso contro il suo viso.

"Un buon voto, Bob!" disse Gandalf, e diede allo stalliere una moneta d'argento. Montò, e Bob aiutò lo hobbit a salire su un cuscino dietro il mago, poi indietreggiò col berretto in mano, e un largo sorriso in volto.

"Vero, ragazzo mio!" rise Gandalf. "Sembriamo una strana coppia, direi. Ma non siamo buffi come sembriamo. Quando ce ne saremo andati, ricorda che ci siamo diretti a est, ma scordati che abbiamo preso questa strada. Capito? Arrivederci!" Partì e Bob rimase lì a grattarsi la testa.

"Che mi venga un colpo se questi non sono tempi strani," si disse. "Uomini neri che sbucano dal nulla, gente sulla Viaverde, e il vecchio Gandalf con uno hobbit sul cuscino di dietro e tutto il resto! A Bree le cose iniziano a muoversi! Ma bada bene Bob, ragazzo mio, il vecchio Gandalf ti può dare qualcosa che scotta più dell'argento."

La bella mattinata che era seguita alla pioggia lasciò poi il passo alle nubi e alla bruma. Quel giorno a Bree non accadde altro fino al calare della sera. Poi, dalla bruma quattro cavalieri attraversarono i portoni. Harry sbirciò attraverso una finestra e poi si allontanò di fretta. Pensò di uscire e chiudere il cancello, ma cambiò idea. I cavalieri erano avvolti e imbacuccati in abiti neri e montavano alti cavalli neri. Alcuni della medesima risma erano stati visti a Bree due giorni prima e circolavano storie assurde. Certi dicevano che non erano umani, e persino i cani ne erano spaventati. Harry chiuse a chiave la porta e restò tremante dietro di essa.

I cavalieri però si fermarono, uno smontò e andò a bussare alla porta. "Che vuoi?" urlò Harry da dentro.

"Vogliamo notizie!" sibilò una voce gelida dal buco della serratura.

"Di cosa?" rispose, rabbrividendo di paura.

"Notizie di quattro hobbit,[14] in sella a cavallini, arrivano dalla Contea. Sono passati di qui?"

Harry desiderava fosse così, perché in questo modo avrebbe accontentato i cavalieri, se avesse potuto dirgli *sì*. Quella voce gelida serbava minaccia e insistenza, ma non osò arrischiarsi a dire un *sì* fasullo. "Nossignore!" disse con voce tremula. "Nessuno hobbit in sella a cavallini è passato per Bree, ed è improbabile che capiti. Ieri sera però uno hobbit era in groppa a un cavallo bianco dietro un vecchio. Erano diretti al *Cavallino*."

"Sai come si chiamavano?" disse la voce.

"Il vecchio era Gandalf" disse Harry.

Dal buco della serratura giunse un sibilo e Harry indietreggiò, sentendo come se fosse stato toccato da qualcosa di gelido. "Ti ringraziamo," disse la voce. "Tieni gli occhi aperti per i quattro hobbit, se desideri ancora compiacerci. Torneremo."

Harry sentì gli zoccoli allontanarsi in direzione del villaggio. Aprì cheto la porta, poi sgattaiolò fuori e sbirciò lungo la strada. La nebbia era troppa e per vedere qualcosa era già troppo buio. Ma udì lo scalpito arrestarsi alla curva della Strada vicino alla locanda. Aspettò un po', poi chiuse adagio il cancello e girò la chiave. Era in procinto di tornare a casa, quando nell'aria brumosa sentì di nuovo gli zoccoli partire poco distante dalla locanda e smorzarsi dietro l'angolo, poi giù per la Strada verso est. Pensò che si stesse facendo molto freddo. Fu colto dai brividi e corse dentro, chiuse e sbarrò la porta.

Il mattino seguente, giovedì, il cielo era tornato sereno, con un sole caldo e il vento che soffiava verso Sud. Sul far della sera da Occidente giunsero a Bree una decina di nani, con pesanti zaini sulle spalle. Burberi, avevano poche parole per chiunque. Ma per la giornata intera nessun viaggiatore varcò il cancello occidentale. La notte calò e Harry chiuse il cancello, ma si diresse alla propria porta. Aveva timore della minaccia celata nella voce gelida, se si fosse perso qualcuno di quegli strani hobbit. Era buio e stelle bianche rilucevano quando Frodo e i suoi compagni arrivarono al crocevia della Viaverde e si avvicinarono al villaggio. Scoprirono che era circondato da un profondo fossato con una siepe e una recinzione sul lato interno. Correva attraverso tutta la Strada ed era sbarrata dal grande cancello. Dalla parte opposta videro una casa e un uomo che sedeva dinanzi alla porta. Questo balzò in piedi, andò a prendere una lanterna e, sorpreso, li guardò da sopra il cancello.

"Cosa volete e da dove venite?" chiese in tono burbero.

"Siamo diretti alla locanda," rispose Frodo. "Viaggiamo verso est e stasera non possiamo proseguire."

"Hobbit! Quattro hobbit! E per di più fuori dalla Contea, a giudicare dai loro discorsi," disse il guardiano sottovoce, quasi parlasse tra sé. Per un momento li fissò cupo, poi aprì adagio il cancello e li lasciò passare.

"Non vediamo spesso la gente della Contea cavalcare sulla strada di notte," continuò, quando si fermarono per un attimo di fronte alla sua porta. "Mi perdonerete se mi domando che affari vi portano a est di Bree."

"Sì," disse Frodo, "anche se a noi non sembra poi così fantastico. Questo però non mi sembra un bel posto per discutere dei nostri affari."

"Ah, gli affari sono senza dubbio vostri," disse il guardiano. "Ma forse scoprirete che ci sono altre persone oltre al vecchio Harry del cancello che vi rivolgeranno domande. Dovete vedere amici quaggiù?"

"Che intendi?" chiese Frodo, sorpreso. "Perché dovremmo?"

"E perché no? Molti si incontrano a Bree persino in questi giorni. Se andate al *Cavallino*, magari vi renderete conto di non essere gli unici ospiti." Frodo gli augurò la buonanotte e non rispose oltre, sebbene alla luce della lanterna vedesse che l'uomo era ancora lì a osservarli con una certa curiosità. Quando avanzarono, fu contento di sentire il cancello chiudersi sbattendo alle loro spalle. Si chiese cosa volesse dire quell'uomo con "vedere amici". Qualcuno aveva chiesto notizie di quattro hobbit? Gandalf, forse? Magari era passato quando loro si erano attardati nella Foresta e sui Poggi. Ma era più probabile che si trattasse di un Cavaliere Nero. Nello sguardo e nel tono di quel guardiano sentiva qualcosa che alimentava in lui grande sospetto.

Harry li guardò per un momento, poi andò alla porta. "Ned!" urlò. "Devo sbrigare degli affari al *Cavallino* e forse mi tratterrò per un poco. Resta al cancello finché non torno."

Da questo punto la "versione rossa" differisce dal primo testo solo nel molto ridimensionato racconto di Farfaraccio della visita di Gandalf rispetto alla forma data alle pp. 421-423.

[1] Le bozze riportano: "Pochi erano sopravvissuti ai tumulti dei Primi Giorni", espressione usata nella *Prefazione* (p. 410, nota 1), dove CdA presenta "Giorni Antichi"; la prima forma del passaggio recita: "Pochi erano sopravvissuti ai tumulti di quegli antichi e dimenticati giorni, e alle guerre di Elfi e Goblin.".

[2] *apprestò*: CdA presenta "propose di", ma si tratta di un errore emerso in fase di battitura a macchina.

[3] Mio padre scrisse "uno hobbit dall'aria strana e dal viso bruno", cancellò "hobbit" e poi lo riscrisse.

[4] In questa fase *Ferney* [Felcioso] è scritto in questo modo; *Ferny* nella versione originale e in CdA.

[5] La parola *correva* che si trova nella nota cancellata al secondo testo dell'attacco a Criconca ("Dietro di lui correva Odo...", p. 408) è alquanto sorprendente, dal momento che sembra priva di senso: se Odo doveva accompagnare Gandalf non c'era alcun motivo per cui non avrebbe dovuto stare dietro sul cuscino sin dall'inizio, e in ogni caso sarebbe presto rimasto molto indietro.

[6] Forse sorprende che Gandalf si aspettasse che Frodo e i suoi compagni fossero passati da Bree martedì, dal momento che sapeva da Odo che avevano lasciato la casa a Criconca il lunedì mattina e si erano addentrati nella Vecchia Foresta. Con ogni probabilità il momento del loro arrivo a Bree era ben più incerto che se avessero preso la Strada (interventi ostili a parte). Forse questo è rimasto dalla vecchia versione della storia: "Dovrebbero essere qui entro martedì", p. 194, quando Gandalf non aveva motivo di pensare che non avessero semplicemente percorso la Strada Est dal Ponte Brandivino. Vedi nota 11.

[7] Come facevano i Cavalieri a sapere che gli hobbit erano *quattro*? (Nelle vecchie varianti, pp. 196, 201, sapevano persino che i quattro hobbit avevano cinque cavallini.) Forse lo avevano dedotto: sapevano che tre erano arrivati al Traghetto di Borgodaino e lì un altro si erano unito a loro. Oltre a ciò, non sapevano nulla (il mercoledì sera in cui giunsero alla locanda) di Frodo e dei suoi compagni. A un certo punto mio padre cancellò la parola *quattro*; vedi nota 14.

[8] Questo episodio deriva dalla vecchia versione "B", p. 202; ma lì il Cavaliere interrogò Passolesto, che non rispose. Le relazioni tra le versioni sono:

Vecchia versione "A" (pp. 194-195)

(Lunedì) Un Cavaliere interroga Farfaraccio alla porta della locanda

(Martedì) Quattro Cavalieri arrivano alla porta della locanda e uno interroga Farfaraccio

Vecchia versione "B" (pp. 201-202)

(Lunedì) Un Cavaliere interroga Passolesto sulla Strada

(Martedì) Quattro Cavalieri incontrano Passolesto sulla Strada, e uno lo interroga

Versione attuale:

(Lunedì) Un Cavaliere arriva a Bree (p. 423) e incontra Passolesto sulla Strada a est di Bree senza parlare (p. 426)

(Mercoledì) Quattro Cavalieri arrivano alla porta della locanda, e uno interroga Farfaraccio (pp. 423-424); Passolesto li vede (p. 426).

Il cambiamento nel discorso di Passolesto osservato da Frodo, derivante dalla forma originale della storia (p. 198), è sopravvissuto in CdA (p. 182), sebbene il significato sia alquanto diverso: "credo che non siate in realtà quello che volete sembrare. Avete iniziato a parlarmi con l'accento di Bree, ma la voce è cambiata."

10 *Narothal* ("Pièdifuoco"), primo nome dato al cavallo bianco di Gandalf, fu sostituito in seguito a matita dalle proposte: "Mantochiaro, Mantoniveo", e a matita in margine "Piėdifuoco Arod? Aragorn", ma questi ultimi furono cancellati. In SdA *Arod* divenne il nome di un cavallo di Rohan.

11 Una nota a matita sul manoscritto recita: "Dato che Gandalf è stato a Criconca, deve sapere della Vecchia Foresta", ovvero Gandalf deve sapere da Odo che gli altri hobbit erano andati nella Vecchia Foresta. Nello stesso periodo, mio padre annotò a matita nel testo in questo punto: "Credevo che Tom Bombadil li tenesse fuori dai guai."

12 Questa stradina è segnata su una mappa abbozzata di Bree riportata a p. 418.

13 "Narothal" cambiato a matita in "Mantochiaro"; vedi nota 10.

14 *quattro hobbit*: vedi nota 7. In seguito mio padre cancellò *quattro* e scrisse: ***hobbit**, **tre o più***.

XXI
LA TERZA FASE (3): A SVETTAVENTO E VALFORRA

Il capitolo seguente, numerato X e intitolato "Sentieri impervi per Svettavento", è parte della forma base di "All'insegna del Cavallino Inalberato" e si pone in continuità con quest'ultimo. Tuttavia, inizia ripetendo quasi esattamente la fine di quel capitolo, da "Frodo non rispose" a "'Leggi!' disse Passolesto" (p. 427). Poi continua:

Frodo osservò con attenzione il sigillo prima di romperlo. Sembrava proprio quello di Gandalf, così come la scrittura e la runa ᚷ. Dentro c'era il seguente messaggio. Frodo lo lesse e poi lo ripeté ad alta voce a beneficio di Folco e Sam.

> *Il Cavallino Inalberato, mercoledì, 28 settembre. Caro F. Dove sei finito? Non sarai ancora nella Foresta, spero! Evitare il ritardo è stato impossibile, ma le spiegazioni devono attendere. Se mai riceverai questa lettera, io sarò davanti a voi. Sbrigatevi e non fermatevi da nessuna parte! Le cose sono peggiori di quanto pensassi e l'inseguimento è serrato. State attenti ai* cavalieri neri, *ed evitateli. Sono pericolosi, i vostri nemici peggiori. Non usare* Quello *di nuovo, per nessun motivo. Non muovetevi nell'oscurità. Cercate di raggiungermi. Non m'azzardo ad aspettarvi qui, ma mi fermerò in un posto noto al latore, e lì vigilerò in attesa. Affido questa mia a un forestale noto come Passolesto: uno hobbit scuro e alquanto magro, indossa zoccoli di legno. È un mio vecchio amico e sa molte cose. Potete fidarvi di lui. Vi condurrà al luogo prestabilito attraverso le lande selvagge. N.B. Odo* Baggins *è con me. Sbrigatevi! Tuo*
> ᚷ ᚨ ᚾ ᛞ ᚨ ᛚ ᚠ · ᚷ

Frodo guardò la calligrafia scorrevole, e pareva autentica come il sigillo. "È datata mercoledì e proviene da questa casa," disse. "Come l'hai avuta?"

"Ho incontrato Gandalf a un appuntamento vicino ad Archet," rispose Passolesto. "Non ha lasciato Bree prendendo la Strada, ha preso un sentiero secondario e ha girato intorno alla collina dall'altra parte."

"Be', Passolesto," disse Frodo dopo una pausa, "avresti facilitato le cose e risparmiato molto tempo e chiacchiere, se mi avessi dato subito questa lettera. Ma perché ti sei inventato tutta questa storia delle conversazioni origliate?"

"Non me la sono inventata," rise Passolesto. "Ho fatto prendere un bello spavento al vecchio Gandalf quando sono spuntato da dietro la siepe. Ma quando ha visto chi ero è stato molto contento. Ha detto che è stata la prima botta di fortuna che ha avuto da qualche tempo. Allora abbiamo deciso che io avrei aspettato qui in caso foste rimasti indietro, intanto che lui proseguiva e cercava di tirarsi dietro i Cavalieri. So tutto dei tuoi guai... compreso dell'Anello, se mi è consentito."

"Allora non ho altro da aggiungere," disse Frodo, "tranne che sono felice di averti trovato. Mi rincresce di essere stato inutilmente sospettoso."

La conversazione procede in maniera assai simile alla storia originale (p. 199), fino allo "zittirsi" di Folco (Odo) di fronte all'opinione che Passolesto ha di lui.[1] Poi continua:

"Moriremo tutti, tosti o no, a meno che non ci capiti uno strano colpo di fortuna, per quanto ne so," disse Frodo. "Non capisco per quale motivo tu voglia immischiarti nei nostri guai, Passolesto."

"Una delle ragioni è perché Gandalf mi hai chiesto di aiutarvi," rispose sottovoce.

"Allora cosa ci consigli?" chiese Frodo. "Non comprendo bene questa lettera: *non fermatevi da nessuna parte,* e anche *non muovetevi nell'oscurità.* È sicuro fermarsi qui fino al mattino?" Frodo guardò il fuoco rassicurante e la fioca luce delle candele nella stanza, e sospirò.

"No, probabilmente sicuro non è, ma sarebbe molto più pericoloso partire di notte. Dunque dobbiamo aspettare il giorno e sperare in bene. Ma è meglio partire presto... la strada per Svettavento è lunga."

"Svettavento?" disse Folco. "Dov'è e cos'è?"

"Il *luogo prestabilito* menzionato nella lettera," rispose Passolesto. "È una collina, appena a nord della Strada, da qualche parte a metà strada da qui in direzione di Valforra.[2] Offre una vista molto ampia tutt'intorno. Ma sarete quasi due giorni dietro Gandalf e dovrete sbrigarvi altrimenti non lo troverete laggiù."

"Allora andiamo a dormire ora, che di notte ancora ne resta un po'!" disse Folco, sbadigliando. "E dov'è quello sciocco di Merry? Andare a cercarlo adesso sarebbe troppo."

La storia di Merry del Cavaliere Nero visto fuori dalla locanda e seguito differisce nel fatto che, mentre nella versione originale (pp. 207-208) il Cavaliere attraversò il villaggio da ovest a est e si fermò alla casa (alla buca) di Bill Felcioso, qui:

"Veniva *da* est," proseguì Merry. "L'ho seguito lungo la Strada fin quasi al cancello. Lì s'è fermato, alla casa del custode, e mi è sembrato di sentirlo parlare con qualcuno. Ho provato a strisciare di soppiatto, ma non mi sono azzardato ad avvicinarmi. A dire il vero, temo di aver iniziato a tremare come una foglia e poi sono tornato di corsa qui."

"Che dobbiamo fare?" disse Frodo, rivolgendosi a Passolesto.

"Non andate nelle vostre stanze!" rispose subito. "Questa cosa non mi piace affatto. Harry Caprifoglio era qui stasera e se n'è andato con Bill Felcioso. È molto probabile che abbiano scoperto in che camere siete."

Mentre nel resto del capitolo si trovano sviluppi nei dettagli verso il testo di CdA (da p. 189, la fine del capitolo 10, "Passolungo", a p. 206, nello svolgimento del capitolo 11, "Un coltello nel buio"), la narrazione di questa versione della terza fase segue fedelmente l'originale (pp. 208-219) in quasi tutti i punti in cui differiva da CdA, e termina nello stesso punto.

Ora è Passolesto a fare la testa di Frodo nel letto con un tappeto. Si dice espressamente che il cavallino sia di Bill Felcioso, e viene descritto come "un animale pelle e ossa, alquanto denutrito e afflitto". Attorno alla casa di Felcioso c'erano due uomini a guardare oltre la siepe: Felcioso stesso e "uno del sud con la faccia giallastra, e uno sguardo infido e quasi da goblin nei suoi occhi a mandorla". Quest'ultimo non viene identificato con quello "strabico venuto dal sud" che lasciò la locanda la sera precedente con Felcioso e il guardiano (p. 426). Nella vecchia storia (p. 224) c'era soltanto Bill Felcioso, che Bingo considerava "goblinesco". È ancora Passolesto ad avere le mele e a colpire Felcioso sul naso con una di queste. Archet, Conca e Stabbiolo sono citati come in CdA (p. 197), in linea con quanto detto di loro nella descrizione della Breelandia all'inizio del capitolo IX (p. 415), e il piano di Passolesto è dirigersi verso Archet e passarlo a est (vedi p. 212 e nota 21).

Le luci nel cielo orientale viste dai viaggiatori provenienti dalle Chiane Moscerine non compaiono finché l'intera storia dei movimenti di Gandalf fino a qui non è stata modificata. Passolesto risponde alla domanda di Frodo "Ma come, non speravamo d'incontrarci Gandalf?" (CdA, p. 201; versione originale, p. 214) così:

"Sì, ma le mie speranze sono alquanto vaghe. Quattro giorni sono passati da quando abbiamo lasciato Bree, e se Gandalf è riuscito ad arrivare a Svettavento senza che gli siano stati troppo alle calcagna, dovrebbe essere arrivato almeno due giorni fa. Dubito che si sia azzardato ad aspettare tanto a lungo, per la mera possibilità che tu lo seguissi: non sa con certezza che gli sei dietro o che hai ricevuto i suoi messaggi..."

Dice ancora: "Ci sono persino alcuni tra i Forestali che potrebbero spiarci di lassù in una giornata limpida, se ci muovessimo. E non c'è da fidarsi di tutti i Forestali..."

La cronologia è la seguente (vedi p. 223):

Mercoledì	28	settembre	Gandalf e Odo lasciarono Bree
Giovedì	29	settembre	Frodo e i suoi compagni raggiunsero Bree

Venerdì	30	settembre	Passolesto, Frodo e compagni lasciarono Bree; notte a Bosco Chet
Sabato	1°	ottobre	Notte a Bosco Chet
Domenica	2	ottobre	Primo giorno e accampamento nelle paludi
Lunedì	3	ottobre	Secondo giorno e accampamento nelle paludi
Martedì	4	ottobre	Abbandono delle paludi. Accampamento lungo il ruscello sotto gli ontani

Quel giorno Passolesto stimò che Gandalf, se aveva raggiunto Svettavento, doveva essere arrivato "almeno due giorni fa", ovvero domenica 2 ottobre, il che prevede fino a quattro giorni e quattro notti per il viaggio da Bree in sella al cavallo.

Nella versione originale raggiunsero Svettavento il 5 ottobre, mentre in CdA si accamparono quella notte ai piedi delle colline (vedi p. 223). Nel presente testo mio padre conservò la storia originaria, ma poi la cambiò in quella di CdA:

A notte avevano raggiunto le pendici delle colline, e lì si accamparono. Era la notte del cinque ottobre ed erano partiti da Bree sei giorni prima. Al mattino trovarono, per la prima volta da quando avevano lasciato Breelandia [> Bosco Chet], una pista chiaramente visibile.

A breve si vedrà che questa modifica fu apportata prima che il capitolo fosse concluso. Il passaggio che segue la domanda di Folco "Ci sono tumuli a Svettavento?" (CdA, p. 202) rimane esattamente come nel testo originale (p. 216), con *Elendil* al posto di *Valandil*, e quando giungono in vetta tutto rimane uguale, con la necessaria modifica di "Non posso biasimare Gandalf se non ci ha aspettato! Avrebbe dovuto lasciare il carro, i cavalli, e la maggior parte dei suoi compagni, suppongo, giù presso la strada" in "Non posso biasimare Gandalf per non averci aspettato a lungo, se mai è stato qui". Ma il pezzo di carta che sventola dal tumulo reca un messaggio diverso (vedi p. 218):

Mercoledì 5 ottobre. Cattive notizie. Siamo arrivati lunedì sul tardi. Odo è scomparso ieri notte. Devo andare subito a Valforra. Dirigiti lesto al Guado oltre il bosco dei Troll, ma fa' attenzione. I nemici potrebbero essere di guardia. G ᛝ[3]

"Odo!" gridò Merry. "Questo significa che i Cavalieri l'hanno preso? Che disgrazia!"

"Il nostro perdersi Gandalf si è rivelato un gran disastro," disse Frodo. "Povero Odo! Immagino che questo sia il risultato di fingersi un Baggins. Se solo fossimo stati tutti insieme!"

"Lunedì!" disse Passolesto. "Allora sono arrivati quando eravamo nelle paludi e Gandalf non se n'è andato finché non eravamo già prossimi alle colline. È impossibile che abbiano scorto i nostri piccoli falò lunedì o martedì. Mi chiedo cosa sia successo qui quella notte. Comunque non è nulla di buono. Non possiamo fare altro che dirigerci a Valforra come meglio possiamo."[4]

"Quanto dista Valforra?" domandò Frodo, guardandosi stancamente intorno. Da Svettavento il mondo sembrava selvaggio e vasto.

Da questo punto il testo segue quasi esattamente la vecchia versione (pp. 218-219) con la forma rivista della risposta di Passolesto riguardante la distanza da Valforra, p. 218, fino alla fine del capitolo, con Passolesto, Frodo e Merry che scendono dalla cima di Svettavento per trovare Sam e Folco nella valletta (punto in cui terminava anche il capitolo VII originale).

Dal momento che Gandalf e Odo lasciarono Bree la mattina di mercoledì 28 settembre ma non raggiunsero Svettavento fino a lunedì 3 ottobre, impiegarono più tempo di quanto Passolesto avesse stimato (p. 441): quasi sei giorni a cavallo, mentre Passolesto afferma (in questo testo come nel vecchio, pp. 218-219) che "un povero forestale a piedi" ci avrebbe messo circa una settimana da Bree a Svettavento (nel passaggio scartato del vecchio testo, p. 218, Passolesto diceva che lungo la Strada aveva contato "circa 120 miglia"). Le parole di Passolesto "Mi chiedo cosa sia successo qui quella notte", in riferimento alla notte in cui Odo scomparve (martedì 4 ottobre), mostrano che l'accampamento notturno ai piedi delle colline il 5 ottobre era entrato nella narrazione, e che in quel momento era giovedì 6 ottobre, perché non direbbe "quella notte" se intendesse "ieri sera". La cronologia riportata alle pp. 440-441 può essere quindi completata in questo modo in relazione a questa fase di sviluppo:

Lunedì	3	ottobre	Secondo giorno e accampamento nelle paludi. Gandalf e Odo raggiungono tardi Svettavento.
Martedì	4	ottobre	Partenza dalle paludi. Accampamento lungo il ruscello sotto gli ontani. Odo scompare da Svettavento la notte.
Mercoledì	5	ottobre	Accampamento ai piedi delle colline. Gandalf lascia Svettavento.
Giovedì	6	ottobre	Passolesto, Frodo e compagni raggiungono Svettavento.

***

Il capitolo successivo, numerato XI ma privo di titolo,[5] inizia con un racconto di quello che avevano combinato Sam e Folco (CdA, p. 206), da cui inizia il corrispondente capitolo VIII nella versione originale (p. 227).

Sam e Folco non erano stati con le mani in mano. Avevano esplorato la valletta e le valli circostanti. Non lontano avevano trovato una fonte d'acqua limpida e, lì vicino, orme che non risalivano a più di un paio di giorni prima. Nella valle avevano trovato tracce recenti di un fuoco e altri segni di un piccolo accampamento. Ma la scoperta più inaspettata e gradita fu Sam a farla. Al bordo della valletta più vicino al fianco della collina erano cadute alcune grosse pietre e, dietro, Sam aveva rinvenuto una piccola scorta di legna da ardere accatastata in bell'ordine; e sotto la legna c'era un sacchetto con del cibo. Per lo più si trattava di tortini di *cram*[6] confezionati in due piccole scatole di legno, ma c'erano anche un po' di pancetta e della frutta essiccata.

"Allora il vecchio Gandalf è stato qui," disse Sam a Folco. "Questi pacchetti di *cram* lo dimostrano. Non ho mai sentito nessuno oltre ai due Baggins e al mago che usasse quella roba. Meglio che morire di fame, dicono, ma non è granché meglio."

"Mi domando se l'abbiano lasciato per noi, o se Gandalf sia ancora da qualche parte nei dintorni," disse Folco. "Vorrei che Frodo e gli altri due tornassero indietro."

Sam fu ancora più contento per il *cram* quando gli altri tornarono, correndo alla valletta con notizie preoccupanti. Dinanzi avevano un lungo viaggio prima di sperare di ottenere aiuto; e pareva chiaro che Gandalf avesse lasciato tutto il cibo di cui poteva fare a meno nel caso in cui fossero stati a corto di provviste.

"Probabilmente non gli serviva più dopo la scomparsa del povero Odo," disse Frodo. "E la legna?"

"Credo l'abbia raccolta martedì," disse Passolesto, "e si preparasse ad aspettare qui all'accampamento per un po'. E hanno dovuto fare un po' di strada, perché vicino non ci sono alberi."

Era già pomeriggio inoltrato e il sole calava. Discussero un po' sul da farsi. Alla fine fu la scorta di legna a farli decidere di non proseguire quel giorno e di accamparsi nella valletta per la notte.

A questo punto il testo segue abbastanza fedelmente la vecchia versione (pp. 227-230). Alla domanda di Merry "Ma i nemici *vedono*?", Passolesto ora risponde: "I loro cavalli vedono. Loro non vedono il mondo della luce come noi; ma non sono ciechi ed è nell'oscurità che vanno più temuti." Passolesto non dice più che degli Uomini dimoravano nelle terre lontane a Sud di loro; né si dice che a turno sedevano di guardia ai margini della valletta. Il passaggio che descrive i racconti di Passolesto è una peculiare fusione della vecchia versione (p. 230) con nuovi elementi che resteranno in CdA (p. 208):

Quando scese la notte e la luce del fuoco cominciò a sfavillare, per allontanare dalla mente la paura Passolesto si mise a raccontare storie. Conosceva molte credenze sugli animali selvatici e capiva qualcosa delle loro favelle; e aveva strane storie da raccontare delle loro esistenze nascoste e avventure poco note. Conosceva anche molti episodi e leggende del lontano passato, degli hobbit quando la Contea era ancora selvaggia, e cose al di là delle brume della memoria da cui gli hobbit stessi provenivano. Essi si chiedevano quanti anni avesse e dove avesse appreso tutte quelle cose della tradizione.

"Raccontaci di Gilgalad," disse di punto in bianco Merry, quando terminò la storia dei Regni elfici. "Hai menzionato quel nome poco tempo fa e continua a risuonarmi nelle orecchie. Mi sembra di ricordare di averlo già sentito, ma non riesco a ricordare nient'altro al riguardo."

"Bisognerebbe chiedere al possessore dell'Anello circa quel nome," rispose Passolesto sottovoce. Merry e Folco guardarono Frodo, che fissava il fuoco.

Da questo punto il manoscritto è imperfetto, due fogli mancano. Tuttavia, una pagina scartata porta la storia un po' più avanti prima di interrompersi.

"So soltanto quel poco che Gandalf mi ha riferito," disse. "Gilgalad fu l'ultimo dei grandi re degli elfi. Gilgalad significa *Luce delle Stelle* nella loro lingua. Con l'aiuto di Elendil, l'Amico degli Elfi, rovesciò il loro Nemico, ma entrambi perirono. E ne vorrei sapere volentieri altro se Passolesto ce lo raccontasse. Fu il figlio di Elendil a portare via l'Anello. Ma questa storia non la posso raccontare. Raccontaci di più tu, Passolesto, se vuoi."

"No," disse Passolesto. "Non racconterò quella storia adesso, in questo momento e in questo luogo con i servi del Nemico in arrivo. Forse la ascolterete nella casa di Elrond. Dal momento che Elrond la conosce per intero."

"Allora raccontaci un'altra storia dei tempi antichi," disse Merry...

La canzone di Passolesto e il suo racconto di Beren e Lúthien qui mancano; e il manoscritto riprende da "Mentre Passolesto parlava, gli hobbit osservavano il suo strano viso fervido...". Da questo punto il testo di CdA fino alla fine del capitolo 11 "Un coltello nel buio" è compiuto, con pressoché nessuna differenza anche nella formulazione, a eccezione di questi punti: Folco al posto di Pippin; nell'attacco alla valletta i Cavalieri erano ancora tre e non cinque; e Frodo gettandosi a terra gridò *Elbereth! Elbereth!*

A questo punto in CdA inizia il capitolo 12 "Fuga verso il Guado", ma come nel testo originale (p. 243) la versione attuale continua senza interruzione fino al Guado di Valforra. Le relazioni della struttura del capitolo tra la presente fase e CdA possono essere rappresentate nel seguente modo (e vedi la tabella a p. 173):

	La "fase" attuale		CdA
IX	*All'insegna del Cavallino Inalberato.* Si conclude con Passolesto che consegna a Frodo la lettera di Gandalf.	9	*All'insegna del Cavallino Inalberato*. Finisce con Frodo, Pippin e Sam che tornano nella loro stanza alla locanda.
X	*Sentieri impervi per Svettavento.* Conclusione della conversazione con Passolesto.	10	*Passolungo*. Conversazione con Passolungo e Farfaraccio
	Attacco alla locanda, partenza da Bree; termina con la vista dei Cavalieri sotto Svettavento.	11	*Un coltello nel buio*. Attacco alla partenza da Bree; termina con l'attacco a Svettavento.
XI	*Senza titolo*. Attacco a Svettavento. Viaggio da Svettavento al Guado.	12	*Fuga verso il Guado.*

Com'è tipico di questi capitoli della terza fase, il presente testo progredisce in gran parte verso la forma di CdA in particolare per quanto riguarda la formulazione e la descrizione, ma conserva molti elementi della versione originale; pertanto rimane il "lampo rosso" visto al momento dell'attacco a Svettavento, dello squarcio del mantello nero Passolesto dice soltanto: "Non so quale danno abbia inflitto al Cavaliere", e le grida lontane dei Cavalieri mentre attraversavano la Strada non si sentono; inoltre non si afferma più che la legna da ardere lasciata da Gandalf se la siano presa con sé, e viene descritto il rinvigorimento del cavallino di Bill Felcioso (per questi elementi nella narrazione vedi p. 244). Passolesto ora parla in disparte con Sam, ma quello che dice è diverso:

"Ora credo di capire meglio la situazione," disse a bassa voce. "I nostri nemici sapevano che l'Anello era qui; forse perché hanno catturato Odo e di sicuro perché ne avvertono la presenza. Gandalf non lo inseguono più. Ma ora si sono allontanati da noi per il momento, perché siamo molti e più audaci di quanto si aspettassero, ma soprattutto perché pensano di aver ucciso o ferito a morte il tuo padrone, e così l'Anello finirà per forza di cose nelle loro mani."

Il resto delle sue parole a Sam è come in CdA (p. 215). Nella discussione su cosa sarebbe meglio fare adesso (CdA, p. 216) la versione attuale recita:

Gli altri discutevano appunto di questo. Decisero di lasciare Svettavento al più presto. Era già venerdì mattina e i due giorni richiesti dal messaggio di Gandalf sarebbero presto trascorsi. Comunque, non era un bene restare in un luogo tanto scoperto e indifendibile, ora che i loro nemici li avevano scoperti e sapevano anche che Frodo aveva l'Anello. Non appena fu giorno pieno mangiarono un boccone alla svelta e fecero fagotto.

Per i "due giorni richiesti dal messaggio di Gandalf" vedi le note 3 e 4.

La cronologia del viaggio resta quella del testo originale (vedi pp. 245-246, 278): riattraversarono ancora la Strada la mattina del sesto giorno da Svettavento (il settimo in CdA), e passarono tre giorni sulle colline prima che iniziasse a piovere (due in CdA). Tuttavia il ritardo di un giorno rimasto tra il testo originale e CdA (dovuto al loro arrivo anticipato a Svettavento), di modo che raggiungessero il Guado di Valforra il 19 ottobre, non è più presente (vedi p. 442).

Ora viene menzionata la pioggia che Passolesto stimò fosse caduta due giorni prima nel luogo in cui avevano attraversato di nuovo la Strada (CdA, p. 219), ma il Fiume Pollagrigia (Mitheithel) e l'Ultimo Ponte non sono ancora emersi. Al fiume che erano in grado di scorgere in lontananza, privo di nome nella prima versione (p. 245), ne viene ora dato uno: "il Fiume Forra, che scendeva dalle montagne e scorreva attraverso Valforra" (più avanti nel capitolo sarà chiamato "il Fiume di Valforra").

La conversazione tra Passolesto, Folco e Frodo sorta tra le torri dirute sulle colline resta uguale alla prima versione (pp. 246-247; CdA, p. 220).

Quando la pioggia cessò e Passolesto si arrampicò per vedere la conformazione del terreno, osservò nella prima versione (p. 247) che "Se continuiamo in questa direzione, ci ritroveremo in una zona impervia, tra i fianchi delle montagne". Ora diventa: "Proseguendo arriveremo alle [terre dei Riombrosi >] valli dei Riombrosi molto a nord di Valforra."[7] Poi continua, avvicinandosi alle parole di Passolungo in CdA:

"Ho sentito dire che è una terra di troll, anche se non ci sono mai stato. Forse ce la faremmo anche a traversarla e a raggiungere Valforra passando da nord; ma ci metteremmo troppo tempo, perché non so la strada e le provviste non basterebbero. Comunque dovremmo ascoltare l'ultimo messaggio di Gandalf e dirigerci al Guado di Valforra. Perciò in un modo o nell'altro dobbiamo riprendere la Strada."

L'incontro con i Troll di Pietra ricalca la prima versione: Passolesto diede una pacca al troll curvo, lo chiamò William, e indicò il nido d'uccello dietro l'orecchio di Bert. Non è ancora presente alcun accenno alla *Canzone del Troll* di Sam e quando Frodo vide la pietra commemorativa "avrebbe tanto voluto che Bilbo non avesse riportato un tesoro più pericoloso del danaro rubato e salvato dai troll". La descrizione della Strada è all'incirca quella della prima edizione di CdA (vedi p. 255): "A questo punto la Strada si era allontanata dal fiume, lasciandolo sul fondo di una stretta valle, e si teneva vicinissima alle pendici delle colline, serpeggiando ondulata verso nord tra i boschi e i fianchi coperti d'erica in direzione del Guado e le Montagne."

Glorfindel ora non chiama Passolesto *Padathir* (p. 248) ma *Du-finnion*, urlando *Ai, Du-finnion! Mai govannen!* Il passaggio che inizia col segnale di Passolesto a Frodo e agli altri di scendere sulla strada è presente in due forme, la seconda, a quanto pare, sostituisce subito la prima. La prima recita:

"Salve, finalmente c'incontriamo!" disse Glorfindel a Frodo. "Mi hanno mandato da Valforra ad attendere il vostro arrivo. Gandalf temeva che avreste seguito la Strada."

"Gandalf è arrivato a Valforra, dunque?" esclamò Merry. "Ha trovato Odo?"

"Senz'altro c'è uno hobbit con lui che si chiama in quel modo," disse Glorfindel; "ma non ho sentito che si fosse perso. Ha cavalcato dietro Gandalf dal nord di Valleadeiriombrosi."

"Da Valleadeiriombrosi?" esclamò Frodo.

"Sì," disse l'elfo; "e abbiamo pensato che anche tu potresti andare da quella parte per evitare i rischi della Strada. Alcuni sono stati mandati a cercarti in quelle terre. Ma andiamo! Non c'è tempo per altre notizie o discorsi, finché non ci fermiamo. Dobbiamo proseguire alla massima velocità e risparmiare fiato. Ad appena un giorno di viaggio a ovest ci sono cavalieri che sono sulle vostre tracce lungo la Strada e su ambo i lati delle terre...

Glorfindel continua come nella prima versione (p. 249). Il passaggio sostitutivo differisce per la maggior parte in piccoli punti: Glorfindel non dice di Odo "ma non ho sentito che si fosse perso"; Valleadeiriombrosi [*Dimrilldale*] è scritto in questo modo (vedi p. 449), invece che *Dimrildale* nel testo scartato; e gli interventi di Merry e Frodo sono scambiati. La differenza importante sta nelle parole di Glorfindel:

"Indietro verso ovest cavalieri neri sono sulle vostre tracce lungo la Strada, e quando troveranno il luogo da cui siete scesi dalle colline, c'inseguiranno veloci come il vento. Ma non sono tutti, ce ne sono altri, che magari sono davanti a noi in questo momento, o in entrambe le direzioni. Se non procediamo a tutta velocità in buona sorte, troveremo il Guado sorvegliato dal nemico."

Dalla debolezza di Frodo e dall'obiezione di Sam all'esortazione di Glorfindel, il testo di CdA sino alla conclusione del capitolo è compiuto quasi fino all'ultima parola.[8] Tuttavia permangono alcune differenze. Solo tre Cavalieri uscirono dal passaggio alberato dietro ai fuggitivi; e "dagli alberi e dalle rocce sulla sinistra ecco giungere volando altri Cavalieri. Tre puntavano Frodo; tre galoppavano all'impazzata verso il Guado per tagliargli la via di fuga". E proprio alla fine: "Tre Cavalieri si voltarono e cavalcarono come pazzi verso sinistra lungo la riva; gli altri, trascinati dai loro cavalli terrorizzati e sommersi, furono sospinti nella piena e trascinati via." Questo deriva dalla prima versione (p. 252), dove però furono soltanto due i Cavalieri scampati all'inondazione. Il manoscritto venne modificato a leggere come l'ultimo capoverso del capitolo in CdA, dove nessun Cavaliere riuscì a scappare, e ciò avvenne prima o nel corso della stesura del capitolo successivo (vedi p. 453).

***

La prima parte del capitolo seguente, numerato XII, è sviluppo diretto dell'originale capitolo IX senza titolo, esistente in tre testi, nessuno dei quali va oltre la conversazione tra Bingo e Glóin alla festa di Valforra (pp. 267 ss., 272 ss.). Alla nuova versione viene dato il titolo "Il Consiglio di Elrond", vedi pp. 497-498. Qui, per ragioni che si daranno a breve, descrivo soltanto quella parte del capitolo che deriva dal capitolo IX della "prima fase". Qui, il testo di CdA, libro II, capitolo 1, "Molti incontri", è compiuto per lunghi tratti con minime differenze soltanto nella formulazione, se presenti; d'altra parte molto ancora è conservato dal testo originale. Nel seguito è sottinteso che dove non viene inserito alcun commento, il testo in quel momento esisteva in una forma uguale o molto vicina di CdA.

La data del risveglio di Frodo nella casa di Elrond è ora il 24 ottobre, e tutti i dettagli della datazione sono esattamente come in CdA (vedi pp. 278, 447). I riferimenti a Sam nel testo di CdA non sono presenti in questa versione scritta prima della festa stessa, ma furono aggiunti al manoscritto con tutta probabilità dopo un intervallo non molto lungo.

Gandalf ora aggiunge, dopo "Tu cominciavi a sbiadire" (p. 264; CdA, p. 237), "Glorfindel se ne accorse, sebbene non ne parlasse a nessuno tranne che a Passolesto"; e dice anche (vedi p. 264) "Ancora un poco e avrebbero fatto di te uno spettro – certamente, se avessi infilato ancora l'Anello dopo essere stato ferito". Dopo le sue parole "Non è stata impresa da poco arrivare fin qui, in mezzo a tanti pericoli, e aver conservato l'Anello" (CdA, p. 238), la conversazione si sviluppa dal testo precedente (p. 268) in una maniera assai interessante, certo ancora lontana dalla forma di CdA:

"... Non avresti mai dovuto lasciare la Contea senza di me."

"Lo so, ma non sei venuto alla mia festa, come concordato; e non sapevo cosa fare."

"Sono stato trattenuto," disse Gandalf, "e per poco non si è rivelato fatale, come previsto. Eppure, dopotutto, è andata meglio di qualsiasi piano mi sarei azzardato a congegnare, e abbiamo sconfitto i cavalieri neri."

"Dovresti proprio raccontarmi che cosa è successo!"

"Ogni cosa a suo tempo! Oggi, per ordine di Elrond, non devi parlare né preoccuparti di nulla."

"Ma parlando smetterei di pensare e d'interrogarmi, due cose che sono altrettanto stancanti," disse Frodo. "Adesso sono completamente sveglio e ricordo tantissime cose che aspettano una spiegazione. Perché sei stato trattenuto? Almeno questo puoi dirmelo."

"Saprai presto tutto quel che vuoi sapere," disse Gandalf. "Terremo un Consiglio, non appena ti sarai rimesso. Per il momento ti dirò soltanto che mi hanno tenuto prigioniero."

"Te?" esclamò Frodo.

"Sì!" rise Gandalf. "Esistono potenze più grandi di me, buone o malvagie, nel mondo. A Fangorn mi hanno catturato e ho passato molti giorni prigioniero del Gigante Barbalbero. È stato un momento denso di preoccupazione, perché tornavo di corsa alla Contea per aiutare te. Da poco avevo saputo che erano stati sguinzagliati i cavalieri."

"Allora non sapevi dei Cavalieri Neri."

"Sì, sapevo di loro. Una volta te ne ho anche parlato; perché i Cavalieri Neri sono gli Spettri dell'Anello, i Nove Servi del Signore dell'Anello. Ma non sapevo che si fossero ripresentati e che fossero stati liberati di nuovo nel mondo, finché non li ho visti. Ho cercato di trovarti da allora, ma se non avessi incontrato Passolesto, non credo ci sarei mai riuscito. Lui ci ha salvato tutti."

"Senza di lui non saremmo mai arrivati qui," disse Frodo. "All'inizio nutrivo dei sospetti nei suoi confronti, ma ora sono molto affezionato a lui, anche se è alquanto misterioso. È una cosa strana, sai, ma continuo ad avere la sensazione di averlo già visto da qualche parte, che dovrei essere in grado di dargli un nome, un nome diverso da Passolesto."

"Vorrei ben dire," rise Gandalf. "Ho spesso questa sensazione quando guardo uno hobbit: mi sembra che si assomiglino tutti, se capisci cosa intendo."

"Sciocchezze!" disse Frodo, raddrizzandosi per protestare. "Passolesto è davvero particolare. E ha le scarpe! Ma ti vedo di cattivo umore." Si sdraiò di nuovo. "Dovrò essere paziente. E dopotutto riposarsi è alquanto piacevole. A essere sincero, non vorrei andare oltre Valforra. Dopo un mese d'esilio e di avventure scopro di averne abbastanza."

Tacque e chiuse gli occhi.

Per il resto della conversazione tra Frodo e Gandalf questo testo è quasi sempre vicino a CdA, e occorre notare solo poche differenze.

Il "pugnale Morgul" (CdA, p. 240) è ancora il "coltello del Negromante" (p. 269) e Gandalf qui dice: "Saresti diventato uno spettro sotto il dominio dell'Oscuro Signore; ma non avresti avuto un tuo anello, come i Nove; perché il tuo Anello è l'Anello Dominante, e il Negromante lo avrebbe preso e ti avrebbe tormentato per aver provato a tenerlo, fosse possibile un tormento maggiore dell'esserne derubato."

Tra i servi dell'Oscuro Signore include ancora, come nella versione precedente, "orchi e goblin" e "re, guerrieri e maghi" (p. 270).

La risposta di Gandalf alla domanda di Frodo "Valforra è un posto sicuro?" deriva dal testo precedente, ma si sposta anche verso quello di CdA:

"Sì, lo spero. Egli ha minore potere sugli Elfi di qualsiasi altra creatura: essi hanno sofferto troppo in passato perché lui ora li imbrogli o li intimidisca. E gli Elfi di Valforra sono discendenti dei suoi principali avversari: gli Gnomi, gli Elfi saggi, che emersero dall'Occidente; e la Regina Elbereth Gilthoniel, Signora delle Stelle, li protegge ancora. Non temono gli Spettri dell'Anello, perché chi ha dimorato nel Reame Beato al di là dei Mari vive al contempo in entrambi i mondi; e ogni mondo esercita solo metà del suo potere su di essi, mentre loro godono di doppio potere su entrambi."[9]

"Mi è parso di vedere una figura bianca che splendeva senza offuscarsi come le altre. Era per caso Glorfindel?"

"Sì, l'hai intravisto per un attimo com'è dall'altra parte: uno dei potenti della Antica Razza. È un Signore elfico di un casato principesco."

"Allora esistono ancora alcune potenze in grado di resistere al Signore di Mordor," disse Frodo.

"Sì, una potenza è a Valforra," rispose Gandalf, "e c'è altresì un potere di diversa specie nella Contea..."

Al termine di questo passaggio, Gandalf dice ancora: "i Saggi dicono che alla Fine egli è condannato, sebbene questa sia lontana" (vedi p. 270).

Nel racconto di Gandalf su quello che accadde al Guado questi dice, come in CdA: "Tre li ha trascinati via il primo assalto della piena; gli altri, scaraventati in acqua dai cavalli, sono stati travolti." Pare quindi che la riscrittura della fine del capitolo precedente (pp. 449-450) fosse già compiuta.

Alla fine della conversazione con Gandalf ricompare la storia di Odo:

"Sì, ora tutto mi torna in mente," disse Frodo: "lo spaventoso frastuono. Credevo d'annegare, assieme ai miei amici e ai nemici. Ma ora siamo tutti in salvo! E anche Odo. Almeno, così ha detto Glorfindel. Come hai fatto a ritrovarlo?"

Gandalf lanciò un'occhiata [strana >] veloce a Frodo, ma questi aveva chiuso gli occhi. "Sì, Odo è salvo," disse il mago. "Presto lo vedrai e ascolterai quanto ha da raccontare. Pasteggeremo e faremo baldoria per festeggiare la vittoria del Guado, e voi sarete tutti lì, ai posti d'onore."

L'occhiata "strana" o "veloce" di Gandalf a Frodo può riguardare soltanto la sua domanda su Odo, ma dal momento che la storia della scomparsa di Odo da Svettavento e della sua successiva ricomparsa (salvataggio?) non fu mai raccontata, è impossibile sapere cosa si nascondesse dietro. Vi sono possibilità che ci fosse qualcosa di strano nella storia della scomparsa. Il tono di Gandalf, se preso con la sua "occhiata" a Frodo, pare avere un'aria leggermente interrogativa. Glorfindel dice (p. 449): "Senz'altro c'è uno hobbit con lui che si chiama in quel modo, [...] ma non ho sentito che si fosse perso", eppure la cattura di uno hobbit da parte dei Cavalieri Neri e il suo successivo recupero erano di certo una questione di estremo interesse per chi era preoccupato degli Spettri dell'Anello? Ma qualunque fosse la storia, pare essere qualcosa che non si verrà mai a sapere. È singolare che l'occhiata veloce e improvvisa del mago a Frodo sia stata mantenuta in CdA (p. 243), quando la storia di Odo era ovviamente scomparsa, e le parole di Frodo che scatenarono lo sguardo furono "Ma adesso siamo al sicuro!".

Il lapsus di Gandalf ("La gente di Valforra è molto affezionata a Bilbo") e il fatto che Frodo se ne accorga vengono mantenuti dalla prima versione (p. 271), allo stesso modo del ricordo di Frodo delle parole dette da Passolesto al troll nel momento in cui si addormentava.

Quando Frodo va a trovare gli amici sotto un portico della casa[10] la conversazione viene conservata pressoché uguale alla forma originale (pp. 266-267). Odo prende il posto di Merry "Tre urrà per Frodo, signore dell'Anello!" e inoltre dice, come Pippin in CdA, "Hai mostrato una volta di più la tua furbizia alzandoti giusto in tempo per l'ora del pasto"; ma nonostante la crescente importanza di Odo nell'accoglienza di Frodo (in CdA è Pippin) non è presente alcun riferimento alle sue avventure. Di certo ci si poteva aspettare che Frodo facesse alcune osservazioni sulle esperienze assai pericolose e del tutto inaspettate di Odo dall'ultima volta che l'aveva visto all'ingresso della Vecchia Foresta, soprattutto da quando Gandalf si era astenuto dal raccontargli cosa era successo a Svettavento e in seguito.

La descrizione di Elrond, Gandalf e Glorfindel al banchetto era già comparsa nella forma pressoché definitiva nel testo precedente. In quel momento la menzione del sorriso e della risata di Elrond (p. 271) era ancora presente; e ovviamente non si trova ancora alcun accenno ad Arwen. Nella descrizione dei posti a sedere, l'affermazione nella versione precedente (*ibid.*) secondo cui Bingo "non poteva vedere Passolesto, né i suoi nipoti. Erano stati condotti ad altri tavoli" fu mantenuta; ma quando Frodo "iniziò a guardarsi intorno" li vide, anche se non Passolesto (quest'ultimo passaggio rimane in CdA):

Il banchetto era allegro e il cibo esaudiva ogni desiderio della fame. Passolesto non riusciva a vederlo, né gli altri hobbit, e pensò che fossero seduti a uno dei tavoli laterali. Ne passò di tempo prima che tornasse a guardarsi in giro. Sam aveva chiesto di servire il padrone ma gli avevano detto che in quell'occasione era anche lui un ospite d'onore. Frodo lo vide, seduto con Odo, Folco e Merry, a capo di uno dei tavoli laterali vicini alla pedana. Di Passolesto non c'era traccia.

La conversazione di Frodo con Glóin procede esattamente come in CdA fino a "Sebbene anch'io sia parimenti curioso su che cosa spinga un nano così importante così lontano dalla Montagna Solitaria". Nei testi originali Glóin disse che si chiedeva cosa avrebbe potuto spingere *quattro* hobbit a un viaggio tanto lungo (Bingo, Frodo Took, Odo, Merry; Passolesto escluso, forse perché così completamente distinto, non uno hobbit della Contea). In CdA il numero è quattro (Frodo, Sam, Pippin, Merry); ma è quattro anche nel testo presente, in cui gli hobbit (escluso Passolesto) erano ora cinque: Frodo, Sam, Folco, Odo, Merry. O "quattro" era un errore, oppure Glóin escludeva Odo poiché sapeva che Odo non era arrivato a Valforra insieme agli altri. La risposta di Glóin alla domanda di Frodo rimane meno grave che in CdA:

> Glóin lo guardò, e rise, invero ammiccò. "Presto lo scoprirai," disse; "ma non mi è permesso dirtelo... per ora. Pertanto non parleremo nemmeno di quello! Ma le cose da ascoltare e raccontare sono molte."

La conversazione (per quanto riguarda la parte del manoscritto qui trattata) rimane pressoché uguale a com'era, con il breve ampliamento alla fine del terzo dei primi testi (p. 271), unica differenza di particolare importanza è che Dáin ora, come in CdA, aveva "superato il suo duecentocinquantesimo anno".

Si noterà che dalla serie di manoscritti, un tempo pregevoli, che compongono la "terza fase" della stesura del *Signore degli Anelli* emerge una storia del tutto coerente. Quelli che seguono sono i punti essenziali di quella storia rispetto al complesso sviluppo successivo:

- Gandalf non tornò da Hobbiton in tempo per la piccola festa finale di Frodo.
- Merry e Odo Bolger partirono in anticipo per Landaino.
- Frodo, Sam e Folco Took camminarono da Hobbiton a Landaino.
- A Landaino, Odo decise di non andare con gli altri nella Vecchia Foresta, ma di restare a Criconca e di aspettare l'arrivo di Gandalf.

- Gandalf giunse a Criconca di notte il giorno in cui Frodo e i suoi compagni se ne andarono (lunedì 26 settembre), scacciò i Cavalieri e li inseguì con Odo sul suo cavallo.
- Gandalf e Odo (il cui nome fu specificato essere Odo Baggins) trascorsero la notte di martedì 27 settembre a Bree. Vicino a Bree incontrarono Passolesto.
- Gandalf e Odo lasciarono Bree mercoledì 28 settembre e incontrarono Passolesto vicino ad Archet, come concordato.
- Frodo, Sam, Merry e Folco arrivarono a Bree giovedì 29 settembre e incontrarono Passolesto, che consegnò a Frodo la lettera di Gandalf.
- Passolesto era uno hobbit; Frodo lo trovava stranamente familiare senza saper dire il perché, ma non si faceva accenno a chi potesse essere davvero.
- Gandalf raggiunse Svettavento lunedì 3 ottobre e ripartì il 5 ottobre.
- Passolesto, Frodo e gli altri arrivarono a Svettavento giovedì 6 ottobre e trovarono il biglietto di Gandalf in cui era scritto che Odo era scomparso.
- Da Glorfindel appresero che Gandalf aveva raggiunto Valforra insieme a Odo, scendendo da nord attraverso "Valleadeiriombrosi".
- A Valforra, Gandalf spiegò di essere stato trattenuto nel ritorno a Hobbiton (avendo saputo che gli Spettri dell'Anello erano in circolazione) perché era stato tenuto prigioniero a Fangorn dal Gigante Barbalbero.
- Gli hobbit della Contea a Valforra sono Frodo, Sam, Merry, Folco e Odo.

1 Dopo "Ho dovuto sincerarmi che voi foste quello autentico, prima di consegnarvi qualsivoglia lettera. Ho sentito parlare di combriccole fittizie che raccolgono messaggi non destinati a loro", Passolesto ora aggiunge: "La lettera di Gandalf è stata scritta con grande cura in caso di disgrazie, ma non lo sapevo." Pertanto, Gandalf non nomina Svettavento nella lettera, ma lo definisce "luogo prestabilito".

2 Barbara Strachey, in *I viaggi di Frodo* (mappa 11) afferma:

> A questo punto va sottolineato che secondo me si ha una vera e propria contraddizione nel testo stesso. A [Bree] [...] Aragorn riferisce a Sam che [Svettavento] si trova a mezza strada tra lì e [Valforra] (Rivendell). Sono certa che si è trattato di un lapsus calami e che Tolkien voleva invece dire che si trovava a mezza strada tra [Bree] e l'*Ultimo Ponte*. Se lo si ammette, ecco che ogni cosa va a posto: infatti, i viaggiatori impiegarono sette giorni a coprire il tragitto da [Bree] a [Svettavento] (compresa una deviazione verso nord) e altri sette da [Svettavento] al Ponte (con Frodo ferito e nell'impossibilità di procedere in fretta), mentre c'era un'*ulteriore* tappa di sette giorni dal Ponte a [Valforra]. Aragorn sapeva benissimo quale fosse la distanza effettiva, e infatti più tardi (Parte I, "Un coltello nel buio"),

quando a [Svettavento] giunsero, disse che sarebbero loro occorsi quattordici giorni per giungere al Guado del [Bruinen], sebbene di regola a lui ne occorressero soltanto dodici.

Ora però si vede che le parole di Aragorn "circa a metà strada da qui (Bree) a Valforra" in CdA risalgono a quelle di Passolesto; e in questa fase il fiume Pollagrigia e l'Ultimo Ponte sulla Strada Est non esistevano ancora (p. 447). Penso che Passolesto (Aragorn) offrisse soltanto a Folco (Sam) un'idea approssimativa ma bastevole delle distanze che avevano davanti. Le distanze relative risalgono alla versione originale (vedi p. 218): circa 120 miglia da Bree a Svettavento, quasi 200 da Svettavento al Guado.

3 Una bozza del messaggio di Gandalf recita: "La scorsa notte Odo è scomparso: sospetta cattura da parte dei cavalieri."

Il messaggio fu modificato a matita in:

5 ottobre, mercoledì mattina. Cattive notizie. Siamo arrivati nel tardo lunedì. Baggins è scomparso ieri notte. Devo andare a cercarlo. Aspettami qui per [un giorno o due >] due giorni. Se possibile, tornerò. Altrimenti va' a Valforra dal Guado, sulla Strada.

Merry poi dice: "Baggins! Questo vuol dire che i Cavalieri hanno preso Odo?"

Il messaggio di Gandalf secondo cui sarebbe tornato a Svettavento se ci fosse riuscito, potrebbe essere inteso come una spiegazione del motivo per cui loro avevano deciso di restare laggiù; vedi nota 4. Questa revisione a matita è precedente alla stesura del capitolo successivo; vedi p. 446.

4 Questo fu modificato a matita in:

non possiamo fare altro che] aspettare almeno fino a domani, saranno due giorni da quando Gandalf ha scritto il biglietto [vedi nota 3]. Dopodiché, se non si fa vivo, dovremo [dirigerci a Valforra come meglio possiamo.

5 Il titolo "Un coltello nel buio" è stato aggiunto più tardi a matita, come anche nel capitolo originale, VIII (p. 227).

6 Il passaggio sul *cram* è stato conservato in questo testo, ma inserito in una nota a piè di pagina.

7 Su *Vallea-dei-riombrosi* vedi pp. 534-535, note 3, 13.

8 Si noti che ora compare il nome *Asfaloth* per il cavallo di Glorfindel.

9 Sulla conclusione di questo passaggio vedi p. 289.

10 Il portico era ancora rivolto a ovest (p. 266), non a est come in CdA, e la strana affermazione secondo cui la luce serale splendeva sui fianchi orientali delle colline lontane era ripetuta, anche se cancellata, forse durante la stesura.

XXII. NUOVE INCERTEZZE E NUOVI PROGETTI

La prima fase o ondata originale di composizione del *Signore degli Anelli* fece procedere la storia verso Valforra e si interruppe a metà del capitolo IX originale, nel racconto di Glóin a Bingo Bolger-Baggins sul regno di Vallea (p. 272):

A Vallea regnava il nipote di Bard l'Arciere, Brand figlio di Bain figlio di Bard, e questi era divenuto un sire possente il cui reame comprendeva Esgaroth e molte terre a sud delle grandi cascate.

Questa frase chiudeva una pagina manoscritta; sul retro, come notato a p. 272, il testo continuava, ma con una scrittura diversa e un inchiostro diverso, e iniziava:

"E che ne è stato di Balin, Ori e Óin?" domandò Frodo.

Dato che nella seconda fase Bingo era ancora il nome dell'erede di Bilbo, e dal momento che "Bingo" non compare in nessuno scritto narrativo venuto in seguito nella storia rispetto alla festa di Valforra, è certo che ci fosse un divario considerevole tra "molte terre a sud delle grandi cascate" e "E che ne è stato di Balin, Ori e Óin?".

È pertanto molto strano che nel capitolo XII della terza fase si verifichi un netto cambiamento di scrittura proprio nello stesso punto. Sebbene sia ancora redatto in maniera ordinata e precisa, salta subito all'occhio che

"'E che ne è stato di Balin, Ori e Óin?' domandò Frodo" e il testo successivo non erano in continuità con il testo precedente. Inoltre, la seconda parte di questo capitolo XII è anch'essa non coerente con quanto la precede, dal momento che Bilbo afferma (come mio padre scrisse inizialmente nel manoscritto) "dovrò chiedere a quell'*Aragorn* di aiutarmi" (vedi CdA, p. 249: "Dovrò chiedere al mio amico Dúnadan di aiutarmi.").

Non penso si possa trattare di una mera coincidenza che entrambe le versioni si interrompano proprio nello stesso punto; e concludo affermando che la terza fase, in termini di una continua e pregevole serie di manoscritti, si chiude proprio dove era terminata la prima fase – e lo fece proprio *perché* fu lì che si concluse la prima fase. Per questo motivo mi sono fermato in questo punto nel capitolo precedente. Poco sopra (p. 386) ho suggerito che quando mio padre affermò (nel febbraio 1939) che nel dicembre 1938 *Il Signore degli Anelli* era giunto al capitolo XII "ed è stato riscritto più volte", era alla terza fase che si riferiva.

Le questioni cronologico-testuali che ora si pongono presentano particolare complessità, e dubito che sia possibile giungere a una soluzione corretta e dimostrabile in tutti i suoi punti. Per diversi mesi dopo il febbraio 1939 non sono presenti indizi esterni e nulla che dimostri ciò che mio padre realizzò in quel periodo; ma alla fine troviamo una data inequivocabile, "agosto 1939", scritta (in maniera del tutto inusuale) su ogni pagina di un insieme di fogli di carta ruvida con abbozzi di trama, domande e pezzi di testo. Questi ultimi mostrano quanto mio padre fosse bloccato, addirittura smarrito, al punto da perdere fiducia negli elementi basilari della struttura narrativa che aveva costruito con tanta fatica. L'unica prova esterna di cui ho conoscenza per far luce su questa faccenda è una lettera, dal tono sconsolato, che scrisse a Stanley Unwin il 15 settembre 1939, dodici giorni dopo l'entrata in guerra dell'Inghilterra con la Germania, scusandosi per il suo "silenzio riguardo alla situazione del seguito proposto per *Lo Hobbit*, di cui hai chiesto informazioni già il 21 giugno". "Non credo," disse, "che ti interessi più granché, anche se ho ancora la speranza di finirlo, prima o poi. È scritto solo per circa ¾. Non ho avuto molto tempo, lasciata da parte la tristezza della sventura che si avvicina, e sono stato poco bene gran parte dell'anno..." Nei documenti di "agosto 1939" non c'è nulla che dimostri il motivo per cui avrebbe dovuto pensare che la struttura esistente della storia necessitasse di un cambiamento tanto radicale.

Le proposte avanzate in quel periodo riguardanti nuovi snodi della trama furono formulate in gran fretta ed espresse in maniera tanto criptica che a volte non è semplice comprenderne la posizione (qua e là è ipotizzabile una certa confusione tra ciò che era stato scritto nell'ultimo giro di stesura e quanto scritto in precedenza); ed è impossibile determinare l'ordine in cui queste note e questi schemi furono scritti. Per prima cosa prendiamo in esame le proposte più drastiche:

(1) Nuova trama. Bilbo è il vero eroe. Merry e Frodo sono i suoi compagni. Questo aiuta con Gollum (sebbene probabilmente Gollum otterrà un nuovo anello a Mordor). Oppure Bilbo si prende semplicemente una "vacanza" e non torna, e la festa a sorpresa [ovvero la festa finita con la sorpresa] è di Frodo. In questo caso Gandalf *non* è presente per sparare i fuochi d'artificio.

Il sorprendente suggerimento contenuto nella prima parte di questa nota non tiene conto del problema del "visse felice e contento", che in passato si era rivelato tanto grande (vedi pp. 137-138). Per un breve periodo, comunque, mio padre fu disposto a prendere in considerazione lo smantellamento dell'intera struttura Bilbo-Frodo, l'idea ormai consolidata e basilare che Bilbo fosse scomparso "con un botto e un lampo" alla fine della festa del suo centoundicesimo compleanno e che Frodo lo avesse seguito fuori dalla Contea, con maggiore discrezione, diciassette anni dopo. Per fortuna, non si soffermò a lungo su questo argomento, anche se arrivò al punto di iniziare un nuovo testo, intitolato:

Nuova versione, con Bilbo come eroe. Ago. 1939
Il Signore degli Anelli

L'inizio recita: "'È tutto molto inquietante e a dire il vero alquanto preoccupante,' disse Bilbo Baggins" e la materia è la medesima che in "Storia antica", con le cesoie di Sam che si sentono all'esterno, modificata soltanto quanto era necessario per il fatto che Gandalf qui parlava con Bilbo, e non con Frodo; ma questo testo va a esaurirsi dopo un paio di facciate.

La seconda parte di questa nota è un po' meno drastica: un ritorno alla storia com'era alla fine della prima fase di lavoro sul capitolo, in cui Bilbo scompare quietamente dalla Contea poco prima del suo centoundicesimo compleanno, e la festa fu data da Bingo (Bolger-Baggins); vedi p. 54. Questa idea si sviluppa sul seguente schema:

(2) Tornare al concetto originale. Rendere Frodo (o Bingo) un personaggio più comico.

Bilbo non si lascia sopraffare dall'Anello: lo usava molto di rado. Visse a lungo e poi disse addio, indossò i vecchi abiti e partì. Non disse dove andava, se non che attraversava il Fiume. Aveva 2 "nipoti" prediletti, Peregrino Boffin e Frodo [*scritto sopra:* Folco] Baggins. Peregrino era il maggiore. Peregrino partì e la colpa fu data a Bilbo, dopodiché i giovani gli furono tenuti lontano: soltanto Folco gli rimase fedele.

Bilbo lasciò tutti i propri averi a Folco (che così ereditò con gli interessi tutta l'antipatia dei Sackville-Baggins).

Bilbo visse a lungo, 111: dice a Gandalf di sentirsi stanco e discute sul da farsi. È in ansia per l'Anello. Afferma di essere riluttante a lasciarlo e pensa di prenderlo. Gandalf lo guarda.

Alla fine lo lascia, ma porta Pungiglione e l'armatura elfica sotto il vecchio mantello verde rattoppato. Prende anche il suo libro. L'ultima frase peculiare fu: "Penso cercherò un posto dove trovare più pace e tranquillità, e potrò finire il mio libro."

"Nessuno lo leggerà!"

"Oh, magari lo faranno... negli anni a venire."

L'Anello comincia ad avere effetto su Folco. Lui è inquieto. E pianifica di partire "al seguito di Bilbo". I suoi amici sono Odo Bolger e Merry Brandaino.

Conversazione con Gandalf come nel Racconto.

Folco dà la festa inattesa [*leggasi* attesa a lungo][1] e sparisce come nella bozza originale del Racconto.[2] Ma far entrare i Cavalieri Neri.

Togliere tutta la parte in cui Gandalf *dovrebbe arrivare.* Fare in modo che Gandalf insegua i fuggitivi dal momento in cui è venuto a conoscenza dei Cavalieri Neri (la scena a Criconca è buona, ma senza la complicazione di Odo).

Fare in modo che Gandalf cerchi Folco (in quel caso Gandalf *non* sarà presente alla festa finale) e mandi Passolesto.

Trova Bilbo a Valforra. Laggiù Bilbo si offre di farsi carico dell'onere dell'Anello (con riluttanza) ma Gandalf appoggia Folco che si offre di portarlo.

Passolesto si rivela essere Peregrino, che era stato a Mordor.

Non la meno curiosa di queste note è la rinnovata incertezza riguardo ai nomi: pertanto si hanno "Frodo (o Bingo)", poi "Frodo" cambiato in "Folco" (e in una delle occorrenze di "Folco" mio padre scrisse una "B"); vedi anche §§5 e 9. Per molto tempo ho ipotizzato che proprio nel momento della stesura di queste note "Bingo" fosse divenuto "Frodo", e che quindi fosse precedente alla terza fase di lavorazione. Quei manoscritti della terza fase erano molto ordinati e suggerivano un obiettivo ben preciso, tanto che pareva complesso pensare che un'incertezza tanto forte avrebbe potuto soppiantarli: sembravano invece un nuovo e fiducioso inizio una volta che i dubbi erano stati dissipati. Ma è impossibile che sia così. Qui vi è il primo accenno al fatto che Bilbo prende la sua "armatura elfica" (vedi p. 285, §4), ed è solo con una successiva revisione della versione della terza fase di "Una festa attesa a lungo" che questa entra nella narrazione della storia di Bilbo (vedi p. 392; in CdA, p. 42, egli la mise nella borsa, il "pacchetto avvolto in vecchi panni" preso dalla cassaforte). Alla stessa maniera, l'affermazione di Bilbo di voler trovare la tranquillità per finire il libro e la controreplica di Gandalf "Nessuno lo leggerà!" compare solo nella revisione della terza fase del primo capitolo (sopravvissuta in CdA, p. 43). O ancora, il riferimento alla "scena a Criconca [...], ma senza la complicazione di Odo" mostra che la terza fase era in essere (vedi p. 420). Altri indizi altrove in queste carte di "agosto 1939" sono altrettanto chiari. Si deve pertanto concludere che la temporanea confusione e perdita di direzione sofferte da mio padre in quel periodo si estendevano anche ai nomi consolidati: “Bingo” poteva tornare, oppure “Frodo” essere cambiato in “Folco”.

Le parole “Ma far entrare i Cavalieri Neri” sono enigmatiche, dal momento che i Cavalieri Neri erano ben presenti “nella bozza originale del Racconto”; ma sospetto che mio padre intendesse “Ma far entrare il Cavaliere Nero”, al singolare, ovvero il Cavaliere che giunse a Hobbiton e parlò con il Veglio Gamgee. La storia modificata di cui mio padre parlava in maniera tanto criptica in queste note può forse essere rappresentata in sostanza nel seguente modo:

(I)	Quarta versione di “Una festa attesa a lungo”, ultima della “prima fase”; vedi p. 54	Bilbo parte silenziosamente da Hobbiton all’età di 111 anni. *Bingo* dà la festa 33 anni dopo e alla fine di questa scompare. Gandalf lascia Hobbiton dopo i fuochi alla Festa e si dirige a Valforra.
(II)	Lo stato attuale della storia	*Bilbo* dà la Festa all’età di 111 anni e alla fine di questa scompare. Frodo parte silenziosamente da Hobbiton con gli amici 17 anni dopo. Gandalf non riesce ad arrivare come promesso prima della partenza di Frodo. Un Cavaliere Nero giunge a Hobbiton in tarda serata. Gandalf arriva a Criconca dopo la partenza degli hobbit.
(III)	Trama prevista	Bilbo parte silenziosamente da Hobbiton all’età di 111 anni. *Frodo* (“Folco”) dà la Festa e alla fine di questa scompare. Gandalf non è presente alla Festa. Un Cavaliere Nero arriva a Hobbiton. Gandalf arriva a Criconca dopo la partenza degli hobbit.

Se sono nel giusto nell'interpretazione di "Ma far entrare i Cavalieri Neri", il punto è che mentre in un elemento fondamentale della sua struttura (III) si tornerebbe a (I), la venuta del Cavaliere verrebbe mantenuta, di modo che il suo arrivo fosse all'indomani della Festa. E a differenza di (I), Gandalf non sarebbe più arrivato alla Festa (così, come menzionato nel §1, non ci sarebbero stati fuochi d'artificio, o almeno non di mano gandalfiana), ma avrebbe seguito da vicino gli hobbit ("i fuggitivi"), essendo "venuto a conoscenza dei Cavalieri Neri".

Anche in questo caso, e ancora una volta per fortuna, mio padre non si lasciò deviare verso l'ennesimo rimaneggiamento strutturale (e la conseguente riscrittura molto insidiosa in diversi punti) della narrazione ottenuta.

A essere maggiormente interessanti sono le affermazioni secondo cui Passolesto era Peregrino Boffin, che aveva con Bilbo lo stesso tipo di parentela di Frodo, e che avventurandosi nel mondo aveva trovato la strada per Mordor. In precedenza (p. 286, §6) mio padre aveva osservato: "Ho pensato di mutare Passolesto in Fosco Took (cugino di primo grado di Bilbo) che è scomparso da ragazzo, grazie a Gandalf. [...] Deve aver patito un'amara conoscenza degli Spettri dell'Anello" ecc. Vedi anche pp. 481-482.

(3) In alcuni punti è ancora più difficile avere certezza del significato di un altro schema datato "agosto 1939", che inizia con la proposta di "modificare i nomi".

Frodo	>?	Peregrino	Faramondo
Odo	>	Fredegario	Amilcare Bolger

Mio padre in seguito aggiunse (ma lo cancellò): "Troppi hobbit. Sam, Merry e Faramondo (= Frodo) sono più che sufficienti." Chiaramente non era soddisfatto del nome "Frodo" per il personaggio centrale. Nel §2 cambiò "Frodo" in "Folco", nei §2, §5 e §9 ricompare "Bingo", e qui prende in considerazione l'ipotesi di "Faramondo". Questa sembra essere la prima occorrenza di entrambi i nomi, Fredegario o Amilcare.

Il testo che segue nella stessa pagina, che pare del tutto in disaccordo con queste note sui nomi, recita:

Modifiche della trama

(1) Minore enfasi sulla longevità causata dall'Anello, finché la storia non è progredita.

(2) *Importante*. (a) Né Bilbo né Gandalf devono sapere molto dell'Anello, alla partenza di Bilbo. Bilbo ha come propria motivazione soltanto la *stanchezza*, una inspiegabile irrequietezza (e il desiderio di rivedere Valforra, ma ciò non viene detto: ritrovarlo a Valforra deve essere una sorpresa).

(b) Gandalf *non* dice a Frodo di lasciare la Contea, solo un semplice accenno al fatto che il Signore potrebbe cercare la Contea. Il piano della partenza era interamente di Frodo. Sogni o qualche altra causa [*aggiunta:* irrequietezza] lo hanno spinto a intraprendere un viaggio (per trovare le Crepe del Fato? Dopo aver chiesto consiglio a Elrond). Gandalf scompare per anni. Loro non cercano di raggiungere Gandalf. Gandalf sta solo *cercando* di trovarli e resta assai turbato quando scopre che Frodo ha lasciato Hobbiton. Odo va eliminato o modificato (mischiato con Folco) e deve accompagnare F[rodo] nella cavalcata. Solo Meriadoc prosegue.

In tal caso modifica della trama a Bree. Chi è Passolesto? Un Forestale o uno Hobbit? Peregrino? Se Gandalf sta solo cercando Frodo, Passolesto dovrà essere soltanto un vecchio compagno.[3] Pertanto, se è uno Hobbit, bisogna fare sì che sia uno partito sotto l'influenza di Gandalf (vedi introduzione allo *Hobbit*).[4] Per esempio...

Dopo la piccola avventura di Bilbo, Gandalf poco si vide e in molti anni si annotò una sola scomparsa. Questo era il curioso caso di Peregrino Boffin...

Dal momento che era parente stretto di Bilbo, Bilbo fu accusato di aver messo delle idee nella testa del ragazzo con le sue sciocche storielle; e le visite dei giovani a Casa Baggins furono scoraggiate da molti anziani nonostante la generosità di Bilbo. Ma aveva molti giovani amici leali. Il principale di costoro era Frodo (cugino di Bilbo).

Per quanto riguarda (1) e (2) (a), queste idee furono riprese. In "Una festa attesa a lungo", per com'era in quel momento (vedi p. 300: conservato senza grossi cambiamenti nella versione della terza fase), l'Anello è l'unica ragione cui Bilbo fa riferimento per spiegare la decisione di lasciare la Contea; e associa chiaramente la propria longevità al possesso di quest'ultimo: "Devo davvero sbarazzarmi di Quello, Gandalf. *Ben conservato*, come no. Ma io mi sento esile, quasi stiracchiato, non so se ci capiamo." *Revisioni apportate alla versione della terza fase* hanno portato il testo sotto questi aspetti alla forma di CdA (pp. 44-46) dove è evidente che l'Anello non è volutamente una ragione nella mente di Bilbo (per quanto fortemente il lettore sia reso consapevole della sinistra influenza che di fatto esercitava): egli parla del suo bisogno di "una vacanza, di una lunghissima vacanza" (vedi §1 sopra: "Bilbo si prende semplicemente una 'vacanza'") e del suo desiderio di "rivedere il paese selvaggio prima di morire, e le Montagne". Dice ancora: "*Ben conservato*, come no! Ma io mi sento esile, quasi *stiracchiato*, non so se ci capiamo", ma la sua percezione di veneranda età non è ora in alcun modo associata al possesso dell'Anello; e così più tardi, *nella revisione della versione della* "Storia antica", Gandalf dice a Frodo: "Di certo non iniziò a collegare la sua lunga vita e giovinezza esteriore all'anello." (Vedi CdA, p. 58: "Ma Bilbo non collegò mai la sua lunga esistenza all'anello. Se ne attribuiva tutto il merito e ne andava assai fiero.")

Le note sotto (2) (b) delineano una nuova idea rispetto ai movimenti di Gandalf: per molti anni prima che Frodo se ne andasse non era mai tornato a Hobbiton e la partenza di Frodo era del tutto indipendente dal mago. Nell'apprendere (possiamo supporre) che gli Spettri dell'Anello erano in circolazione, Gandalf alla fine si affrettò a tornare alla Contea, dove con sgomento apprese terrorizzato che Frodo se n'era andato. L'idea non fu accolta (e a sfavore mio padre scrisse: "In questo caso però il capitolo di Sam è rovinato", si riferiva alla fine di "Storia antica", in cui Sam viene scoperto da Gandalf a origliare fuori dalla finestra di Casa Baggins).

Le parole "Loro non cercano di raggiungere Gandalf" sono difficili da interpretare. Pare incredibile che mio padre ora si riferisca alla versione della prima fase della storia, in cui Gandalf aveva lasciato la Festa (data da Bingo) dopo aver sparato i fuochi, ed era noto essere davanti a Frodo e ai suoi amici nel viaggio verso est; eppure nelle versioni successive tutto ciò che si sa di lui è che non andò, come aveva promesso, neanche alla piccola festa d'addio data da Bingo/Frodo prima di lasciare Casa Baggins, e che si supponeva (giustamente) fosse dietro di loro anziché davanti.

Ancora più sconcertante è il passaggio riguardante Odo ("Odo va eliminato o modificato (mischiato con Folco) e deve accompagnare F[rodo] nella cavalcata. Solo Meriadoc prosegue."). Se il significato di ciò è che l'intera "Odo-storia" della terza fase (il viaggio con Gandalf da Criconca attraverso Bree, lo pseudonimo "Baggins", la sua scomparsa da Svettavento e il suo inspiegabile arrivo con Gandalf a Valforra) era da abbandonare, come (verrebbe da chiedersi) può "mischiarsi con Folco", dal momento che "Folco" è già un misto degli originali "Frodo e Odo", con pesante prerogativa di "Odo"? Va ricordato che queste note non erano in alcun modo espressione logica di un piano ordinato, invece sono le vestigia di pensieri in rapida evoluzione. L'uscita di Odo, nella terza fase, dalle avventure degli altri hobbit aveva fatto sì che Folco (prima Frodo) Took prendesse la parte e il personaggio di Odo nella narrazione di quelle avventure, dal momento che quella narrazione esisteva già dalle fasi precedenti, e Odo aveva avuto un ruolo importante nella conversazione con gli hobbit (vedi pp. 402-403). Ma il *mantenimento* di Odo sullo sfondo, con le sue avventure, vorrebbe dire che quando sarebbe riapparso in primo piano a Valforra ci sarebbero stati due "Odo", risultato alquanto ironico della sua eliminazione!

La proposta è qui, presumibilmente, che "Odo Bolger" e "Folco Took" vengano fusi in modo definitivo in un unico personaggio, sotto quest'ultimo nome. "Folco" ora sembra davvero troppo "Odo" perché la "mescolanza" abbia grande significato; ma mio padre forse non lo aveva percepito (e forse non aveva un quadro tanto chiaro dei complessi sviluppi della storia come lo si può ottenere da un lungo studio dei manoscritti). In "accompagnare F[rodo] nella cavalcata", "cavalcata" è forse un semplice lapsus per "camminata": il significato è che la "fusione" risultante accompagna Frodo e non "prosegue" con Merry verso Landaino. Tutto questo è ben intessuto, ma riflette la natura straordinariamente complessa della costruzione mutevole di mio padre.

Con "Chi è Passolesto? Un Forestale o uno Hobbit?" vedi pp. 413-415. La storia secondo cui Passolesto era Peregrino Boffin è ormai definitivamente presente e sarebbe stata sviluppata appieno nella revisione del testo della terza fase di "Una festa attesa a lungo" (pp. 478-481).

(4) I restanti documenti di questa raccolta "agosto 1939" che riguardano la parte iniziale della storia forse seguirono gli altri. Queste pagine di stesura narrativa molto approssimativa sono intitolate *Conversazione di Bilbo e Frodo*, un rapporto altrimenti mai visto da vicino, prima che si incontrassero molto tempo dopo a Valforra. La conversazione si svolge a Casa Baggins prima della Festa d'Addio di Bilbo; questi parla a Frodo dell'Anello per la prima volta, solo per scoprire con genuino stupore e finta indignazione che Frodo già ne era a conoscenza e aveva guardato il libro segreto di Bilbo. Si tratta di una storia diversa da quella di "Una festa attesa a lungo", dove Frodo aveva letto le memorie di Bilbo con il suo permesso (pp. 305, 392).

Conversazione di Bilbo e Frodo

"Ebbene, ragazzo mio, andiamo molto d'accordo e, in un certo senso, mi spiace andarmene. Ma sto andando in vacanza, una vacanza lunghissima. A dire il vero, non ho intenzione di tornare. Sono stanco. Attraverserò i Fiumi.[5] Pertanto preparati alle sorprese di questa festa. Io posso affermare che lascio tutto, praticamente, a te, tutto eccetto qualche cianfrusaglia."

***

Il signor Bilbo Baggins, di Casa Baggins, Sottocolle (Hobbiton) era seduto nel suo salotto a ovest un pomeriggio d'estate.

"Ebbene, questo è il mio piccolo piano, Frodo," disse Bilbo Baggins. "È un segreto tombale, bada bene! L'ho tenuto nascosto a tutti tranne che a te e a Gandalf. Mi serviva l'aiuto di Gandalf; e te l'ho detto perché spero che lo scherzo ti piacerà ancora di più essendone al corrente, e naturalmente vi sei molto coinvolto."

"Non mi piace affatto," disse l'altro hobbit, sembrando alquanto perplesso e abbattuto. "Ma ti conosco abbastanza per sapere che è inutile cercare di dissuaderti dai tuoi piccoli piani."

***

"Be', è giunto il momento di salutarci, mio caro ragazzo," disse Bilbo.

"Credo di sì," disse Frodo in tono triste. "Pur non capendone affatto il motivo. [Ma ti conosco anche troppo bene per pensare di provare a dissuaderti dai tuoi piccoli piani, soprattutto ora che sono arrivati a questo punto.]"

"Non so spiegarlo meglio," rispose Bilbo, "perché anch'io non l'ho ben chiaro. Ma spero che questo sia chiaro: lascio tutto (eccetto qualche cianfrusaglia) a te. Il mio po' di denaro ti manterrà bene, come nei bei vecchi tempi; e poi è rimasto un po' del mio tesoro, tu sai dove. Non molto, ma comunque un bel gruzzoletto. E ancora una cosa. C'è un anello."

"L'anello magico?" chiese Frodo alla sventata.

"Eh, cosa?" disse Bilbo. "Chi ha detto anello magico?"

"Io," disse Frodo, arrossito. "Mio caro vecchio hobbit, non tieni conto della curiosità dei giovani nipoti."

"Ne tengo conto," disse Bilbo, "o pensavo fosse così. E comunque non chiamarmi caro vecchio hobbit."

"So dell'esistenza del tuo Anello da anni."

"Sul serio?" disse Bilbo. "Come, mi piacerebbe saperlo! Forza, allora: faresti meglio a vuotare il sacco prima che me ne vada."

"Dunque, è successo così. Sono stati i Sackville-Baggins la causa della tua rovina."

"Proprio loro," grugnì Bilbo.

Frodo poi racconta di aver assistito alla fuga di Bilbo, divenuto invisibile, dai Sackville-Baggins durante una passeggiata. Questo, in forma molto breve, era stato usato nella quinta versione di "Una festa attesa a lungo" (p. 308), quando Bingo lo raccontò a Gandalf dopo la festa. Lì, come semplice esempio di come Bilbo avesse usato l'Anello per piccole sparizioni di modo da evitare tedi e seccature (perché naturalmente nella storia "ricevuta" Bingo sapeva dell'Anello perché Bilbo gliene aveva parlato). Fu poi, in una versione più elaborata, assegnato a Merry in "Una congiura è smascherata" (p. 376) come spiegazione di come Merry fosse a conoscenza dell'Anello (e così fu eliminata dalla sesta versione di "Una festa attesa a lungo", p. 392). Ora, nel presente testo, mio padre riprese semplicemente la storia parola per parola da "Una congiura (viene) smascherata" e la assegnò a Frodo, come spiegazione data a Bilbo di come era venuto a sapere dell'Anello; e Frodo continua, ancora quasi parola per parola, con il racconto di Merry riguardo a come vide il libro di Bilbo:

"Questo non spiega tutto," disse Bilbo, con un luccichio negli occhi. "Avanti, sputa il rospo, qualunque cosa sia!"

"Be', dopo ho tenuto gli occhi aperti," balbettò Frodo. "Io... ehm... a dire il vero tenevo d'occhio te. Ma devi ammettere che era molto intrigante... ed ero appena adolescente. Così un giorno mi sono imbattuto nel tuo libro."

"Il mio libro!" disse Bilbo. "Santi numi. Nulla è al sicuro!"

"Non troppo," disse Frodo. "Ma ho dato solo una rapida occhiata. Non hai mai lasciato il libro in giro, eccetto una volta: ti hanno chiamato fuori dallo studio, io sono entrato e l'ho trovato aperto. Vorrei dargli uno sguardo un po' più lungo, Bilbo. Credo lo lascerai a me ora, no?"

"No!" disse Bilbo in tono deciso. "Non è finito. Vedi, uno dei motivi principali per cui me ne vado è trovare un posto dove scrivere in pace senza un branco di nipoti birbanti che ficcano il naso in giro e una fila di insopportabili visitatori che si attaccano al campanello."

"Non dovresti essere tanto gentile con tutti," disse Frodo. "Sono certo che non è necessario che tu vada via."

"Be', vado," disse Bilbo. "E riguardo a quell'Anello... suppongo non serva parlarne ora, o di come l'ho avuto. Ho pensato di dartelo."

A questo punto mio padre interruppe il testo e scrisse sulla pagina: "Non va bene per via dell'utilizzo dell'Anello alla festa!", ovvero, Bilbo non poteva avere l'intenzione di darlo a Frodo in quel momento, prima della Festa. Ma senza cambiare nulla di ciò che aveva scritto continuò il racconto in questo modo:

Frugò nelle tasche e tirò fuori un piccolo anello d'oro attaccato a un altro anello e a una catenina. Lo slacciò, lo posò sul palmo della mano e lo guardò a lungo.

"Ecco qui!" disse con un sospiro.

Frodo tese la mano. Ma Bilbo si rimise subito l'anello in tasca. Sul viso gli si dipinse [uno sguardo perplesso >] uno sguardo strano. "Ehm, bene," balbettò, "dartelo sarà l'ultima cosa che farò prima di andare, oppure lo lascerò nel mio cassetto chiuso a chiave o qualcosa del genere."

Frodo aveva un'aria sconcertata e lo fissava, ma senza dire nulla.

Le ultime righe del testo vengono dopo la Festa:

Bilbo... come nella vecchia versione va e si veste (ma con l'*armatura* sotto il mantello)[6] e saluta. "L'anello," disse, "è – ehm – nel cassetto", e scomparve nell'oscurità.

Penso che questa nuova versione debba essere associata alle note di apertura di "Modifiche della trama" nel §3: si tratta di un allontanamento dall'idea che Bilbo fosse preoccupato per l'Anello e che fosse il motivo principale per andarsene (si parla invece della sua stanchezza, del suo desiderio di pace). Nemmeno con Frodo ne ha mai parlato. Pare che l'intenzione di mio padre fosse che Bilbo lo consegnasse a Frodo in quel momento, senza alcun accenno a una battaglia interiore; ma durante la stesura si rese conto che "Non va bene", dal momento che Bilbo deve tenersi l'Anello fino al preciso istante della partenza. Il dono sarebbe stato quindi da rinviare a dopo la presente occasione; e fu solo allora che egli accolse la proposta di "Una festa attesa a lungo", in cui Bilbo disse a Gandalf: "Non lo butterò. Comunque, non riesco a fare una cosa del genere, *me lo rimetto in tasca e basta.*"[7] Il risultato curioso è che la scena in realtà si conclude ora precisamente con una dimostrazione, nel comportamento imbarazzato e ambiguo di Bilbo, dell'effetto sinistro che l'Anello ha di fatto avuto sul suo possessore; e questo si sarebbe sviluppato nella lite con Gandalf in CdA, pp. 43-45.

(5) Passando ora a quei documenti datati agosto 1939 che riguardano prospettive più ampie della storia che seguirà il soggiorno a Valforra, è presente l'idea che un Drago doveva giungere nella Contea e con il suo arrivo gli hobbit dovevano essere portati a dimostrare di essere fatti di una "pasta più dura" e che "Frodo (Bingo)" doveva "arrivare quasi a finire i soldi, che ora erano oro *di drago*. Ne è 'attratto'?" Qui è presente un riferimento alle "osservazioni di Bilbo su un vecchio foglio d'appunti", naturalmente quelle riportate alle p. 56 (in cui era stata proposta la stessa idea di un Drago che arrivava a Hobbiton).

(6) A queste note segue nella stessa pagina un breve elenco di elementi narrativi che potevano subentrare molto più avanti:

Isola in mare. Portare lì Frodo alla fine.
Radagast?[8]
La battaglia infuria lontano tra eserciti di Elfi e Uomini c[ontro il] Signore.
Avventure... Uomini di Pietra.

Il primo di questi lo si confronti con la nota riportata a p. 57: "Elrond gli parla di un'isola" ecc. Il riferimento alla "battaglia che infuria" probabilmente appartiene alla fine della storia, quando l'Anello entra nelle Crepe del Fato.

L'ultimo elemento è la cosa più interessante. Una nota di mio padre ritrovata tra le carte di SdA afferma che egli esaminò (almeno una parte) del materiale nel 1964; e molto probabilmente fu in quel momento che scribacchiò accanto le parole "Avventure... Uomini di Pietra":

"Pensato solo come una 'avventura'." Tutta la materia di Gondor (Terra di Pietra) è sorta da questa nota. (Aragorn, ancora chiamato Passolesto, allora non aveva alcun legame con essa e all'inizio fu concepito come uno degli hobbit che avevano desiderio di partire).

(7) Si è giunti a un punto ideale per riportare una pagina di appunti a matita e non datati, in cui compare "Bingo". In alto nella pagina è scritto: "Città di Pietra e uomini civilizzati." Segue poi uno schema assai abbreviato della fine della storia.

Alla fine

Quando Bingo [*scritto sopra:* Frodo] raggiunge la Crepa e la Montagna Fiammea, *non riesce a risolversi a gettare l'Anello.* ? Sente la voce del Negromante che gli offre una grande ricompensa: condividere il potere, se lo terrà.

In quel momento Gollum, che pareva essersi ravveduto e li aveva condotti per i sentieri segreti di Mordor, si avvicina e tenta di prendere a tradimento l'Anello. Lottano e Gollum *prende l'Anello* e cade nella Crepa.

La montagna inizia a rimbombare.

Bingo prende la fuga [ovvero scappa].

Eruzione.

Mordor svanisce in una nube oscura. Gli Elfi vengono visti cavalcare come luci che allontanano una nube oscura.

La Città di Pietra è ricoperta di cenere.

Viaggio di ritorno a Valforra.

E la Contea? Sackville-Baggins... terre... i quattro quartieri.

Bingo fa la pace e si stabilisce in una casetta di una verde altura, finché un giorno se ne va con gli Elfi a ovest oltre le torri.

Meglio: le terre non venivano coltivate, tutti gli hobbit erano impegnati a forgiare spade.

Le parole illeggibili si possono interpretare nel seguente modo: "Sackville-Baggins [e] i suoi amici devastano [le] terre. C'era una guerra tra i quattro quartieri."

Dal momento che viene fatto riferimento alla "Città di Pietra", sebbene nel 1964 mio padre affermasse che l'intera idea di Gondor fosse nata dal riferimento agli "Uomini di Pietra" in una nota dell'agosto 1939, si dovrebbe optare per un'interpretazione rigorosa secondo cui questo schema risalirebbe a quel periodo o sarebbe successivo. Tuttavia, l'eroe è ancora "Bingo", quindi lo schema parrebbe essere precedente. Credo però che la contraddizione possa essere solo apparente, dal momento che in altri appunti dell'agosto 1939 mio padre sembra essere ancora indeciso sul nome "Bingo", e quindi attribuirei lo schema appena riportato all'incirca allo stesso periodo del resto di queste note.

Naturalmente tralascia alcune cose che mio padre doveva già (grossomodo) sapere, come la ricomparsa di Gollum, ad esempio. Ed è davvero straordinario scoprire, quando non è presente alcun accenno alla vasta struttura ancora da costruire, che la corruzione della Contea e la presenza cruciale di Gollum sulla Montagna Fiammea furono elementi nell'insieme molto precoci.

(8) Sul retro della pagina dello schema, si legge quanto segue:

"L'anello è distrutto," disse Bilbo, "e ho voglia di dormire. Dobbiamo salutarci, Bingo [*scritto sopra:* Frodo], ma è un buon posto per salutarci, alla Casa di Elrond, dove la memoria è lunga e gentile. Lascio qui il libro delle mie piccole gesta. E non credo che mi riposerò finché non avrò scritto anche il tuo racconto. Lo terrà Elrond, senza dubbio dopo che tutti gli hobbit se ne saranno andati per le loro strade nel passato. Bene Bingo, ragazzo mio, tu e io eravamo creature assai piccole, ma abbiamo fatto la nostra parte. Abbiamo fatto la nostra parte. Certo, uno strano destino quello che abbiamo condiviso."

Pare quindi che in quel momento mio padre avesse previsto che Bilbo sarebbe morto a Valforra.

(9) È presente un'ulteriore pagina datata "agosto 1939", di grande interesse. Si tratta di una serie di appunti a matita, come gli altri, ed è intitolata "Trama dal XII in poi".

Dovremo aspettare fino a Primavera? Oppure partire subito.

Si dirigono a sud lungo i Monti. Più tardi o prima? Bufera di neve al Passo Rosso. Viaggio lungo la Viarossa.

Avventura con il Gigante Barbalbero nella Foresta.

Miniere di Moria. Anche queste deserte, eccetto per i *Goblin*.

Terra di Ond. Assedio della Città.

Si avvicinano ai confini di Mordor.

Nel buio compare Gollum. Finge di ravvedersi? O cerca di strozzare Frodo? Tuttavia Gollum ha un anello magico ricevuto dal Signore ed è invisibile. Frodo non si azzarda a usare il suo.

Cavalcata del male guidata da sette Cavalieri Neri.

La Torre Oscura si scorge all'orizzonte. Terribile sensazione di un Occhio sulle sue tracce.

La Montagna Fiammea.

L'eruzione della Montagna Fiammea causa la distruzione della Torre.

Una nota a margine a matita si domanda se "Bingo" (con "Frodo" scritto accanto) debba essere catturato dall'Oscuro Signore e interrogato, ma essere salvato "da Sam?".

In seguito mio padre corresse queste note con l'inchiostro. Nella prima riga, vicino a "Oppure partire subito", scrisse "subito"; dispose che "Le miniere di Moria..." dovessero precedere "Avventura con il Gigante Barbalbero" e trovarsi tra "Bufera di neve al Passo Rosso" e "Viaggio lungo la Viarossa"; e dopo "Anche queste deserte, eccetto per i *Goblin*" aggiunse "Perdita di Gandalf".

Alcuni elementi di questo schema si sono già presentati. Il falso ravvedersi di Gollum, il suo attacco a Frodo e l'eruzione della Montagna di Fuoco, nel §7; il fatto che Gollum ottenesse un anello a Mordor in §1. Qui però per la prima volta troviamo altri importanti ingredienti del lavoro successivo. L'Anello attraversa i Monti Brumosi al "Passo Rosso", che sopravvivrà nel Valico di Cornorosso, o Cancel Cornorosso. Le Miniere di Moria ricompaiono ora per la prima volta dallo *Hobbit*, almeno sotto quel nome: la menzione in *Interrogativi e modifiche*, nota (11) (p. 289) della colonia fondata dai Nani Balin, Ori e Óin dalla Montagna Solitaria in "ricche colline del Sud" non dimostra che fosse stata effettuata alcuna identificazione. Il vero collegamento sta senza dubbio nelle parole di Elrond nello *Hobbit* (capitolo III, "Un breve riposo"): "Ho sentito dire che ci sono ancora tesori d'altri tempi, dimenticati, che debbono essere ritrovati nelle caverne abbandonate delle miniere di Moria, dopo la guerra tra i nani e gli orchi"; e le parole "Anche queste deserte, eccetto per i Goblin", prese insieme a quelle in *Interrogativi e modifiche* (*ibid.*) "Ma dopo un po' di tempo non si seppe più nulla di loro", presuppongono senza dubbio la storia del *Signore degli Anelli*. La terra degli Uomini di Pietra (vedi §6) è la "Terra di Ond", e la "Città di Pietra" (§7) verrà assediata. È qui presente anche il primo accenno alla storia della cattura di Frodo e del salvataggio da parte di Sam Gamgee alla torre di Cirith Ungol; e ciò che spicca maggiormente è, forse, la prima menzione dell'Occhio Inquisitore nella Torre Oscura.

Si tratta di riferimenti a "momenti" narrativi che mio padre prevedeva, ma non costituiscono uno schema narrativo articolato. Potrebbero benissimo non far parte della sequenza che egli allora intendeva. Pertanto in questo schema il tradimento di Gollum viene messo in evidenza molto prima che Frodo raggiunga la Montagna Fiammea il che, alla luce di quanto detto nel §7, difficilmente può essere stato ciò che egli pensava; e le Miniere di Moria sono nominate dopo il passaggio dei Monti Brumosi. Ciò subì poi una correzione a inchiostro, ma potrebbe non essere stata la sua idea quando scrisse queste note: in nessuna delle (sei) menzioni delle Miniere di Moria nello *Hobbit* si trova infatti alcun accenno su dove queste fossero (vedi la lettera a W.H. Auden del 1955: "Le Miniere di Moria erano solo un nome", *Lettere*, p. 344).

(10) Va ora detto qualcosa sul "Gigante Barbalbero", dal momento che in questo periodo questi emerse in un frammento di narrazione (ed era stato menzionato da Gandalf a Frodo a Valforra, p. 451: "A Fangorn mi hanno catturato e ho passato molti giorni prigioniero del Gigante Barbalbero"). Esiste un unico foglio manoscritto, che iniziava con una lettera datata "27-29 luglio 1939", ma che mio padre coprì subito su entrambe le facciate in una bella scrittura ornata (un lato del foglio è riprodotto di seguito). Nella pagina si leggono le parole "Summer Diversions di luglio" e versi tratti dal *Racconto del fattore* di Chaucer. Queste "Diversions" erano una serie di spettacoli pubblici tenuti a Oxford nel corso dei quali mio padre, vestito da Chaucer, recitava quel racconto. A prendere gran parte della pagina è però un testo su cui in seguito venne scritto a matita *Barbalbero*.

Quando Frodo udì la voce alzò lo sguardo, ma non scorse nulla attraverso il fitto groviglio di rami. D'improvviso sentì un fremito nel tronco nodoso contro cui era poggiato e, prima che riuscisse a balzare, una spinta o un calcio lo fecero piegare sulle ginocchia. Tirandosi su guardò l'albero e, proprio mentre guardava, quello fece un lungo passo verso di lui. Si tolse di mezzo e dalla cima dell'albero giunse una risatina profonda e reboante.

"Dove sei, piccolo maggiolino?" disse la voce. "Se non me lo dici, non puoi biasimarmi per averti calpestato. E per favore, non mi solleticare la gamba!"

"Non vedo gambe," disse Frodo. "E tu dove sei?" "Devi essere orbo," disse la voce. "Sono qui." "Chi sei?" "Sono Barbalbero," rispose la voce. "Se non hai mai sentito parlare di me, avresti dovuto... e comunque, sei nel mio giardino."

"Non vedo nessun giardino," disse Frodo. "E sai com'è fatto un giardino?" "Ne ho uno mio: ci sono fiori e piante, e intorno uno steccato... qui però non vedo nulla del genere." "Oh, sì! C'è. Solo che tu hai passato lo steccato senza accorgertene, e non vedi le piante perché ci sei sotto, alle radici."

Fu solo allora, quando Frodo osservò con maggiore attenzione, che vide che ciò che aveva preso per fusti lisci di alberi erano gambi di fiori giganteschi, e quello che aveva pensato fosse il tronco di una gigantesca quercia era in realtà una spessa gamba nodosa con un piede simile a una radice e molte dita di rami.

Questa è la prima immagine di Barbalbero, che con quest'aria pare più venire dal vecchio *Hobbit* che dal nuovo. Compaiono qui anche sei righe scritte in *tengwar* elfico, che traslitterate si leggono:

Frammento dal Signore degli Anelli, seguito dello Hobbit.

Frodo incontra il Gigante Barbalbero nella Foresta di Neldoreth mentre è alla ricerca dei compagni perduti: viene ingannato dal gigante che si finge amichevole, ma in realtà è in combutta col Nemico.

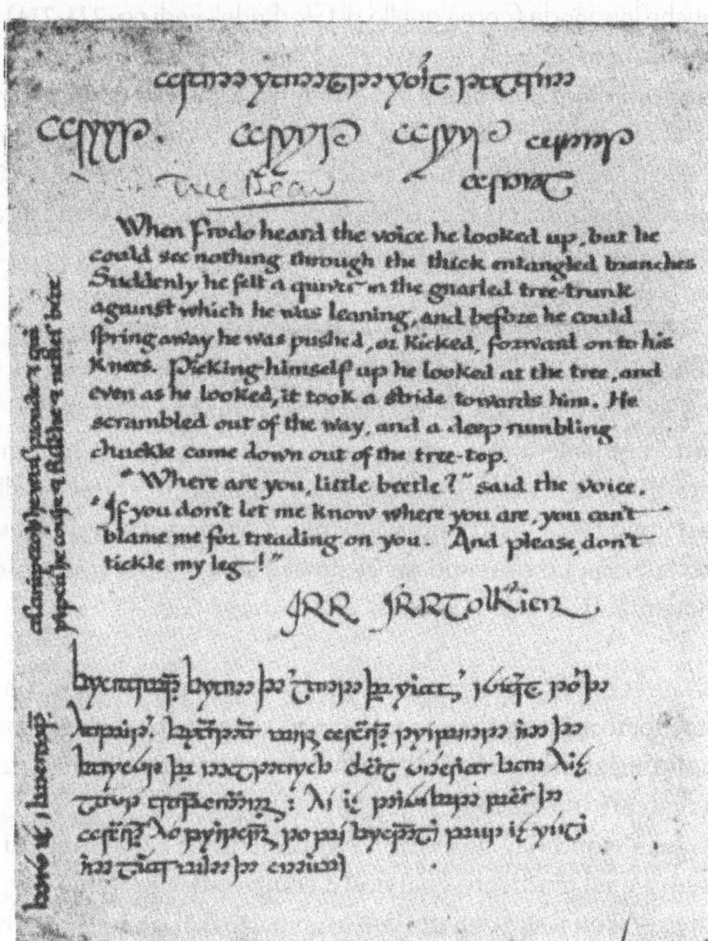

Tree Beard

When Frodo heard the voice he looked up, but he could see nothing through the thick entangled branches. Suddenly he felt a quiver in the gnarled tree-trunk against which he was leaning, and before he could spring away he was pushed, or kicked, forward on to his knees. Picking himself up he looked at the tree, and even as he looked, it took a stride towards him. He scrambled out of the way, and a deep rumbling chuckle came down out of the tree-top.

"Where are you, little beetle?" said the voice. "If you don't let me know where you are, you can't blame me for treading on you. And please, don't tickle my leg!"

JRR JRRTolkien

La comparsa di Barbalbero

La foresta di Neldoreth, che forma la parte settentrionale del Doriath, era comparsa nei tardi *Annali del Beleriand* (V.159, 185); il nome proveniente dalle antiche leggende (come quello di Glorfindel, vedi pp. 273-274) doveva essere riutilizzato.

Sei mesi prima, in una lettera del 2 febbraio 1939, mio padre aveva detto che "anche se non c'è un drago (per ora) ci sarà un Gigante" (*Lettere*, p. 69, nota al testo). Se l'analisi cronologica da me suggerita è corretta (vedi p. 379) "il Gigante Barbalbero" era già comparso, come rapitore di Gandalf, alla fine della terza fase (p. 451).

(11) Rimane un altro testo (esistente in due versioni) da riportare in questo capitolo; si tratta della storia di Peregrino Boffin (vedi sopra §§2, 3). Una versione si trova come parte di un manoscritto di due pagine scritto in maniera alquanto approssimativa che inizia con un nuovo testo di "Una festa attesa a lungo", strettamente correlato alla sesta versione o terza fase di quel capitolo, ma senza dubbio successivo a quest'ultima. Lo riprendo da "A novant'anni era più o meno come a cinquanta" (CdA, p. 31).

A novantanove iniziarono a definirlo *ben conservato*: benché con *immutato* ci sarebbero andati più vicino. Dicevano in giro che il troppo stroppia, quella combinazione di manifesta giovinezza perpetua e di una ricchezza apparentemente inesauribile.

"Toccherà scontarla," dicevano. "Non è naturale e sarà fonte di guai!"

Ma fino a quel momento guai non c'erano stati, e il signor Baggins era assai generoso con il suo denaro, così gran parte della gente (e soprattutto gli hobbit più poveri e meno importanti) gli perdonava le sue stranezze. In un certo senso gli abitanti di Hobbiton erano (segretamente) alquanto orgogliosi di lui: le ricchezze riportate dai suoi viaggi divennero una leggenda locale e, secondo opinione diffusa, inutilmente smentita dagli anziani, la Collina era piena di gallerie imbottite di tesori.

"Sarà anche strano, ma non ti fa niente," dicevano i più giovani. Ma non tutti i suoi parenti di maggior importanza erano d'accordo. Questi erano sospettosi dell'ascendente sui loro figli, e soprattutto del fatto che i loro figli a casa sua incontrassero Gandalf. E quei sospetti furono assai accresciuti dalla sventurata vicenda di Peregrino Boffin.

Peregrino era il nipote della seconda sorella della madre di Bilbo, Donnamira Took. Quando Bilbo tornò dal suo viaggio era appena un bimbo, aveva cinque anni; poi divenne un ragazzo dai capelli scuri e (per uno hobbit) allampanato, molto più Took che Boffin. A passo svelto andava sempre a Hobbiton, perché il padre, Paladino Boffin, viveva a Valleaborea, a solo un paio di miglia dalla Collina. Quando Peregrino iniziò a parlare di montagne e nani, foreste e lupi, Paladino si preoccupò e alla fine proibì al figlio di avvicinarsi a Casa Baggins e chiuse la porta in faccia a Bilbo.

Dal momento che era assai affezionato a Peregrino, Bilbo fu molto toccato dalla cosa, ma non fece nulla per spronarlo a visitare in segreto Casa Baggins. Peregrino poi scappò di casa e fu trovato a vagabondare mezzo morto di fame nelle brughiere del Quartiero Nord. Alla fine, il giorno dopo aver raggiunto la maggiore età (nella primavera dell'ottantesimo compleanno di Bilbo),[9] scomparve e non fu mai ritrovato nonostante le ricerche in tutta la Contea.

In passato Gandalf era sempre stato ritenuto responsabile di saltuari e spiacevoli incidenti di quel tipo; ma ora il grosso della colpa l'aveva Bilbo, e dopo la scomparsa di Peregrino gran parte dei suoi parenti più giovani gli furono tenuti lontani. Sebbene in realtà Bilbo fosse probabilmente più turbato dalla scomparsa di Peregrino di tutti i Boffin messi insieme.

Aveva però altri giovani amici, che per un motivo o per l'altro non gli venivano tenuti lontani. Presto il prediletto divenne Frodo Baggins, nipote di Mirabella, la terza delle notevoli figlie del Vecchio Took, e figlio di Drogo (uno dei cugini di secondo grado di Bilbo). Proprio nel periodo della scomparsa di Peregrino, Frodo rimase orfano, a soli dodici anni, pertanto non aveva genitori ansiosi che lo tenessero distante dalle cattive compagnie. Viveva con lo zio Rory Brandaino e centouno parenti della madre nella Grande Buca di Borgodaino: Palazzo Brandy.

Qui si conclude questa nuova apertura. Una versione appena più breve si trova in un allegato al manoscritto della versione della terza fase, con alcune differenze ma nessuna sostanziale. In questo passo viene affermato che

Bilbo aveva riportato il piccolo delinquente a Valleaborea e si era scusato con Paladino Boffin, quando Peregrino "gli si aggirava intorno furtivamente"; e Bilbo "negò fermamente di avere qualcosa a che fare con gli eventi".

Il villaggio di *Valleaborea* divenne in seguito *Sopraccolle*, e fu corretto in questo modo nel secondo di questi testi.[10] *Paladino* è già il nome del padre di *Peregrino*: questi Boffin sono, come nome, all'origine di Paladino e Peregrino Took in SdA. Donnamira Took, seconda delle figlie del Vecchio Took, compare nell'albero genealogico riportato a p. 394, in cui è la moglie di Ugo Boffin (come in SdA, ma lì non viene annotata alcuna discendenza): il loro figlio era Jago Boffin, e suo figlio era Fosco, cugino (di secondo grado) di Bilbo, che aveva 54 anni al momento della Festa. Nella versione della terza fase di "Storia antica" (p. 397) si afferma che Jo Bottone, il quale vide gli "Uomini-albero" oltre le Brughiere del Nord, avesse lavorato per Fosco Boffin di Valleaborea, e questi è con ogni probabilità coincidente sull'albero genealogico con Fosco Boffin, nipote di Donnamira. In questo caso Peregrino Boffin (Passolesto), che all'epoca della Festa (vedi nota 9) aveva 64 anni (sebbene fosse oramai scomparso da tempo dalla Contea), è subentrato nella posizione genealogica di Fosco, e suo padre Paladino in quella di Jago. Ma soltanto nella posizione genealogica: il Boffin di Valleaborea per cui lavorava Jo Bottone non ha ovviamente nulla a che vedere con il rinnegato Peregrino.

Si noterà che in questo racconto Frodo e Passolesto erano secondi cugini, ed entrambi erano procugini di Bilbo.[11]

1 "Inattesa" per "attesa a lungo" vedi p. 311, nota 1.

2 In realtà, la terza e la quarta bozza della prima fase; con "bozza originale del Racconto" mio padre intendeva la versione di "Una festa attesa a lungo" com'era quando fu sottoposta ad Allen & Unwin (vedi p. 54).

3 Non comprendo il senso preciso di questa frase.

4 Il riferimento allo *Hobbit* è al capitolo I,"Una festa inattesa", passaggio già citato (p. 286).

5 *i Fiumi*: la forma plurale è chiara.

6 Che Bilbo indossasse la sua "armatura elfica" sotto la mantella quando partì viene detto nel §2; vedi pp. 462-463.

7 Si tratta della formulazione della sesta versione (terza fase), cambiata di poco dalla quinta (p. 305).

[8] Radagast era apparso nello *Hobbit*: nel capitolo VII, "Strani alloggi", Gandalf parlò a Beorn del "mio buon cugino Radagast, che vive presso i confini meridionali di Boscuro".

[9] Peregrino Boffin aveva cinque anni quando Bilbo tornò dalla sua grande avventura. Il calcolo è: 51-79 ("la primavera del suo ottantesimo compleanno") = 28, più 5 = 33 ("maggiore età raggiunta"). Secondo questa storia Peregrino/Passolesto aveva 81 anni quando incontrò Frodo e i suoi compagni a Bree (Bilbo partì quando ne aveva 111; Peregrino/Passolesto allora ne aveva 64, e Frodo lasciò la Contea 17 anni dopo). Come disse a Bree, "sono più vecchio di quanto sembri" (pp. 197, 427); Aragorn aveva 87 anni quando disse la stessa cosa (CdA, p. 181).

[10] *Valleaborea* > *Sopraccolle* anche a p. 397. Il nome *Valleaborea* appare qui sulla mappa originale della Contea (p. 135, numero I) ma fu cancellato e sostituito, non da *Sopraccolle*, ma da *Lo Yale*. Questo è un buon punto per esaminare la storia di questo nome. Molto tempo dopo, mio padre scrisse *Lo Yale* sulla mappa della Contea in una copia della prima edizione di CdA, collocandolo a sud di Biancosolco nel Quartiero Est, in modo tale da dimostrare che intendeva una regione, come "La Marcita", non un particolare luogo di insediamento (attraverso di essa corre la strada per Magione); e allo stesso tempo, nella stessa copia, amplia il testo in CdA, p. 89, introducendo il nome: "il bassopiano dello Yale" (per il motivo del cambio nel testo, pubblicato nella seconda edizione, vedi p. 86, nota 10). La mappa della Contea nella seconda edizione aggiunse *Lo Yale*, ma in relazione a un quadratino nero, come se fosse il nome di una fattoria o di un borghetto. Deve essersi trattato di un malinteso. Non riesco a spiegare il significato di *Lo Yale*. *Valleaborea* [Northope] contiene l'elemento-toponimo *hope* che di solito significa "piccola valle delimitata".

[11] Anche il precedente suggerimento di mio padre riguardante Passolesto (p. 286) lo poneva come primo cugino di Bilbo (Fosco Took).

LA STORIA CONTINUA

XXIII.
NELLA CASA DI ELROND

Nella fase successiva del lavoro è arduo desumere la cronologia della composizione, o metterla in relazione con altre importanti revisioni apportate alla "terza fase" della storia fino a Valforra. La cronologia dipende dalla forma assunta da alcuni elementi chiave e se questi mancano allora è impossibile averne la certezza.

Ad ogni modo, dopo che "Bingo" divenne "Frodo", mio padre continuò la conversazione interrotta di Frodo con Glóin alla festa nella casa di Elrond (vedi p. 459). Si tratta di due varianti, la seconda segue fedelmente la prima, e già nella prima l'ultima parte di "Molti incontri" di CdA è approssimata abbastanza; ma ci sono alcune importanti differenze. Riporto qui la seconda variante (in parte).[1]

"E che ne è stato di Balin, Ori e Óin?" domandò Frodo.

Un'ombra passò sul viso di Glóin. "Balin ha ripreso a viaggiare," rispose. "Magari hai sentito che ha fatto visita a Bilbo a Hobbiton molti anni fa:[2] be', non molto tempo dopo se n'è andato per due o tre anni. Poi è tornato alla Montagna con un bel po' di nani che ha trovato a vagare senza un capo a Sud e a Est. Voleva che Dáin tornasse a Moria, o almeno che gli permettesse di fondare una colonia laggiù e riaprire le grandi miniere. Come forse sai, Moria era la dimora ancestrale dei nani della razza di Durin, e gli antenati di Thorin e Dáin dimorarono lì, fino a quando non furono scacciati nel lontano Nord dalle invasioni dei goblin. Balin annunciò che Moria era di nuovo deserta, dopo la grande sconfitta dei goblin, ma le miniere erano ancora ricche, soprattutto d'argento. Dáin non era disposto a lasciare la Montagna e la tomba di Thorin, ma permise a Balin di andare e lui portò con sé molti del popolo della Montagna insieme al proprio seguito; Ori e Óin andarono con lui. Per molti anni tutto andò bene e la colonia prosperò; tornò il viavai tra Moria e la Montagna, e a Dáin furono inviati molti doni d'argento. Poi la fortuna girò. I nostri messaggeri furono assaliti e derubati da Uomini feroci, bene armati. Da Moria non giunse nessun messaggero, ma ci giunse voce che le miniere e la città dei nani erano di nuovo deserte. Per molto tempo non abbiamo saputo cosa fosse successo a Balin e alla sua gente, ma ora una notizia l'abbiamo, ed è infausta. È per raccontare tutte queste nuove e per chiedere consiglio a... a coloro che dimorano a Valforra che sono venuto. Ma parliamo di cose più allegre stasera!"

In alto nella pagina mio padre scrisse le parole che si trovano a questo punto in CdA (p. 247):. "'Non lo sappiamo,' rispose. 'È soprattutto per via di Balin che sono venuto a chiedere consiglio a coloro che dimorano a Valforra. Ma parliamo di cose più allegre stasera!'". In CdA la storia di Balin fu assorbita nel "Consiglio di Elrond" e molto ampliata.

Il resoconto di Glóin relativo ai lavori dei Nani a Vallea e sotto la Montagna Solitaria (CdA, pp. 247-248) è presente nella vecchia versione.[3] Alla fine, quando Glóin disse: "Volevate molto bene a Bilbo, vero?" Frodo si limitò a rispondere "Sì" e poi "proseguirono a parlare delle vecchie avventure di Bilbo con i nani, a Boscuro, e tra gli Elfi dei boschi e nelle caverne della Montagna".

L'ingresso nella Sala del Fuoco, e la scoperta e il riconoscimento di Bilbo sono già molto vicini a CdA (per i primi riferimenti di Bilbo a Valforra vedi pp. 162, 289). In entrambi i testi viene detto che la Sala del Fuoco è grande quanto la "Sala dei Banchetti" o la "Sala Grande"; nel secondo questa sala parrebbe "non avere finestre"; e in entrambi v'erano molti fuochi accesi. Bilbo sedeva accanto al più lontano, con la tazza e il pane su un tavolino vicino a sé (in CdA non c'erano tavoli).

Bilbo dice: "Dovrò farmi aiutare da quel Peregrino" (vedi p. 460) ed Elrond risponde che farà trovare *Ethelion*[4] (nel capitolo XI della "terza fase" Glorfindel chiama Passolesto *Du-finnion*, p. 448). "Inviarono messi alla ricerca dell'amico di Bilbo. Si diceva che fosse nelle cucine, dal momento che per il suo aiuto godeva di molta stima tra i cuochi come tra i poeti." Nella prima parte del capitolo (p. 454) era stato detto che Frodo non vide Passolesto alla festa e la sua assenza rimase invariata sino a CdA (p. 249), ma con una ragione assai diversa.

Qualunque cosa Bilbo possa aver detto di sé non è riportata nella storia originale. L'intero passaggio (CdA, pp. 247-248) in cui Bilbo racconta del viaggio a Vallea, del soggiorno a Valforra, dell'interesse per l'Anello e dell'angosciante episodio quando chiede di vederlo, è assente.

Erano così presi dalle attività della Contea che non si accorsero dell'arrivo di un altro hobbit. Per molti minuti rimase accanto a loro, a guardarli col sorriso sulle labbra.

A un tratto alzarono lo sguardo. "Ah, eccoti finalmente, Peregrino!" esclamò Bilbo.

"Passolesto!" disse Frodo.

"Vanno bene entrambi!" disse Passolesto, ridacchiando.

"Be', questo è seccante da parte di Gandalf!" esclamò Frodo. "Sapevo che mi ricordavi qualcuno, e lui ha riso di me.[5] Certo, mi ricordi te stesso, e Folco, e tutti i Took. Una volta sei venuto a Landaino quando ero molto piccolo, ma me ne sono scordato, perché parlavi con il Vecchio Rory delle terre fuori della Contea e di Bilbo che non avevi il permesso di vedere. Mi sono chiesto che fine avessi fatto. Ma ero perplesso dalle tue scarpe. Perché le indossi?"

"Il motivo non te lo dirò ora," disse Passolesto sottovoce.

"No, Frodo, non chiederlo ancora," disse Bilbo, con un'aria alquanto scontenta. "Avanti, Perry! Mi serve il tuo aiuto. Questa canzone deve essere finita per stasera."

A questo punto, durante la stesura del secondo testo, mio padre scrisse sopra: "?? È meglio che Passolesto non sia uno hobbit, ma un Forestale, residuo degli Uomini dell'Ovest, come previsto in origine." Naturalmente, ripercorrendo i testi dalla prima comparsa di Passolesto, non esiste alcuna possibilità che mio padre avesse "previsto in origine" di far diventare

Passolesto qualcosa di diverso da uno hobbit. Il primo suggerimento che potrebbe non esserlo compare in *Interrogativi e modifiche* (p. 286, §6). Forse con "previsto in origine" mio padre pensava solo alle bozze per l'apertura del capitolo "Bree" nella terza fase (p. 414), dove l'idea che i Forestali fossero Uomini, "gli ultimi rimasti del regale popolo d'Oltremare", apparve per la prima volta, sebbene non fu ripresa nel capitolo effettivo scritto a quel tempo. Magari per qualche tempo pensò che Passolesto non dovesse essere uno hobbit, ma (come disse del nome "Bingo", p. 283) era ormai troppo abituato all'idea per cambiare. Anche ora non seguì la sua stessa direttiva e Passolesto rimase Peregrino Boffin.

Parimenti a CdA, Frodo siede da solo e si addormenta durante la musica; ma la canzone *Eärendil era un marinaio* non è presente (nonostante la parola "?Messaggero" in cima alla pagina ne sia un accenno).[6]

Si svegliò al rumore di una risata squillante. Musica non se ne sentiva, ma ai margini della veglia l'eco di una voce aveva appena smesso di cantare. Guardò e vide Bilbo seduto sul suo sgabello, che ora era accanto al fuoco centrale, circondato da ascoltatori.

"Suvvia, dicci, Bilbo!" disse uno degli Elfi, "qual è il verso che ha aggiunto Peregrino?"

"No!" rise Bilbo. "Ve lo lascio indovinare... voi che vi vantate tanto del vostro giudizio sulle parole."

"Ma distinguere tra due hobbit è difficile," risero.

"Scempiaggini," disse Bilbo. "Ma non mi metterò a discutere. Ho sonno, dopo tanto cantare e suonare!" Si alzò e tornò accanto a Frodo.

"Be', è fatta," disse Bilbo. "È andata meglio di quanto mi aspettassi. A dire il vero, parecchio era di Peregrino."

"Mi spiace non aver sentito," disse Frodo. "Quando mi sono svegliato, ho sentito le risate degli Elfi."

"Non importa," disse Bilbo. "Lo risentirai, molto probabilmente. Comunque, sono solo un sacco di sciocchezze. Ma è difficile restar svegli qui, bisogna prima farci l'abitudine, non che gli hobbit acquisiscano mai la passione degli Elfi per il canto, la poesia e i racconti di qualsiasi genere. Andranno avanti ancora per molto..."

Le parole del canto a Elbereth (identiche in entrambi i testi) sono diverse dalla forma in CdA:

Elbereth Gilthoniel sir evrin pennar oriel
dir avos-eithen miriel
bel daurion sel aurinon
pennáros evrin ériol.

Le soavi sillabe della canzone elfica ricadevano come limpide gemme commiste di parole e melodia, ed egli si fermò per un attimo a guardare indietro. "È l'inizio del canto a Elbereth," disse Bilbo. "Stasera canteranno molte volte questa e altre canzoni del Reame Beato."

Bilbo ricondusse Frodo nella sua stanza al piano superiore. Là rimasero seduti per un po', a osservare le stelle splendenti dalla finestra e a parlare sottovoce. Non parlarono più delle felici notiziole della lontana Contea, ma degli Elfi, del mondo vasto e dei suoi pericoli, e del fardello e del mistero dell'Anello.

Quando Sam giunse alla porta (alla fine del capitolo in CdA) Bilbo disse:

"Esatto, Sam! Anche se non mi sarei mai aspettato di vivere abbastanza a lungo da ricevere ordini dal figlio di Ham Gamgee. O cielo, ho quasi 150 anni e sono abbastanza vecchio da essere il tuo bisnonno."

"Nossignore, e non mi sarei mai aspettato di farlo."

"È colpa di Gandalf," disse Frodo. "Ha scelto Sam come mio compagno d'avventura e Sam prende il compito sul serio."

Al momento della stesura questo fu sostituito con la fine di CdA. Bilbo aveva infatti 128 anni.

Entrambi i testi proseguono brevemente in quello che divenne "Il Consiglio di Elrond" in CdA (il titolo che mio padre aveva dato al capitolo XII della "terza fase", p. 450, poi chiamato "Molti incontri", quando anticipò che avrebbe contenuto il Consiglio nonché i "molti incontri" che lo precedevano).

Frodo si svegliò presto il giorno dopo, con la sensazione di esser riposato e in salute. Sam gli portò la colazione e non gli permise di alzarsi finché non l'avesse mangiata. Poi arrivarono Bilbo e Gandalf e parlarono un po'. D'improvviso suonò una campana. [*Tutto il resto da questo punto fu cancellato; vedi p. 497*].

"Cielo!" disse Gandalf. "Il consiglio è tra mezz'ora. È il segnale. Devo andare. Bilbo ti porterà sul posto appena sarai pronto. Meglio che Sam venga con te."

Il consiglio si tenne in un'alta radura tra gli alberi sul lato della valle, lontano sopra la casa. A fianco del luogo dell'incontro scorreva un ruscello, e al gocciolio e al gorgoglio dell'acqua si fondeva il canto di molti uccelli. Dodici seggi di pietra scolpita erano disposti in un ampio cerchio; e dietro tanti altri piccoli seggi di legno. Foglie rosse e gialle ricoprivano il terreno, ma gli alberi erano ancora tinti di un verde sbiadito; in alto si apriva un cielo terso di un azzurro chiaro, colmo della luce del mattino.

Quando Bilbo, Frodo e Sam arrivarono, Elrond era già seduto e, come alla festa, Gandalf e Glorfindel erano al suo fianco. Glóin era lì con [uno al seguito >] un nano più giovane, che poi Frodo scoprì essere Burin figlio di Balin.[7] Uno strano elfo, un messaggero del re degli Elfi dei Boschi... Boscuro Orientale era vicino a Burin.[8] Passolesto (come Frodo continuava a chiamarlo, al posto di Peregrino o dell'equivalente elfico Ethelion) era lì, insieme al resto del gruppo degli hobbit, Merry, Folco e Odo. Inoltre erano presenti altri tre consiglieri al seguito di Elrond, uno chiamato Erestor, e due altri congiunti di Elrond, di quel popolo mezzelfico che gli Elfi chiamavano figli di Lúthien.[9] E seduto solo, in silenzio, c'era un Uomo dal volto nobile, ma cupo e triste.

"Questi è Boromir," disse Elrond. "È arrivato ieri, in serata. Viene dal lontano sud e le sue notizie potrebbero rivelarsi utili."

Lunga sarebbe raccontare tutto ciò che fu detto in quel consiglio sotto i begli alberi di Valforra. Il sole salì a mezzogiorno e volse a ovest prima che tutte le notizie fossero riferite. Allora gli Elfi portarono cibo e bevande alla compagnia. Prima che la discussione fosse finita il sole era tramontato, e la sua luce sbieca era rossa sulla valle; quindi loro si alzarono e percorsero il lungo sentiero verso casa.

Entrambi i testi terminano a questo punto. Al termine del secondo, mio padre scrisse: "(Il Consiglio deve svolgersi a porte chiuse. Frodo invitato alla presenza di Elrond. Notizie dal mondo. Decidono che l'Anello deve essere distrutto.)"

Intanto che Passolesto è Peregrino Boffin, e avviene il tanto atteso "riconoscimento" tra Passolesto e Frodo, Odo è ancora presente; ma nei documenti datati "agosto 1939", dove per la prima volta Passolesto è identificato con Peregrino Boffin, Odo pare essere stato decisamente abbandonato. Di nuovo, Odo sembra rivelarsi incancellabile sebbene, come discusso a p. 466, Folco avesse assorbito il suo personaggio a tutti gli effetti. Naturalmente, questi manoscritti di "Valforra" potrebbero appartenere benissimo allo stesso periodo e prevedere una ricostruzione passo passo risulta quindi impossibile. Ad ogni modo, l'eliminazione di Odo e (maggiormente) l'identità di Passolesto furono questioni a lungo meditate, e note del tipo "Meglio Passolesto non sia uno hobbit" o "Odo va eliminato" sono le tracce di un lungo dibattimento anziché di una serie di decisioni chiare e consecutive.

Il testo appena riportato proseguì in un altro manoscritto di forma differente, nel quale compare la prima versione completa del Consiglio di Elrond; ma prima di passare a quest'ultimo, due facciate di una sola pagina staccata sembrano mostrare senza alcun dubbio le prime idee espresse da mio padre riguardo al Consiglio. Scritto a matita, in una maniera tanto leggera e veloce, questo testo sarebbe stato in gran parte illeggibile se mio padre non lo avesse ripassato a inchiostro; lui stesso, tra l'altro, in alcune parti forse non era sicuro di quello che aveva scritto, faceva supposizioni sulle parole e le contrassegnava con punti interrogativi. Nel presentare questo scritto di grande interesse riporto queste parole ipotizzate in corsivo tra parentesi. In testa alla pagina v'è un'indicazione isolata secondo cui la "questione Svettavento" andava "semplificata". Sarebbe stato interessante sapere cosa avesse in mente: l'unica "complicazione" rimossa fu la scomparsa di Odo, e potrebbe darsi che si riferisse proprio a quest'ultima. Sin dalla prima riga di questo testo è chiaro che la storia di Odo della "terza fase" era presente.

Spettri dell'Anello. Si procureranno (*nessun? nuovi?*) cavalli (*in tempo?*). Spiegazione della cattura di Odo.

Anello offerto a Elrond. Lui rifiuta. "È un pericolo per chiunque lo possieda: per me più che per tutti gli altri. È destino che gli *hobbit* liberino il mondo da esso."

"Che ne sarà degli altri anelli?" "Perderanno il loro potere. Ma dobbiamo sacrificare quel potere per distruggere il Signore. Finché qualcuno avrà l'Anello Dominante, *lui* avrà sempre la possibilità di riprenderselo. Due cose si possono fare. Mandarlo a Ovest o distruggerlo. Se lo avessimo mandato a Ovest molto tempo prima sarebbe stato un bene. Ma ora il potere del Signore è troppo grande ed egli è desto. Sarebbe troppo pericoloso e la sua guerra si estenderebbe alla Contea e distruggerebbe i Porti."[10] [*A margine è scritto* Radagast.]

Decidono che l'Anello deve essere portato sulla Montagna Fiammea. Come? Arduo raggiungerla se non passando i confini della Terra di Mordor. Bilbo? No... "Ora mi ucciderebbe. I miei anni sono stati prolungati e camperò ancora per un po'. Ma non ho più la forza per portare l'Anello."

Frodo si offre volontario.

Chi andrà con lui? Gandalf. Passolesto. Sam. Odo. Folco. Merry. (7) Glorfindel e Frár [*scritto sotto:* Burin] figlio di Balin.

A Sud lungo i monti. Oltre il Passo Rosso giù per la Viarossa fino al Grande Fiume.

"Attenzione!" disse Gandalf, "al Gigante Barbalbero che abita la Foresta tra il Fiume e i Monti Merid." Fangorn?

Dopo un periodo di riposo partono. Bilbo dice addio; gli dà Pungiglione e la sua armatura. Gli altri sono armati.

Bufera di neve.

Il retro della pagina, pur non continuando dalla prima facciata, fu senza dubbio scritto nello stesso periodo ed è ancora a inchiostro sopra matita leggera:

Per prima cosa gli venne chiesto di fornire un resoconto il più completo possibile del viaggio. La storia degli incontri con Tom Bombadil parve interessare soprattutto Elrond e Gandalf.

Frodo era già a conoscenza di molto di ciò che veniva detto. Gandalf parlò a lungo, chiarendo a tutti la storia dell'Anello, e il motivo per cui l'Oscuro Signore lo bramava tanto. "Perché non soltanto desidera trovare e avere il controllo sugli anelli perduti, quelli degli Elfi e dei Nani, ma senza l'Anello è ancora privo di molto potere. Ha riposto in quell'Anello gran parte del proprio potere, e senza di esso è più debole che in passato [e obbligato ad affidarsi maggiormente ai servitori]." In passato era in grado di immaginare o intravedere quali fossero i fini occulti dei signori degli Elfi, ma ora è cieco alle loro azioni. Anelli non ne può forgiare fino a quando non ha recuperato l'anello principe. E la sua mente è mossa da odio e vendetta nei confronti degli Elfi e degli Uomini che (*lo hanno sfidato?*).

"È giunto il momento della verità. Dimmi, Elrond, i *Tre* Anelli esistono ancora? E dimmi, Glóin, se lo sai, ne rimane qualcuno dei *Sette*?"

"Sì, i Tre esistono ancora," disse Elrond, "e sarebbe davvero un male se Sauron scoprisse dove sono, o avesse potere su chi li detiene; perché in quel caso forse la sua ombra si estenderebbe sino al Reame Beato."

"Sì! Alcuni dei Sette ci sono," disse Glóin. "Non so se ho il diritto di rivelarlo, visto che Dáin non mi ha dato ordini al riguardo. Ma Thráin in passato ne aveva uno che discendeva dai suoi antenati. Adesso non sappiamo dove sia. Pensiamo gli sia stato sottratto, prima che lo trovaste voi nei sotterranei molto tempo fa [o forse fu perduto a Moria].[12] Eppure di recente ci sono giunti messaggi segreti da Mordor. Esigono tutti gli anelli che possediamo o di cui siamo a conoscenza. Ma ce ne sono altri ancora in nostro potere. Dáin ne ha uno, e su questo si basa la sua fortuna: età, ricchezza e (......?) futuro. Eppure di recente ci sono giunti messaggi segreti da Mordor che ci chiedevano di consegnare gli anelli al Padrone e minacciavano di guerra tutti noi e i nostri alleati di Vallea.[13] È per questo motivo che sono venuto a Valforra. Perché spesso i messaggi riguardavano *un certo Bilbo*, e ci offrivano la pace se avessimo ottenuto da lui (volente o nolente) il suo anello. Quello, dicevano, lo avrebbero accettato al posto di tutti. Ora ne comprendo il motivo. Ma i nostri cuori sono turbati, pensiamo che il cuore di Re Brand sia colmo di paura e che l'Oscuro Signore (*muoverà?*) gli uomini dell'est per qualche scopo malvagio. Ai confini (*meridionali?*) già infuria la guerra. E (*naturalmente ciò per cui?*)

vengo a cercare consiglio, la scomparsa di Balin e della sua gente, è ora (*rivelato?*) come parte dello stesso male."

Boromir (*il signore? la Terra?*) di Ond. Questi uomini sono assediati da uomini selvaggi venuti da Oriente. Inviano a (*F........?*) di Balin di Moria. Ha promesso aiuto.

Qui si chiude il testo. Accanto al passaggio che inizia con "Sì! Alcuni dei sette ci sono" disse Glóin, mio padre scrisse: "No! Questo non va bene, altrimenti i nani avrebbero nutrito maggiori sospetti nei confronti di Bilbo."

In questo testo, ancora una volta, si riscontra un'evidente contraddizione con i documenti "agosto 1939": Bilbo dà la sua cotta di maglia a Frodo a Valforra, e l'ha quindi portata con sé quando lasciò Casa Baggins, storia che compare per la prima volta sotto la data "agosto 1939" (p. 461, §2), dove si propone anche di abbandonare la "Odo-storia", qui ancora espressamente presente. La Compagnia dell'Anello è composta da cinque "hobbit della Contea", Frodo, Sam, Merry, Folco e Odo, con Passolesto, Gandalf, Glorfindel e il nano Frár (> Burin).

Qualunque sia il periodo relativo di questi testi, e difficilmente sono distanti, ora si vede la comparsa del Nano più giovane, il figlio di Balin, giunto con Glóin (precursore di Gimli figlio di Glóin in SdA); l'Elfo da Boscuro, precursore di Legolas; Erestor, consigliere di Elrond; due parenti di Elrond; e Boromir (così chiamato senza esitazione sin dall'inizio[14]) dalla Terra di Ond, nel lontano Sud. La Terra di Ond viene nominata in uno schema datato "agosto 1939" (p. 475). Barbalbero non è più collocato nella "Foresta di Neldoreth" (p. 478) ma nella "Foresta tra il [Grande] Fiume e le Montagne Meridionali", la prima menzione delle montagne che in seguito sarebbero state Ered Nimrais, le Montagne Bianche; e Gandalf li mette in guardia da lui (come poteva fare, essendo stato suo prigioniero, "a Fangorn", p. 451).

Il passaggio riguardante i Tre Anelli degli Elfi e i Sette Anelli dei Nani deve essere confrontato con un passaggio della terza fase di "Storia antica", p. 327, dove Gandalf dice di non sapere cosa sia successo ai "Tre Anelli di Terra, Mare e Cielo", ma crede che "siano stati trasportati lontano oltre il Grande Mare", il che deve essere senza dubbio connesso alle parole di Elrond nel presente testo: "sarebbe davvero un male se Sauron scoprisse dove sono, o avesse potere su chi li detiene; perché in quel caso forse la sua ombra si estenderebbe sino al Reame Beato". Nello stesso passaggio di "Storia antica" Gandalf dice che "la base di ciascuno dei Sette Grandi Tesori dei nani dell'antichità fosse un Anello d'oro" e si dice che tutti i Sette Anelli perirono nel fuoco dei draghi: "Eppure questo racconto, forse, non è del tutto vero."

Riguardo ai messaggi minacciosi a Re Dáin giunti da Mordor vedi *Interrogativi e modifiche* (p. 289, §11): "I nani potrebbero aver ricevuto messaggi minacciosi da Mordor, poiché il Signore sospettava che l'Anello Unico si trovasse nei loro forzieri." Nella stessa nota si afferma che "dopo un po' di tempo non si seppe più nulla di loro [Balin e i suoi compagni]. Dáin temeva l'Oscuro Signore"; così anche Glóin dice qui che "la scomparsa di Balin e della sua gente, è ora rivelata come parte dello stesso male". In questo momento la storia era che Sauron chiedeva la restituzione degli Anelli che i Nani ancora possedevano, o l'Anello di Bilbo "al posto di tutti"; in CdA (p. 261) fu offerta loro la restituzione di tre degli antichi Anelli dei Nani se fossero riusciti ad avere l'Anello di Bilbo.

Il riferimento a Thráin, padre di Thorin Scudodiquercia, nelle segrete del Negromante, dove Gandalf lo trovò, risale allo *Hobbit* (capitolo I); ma qui affiora la storia che egli possedeva uno degli Anelli dei Nani e che gli fu portato via dopo la cattura (vedi CdA, p. 289, e SdA, Appendice A (iii), pp. 1145, 1151).

Il testo di "Molti incontri" (esistente in due forme) riportato alle pp. 487 ss. continuava fino all'inizio del racconto del Consiglio di Elrond, tenutosi all'aperto in una radura sopra la casa; ma dalle parole "'Cielo!' disse Gandalf. 'Il consiglio è tra mezz'ora'" (p. 492), mio padre lo cancellò e alla fine aggiunse la nota in cui si diceva che il consiglio doveva svolgersi "a porte chiuse" (p. 493). Ora inizia un nuovo manoscritto, che riprende da "'Cielo!' disse Gandalf'". In origine era numerato "XII" con numeri di pagina consecutivi da "D'improvviso suonò una campana" (p. 492). Come notato in precedenza, mio padre in questa fase considerava tutti gli incontri e le discussioni a Valforra come parti di un unico capitolo, e aveva assegnato il numero e il titolo "XII. Il Consiglio di Elrond" al capitolo della terza fase che inizia con Frodo risvegliatosi a Valforra (p. 450).

Il manoscritto è in parte a inchiostro e in parte a matita, ma nonostante sia molto approssimativo è leggibile nella sua interezza. Dal momento che riguarda la prima fase compositiva è zeppo di modifiche, frasi o interi passaggi riscritti durante la stesura; e molte altre correzioni, apportate a brani che al momento della scrittura erano stati preservati, sono con tutta probabilità contemporanei. Nel complesso riporto il testo nella forma finale, ma indicando le modifiche maggiori.

"Cielo!" disse Gandalf. "È la campana che avvisa del consiglio. Meglio dirigerci subito là."

Bilbo e Frodo (e Sam [*aggiunto:* non invitato]) lo seguirono lungo molte scale e passaggi verso l'ala occidentale della casa, fino a che giunsero al portico dove la sera prima Frodo aveva trovato gli amici. La luce del limpido mattino autunnale risplendeva sulla valle. Il cielo era alto e quieto sopra le cime delle colline; e nell'aria lucente foglie dorate stormivano dagli alberi. Dal letto spumante del fiume montava il gorgoglio dell'acqua. Cantavano gli uccelli e una pace balsamica si stendeva sulla terra. La fuga perigliosa, le voci sull'ombra oscura crescente nel mondo esterno a Frodo già sembravano i ricordi di un sogno turbato; ma i volti che si girarono al suo ingresso erano seri.[15] Elrond era presente, circondato da varie altre persone già sedute in silenzio. Frodo vide Glorfindel e Glóin; e (seduto in un angolo) c'era Passolesto.

Elrond diede il benvenuto a Frodo, lo fece sedere alle proprie ginocchia e lo presentò alla compagnia, dicendo: "Ecco, amici, lo hobbit che con fortuna e coraggio ha portato l'Anello a Valforra. Lui è Frodo, figlio di Drogo." Poi indicò e presentò a Frodo quelli che non aveva mai visto prima. Accanto a Glóin c'era un giovane nano, [Burin figlio di Balin >] suo figlio Gimli.[16] Tre erano consiglieri della casa di Elrond: Erestor, suo congiunto (un uomo dello stesso popolo mezzelfico conosciuto come i figli di Lúthien)[17] e accanto a lui due signori degli elfi di Valforra. Era presente anche uno strano Elfo vestito di verde e marrone, Galdor, un messaggero del re degli Elfi dei boschi di Boscuro orientale.[18] E leggermente discosto dagli altri stava un uomo alto dal volto nobile, ma scuro e triste.

"Questi," disse Elrond rivolto a Gandalf, "è Boromir, della Terra di Ond, nel lontano Sud. È giunto la notte scorsa e porta nuove su cui occorre riflettere."

Molto ci vorrebbe a raccontare tutto ciò che fu detto in quel concilio. Tanto era già noto a Frodo. Gandalf parlò a lungo, spiegando a chi non la conoscesse già per intero l'antica storia dell'Anello e le ragioni per cui l'Oscuro Signore lo bramava tanto. Poi Bilbo raccontò del ritrovamento dell'Anello nella grotta dei Monti Brumosi, e Passolesto narrò di quando cercò Gollum con l'aiuto di Gandalf e delle sue pericolose avventure a Mordor. Fu così che Frodo apprese di come Passolesto aveva seguito le tracce di Gollum mentre errava verso sud, nella Foresta di Fangorn e oltre le Morte Paludi,[19] finché non era stato egli stesso catturato e imprigionato dall'Oscuro Signore. "Indosso le scarpe da allora," disse Passolesto con un brivido, e anche se non disse altro, Frodo comprese che era stato torturato e che i piedi gli dolevano in qualche modo. Gandalf però l'aveva salvato e strappato alla morte.[20]

Così il racconto venne adagio riportato fino al mattino primaverile, quando Gandalf aveva rivelato a Frodo la storia dell'Anello. Allora Frodo fu chiamato a riprendere il racconto e diede un resoconto completo di tutte le sue avventure dal momento della fuga da Hobbiton. Poco alla volta gli rivolsero domande e ogni dettaglio che conosceva riguardo ai Cavalieri Neri fu esaminato.[21]

Elrond era assai interessato anche agli eventi avvenuti nella Vecchia Foresta e ai Poggitumuli. "Sapevo degli Esseri dei Tumuli," disse, "dal momento che sono molto simili ai Cavalieri;[22] e mi meraviglio che tu sia riuscito a sfuggire loro. Ma mai prima d'ora avevo sentito parlare di questo strano Bombadil. Vorrei saperne di più. Gandalf, tu lo conoscevi?"

"Sì," rispose il mago. "E l'ho cercato subito, appena ho scoperto che gli hobbit erano scomparsi da Landaino. Dopo aver scacciato i Cavalieri da Criconca, sono tornato a fargli visita. Credo avrebbe trattenuto i viaggiatori più a lungo a casa, se avesse saputo che ero vicino. Ma non ne sono certo, è una strana creatura, segue solo i propri consigli, che pochi sono in grado di comprendere."[23]

"Non potremmo proprio ora inviargli messaggi e ottenere il suo aiuto?" chiese Erestor. "Sembra che il suo potere si eserciti anche sull'Anello."

"Non è proprio così," disse Gandalf. "L'Anello non ha potere su di *lui* né per lui: non può né nuocergli né servirlo, lui è padrone di se stesso. Ma non ha alcun potere su di esso e lui non può modificare l'Anello, né rompere il potere che questo ha sugli altri. E penso che la signoria di Tom Bombadil si veda soltanto nelle sue terre, che non ha mai lasciato, a mia memoria."[24]

"Ma nulla entro quelle terre sembra sgomentarlo," disse Erestor. "Non potrebbe prendere l'Anello e custodirlo lì, per sempre innocuo?"

"Forse lo farebbe, se tutti i popoli liberi della terra lo implorassero," disse Gandalf. "Ma non lo farebbe volentieri. Perché ritarderebbe soltanto il giorno del male. Col tempo il Signore dell'Anello troverebbe il nascondiglio e alla fine si presenterebbe di persona.[25] Dubito che Tom Bombadil, anche sulle sue terre, sia in grado di opporsi a un potere del genere; ma sono certo che non dovremmo lasciarlo da solo ad affrontare la situazione. E poi, vive troppo lontano e l'Anello è uscito dalle sue terre con grosso rischio. Per tornare occorrerebbe passare un pericolo maggiore. Se l'Anello deve essere nascosto, senza dubbio è qui a Valforra che dovrebbe essere custodito: se Elrond ha la forza di resistere alla venuta di Sauron in tutta la sua potenza..."

"Non la ho," disse Elrond.

"In tal caso," disse Erestor,[26] "le cose da tentare sono due: mandare l'Anello a Ovest oltremare oppure tentare di distruggerlo. Se l'Anello fosse andato in Occidente molto tempo fa, forse sarebbe stato bene. Ma ora il potere del Signore è tornato a crescere, ed egli è desto e sa dove si trova l'Anello. Il viaggio verso i Porti sarebbe irto dei pericoli più grandi. Di contro non possiamo distruggere l'Anello con la nostra forza o abilità; e il viaggio verso la Montagna Fiammea sembrerebbe ancora più pericoloso, dal momento che ci condurrebbe dritto verso la fortezza del Nemico. Chi ci risolverà l'indovinello?"

"Nessuno qui è in grado di farlo," disse gravemente Elrond.[27] "Quantomeno nessuno può prevedere quale strada è sicura, se è questo che intendi. Ma posso scegliere quale via è giusto prendere, secondo la mia opinione... e invero la scelta è chiara. L'Anello deve essere mandato al Fuoco. Il pericolo è maggiore sulla strada occidentale; il cuore infatti mi dice che Sauron si aspetterà che prendiamo quella via, non appena sarà al corrente di quanto è successo. E se la imbocchiamo, lui ci inseguirà in fretta, e a colpo sicuro, dato che dobbiamo dirigerci ai Porti oltre le Torri. Quelli li distruggerebbe di sicuro, anche se non ci trovasse, e da quel momento non esisterebbe alcuna via di fuga per gli Elfi dal mondo ottenebrato."

"E anche la Contea verrebbe distrutta," disse Passolesto sottovoce, rivolgendo lo sguardo a Bilbo e Frodo.

"Ma sull'altra strada," disse Elrond, "se veloci e abili, i viaggiatori riuscirebbero ad andare lontano senza farsi notare. Non dico che l'impresa goda di grandi speranze; ma solo in questo modo è possibile ottenere un bene durevole. Nell'Anello è celato gran parte dell'antico potere di Sauron. Sebbene non lo detenga, quel potere continua a vivere e opera per suo conto e rivolto a lui. Finché l'Anello vivrà sulla terra o sul mare, egli non sarà sconfitto. Finché l'Anello perdurerà, egli crescerà e nutrirà speranza, e il timore che l'Anello ritorni nelle sue mani graverà sempre sul mondo. La guerra non cesserà mai finché quel timore vivrà, e tutti gli Uomini si volgeranno a lui."

"Non capisco," disse Boromir. "Per quale motivo gli Elfi e i loro amici non dovrebbero usare il Grande Anello per sconfiggere Sauron? E io dico che *non* tutti gli uomini si uniranno a lui: gli uomini di Ond non si sottometteranno mai."

"Mai è un periodo lungo, O Boromir," disse Elrond. "Gli uomini di Ond sono valorosi e ancora leali in mezzo a una schiera di nemici; ma il valore da solo non basta per resistere a Sauron per sempre. Molti dei suoi servitori sono altrettanto valorosi. Ma per quanto riguarda l'Anello Dominante, esso appartiene a Sauron ed è colmo del suo spirito. Gode di un potere troppo grande per chi ha forze inferiori, cosa che hanno scoperto Bilbo e Frodo, e se questi lo tengono esso li condurrà asserviti da lui. Per chi detiene un proprio potere, il pericolo è assai maggiore. Con l'Anello potrebbero forse rovesciare l'Oscuro Signore, ma si insedierebbero sul suo trono. Poi diventerebbero malvagi quanto lui, o peggio. Perché all'inizio niente è malvagio. Neppure Sauron lo era. Non oso prendere l'Anello per farne uso."

"Neanch'io," disse Gandalf.

"Ma non è vero, come mi è giunto, O Elrond," disse Boromir, "che gli Elfi custodiscono e usano ancora i Tre Anelli, eppure anche questi vengono da Sauron in antichità? E si narra che pure i nani avessero degli anelli. Di', Glóin, se lo sai, dei Sette Anelli ne rimane qualcuno?"

"Non lo so," disse Glóin. "Si raccontava in segreto che Thráin (padre di Thrór padre di Thorin[28] che cadde in battaglia) ne possedesse uno che discendeva dai suoi antenati. Alcuni dicevano che era l'ultimo. Ma dove sia nessun nano ora lo sa. Pensiamo gli sia stato portato via, prima che Gandalf lo trovasse nelle segrete di Mordor molto tempo fa,[29] o forse che sia andato perduto a Moria. Eppure nell'ultimo periodo ci sono giunti messaggi segreti da Mordor che ci offrivano di nuovo degli anelli. Fu in parte per questo motivo che giunsi a Valforra, perché nei messaggi si chiedeva di un certo *Bilbo* e ci comandavano di ottenere da lui (volente o nolente) l'anello che possedeva. Per questo anello ce ne furono offerti [sette >] tre, come un tempo ne avevano avuti i nostri padri. Anche per notizie di dove trovarlo ci sono state offerte eterna amicizia e grandi ricchezze.[30] I nostri cuori sono turbati, percepiamo che Re Brand di Vallea è intimorito, e se non rispondiamo Sauron volgerà altri uomini al male contro di lui. Nel sud già si minaccia guerra."

"Parrebbe che i Sette Anelli siano andati perduti o tornati al loro Signore," disse Boromir. "E i Tre?"

"I Tre restano," disse Elrond. "Hanno dato grande potere agli Elfi, che però non si sono mai serviti di loro nella lotta contro Sauron. Questo perché è dallo stesso Sauron che vengono e non possono conferire alcuna abilità o conoscenza che egli già non avesse alla loro creazione. E a ogni razza gli anelli del Signore danno poteri che ciascuna desidera ed è capace di esercitare. Gli Elfi non desideravano forza o dominio o ricchezze, ma l'acutezza nelle arti e nella sapienza, e la conoscenza dei segreti dell'essenza del mondo. Queste cose essi hanno ottenuto, seppure con dolore. Ma esse si volgeranno al male se Sauron riconquisterà l'Anello Dominante; dal momento che allora tutto ciò che gli Elfi hanno escogitato o imparato grazie al potere degli anelli sarà suo, come era nei suoi piani."

A margine di questo passaggio riguardante i Tre Anelli degli Elfi mio padre scrisse in seguito: "*Anelli elfici* creati dagli *Elfi* per se stessi. I 7 e i 9 furono creati da Sauron per ingannare uomini e nani. In origine questi li accettarono perché credevano fossero *anelli elfici*." E scrisse anche, staccato, ma vicino allo stesso passaggio: "Modificare: rendere gli anelli propri degli Elfi e quelli di Sauron una risposta ad essi." Si tratta della prima comparsa di questa idea centrale riguardante l'origine e la natura degli Anelli; ma dal momento che ciò emerge nella narrazione vera e propria solo molto più tardi, queste note non possono essere contemporanee al testo. In CdA è Glóin, non Boromir, a sollevare la questione dei Tre Anelli degli Elfi; ma anche lui, come Boromir nel presente testo, asserisce che furono creati dall'Oscuro Signore. Elrond corregge l'errore di Glóin; eppure prima nel Consiglio (CdA, p. 262) Elrond disse espressamente che Celebrimbor creò i Tre e che Sauron forgiò in segreto l'Unico affinché fosse il loro padrone. L'affermazione di Glóin (CdA, p. 289) non è quindi appropriata, ed è probabilmente un'eco della concezione originale degli Anelli di mio padre. Il testo continua:

"Che cosa accadrebbe allora se l'Anello Dominante fosse distrutto?" chiese Boromir.

"Gli Elfi non perderebbero ciò che hanno già conquistato," rispose Elrond, "ma da allora in poi i Tre Anelli perderebbero ogni potere."

"Eppure," disse Glorfindel, "quella perdita tutti gli Elfi la tollererebbero volentieri, se volesse dire che con questo il potere di Sauron potesse essere spezzato."

"Così torniamo al punto di partenza," disse Erestor. "L'Anello dovrebbe essere distrutto; ma non possiamo distruggerlo se non attraverso il pericoloso viaggio verso il Fuoco. Che forza o ingegno abbiamo per un'impresa del genere?"

"In questa impresa è chiaro che un grande potere non servirà a nulla," disse Elrond. "Deve essere tentata dai deboli. Così funziona. Pare che in questa grande questione il fato ci abbia già indicato la via."

"Molto bene, Messer Elrond, molto bene!" disse all'improvviso Bilbo.[31] "Non dire altro! È abbastanza chiaro dove *vuoi* arrivare. Bilbo lo hobbit ha messo in moto questa faccenda, e Bilbo farà meglio a portarla a termine, quella o la sua vita. Io qui mi sentivo a mio agio e sono andato avanti col mio libro. Se vuoi saperlo, sto scrivendo il finale. Avevo pensato di mettere: 'e visse felice e contento per sempre fino alla fine dei suoi giorni'. È un buon finale e non risente del fatto che l'abbiano usato in precedenza. Ora dovrò modificarlo: ho come l'impressione che non si avvererà; e comunque è evidente che dovrò aggiungere parecchi altri capitoli, se vivrò abbastanza da scriverli. È una tremenda scocciatura. Quando dovrei iniziare?"

Elrond sorrise e Gandalf fece una risata fragorosa. "Certo," disse il mago, "se tu avessi per davvero messo in moto questa faccenda, uno si aspetterebbe che la portassi a termine. Ma *mettere in moto* è una frase forte. Spesso ho cercato di dirti che sei capitato (per sbaglio, come diresti tu) *nel bel mezzo* di una lunga storia, che non è stata imbastita per te. Questo, naturalmente, è vero per tutti gli eroi e tutte le avventure, ma non importa adesso. Quanto a te, se vuoi ancora la mia opinione, direi che la tua parte è finita, eccetto che come cronista. Porta a termine il tuo libro e lascia il finale! Preparati piuttosto a scrivere il seguito, quando loro torneranno."

Bilbo rise a sua volta. "Non mi avevi mai dato un consiglio gradito, Gandalf," disse, "o detto di fare quello che volevo davvero fare. E siccome tutti i tuoi consigli sgraditi si son poi rivelati buoni, mi domando se quello che mi dai non sia cattivo. È pure vero che sto andando in là con gli anni e stanno per finire, e non credo di avere la forza per portare l'Anello. Ma dimmi: a chi ti riferisci con 'loro'?"

"Agli avventurieri inviati con l'Anello."

"Per l'appunto! E chi sarebbero costoro? Mi sembra che sia questo che il consiglio deve decidere."

Calò un lungo silenzio. Frodo fece scorrere lo sguardo su tutti i volti, ma nessuno guardò lui, tranne Sam; nei cui occhi si scorgeva uno strano misto di speranza e paura. Tutti gli altri sedevano quasi meditassero profondamente con gli occhi chiusi o rivolti a terra. Un grande terrore calò su Frodo e avvertì un desiderio irrefrenabile di starsene in pace accanto a Bilbo a Valforra.

Queste parole sono a piè di pagina. La pagina successiva inizia con "Con uno sforzo alfine parlò", continua solo per un breve passo e fu sostituita da un'altra con le stesse parole. Riporto entrambe le forme.

Con uno sforzo alfine parlò. "Se questa impresa è destinata a ricadere sui deboli," disse, "ci proverò io. Ma mi servirà l'aiuto dei forti e dei saggi."

"Penso, Frodo," disse Elrond, guardandolo fisso, "che questa impresa sia destinata a te. Ma è bene che tu ti offra di tua spontanea volontà. Tutto l'aiuto che riusciremo a trovare sarà tuo."

"Ma non vorrete mica mandarlo via da solo, messere!" gridò Sam.

"No di certo!" disse Elrond, girandosi verso di lui. "Almeno tu lo accompagnerai, visto che sei qui, anche se non credo tu sia stato convocato. Sembra difficile separarti dal tuo padron Frodo."

Sam si calmò, ma sussurrò a Frodo: "Quanto è lontana questa Montagna? Ci siamo andati a cacciare in un bel pasticcio, signor Frodo!"[32]

"Persino badare a degli hobbit non è un compito che tutti vorrebbero," disse Gandalf, "ma io ci sono abituato. Io suggerisco Frodo e il suo Sam, Merry, Faramondo e me. Sono cinque. E Glorfindel, se vorrà venire e ci presterà la saggezza degli Elfi: ne avremo bisogno. E sono sei."

"E Passolesto!" disse Peregrino nell'angolo. "E siamo a sette, ed è un numero giusto. Il Portatore dell'Anello sarà in buona compagnia."

Qui termina questa versione del brano. Sotto è scritta a matita una frase incompleta: "Buona scelta," disse Elrond. "Anche se

In altre note a matita si legge: "Modificare. Solo hobbit, incluso Passolesto. Gandalf come [?guida] nelle fasi iniziali. Gandalf dice che andrà fino in fondo? Niente Glorfindel." E sotto queste note, si trova un unico nome isolato: *Boromir*. Sul retro di questa pagina è presente un notevole schizzo degli eventi a venire; per questo vedi p. 510.

La pagina sostitutiva tratta la selezione della Compagnia in maniera abbastanza diversa:

Con uno sforzo alfine parlò. "Prenderò io l'Anello," disse. "Anche se non conosco la strada."

Elrond lo guardò fisso. "Se ho capito il racconto che ho sentito," disse, "penso che questo compito sia destinato a te, Frodo, e che se non la trovi tu, nessun altro la troverà."

"Ma non vorrete mica mandarlo via da solo, messere!" gridò Sam, incapace di trattenersi.

"No di certo!" disse Elrond, girandosi verso di lui con un sorriso. "Almeno tu lo accompagnerai, dato che è quasi impossibile separarti da lui perfino quando si deve recare a un consiglio segreto al quale nessuno ti ha invitato."

Sam si calmò, ma sussurrò a Frodo: "Quanto è lontana questa Montagna? Ci siamo andati a cacciare in un bel pasticcio, signor Frodo!"

"Quando partirò?" chiese Frodo.

"Prima riposa e recupera le forze," rispose Elrond, indovinando i suoi pensieri. "Valforra è un bel posto, e non ti manderemo via finché non lo conoscerai meglio. E nel frattempo stenderemo dei piani per la tua guida."

Più tardi, nel pomeriggio del consiglio, Frodo passeggiava nel bosco con i suoi amici. Merry e Faramondo si risentirono quando vennero a sapere che Sam si era intrufolato nel consiglio e che lo avevano scelto come compagno di Frodo. "Non l'unico!" disse Merry. "Sono arrivato fin qui e non voglio essere lasciato indietro adesso. Nel gruppo dovrebbe esserci qualcuno dotato di raziocinio."

"Non credo che includere te aiuti molto in questo senso," disse Faramondo. "Ma certo che devi andare, e devo andare anch'io. Noi hobbit dobbiamo restare uniti. Pare che siamo diventati molto importanti in questi giorni. Per la gente della Contea sarebbe una sorta di rivelazione!"

"Ne dubito," disse Frodo. "Quasi nessuno crederebbe a una parola. Vorrei essere uno di loro, a Hobbiton. Chi vuole può prendersi tutta la mia importanza."

"Assolutamente casuale! Assolutamente casuale, come continuo a dirti," disse una voce dietro di loro. Si voltarono e videro Gandalf che si affrettava a svoltare una curva del sentiero. "Le voci degli hobbit arrivano lontano," disse. "Va bene a Valforra (o almeno lo spero); ma non dovrei discutere di questioni a voce tanto alta fuori casa. La tua importanza è casuale, Frodo, e con questo intendo dire che qualcun altro avrebbe potuto essere scelto e sarebbe andato bene lo stesso, ma è reale. Nessun altro può averla ora. Pertanto fa' attenzione: la prudenza non è mai troppa! Quanto a voi due, se vi lascio venire, dovrete fare esattamente quello che vi verrà detto. E prenderò altri accordi per la scorta di raziocinio."

"Ah, ora sappiamo chi è realmente importante," rise Merry. "Gandalf non ha dubbi in merito e non permette a nessun altro di dubitarne. Dunque stai già facendo tutti i preparativi, vero?"

"Naturalmente!" disse Gandalf. "Ma se voi hobbit desiderate restare uniti, io non mi opporrò. Voi due e Sam potete andare, se lo volete davvero. Anche Passolesto sarebbe utile,[33] ha già viaggiato verso Sud. Boromir si potrebbe benissimo unire alla compagnia, dato che nel tuo cammino passerai per le sue terre. Sarà un gruppo tanto numeroso quanto sicuro."

"Chi sarà la mente del gruppo?" chiese Frodo. "Passolesto, suppongo. Boromir è solo uno della Grossa Gente, e non sono saggi come gli hobbit."

"Boromir ha più che forza e valore," rispose Gandalf. "Egli viene da un'antica razza che il popolo della Contea non ha mai visto, almeno da giorni ormai dimenticati. E Passolesto ha imparato molte cose nei suoi vagabondaggi, sconosciute nella Contea.[34] Entrambi sanno qualcosa della strada: ma servirà altro. Penso che dovrò venire *io* con te!"

A quell'annuncio la gioia degli hobbit fu tanto grande che Gandalf si tolse il cappello e si inchinò. "Sono abituato a badare agli hobbit," disse, "quando mi aspettano e non se la danno a gambe da soli. Ma ho detto soltanto che *penso* dovrò venire. Magari solo per una parte del cammino. Non abbiamo ancora pianificato nulla di definito. E con molta probabilità non riusciremo a pianificare nulla."

"Tra quanto pensi che partiremo?" disse Frodo.

"Non lo so. Dipende dalle notizie che arrivano. Gli esploratori dovranno andare là fuori e scoprire quello che possono, soprattutto riguardo ai Cavalieri Neri."

"Credevo che fossero stati tutti distrutti durante la piena," disse Merry.

"Distruggere gli Spettri dell'Anello non è tanto facile," disse Gandalf. "In essi è il potere del loro padrone: successo o fallimento dipendono da lui. Sono stati privati dei cavalli e smascherati, e per un po' saranno meno pericolosi; tuttavia sarebbe bene scoprire, possibilmente, cosa combinano. Tra qualche tempo avranno nuovi destrieri e travestimenti. Ma per il momento dovresti scacciare tutti i problemi dalla testa, se ce la fai."

Gli hobbit non lo trovarono facile da fare. Continuavano a pensare e parlare soprattutto del viaggio e dei pericoli che si prospettavano. Eppure tale era la virtù della terra di Elrond che in tutti i loro pensieri non v'era ombra di paura. La speranza e il coraggio crebbero nel cuore e la forza in corpo. Trovavano diletto a ogni pasto, in ogni parola e canzone. Persino respirare l'aria divenne una gioia non meno dolce perché il tempo della loro permanenza era breve.

I giorni passavano, sebbene l'autunno stesse volgendo rapido al termine, e ogni mattina l'alba risplendeva bella e luminosa. Ma pian piano la luce dorata si fece argentea e dagli alberi caddero le foglie. Freddi spirarono i venti dai Monti Brumosi a Est. La Luna dei Cacciatori crebbe nel cielo della sera, mettendo in fuga le stelle minori e sfavillando nelle cascate e negli stagni del Fiume. Ma una stella rossa brillava bassa al Sud. La notte, quando la luna riprese a calare, brillava più luminosa. Frodo la vedeva dalla finestra, immersa nei cieli, ardente come un occhio collerico che osservava e aspettava che partisse.

Alla fine del testo mio padre scrisse: "Luna Nuova 24 ott. Luna piena dei Cacciatori 8 nov." Vedi p. 536, nota 19.

Il manoscritto viene qui interrotto da un titolo, "L'Anello va a Sud", ma senza un nuovo numero di capitolo, e quanto segue fu scritto in continuità con quanto lo precede.

Si noterà che la gran parte del contenuto del "Consiglio di Elrond" in CdA è assente; ma mentre la struttura passata e presente del mondo è molto più snella nella versione originale, la discussione su cosa fare con l'Anello è già presente nello schema essenziale degli argomenti.

Gandalf afferma che la strada per la Montagna Fiammea passava per la terra di Boromir. Può darsi che in questa fase la geografia delle terre a sud e a est dei Monti Brumosi fosse ancora abbastanza vaga, anche se comparvero la Foresta di Fangorn, le Morte Paludi, la Terra di Ond (Gondor) e le "Montagne Meridionali" (pp. 495-496, 499). Altri aspetti di questa questione si troveranno nel prossimo capitolo.

È curioso che, sebbene Elrond all'inizio affermi che Boromir porta notizie su cui è necessario riflettere, non viene detto quali fossero queste notizie.

Nella bozza originale del Consiglio (p. 496) si dice che gli uomini di Ond sono "assediati da uomini selvaggi venuti da Oriente"; e nel testo appena riportato (p. 501) Elrond dice che sono "ancora leali in mezzo a una schiera di nemici".

Odo Bolger è infine scomparso (almeno con quel nome); e Folco è ribattezzato *Faramondo*. Quel nome è comparso nei documenti dell'agosto 1939, ma lì fu proposto per lo stesso Frodo (p. 464). La Compagnia dell'Anello ora cambia ancora e non per l'ultima volta: come è facile supporre, il risultato della composizione dei "Nove Viandanti" causò grandi difficoltà a mio padre. Nella prima bozza del Consiglio di Elrond (p. 496) dovevano esserci:

Gandalf, Passolesto, Frodo, Sam, Merry, Folco, Odo, Glorfindel, Burin figlio di Balin (9).

Nella pagina scartata del testo appena riportato (p. 505) la Compagnia diventa:

Gandalf, Passolesto, Frodo, Sam, Merry, Faramondo, Glorfindel (7).

Una nota a questa pagina suggerisce che la Compagnia sia composta solo da hobbit, con Gandalf almeno all'inizio, ma senza Glorfindel. Nel testo sostitutivo (p. 507) Gandalf suggerisce:

Gandalf, Passolesto, Frodo, Sam, Merry, Faramondo, Boromir (7)

e questa era in effetti la formazione nel racconto originale del viaggio verso sud fino a Moria.

La continuazione della storia nel manoscritto originale ("L'Anello va a Sud") è riportata nel capitolo successivo; ma prima di concludere, è necessario riportare l'importante schema degli eventi futuri che si trova sul retro di una pagina scartata del testo del Consiglio di Elrond (vedi p. 505). Lo schema appartiene chiaramente all'epoca del manoscritto in cui è incluso.

Nell'abbozzo dell'ulteriore corso della storia datato agosto 1939 (p. 475, §9) non è presente alcun accenno alla ricomparsa di Gollum prima che Mordor venga raggiunta; e il riferimento in questo al fatto che Frodo sentì lo scalpiccio dei piedi di Gollum nelle Miniere dimostra che fu precedente alla prima bozza del capitolo di Moria.

Gollum deve riapparire a Moria o dopo. Frodo sente uno scalpiccio.

Foresta di Fangorn. In qualche maniera – sente la voce, o vede qualcosa fuori dal sentiero, o ? allarmato da Gollum – Frodo deve separarsi dagli altri.

Fangorn è una foresta sempreverde (leccio?). Alberi di *notevole* altezza. (*Beleghir* [*scritto sopra a matita: Anduin*] Il Grande Fiume si divide in molti canali.) Diciamo 500-1000 piedi. Corre fino alle Montagne [Azzurre >] Nere, che non sono molto alte (vanno NNE – OSO [ovvero *nord-nord-est – ovest-sud-ovest*]) ma molto ripide sul lato N.

Semmai entrasse Barbalbero, che fosse gentile e abbastanza buono? Alto circa 50 piedi e con la pelle cortecciata. Capelli e barba sembrano ramoscelli. Vestito di verde scuro quasi avesse una maglia di corte foglie lucenti. Ha un castello sulle Montagne Nere e molti nobili e seguaci. Sembrano giovani alberi [?quando] stanno in piedi.

Fare che Frodo sia terrorizzato da Gollum dopo un incontro in cui Gollum finse di stringere amicizia, ma cercò di strangolare Frodo nel sonno e di rubargli l'Anello. Barbalbero lo trova e lo porta sulle Montagne Nere. Solo a questo punto Frodo scopre che è amichevole.

Barbalbero lo porta sulla strada per Ond. Gli esploratori riferiscono che Ond è assediata e che Passolesto e altri quattro [*scritto sopra: 3?*] sono stati catturati. Dov'è Sam? (Sam viene ritrovato nella foresta. Si era rifiutato di proseguire senza Frodo ed era rimasto a cercarlo.)

I giganti-albero assalgono gli assedianti e salvano Passolesto ecc. e rompono l'assedio.

(Se viene usata questa trama sarà meglio che Boromir non sia nel gruppo. Sostituire Gimli? figlio di Glóin, che fu ucciso a Moria. Ma Frodo può portare messaggi da Boromir a suo padre, il Re di Ond.)

Tappa successiva: partono per la Montagna di Fuoco. Devono costeggiare Mordor sul margine occidentale.

In questo breve abbozzo si nota il vero punto di partenza, nell'espressione scritta, di due "momenti" fondamentali nella narrazione del *Signore degli Anelli*: la separazione di Frodo dalla Compagnia (poi raggiunto da Sam), e l'assalto dei "giganti-alberi" di Fangorn ai nemici di Gondor; ma la cornice narrativa qui fornita era del tutto effimera. Si incontra anche un'altra immagine precoce del Gigante Barbalbero: ancora di notevole altezza, come nel testo riportato alle pp. 477-478, dove la sua voce calava a Frodo dalla "cima dell'albero", ma non più l'ostile rapitore di Gandalf (p. 451) che "si finge amichevole, ma in realtà è in combutta col Nemico" (p. 478). Ora si dice che Boromir sia il figlio del Re di Ond; ma la morte di Gimli a Moria fu un'idea mai sviluppata oltre. Qui si trova la prima apparizione di un nome elfico, *Beleghir*, del Grande Fiume, che scorreva attraverso la Foresta di Fangorn (vedi p. 510). La Foresta "corre fino alle Montagne [Azzurre >] Nere"; vedi lo schema del Consiglio di Elrond (p. 496), in cui Gandalf afferma che il Gigante Barbalbero "infesta la Foresta tra il Fiume e le Montagne Meridionali". Ma di Lothlórien e Rohan non è presente ancora alcun accenno.

1 L'ultimo foglio del capitolo originale (vedi p. 272) terminava con le parole "e questi era divenuto un sire possente il cui reame comprendeva Esgaroth e molte terre a sud delle grandi cascate" (numerato "IX.8"), mentre il retro fu lasciato bianco. La prima versione del seguito fu scritta (scribacchiata in fretta a inchiostro) indipendentemente dal vecchio testo; il secondo, anche questo molto approssimativo e quasi tutto a matita, inizia sul verso vuoto di "IX.8", sul quale però mio padre scrisse in preparazione "IX.9", anche se a quel tempo non usò la pagina. Quando ci ritornò non cambiò numero al capitolo ma continuò la numerazione "IX.10" ecc.; si trattava però di pura distrazione, dal momento che quel capitolo non poteva ancora prendere il numero di "IX".

2 Il riferimento è alla fine dello *Hobbit*, vedi p. 24 e nota 3.

3 Nella prima versione Glóin non ammette alcuna inferiorità rispetto all'abilità degli antenati: "Cominciò a parlare di nuove invenzioni e delle grandi opere cui la gente della Montagna lavorava; di armature di forza e bellezza incomparabili, spade più affilate e robuste..." La frase "Dovresti vedere i canali di Vallea, Frodo, e le fontane, e i laghi!" risale alla prima stesura; in CdA (p. 248) la parola "montagne" è un errore evidente che non è mai stato corretto.

4 Questo nome si trova solo nel primo dei due testi, ma nel secondo compare più tardi (p. 492).

5 Vedi pp. 265, 269, 451. Peregrino scomparve dalla Contea quando aveva 33 anni, al momento in cui Frodo aveva solo due anni (vedi p. 483, nota 9).

[6] Quando mio padre scrisse questo brano aveva in mente, almeno come possibilità, una canzone comica, accolta da una "risata squillante" che destava Frodo; in cima alla pagina scrisse infatti "Canzone del Troll", un'idea passeggera prima che fosse molto più opportunamente assegnata a Sam nel bosco dei Troll. Ma scrisse anche "Fare che sia B[ilbo] a cantare *Tinúviel*" e la parola "?Messaggero". Questa è un riferimento alla poesia *Il cavaliere errante* (pubblicata su *The Oxford Magazine* il 9 novembre 1933 e con molti cambiamenti nelle *Avventure di Tom Bombadil* [1962]). La canzone di Bilbo, *Eärendil era un marinaio* derivava (in un certo senso) da *Il cavaliere errante*, e la sua versione più vecchia inizia con:

C'era un allegro messaggero,
un marinaio, un passeggero:
una barca si fabbricò e la dorò
e remi d'argento poi foggiò...

[7] Nel primo testo il nano che è con Glóin si chiama *Frár*; a margine è scritto a matita *Burin figlio di Balin*. Frár appare nel secondo schema del Consiglio di Elrond a p. 494, ancora sostituito da Burin.

[8] La presenza di un Elfo di Boscuro fu un'aggiunta al secondo testo.

[9] Così come scritto, il primo testo recita: "due dei congiunti di Elrond, i Pereldar o popolo mezzelfico...". *Pereldar* fu cancellato, probabilmente subito. Nel *Quenta Silmarillion* i *Pereldar* o "Mezzi-eldar" erano i Daniani (Elfi Verdi): V.252. I Daniani erano anche chiamati "Amanti di Lúthien" (*ibid.*). In SdA (Appendice A I (i)) Elros ed Elrond vengono chiamati *Peredhil* "Mezzelfi", in precedenza venivano chiamati *Peringol*, *Peringiul* (V.191).

[10] I Grigi Approdi vengono menzionati per la prima volta nella versione della terza fase di "Storia antica", p. 396.

[11] Le parentesi quadre sono nell'originale.

[12] Vedi nota 11.

[13] Il testo è così, con due passaggi che iniziano entrambi con "Eppure di recente ci sono giunti messaggi segreti da Mordor", ma nessuno dei due viene scartato.

[14] Il nome *Boromir* del secondo figlio di Bor, ucciso nella Battaglia delle Innumerevoli Lacrime, era comparso negli *Annali del Beleriand* e nel *Quenta Silmarillion* (V.169, 354, 385). Per l'etimologia del nome vedi V.437.

[15] Questa frase è una correzione posteriore di "ma i volti di coloro seduti nella stanza erano seri". In un passo d'apertura scartato, Gandalf dice: "Faremmo meglio a dirigerci subito verso la camera di Elrond" e una volta nell'ala occidentale della casa egli bussa ed entra in una "piccola stanza, il cui lato occidentale si apriva su un portico oltre cui il terreno scendeva ripido sul fiume spumeggiante". Nell'apertura rivista e pubblicata il Consiglio di Elrond si svolge nel portico (p. 259), nonostante qui fosse ancora descritto come una "stanza", fino a questa correzione.

[16] La prima comparsa di Gimli figlio di Glóin fu una correzione a matita, ma non di molto successiva.

17 Nel precedente resoconto dei presenti al Consiglio (p. 492) i tre consiglieri di Valforra erano Erestor, "un Elfo", e "due altri congiunti di Elrond, di quel popolo mezzelfico che gli Elfi chiamavano figli di Lúthien", il che pare tuttavia sottintendere che lo stesso Erestor fosse parente di Elrond.

18 In CdA (p. 260) Galdor, qui predecessore di Legolas, è il nome dell'Elfo dei Grigi Approdi che portò l'ambasciata di Círdan. In quel momento *Galdor* non era ancora diventato il nome del padre di Húrin e Huor; nel *Quenta Silmarillion* si chiamava ancora *Gumlin*.

19 Il primo accenno alle Morte Paludi.

20 Mio padre mise tra parentesi il passaggio da "Indosso le scarpe da allora" a "dolevano in qualche modo", e scrisse a margine (con un punto di domanda) che poi si sarebbe dovuto scoprire che Passolesto aveva i piedi di legno. Questa è la prima comparsa della storia secondo cui fu Passolesto a trovare Gollum (nella versione di "Storia antica" della terza fase (p. 398) Gandalf diceva ancora di essere stato lui a trovare Gollum, a Boscuro); e allo stesso tempo viene spiegata l'esperienza di Passolesto a Mordor, accennata o menzionata diverse volte (vedi pp. 286, 462).

21 Scritto a margine di questo paragrafo: "La prigionia di Gandalf."

22 Vedi pp. 152-154.

23 In una versione precedente di questo passaggio Gandalf risponde a Elrond: "Lo sapevo. Ma lo avevo scordato. Devo andare a trovarlo appena ne avrò l'occasione." Questo fu cambiato, al momento della stesura, nel passo riportato, in cui Gandalf afferma di aver fatto visita a Tom Bombadil dopo l'attacco a Criconca, prima apparizione di un'idea che si ritroverà, nonostante l'incontro di Gandalf e Bombadil non abbia mai raggiunto la forma narrativa (purtroppo!). Vedi il passaggio isolato riportato a p. 272, in cui Gandalf a Valforra dice: "Perché non ho pensato prima a Bombadil! Se solo egli non fosse così lontano, tornerei subito a consultarlo." Vedi anche p. 430 e nota 11. Qui Gandalf non menziona Odo e alla fine di questo capitolo è chiaro che era stato rimosso da Valforra (vedi pp. 506, 509).

24 Nella versione della terza fase di "All'insegna del Cavallino Inalberato" è ancora evidente che Tom Bombadil era conosciuto per essere un avventore della locanda di Bree (p. 417).

25 Mio padre, nella stesura abbozzata di questo brano, scrisse: "e alla fine sarebbe giunto di persona; e gli Esseri dei Tumuli anche", cancellando queste ultime parole durante la scrittura e sostituendole con: "e persino sulle proprie terre, il solo Tom Bombadil non sarebbe stato in grado di resistere incolume a quell'assalto". Dapprima "Il Signore dell'Anello" era scritto "Il Signore degli Anelli", ma fu subito cambiato.

26 *Erestor* è una modifica da *Glorfindel*, che era cambiato da *Elrond*. Vedi p. 496.

27 Questa risposta a Erestor fu assegnata dapprima a Gandalf, poiché Erestor gli rivolse la domanda: "Riesci a risolvere questo indovinello, Gandalf?" A cui Gandalf rispose: "No! Non riesco. Ma se vuoi che scelga, posso scegliere." Il passaggio fu quindi subito modificato nella forma riportata.

28 Nello *Hobbit* Thráin non era il padre di Thrór, ma il figlio. Si tratta di una questione complessa che verrà discussa nel vol. VII.

[29] Nelle segrete di Dol Guldur a Boscuro in CdA (p. 289).

[30] In prima stesura, Glóin dice che i messaggi provenienti da Mordor offrivano ai Nani "un anello"; e che sarebbero state loro offerte pace e amicizia se fossero riusciti a ottenere l'anello di Bilbo, o anche solo a dire dove egli si trovava. Con modifiche successive, le parole si avvicinano a quanto si racconta in CdA (p. 261); e la storia della prima bozza del Consiglio (p. 495), secondo cui i Nani possedevano ancora alcuni dei loro antichi Anelli, che Dáin ne aveva uno e che Sauron li reclamava, è già stata accantonata.

[31] Vedi p. 463, in chiusura dello schema §2.

[32] Il capitolo "Il Consiglio di Elrond" in CdA (libro II, capitolo 2) termina qui.

[33] "Anche Passolesto sarebbe utile" fu cambiato in "Anche Passolesto sarà fondamentale"; e probabilmente nello stesso periodo mio padre scrisse a margine: "Passolesto è legato all'Anello." Questa modifica risale quindi a un periodo successivo, quando era in procinto di arrivare alla concezione di Aragorn e dei suoi avi. Vedi nota 34.

[34] Passolesto era ancora uno hobbit. A margine mio padre scrisse accanto a questo passaggio: "Correggere questo. Solo Passolesto è di razza antica" (ovvero lui è un Númenóreano, ma Boromir no).

XXIV. L'ANELLO VA A SUD

Come già affermato, la fase successiva della storia fu scritta senza soluzione di continuità a partire dalla prima versione del "Consiglio di Elrond". Dopo la descrizione della stella rossa nel Sud (CdA, p. 295) si trova un titolo, "L'Anello va a Sud", ma nessun numero di capitolo e la numerazione delle pagine prosegue da quanto precede.

Riporto ora il testo di questa prima versione di "L'Anello va a Sud" (che si prolunga nel capitolo successivo del libro II, "Un viaggio nelle tenebre"). Si tratta di un manoscritto assai complicato e difficile da presentare. Ho l'impressione che *non* si basasse su appunti o abbozzi preliminari, tranne per un passaggio,[1] che mio padre scrisse dapprincipio come narrazione completa; e stando così le cose, è incredibile quanta parte della stesura sia sopravvissuta nella forma definitiva, nonostante le differenze radicali secondo cui Passolesto era ancora lo hobbit Peregrino e il nano e l'elfo erano assenti. La compagnia, come già notato, è composta da Gandalf, Boromir e cinque hobbit, anche se uno di questi non era di certo uno hobbit sprovveduto della Contea.

Mio padre scrisse quasi tutto il testo a inchiostro, ma assai di fretta (sebbene con pazienza, e con l'aiuto del testo di CdA, si possano intuire tutte le parole eccetto qualcuna), tanto in fretta che spesso, nel precipitarsi verso una nuova formulazione, lasciò in essere quello che aveva scritto ma scartato. Le frasi sono spesso approssimative e incompiute. Poi lo ripassò a matita, ma la maggior parte di queste modifiche appartengono, ne sono certo, a un periodo molto vicino alla stesura originale, e alcune di queste lo sono in modo dimostrabile. Poche sono di certo successive e introducono riferimenti a Gimli e Legolas che sono irrilevanti da un punto di vista cronologico e strutturale. Sono presenti anche alcune correzioni in inchiostro rosso, ma solo di qualche toponimo.

Nel testo qui riportato, adotto modifiche a matita che sembrano con certezza "precoci"; poche influiscono sulla narrazione sotto qualche aspetto importante, e dove capita il testo originale è dato nelle note. Le note sono parte integrante della rappresentazione del manoscritto.

L'Anello va a Sud

Quando Frodo si trovava a Valforra da circa quindici giorni e novembre era già iniziato da una settimana o più,[2] gli esploratori cominciarono a tornare. Alcuni s'erano spinti a nord fino alle Vallee-dei-riombrosi[3] e altri erano andati a sud quasi fino al Fiume Viarossa. In pochi avevano valicato le montagne, sia per l'Alto Passo sia per la Porta dei Goblin (Annerchin), sia per il passaggio attraverso le sorgenti dell'Iridato. Costoro furono gli ultimi a tornare, poiché erano scesi nella Selvalanda fino ai Campi Iridati[4] e, anche per gli Elfi più lesti, la strada da Valforra era lunga. Ma né loro né chi aveva goduto dell'aiuto delle Aquile vicino alla Porta dei Goblin[5] era giunto a conoscenza di alcuna notizia, eccetto che i lupi selvaggi chiamati warg avevano ripreso a radunarsi e cacciavano ancora tra le Montagne e Boscuro. Dei Cavalieri Neri nessun segno era stato trovato, tranne che sulle rocce sotto il Guado i corpi di quattro [*scritto sopra:* diversi] cavalli annegati e [?un] lungo mantello nero squarciato e sbrindellato.

"Non si può mai dire," disse Gandalf, "ma sembra che i Cavalieri Neri si siano dispersi... e abbiano dovuto fare del loro meglio per tornare a Mordor. Fosse così, ci vorrà ancora un bel po' di tempo prima che l'inseguimento ricominci. E a seguire le tracce si ripartirà da qui, se siamo fortunati e attenti, e non gli arrivano notizie di noi lungo la strada. Sarà meglio che ce ne andiamo quanto prima, e in silenzio."

Elrond concordò e li avvertì di muoversi il più possibile al crepuscolo e al buio, e di restare nascosti quando potevano in pieno giorno. "Quando a

Sauron giungerà la notizia della sconfitta dei Nove Cavalieri," disse, "sarà ricolmo di grande collera. Quando la caccia ripartirà, sarà ben peggiore e più feroce."

"Allora ci sono altri Cavalieri Neri?" disse Frodo.

"No! Gli Spettri dell'Anello sono solo nove. Ma quanto torneranno, temo porteranno al loro seguito una schiera di esseri malvagi e piazzeranno le loro spie in giro per le terre. Anche dal cielo dovete guardarvi quando percorrerete il vostro cammino."

Giunse una fredda giornata bigia di metà novembre.[6] Il vento di levante spirava tra i rami spogli degli alberi e stormiva tra gli abeti sulle colline. Le nubi passeggere erano basse e tetre. Quando le cupe ombre del far della sera presero a calare, gli avventurieri si prepararono a partire. I commiati li avevano già pronunciati accanto al fuoco nella sala grande, e attendevano solo Gandalf, che era ancora in casa a scambiare le ultime parole in privato con Elrond. Le provviste, i vestiti e le altre necessità furono caricati su due cavallini dal passo sicuro. I viaggiatori dovevano andare a piedi, dal momento che il cammino stabilito passava attraverso terre con poche strade e i sentieri erano ardui e impervi. Presto o tardi avrebbero dovuto valicare le montagne. Poi avrebbero viaggiato per la gran parte al crepuscolo e nell'oscurità.[7] Sam stava accanto al cavallino, a denti stretti, e fissava corrucciato la casa: il suo desiderio d'avventura aveva toccato il fondo. Ma in quel momento nessuno degli hobbit aveva voglia di partire: brividi nei cuori e un vento gelido sui volti. Un bagliore del focolare usciva dalle porte aperte; luci ardevano a molte finestre e il mondo esterno sembrava deserto e freddo. Bilbo rannicchiato nel mantello restò in silenzio sulla soglia accanto a Frodo. Passolesto era seduto con la testa china sulle ginocchia.[8]

Infine Elrond uscì di casa con Gandalf. "Addio," disse. "Che la benedizione degli Elfi, degli Uomini e di tutti i popoli liberi vi accompagnino. E che le bianche stelle brillino sul vostro cammino!"

"Buona... buona fortuna!" gridò Bilbo, balbettando un poco (forse per il freddo). "Forse non riuscirai a tenere un diario, Frodo, ragazzo mio, ma al ritorno mi aspetto un resoconto completo. E non tardare troppo: ho già campato più a lungo di quanto mi aspettassi. Addio!"

Molti altri membri della casa di Elrond si tennero nell'ombra e li guardarono partire, salutandoli con voce sommessa. Non ci furono risate né canzoni né musica. Alla fine deviarono e, conducendo i cavallini, scomparvero in silenzio nel crepuscolo crescente.

Attraversarono il ponte e risalirono a rilento i lunghi sentieri ripidi e sinuosi che conducevano fuori dalla profonda valle di Valforra; finalmente giunsero sulle alte brughiere, grigie e informi sotto le stelle brumose. Poi, con un ultimo sguardo alle luci dell'Ultima Casa Accogliente, proseguirono a grandi passi, nella notte inoltrata.

Al Guado lasciarono la strada occidentale che attraversava il Fiume; e svoltando a sinistra proseguirono lungo stretti sentieri in mezzo al terreno ondulato. Si diressero a Sud. L'intenzione era di mantenere quella direzione a ovest dei Monti Brumosi per molte miglia e molti giorni. Il paese era assai più selvaggio e brullo della verde vallata del Grande Fiume nella Selvalanda sulla sponda orientale della catena montuosa e avrebbero proceduto a rilento; ma in tal modo speravano di sfuggire all'attenzione dei nemici. Le spie di Sauron si eran viste di rado nelle regioni occidentali; e i sentieri erano poco conosciuti, tranne che agli abitanti di Valforra.

Gandalf camminava in testa e al fianco aveva Passolesto, che conosceva quelle terre anche al buio. Boromir, in retroguardia, procedeva dietro.

La prima parte del viaggio fu deprimente e spiacevole, e Frodo ricordò ben poco, tranne il vento freddo. Spirava gelido dai monti orientali per giorni privi di sole e nessun indumento sembrava in grado di tener lontane le sue dita invadenti. A Valforra erano stati ben riforniti di vestiti caldi, avevano giacche e mantelli foderati di pelliccia oltre a molte coperte, ma di rado si sentivano al caldo sia quando si muovevano che a riposo. Si concedevano un sonno agitato a metà giornata, in qualche depressione del terreno o nascosti nei boschetti di pruneti aggrovigliati che crescevano da quelle parti. Nel tardo pomeriggio si svegliavano, consumavano il pasto principale: freddo e mesto di norma, perché si arrischiavano di rado ad accendere un fuoco. In serata riprendevano la marcia, puntando a sud, quando trovavano la via.

Da principio gli hobbit avevano la sensazione di strisciare come lumache senza arrivare da nessuna parte; ogni giorno il paesaggio era all'incirca uguale al giorno precedente. Eppure nel frattempo le Montagne che a sud di Valforra volgevano a ovest si avvicinavano. Sentieri non ne trovavano sempre più spesso ed erano costretti ad ampie svolte per evitare luoghi impervi, boschetti, o infide paludi fosche. La terra era ora un'ondulazione di colline brulle e valli profonde colme d'acque turbolente.

Ma a circa dieci giorni dalla partenza il tempo migliorò. D'improvviso il vento girò verso sud. Le nuvole s'innalzarono in rapida fuga dissipandosi e uscì il sole.

Alla fine di una lunga notte passata a scarpinare, ecco sorger l'alba. I viaggiatori giunsero a un basso crinale coronato da antiche piante d'agrifoglio, i cui tronchi chiari e scanalati sembravano ricavati dalla pietra stessa delle colline. Le bacche si accendevano di rosso ai raggi del sole nascente. A sud, molto in lontananza, Frodo intravedeva il vago profilo di alte montagne che ora sembravano ergersi in mezzo al sentiero. A sinistra della distante catena si levava un alto picco dalla foggia di dente: era coperto di neve ma la nuda spalla occidentale risplendeva rossa nella luce crescente.

Accanto a Frodo, Gandalf, facendosi solecchio, scrutava l'orizzonte. "Ci siamo comportati bene," disse. "Abbiamo raggiunto i confini del paese che gli Uomini chiamano Agrifoglieto; molti gli Elfi che qui vissero in giorni più felici. Abbiamo percorso ottanta leghe,[9] se abbiamo fatto un sacco di strada, e siamo andati più veloci dell'inverno dal Nord. Il terreno e il clima saranno ora più miti, ma forse ancor più pericolosi."

"Pericolosa o no, una vera alba è più che mai benvenuta," disse Frodo, gettando indietro il cappuccio e lasciando che la luce del mattino gli inondasse il viso.

"Montagne, davanti a noi!" disse Faramondo. "Sembra che abbiamo svoltato a est."

"No, sono state le montagne a svoltare," disse Gandalf.[10] "Non ricordi la mappa di Elrond a Valforra?"

"Non l'ho osservata con molta attenzione," disse Faramondo. "Frodo è più in gamba in quelle cose."

"Be', chiunque la guardi," disse Gandalf, "vede che laggiù c'è Taragaer o Cornorubro,[11] quella montagna con il fianco rosso. Là i Monti Brumosi si dividono, e cinta tra le loro braccia è la terra[12] di Caron-dûn, la Valle Rossa.[13] La nostra strada si trova lì: oltre il Passo Rosso di Cris-caron,[14] sotto il fianco di Taragaer, in Caron-dûn e giù per il Fiume Viarossa[15] fino al Grande Fiume, e..." Si fermò.

"Sì, e dove poi?" chiese Merry.

"Verso la fine del viaggio... alla fine," disse Gandalf. "Ma prima la foresta sempreverde di Fangorn, in mezzo alle cui nebbie scorre il Grande Fiume.[16] Non dobbiamo guardar troppo lontano, tuttavia. Rallegriamoci che la prima tappa si sia conclusa senza pericoli. Credo che ci fermeremo qui, per tutto il giorno. L'aria di Agrifoglieto è salubre. Molta malvagità deve colpire una terra prima che dimentichi del tutto gli Elfi, se un tempo ci hanno abitato."

Quel mattino accesero un fuoco in un profondo avvallamento nascosto da due grandi agrifogli e la cena fu la più allegra da quando avevano lasciato la casa di Elrond. Dopo, non si affrettarono a coricarsi, visto che avevano tutta la notte per dormire e non avevano intenzione di rimettersi in marcia prima della sera del giorno dopo. Solo Passolesto era lunatico e irrequieto. Dopo un po' lasciò la compagnia e passeggiò sul crinale, scrutando le terre a sud e a ovest. Poi tornò indietro e si fermò a guardare gli altri.

"Cosa c'è?" disse Merry. "Ti manca il vento dell'est?"

"No di certo," replicò Passolesto. "Ma qualcosa mi manca. Conosco bene Agrifoglieto, ci sono stato in molte stagioni. Non ci abita più nessuno, ma ci vivono molte altre creature, o ci vivevano, specialmente gli uccelli. Adesso tutto tace. Io lo avverto. Nel raggio di miglia intorno a noi non si ode rumore, e le vostre voci sembrano far echeggiare il suolo. Non riesco a capire."

Gandalf alzò rapido lo sguardo. "Ma quale *pensi* sia il motivo?" chiese. "Non sarà soltanto la sorpresa di vedere un gruppo di hobbit (per non parlare di Boromir e me), dove è raro vedere gente?"

"Spero che sia così," rispose Passolesto. "Ma ho come una sensazione di diffidenza, e di paura, che qui non ho mai avuto prima d'ora."

"Bene! Allora dovremo esser più prudenti," disse Gandalf. "Se ti porti dietro un Forestale, sarà il caso di prestargli ascolto, specie poi se quel Forestale è Passolesto, come ho già scoperto. Ci sono cose che nemmeno un mago esperto nota. Ora faremmo meglio a smettere di parlare, riposiamo in silenzio e stiamo di vedetta."

Quel giorno il primo turno di guardia toccava a Sam, ma Passolesto si unì a lui. Gli altri si addormentarono presto, uno dopo l'altro. Poi il silenzio aumentò a tal segno che perfino Sam se ne accorse. Si sentiva chiaramente il respiro dei dormienti. Il fruscio della coda del cavallino e qualche raro spostamento degli zoccoli divennero rumori fortissimi. Sam sentiva scricchiolare le giunture, se si scuoteva o muoveva. In alto il cielo era azzurro e il sole veleggiava alto e sereno. Le ultime nubi si dissiparono. Ma lontano, a sud-est, una macchia oscura cresceva e si divideva, volando come fumo verso nord e ovest.

"Che cos'è?" sussurrò Sam a Passolesto. Questi, intento a osservare il cielo, non rispose; ma Sam non ci mise molto a capire che cosa si stava avvicinando. Le nubi erano stormi di uccelli, che volavano a gran velocità, volteggiavano e roteavano e solcavano tutto il territorio come se cercassero qualcosa.

"Sdràiati a terra e non ti muovere!" sibilò Passolesto, tirando giù Sam all'ombra di un cespuglio di agrifoglio; un intero reggimento di uccelli si era staccato dallo stuolo principale ed era tornato a bassa quota, proprio sopra il crinale dove giacevano i viaggiatori. Sam pensò che fossero una specie di corvi di grande taglia. Quando li sorvolarono, si udì un aspro gracchio.

Solamente quando furono scemati in lontananza, Passolesto osò muoversi. Poi andò a svegliare Gandalf.

"Reggimenti di corvi neri volano avanti e indietro su Agrifoglieto," disse. "Non sono nativi di qui. Non so cosa cercano, magari fuggono da qualche pericolo al sud, ma secondo me spiano la regione. Ho anche intravisto molti falchi che volavano alti nel cielo. Questo spiegherebbe il silenzio.[17] Direi che questa sera dovremo ripartire. Agrifoglieto non è più un luogo salutare per noi: è sorvegliato."

"E in tal caso lo è anche il Passo Rosso, e in che modo faremo a superarlo senza essere visti, non ne ho idea," disse Gandalf. "Ma ci penseremo quando saremo più vicini. Per quanto riguarda il muoversi da qui stasera, temo tu abbia ragione."

"Sarà anche bene che il nostro fuoco faccia poco fumo," disse Passolesto. "Era di nuovo spento (credo) prima che arrivassero gli uccelli. Non dobbiamo riaccenderlo."

"Be', se non è una scocciatura questa!" disse Faramondo. La notizia gli era stata data appena sveglio (nel tardo pomeriggio): niente fuoco e nuovo spostamento notturno. "Io che pregustavo già un vero pasto stasera, qualcosa di caldo. Tutto per via di un branco di corvi!"

"Continua pure a pregustarlo," disse Gandalf. "Chissà quanti banchetti inaspettati ti riserva il futuro! Io mi accontenterei di una pipa da fumare con comodo, e di piedi più caldi. Comunque, almeno di una cosa siamo certi: più andiamo a sud, più farà caldo."

"Troppo caldo, ci scommetto," disse Sam a Frodo. "Ma quanto vorrei vedere questa Montagna Fiammea e la fine della strada, per così dire. Credevo che potesse esserlo questo Cornorubro qui, o com'è che si chiama, finché il signor Gandalf ha detto di no." Le mappe non rappresentavano niente per Sam e in quelle terre sconosciute le distanze sembravano sempre così vaste da lasciarlo completamente disorientato.

I viandanti restarono nascosti per tutto quel giorno. Di tanto in tanto passavano gli uccelli; ma quando al tramonto il sole divenne rosso, svanirono a sud.[18] Subito dopo il gruppo ripartì; e virò un poco verso est per dirigersi al picco del Taragaer che ancora sfavillava di un rosso cupo in lontananza. Frodo pensò all'avvertimento di Elrond riguardo al tenere d'occhio anche il cielo, ma il cielo era limpido e sgombro, e una dopo l'altra le stelle bianche spuntarono allo svanire degli ultimi bagliori del tramonto.

Sempre condotti da Passolesto e Gandalf, presero un buon sentiero. A Frodo, per quanto era in grado di intuire nella crescente oscurità, sembravano resti di un'antica strada un tempo ampia e ben pianificata, che collegava Agrifoglieto, ora deserto, al passo sotto Taragaer. Una falce di luna si levò sulle montagne e proiettava una pallida luce di grande aiuto, ma che non fu accolta con favore da Passolesto o Gandalf. Rimase per poco e poi li lasciò con le stelle.[19] A mezzanotte avevano ripreso il cammino da un'ora o più dalla prima sosta. Frodo alzò gli occhi al cielo, in parte per la bellezza, in parte per le parole di Elrond. A un tratto vide o sentì un'ombra passare sulle stelle, come se fossero svanite, per poi di nuovo baluginare. Rabbrividì.

"Hai visto niente?" disse a Gandalf, che lo precedeva di poco.

"No, ma l'ho sentito, qualunque cosa fosse," disse il mago. "*Forse* non è niente, soltanto una sfilaccica di nuvola." Pareva non credesse molto alla sua stessa spiegazione.[20]

Quella notte non accadde altro. Il mattino dopo era ancora più luminoso, ma il vento era tornato a girare verso est e l'aria era pungente. Proseguirono per altre tre notti, salendo con regolarità ma sempre più a rilento lungo la strada serpeggiante su per le colline, e le montagne via via s'avvicinavano. La mattina del terzo giorno il Taragaer torreggiava dinanzi a loro, incuffiato di neve simile ad argento, ma dalle nude pareti a perpendicolo, di un rosso opaco, come macchiate di sangue.

Il cielo aveva un che di nero e il sole era smorto. Il vento era ormai girato verso Nord. Gandalf annusò l'aria e si volse a guardare. "L'inverno è a ridosso," disse a Passolesto sottovoce. "Le cime dietro sono più bianche di com'erano."

"E stanotte," disse Passolesto, "saliremo in alto sul sentiero verso il rosso passo di Cris-caron. E adesso che cosa ne pensi del nostro itinerario? Se non ci vedessero in quello spazio angusto, e qualche creatura malvagia non ci tendesse un agguato, com'è facile in quel posto, il tempo potrebbe rivelarsi un nemico altrettanto pessimo."[21]

"Ne penso tutto il male possibile in ogni sua parte, come ben sai, mastro Peregrino," sbottò Gandalf. "Dobbiamo comunque proseguire. Non ha senso cercare di attraversare più a sud, nella terra di Rohan. I Signori dei Cavalli sono da tempo al servizio di Sauron."[22]

"No, lo so. Ma una via esiste... non *per* Cris-caron, come ben sai."

"Certo. Però non intendo correre questo rischio finché non sarò certo che non ci sia altro modo. Intanto che gli altri riposano e dormono, penserò al possibile."[23]

Nel tardo pomeriggio, prima dei preparativi per la partenza, Gandalf parlò ai viandanti. "Siamo ora di fronte alla nostra prima seria difficoltà e al primo serio dubbio," disse. "Il passo che dobbiamo imboccare è lassù," – agitò la mano verso Taragaer: i fianchi erano scuri e foschi, il sole se n'era andato, e la cima era avvolta in una nube grigia. "Impiegheremo almeno due marce per arrivare vicino alla cima del passo. Da certe tracce che abbiamo visto di recente temo sia sorvegliato o custodito; e comunque io e Passolesto abbiamo dei dubbi riguardo al tempo, con questo vento. Ma temo che dobbiamo proseguire. Non possiamo tornare all'inverno; e più a sud i passi sono controllati. Stasera dobbiamo spingerci più avanti possibile."

A quelle parole, i viandanti ebbero un tuffo al cuore. Ma si sbrigarono con i preparativi e partirono alla massima velocità. Fu un cammino faticoso.[24] La strada era serpeggiante e tortuosa, a lungo trascurata e in alcuni punti ostruita da rocce franate, sopra cui avevano difficoltà a trovare una maniera di condurre i cavallini da soma.[25] La notte si fece di un buio totale sotto le grandi nuvole. Un vento pungente turbinava tra le rocce. A mezzanotte erano saliti fino alle ginocchia delle grandi montagne, e proseguivano diritti sotto il fianco di una montagna, con un profondo burrone immaginabile ma invisibile alla loro destra. D'improvviso Frodo sentì tocchi soffici e gelidi sul viso. Allungò il braccio e scorse bianchi fiocchi di neve depositarsi sulla manica. Poco dopo la neve cominciò a cadere fitta, turbinando da ogni direzione nei suoi occhi e saturando l'aria. Le scure sagome recline di Gandalf e di Passolesto, appena a un paio di passi avanti, erano quasi invisibili.

"Non mi piace," disse ansimante Sam subito dietro di lui. "La neve va bene un bel mattino; ma a me piace stare a letto mentre cade." A dire il vero, la neve cadeva assai di rado nella gran parte della Contea, tranne che nelle brughiere del Quartiero Nord. Di tanto in tanto, a gennaio o febbraio, se ne formava una sottile spolverata bianca, ma [questa] spesso svaniva, e solo di rado negli inverni freddi avveniva una vera nevicata, sufficiente da fare palle di neve.

Gandalf si fermò. Quando si avvicinò, Frodo pensò che somigliasse quasi a un pupazzo di neve. Sul cappuccio e sulle spalle ricurve la neve era bianca, e già si faceva fitta sul terreno sotto i piedi.

"Brutta faccenda!" disse il mago. "Non mi aspettavo una cosa del genere e non avevo considerato la neve nei miei piani. A sud di rado cade in questo modo, tranne che sulle alte cime... e non siamo nemmeno a metà dell'alto passo. Mi domando se il Nemico abbia qualcosa a che fare con tutto questo. Ha strani poteri e molti alleati."

"Meglio tenere assieme il gruppo," disse Passolesto. "Non abbiamo intenzione di perdere nessuno in una notte del genere."

Per un poco proseguirono a fatica. La neve si fece bufera accecante e presto in alcuni punti arrivò quasi alle ginocchia. "Tra poco ce l'avrò sopra la testa," disse Merry. Faramondo si strascicava dietro e aveva bisogno dell'aiuto che Merry e Sam erano in grado di dargli. A ogni passo Frodo sentiva le gambe di piombo.

D'improvviso udirono strani rumori, forse erano solo scherzetti del vento che si alzava nelle fenditure e nelle gole delle rocce, ma sembravano grida roche e aspre risa sbraitate. Poi le pietre iniziarono a cadere vorticose come foglie mosse dal vento, e si schiantarono sul sentiero e sulle rocce da ambo i lati. Ogni tanto sentivano un sordo brontolio, mentre un grosso macigno ruzzolava giù tonante dalle alture nascoste soprastanti.

Il gruppo si fermò. "Per stanotte non possiamo andare oltre," disse Passolesto. "Se volete chiamatelo pure vento, ma io le chiamo voci e queste pietre puntano dirette contro di noi, o almeno al sentiero."

"Io lo chiamo vento," disse Gandalf, "ma ciò non toglie che quel che dici potrebbe essere vero. Non tutti i servitori del Nemico hanno corpo, braccia o gambe."[26]

"Che possiamo fare?" chiese Frodo. D'improvviso gli mancò il cuore, e si sentì solo e smarrito nell'oscurità e nella neve sferzante, schernito dai demoni delle montagne.

"Fermarci qui o tornare indietro," disse Gandalf. "Ora a proteggerci abbiamo l'alta muraglia alla nostra sinistra e un profondo burrone a destra. Più in alto si apre un'ampia valle poco profonda e la strada corre in fondo a due lunghi pendii. Difficilmente passeremmo da là senza danno ormai, anche non considerando la neve."[27]

Dopo qualche discussione si ritirarono in un punto che avevano superato poco prima che cadesse la neve. Laggiù il sentiero passava sotto un basso dirupo strapiombante. Era rivolto a sud e speravano che avrebbe offerto loro una certa protezione dal vento. Ma le raffiche di vento turbinavano da ambo i lati e la neve cadeva più fitta che mai. Si strinsero assieme con la schiena contro la parete. I due cavallini rimasero avviliti ma pazienti dinanzi a loro e servirono da una sorta di riparo, ma in breve tempo la neve arrivò loro fino allo stomaco e continuava a salire. Gli hobbit accovacciati dietro erano quasi sepolti. Una grande sonnolenza scese su Frodo, che si sentì rapidamente sprofondare in un sogno caldo e nebuloso. Credeva che un fuoco gli scaldasse le dita dei piedi e dalle ombre sull'altro lato del focolare udì la voce di Bilbo. "Il tuo diario non mi pare gran cosa, diceva. Tormenta di neve il due dicembre:[28] non era necessario tornare per riferire una cosa del genere!" All'improvviso si sentì scosso con violenza e ritornò a fatica alla veglia. Boromir lo aveva sollevato da terra. "Qui gli hobbit rischiano di morire, Gandalf" disse. "Dobbiamo fare qualcosa".

"Dagli questo," disse Gandalf, frugando nello zaino che giaceva accanto a lui ed estraendone una borraccia di cuoio. "Un sorso solo... per ognuno di noi. È preziosissimo: uno dei cordiali di Elrond e non mi aspettavo di doverlo usare tanto presto."

Appena Frodo ebbe inghiottito un po' del potente cordiale, sentì una nuova forza in cuore e la pesante sonnolenza abbandonò le membra. Gli altri si ripresero altrettanto in fretta.

Boromir cercò di spazzare via la neve e di creare uno spazio sotto la parete rocciosa. Nel trovare mani e piedi degli strumenti lenti, e la spada non granché migliore, prese una fascina dalla scorta che portavano su uno dei cavallini, nel caso avessero avuto bisogno di fuoco nei luoghi in cui non c'era legna. Lo legò stretto e nel mezzo vi piantò un bastone, così che sembrava un grosso maglio; lo usò però come un ariete per spingere indietro la neve soffice, finché non si addensò come un muro dinanzi a loro e non si riuscì a calcare più lontano. Per il momento le cose sembrarono andare meglio, e i viandanti si fermarono nel piccolo spazio sgombrato e fecero dei passetti, battendo i piedi per tenere sveglie le membra. Ma la neve continuava a cadere senza sosta; e fu chiaro che con tutta probabilità sarebbero stati tutti nuovamente sepolti nella neve prima della fine della notte.[29]

"Che ne dite di un fuoco?" disse Passolesto all'improvviso. "Per quanto riguarda il farci scoprire, personalmente credo che la nostra posizione sia abbastanza nota o già intuibile... da qualcuno."

In preda alla disperazione decisero di accendere un fuoco, anche se questo significava sacrificare tutta la legna che avevano con sé. Accendere la legna bagnata in quel luogo ventoso metteva a dura prova persino il potere di Gandalf. I metodi ordinari non servivano a nulla, sebbene ciascuno dei viandanti avesse esca e pietra focaia. Avevano portato piccole pigne e fasci d'erba secca per accendere il fuoco, ma nessun fuoco si accese, finché Gandalf non infilò la bacchetta nel mezzo e fece sprigionare un gran lampo di fiamma blu e verde.

"Be', se qualche nemico sta osservando," disse, "questo *mi* farà scoprire. Speriamo che altri occhi vengano accecati dalla tempesta quanto i nostri. Ma comunque un fuoco è una bella cosa da vedere." La legna ora ardeva vivace e faceva tutt'intorno un cerchio chiaro nel quale si radunavano i viandanti un po' rincuorati; ma guardandosi attorno Gandalf scorse occhi ansiosi rivelati dalle fiamme danzanti. La legna bruciava veloce e la neve ancora non diminuiva.

"Presto spunterà la luce del sole," disse Gandalf nella maniera più allegra possibile, ma aggiunse: "se attraverso le nubi cariche di neve riesce a filtrare un po' di luce."

Il fuoco si smorzò e vi gettarono l'ultima fascina. Passolesto si alzò e fissò l'oscurità in alto. "Credo che stia calando," disse. Gli altri guardarono a lungo i fiocchi scendere......... nel buio e svelarsi bianchi per un momento alla luce del fuoco; ma la differenza era poca. Dopo un po', però, divenne chiaro che Passolesto aveva ragione. I fiocchi erano sempre meno. La luce del giorno iniziò a farsi grigia e attenuata. Poi la neve cessò del tutto.

La luce sempre più forte rivelò un mondo privo di forma tutto intorno a loro. Gli alti luoghi erano nascosti tra le nubi (che ancora minacciavano neve), ma sotto si vedevano colline bianche e indistinte, cime arrotondate e valli in cui il sentiero da cui erano venuti pareva del tutto smarrito.

"Prima ci muoviamo e scendiamo di nuovo, meglio è," disse Passolesto.[30] "Quassù c'è ancora più neve!" Ma per quanto tutti desiderassero tornare a scendere, era più facile dirlo che farlo. La neve tutt'intorno era già alta quasi un metro, fino al collo degli hobbit e in alcuni punti sopra le loro teste; ed era ancora morbida. Se anche avessero [avuto] delle slitte o le racchette da neve sarebbero servite a poco. Gandalf riusciva a malapena a proseguire, ed era più un nuotare (e scavare) che camminare. Boromir era il più alto del gruppo: circa un metro e ottanta, e con le spalle larghe. Avanzò un po' per saggiare il cammino. La neve superava dovunque persino le sue, di ginocchia, e in molti punti egli sprofondava fino alla vita. La situazione sembrava alquanto disperata.

"Se riesco, andrò più giù," disse.[31] "Per quanto riesco a ricordare del percorso della notte scorsa, il sentiero pare girare a destra attorno alla spalla rocciosa laggiù. E, se ricordo bene, circa quattrocento passi dopo la svolta dovremmo arrivare a uno spazio pianeggiante in cima a un lungo pendio ripido: fu molto duro percorrerlo in salita. Da lì forse riesco ad avere una certa visuale e un'idea dello stato in cui è la neve più in basso."

Passò all'incirca un'ora prima che tornasse, stanco ma con alcune notizie incoraggianti. "Oltre la curva c'è un alto cumulo di neve portata dal vento, e ci sono rimasto quasi sepolto dentro; ma al di là di quello la neve cala rapida. In cima al pendio non arriva neanche alle caviglie e da lì in giù è solo una spolverata sul terreno: o almeno così sembra."

"Magari giù sarà solo una spolverata," grugnì Gandalf, "ma qui no. Anche la neve sembra ce la lancino addosso."

"Come ci arriviamo *noi* alla svolta?" chiese Passolesto.

"Non lo so!" disse Boromir. "È un peccato che Gandalf non riesca a creare una fiamma sufficiente da sciogliere un sentiero."

"Lo è senz'altro," sbottò Gandalf; "ma persino io ho bisogno di qualche materiale su cui lavorare. Posso accendere il fuoco, non alimentarlo. Quello che ti serve è un drago, non un mago."

"A dire il vero credo che in questo momento un drago addomesticato tornerebbe davvero più utile di un mago selvaggio," disse Boromir, con una risata che non acquietò Gandalf in alcun modo.

"In questo momento, in questo momento," rispose. "Più tardi è da vedere. Sono abbastanza vecchio da essere l'antenato del tuo bisnonno, ma non sono ancora decrepito. Ti starà davvero bene se incontri un drago selvaggio."[32]

"Bene, bene! *Quando la testa è confusa deve intervenire il corpo*, come diciamo dalle parti mie," disse Boromir. "Dobbiamo solo cercare di aprirci la strada. Metti i piccoli sui cavallini, due per ciascuno. Io prendo il più piccolo; tu, Gandalf, va' dietro e io mi metterò davanti."

Si mise subito a scaricare i cavallini dai fardelli. "Tornerò a prenderli quando avremo aperto un passaggio," disse. Frodo e Sam furono piazzati su uno dei cavallini, Merry e Passolesto sull'altro. Poi Boromir tirò su Faramondo e avanzò a grandi passi.

Adagio si scavarono la strada. A raggiungere la curva ci misero qualche tempo, ma lo fecero senza incidenti. Dopo una breve sosta, proseguirono sino al limite del cumulo. D'un tratto Boromir incespicò su una pietra celata e cadde in avanti. Faramondo fu scaraventato dalle sue spalle nella neve alta e scomparve. Il cavallino dietro si impennò e poi cadde anche lui, facendo ruzzolare sia Frodo che Sam nel cumulo. Passolesto riuscì però a tenere il secondo cavallino.

Per alcuni istanti ci fu una gran confusione. Ma Boromir si alzò, si scrollò la neve dal viso e dagli occhi, e si avvicinò alla testa del cavallino che scalciava e si dibatteva. Una volta rimessolo in piedi, andò in soccorso degli hobbit che erano spariti in buche profonde nella neve cedevole. Prima tirò fuori Faramondo e poi Frodo, si fece strada nel cumulo e, uscito, li rimise in piedi. Poi tornò indietro per il cavallino e Sam. "Ora seguite la mia pista!" gridò agli altri tre. "Il peggio è passato!"

Alla fine giunsero tutti alla cima del lungo pendio. Gandalf si inchinò verso Boromir. "Se sono stato scontroso," disse, "perdonami. Anche al mago più saggio non piace vedere i propri piani andare storti. Ringrazio il cielo per la forza pura e il buon senso, te ne siamo grati, Boromir di Ond."[33]

Dal luogo elevato osservarono in che punto erano sopra le terre. La luce del giorno era ormai la massima possibile, a meno che le pesanti nubi non si fossero squarciate. Molto in basso e sopra il terreno franato che scendeva ai piedi del pendio, Frodo ebbe l'impressione di riuscire a vedere la valle da cui avevano cominciato a salire la notte precedente.

Le gambe gli dolevano e aveva la testa che girava al pensiero della lunga e dolorosa marcia verso il basso. In lontananza, sotto di lui ma ancora sopra le basse colline, scorse molti puntini neri muoversi nell'aria. "Ancora uccelli," disse sottovoce, puntando il dito.

"Ora non ci si può fare nulla," disse Gandalf. "Che siano buoni o cattivi, o che non abbiano nulla a che vedere con noi, dobbiamo scendere subito." Il vento spirava di nuovo forte sul passo celato dietro le nuvole; e già cadevano dei fiocchi di neve.

Era tardo pomeriggio e la luce grigia già s'affievoliva di nuovo rapida intanto che tornavano all'accampamento della notte precedente. Erano esausti e assai affamati. Le montagne erano velate da un crescente crepuscolo carico di neve: persino laggiù, ai piedi delle colline, la neve cadeva lenta. Gli uccelli erano scomparsi.

Per il fuoco non avevano combustibile e si riscaldarono quanto possibile con le pellicce e le coperte di scorta. Gandalf diede a ciascuno un altro sorso di cordiale. Una volta mangiato, convocò un consiglio.

"Naturalmente stasera non possiamo proseguire," disse. "Abbiamo tutti bisogno di sano riposo e credo sia meglio restare qui fino a domani sera."

"E quando ci sposteremo, dove andremo?" chiese Frodo. "Ritentare il passo è inutile; ma tu stesso ieri sera, in questo posto, hai detto che non si possono attraversare i passi a nord per via dell'inverno, né a sud a causa dei nemici."

"Non c'è bisogno che me lo ricordi," disse Gandalf. "La scelta ora è tra proseguire il viaggio, per una strada o per l'altra, o tornare a Valforra."

I volti degli hobbit rivelavano abbastanza evidentemente il diletto che provavano al solo accenno del ritorno a Valforra. Il viso di Sam si illuminò in maniera visibile e guardò il padrone. Ma Frodo aveva un'aria inquieta.

"Vorrei essere a Valforra," ammise. "Questo però non significa tornare indietro anche su tutto quello che è stato detto e deciso?" chiese.

"Sì," replicò Gandalf. "Il nostro viaggio era già stato ritardato, forse troppo. Passato l'inverno sarebbe alquanto vano. Se ritornassimo, ciò significherà l'assedio di Valforra, e con grande probabilità la sua caduta e distruzione."

"Allora dobbiamo proseguire," disse Frodo con un sospiro e Sam ricadde nella malinconia. "Dobbiamo proseguire, se c'è una strada da imboccare."

"C'è, o potrebbe esserci," disse Gandalf. "Ma non ve ne ho parlato prima, e non ci ho quasi nemmeno pensato finché avevamo speranza per il passo di Cris-caron. Non è una strada piacevole."

"Se è peggio del passo di Cris-caron, deve essere davvero molto brutta," disse Merry. "Ma adesso faresti meglio a raccontare."

"Hai mai sentito parlare delle Miniere di Moria o dell'Abisso Nero?"[34] chiese Gandalf.

"Sì," rispose Frodo. "Credo di sì. Mi pare di ricordare che Bilbo ne parlasse molto tempo fa, quando mi raccontava storie di nani e goblin. Ma non ho idea di dove siano."

"Non sono lontani," disse il mago. "Sono su queste montagne. Furono fatti dai Nani del clan di Durin diverse centinaia di anni fa, quando gli elfi dimoravano ad Agrifoglieto e le due razze vivevano in pace. In quei tempi antichi Durin abitava a Caron-dûn e il Grande Fiume era assai trafficato. Ma i Goblin, feroci orchi[35] in gran numero, li scacciarono dopo molte guerre, e gran parte dei nani che fuggirono si trasferirono più a Nord. Spesso tentarono di riconquistare queste miniere, ma per quanto ne so non ci riuscirono mai. Re Thrór fu ucciso laggiù dopo essere fuggito da Vallea all'arrivo del drago, come forse ricorderete dai racconti di Bilbo. Secondo quanto detto da Glóin, i nani di Vallea pensano che Balin sia venuto quaggiù, ma da lui non è giunta alcuna notizia."[36]

"In che modo ci possono essere di aiuto le miniere [dell']Abisso Nero?" chiese Boromir. "Il nome pare di cattivo auspicio."

"È così, o è diventato così," rispose Gandalf. "Ma bisogna percorrere la strada che la necessità vuole. Se nelle miniere ci sono degli orchi, potrebbe essere pernicioso per noi. Ma la maggior parte dei goblin dei Monti Brumosi fu distrutta nella Battaglia dei Cinque Eserciti alla Montagna Solitaria. Esiste una possibilità che le miniere siano ancora deserte. Ed esiste anche la possibilità che i nani siano laggiù e che Balin viva in segreto in qualche sala profonda. Se una di queste possibilità si rivelasse vera, allora potremmo farcela. Le miniere, infatti, passano proprio attraverso e sotto questo braccio occidentale delle montagne. In antichità le gallerie di Moria erano le più famose del mondo settentrionale. Sul lato occidentale c'erano due porte segrete, nonostante l'ingresso principale fosse a est e guardasse Caron-dûn.[37] Le ho attraversate tutte, tanti anni fa, quando cercavo Thrór e Thráin. Ma da allora non ci sono più stato... e non ho mai desiderato ripetere l'esperienza."[38]

"E io non voglio provarla nemmeno una volta," disse Merry. "Nemmeno io," mormorò Sam.

"Certo che no," disse Gandalf. "Chi vorrebbe? Ma la mia domanda è: mi seguirete, se corro questo rischio?"

Per qualche tempo non ci fu risposta. "Quanto distano le porte occidentali?" chiese infine Frodo.

"Circa dieci[39] miglia a sud di Cris-caron," disse Passolesto.

"Allora conosci Moria?" disse Frodo, con sguardo sorpreso.

"Sì, conosco le miniere," disse Passolesto sottovoce. "Una volta ci sono andato e ne ho un pessimo ricordo: ma se vuoi saperlo, sono sempre stato favorevole a tentare quella strada anziché un passo aperto.[40] Seguirò Gandalf, anche se lo avrei seguito più volentieri se fossimo riusciti a raggiungere la porta di Moria con maggiore segretezza."

"Be', ora avanti," disse Gandalf. "Non ti metterei mai di fronte a una scelta del genere, se ci fosse qualche speranza in altre strade, o qualche speranza nel ritirarsi. Tentare Moria o tornare a Valforra?"

"Rischiamo con le Miniere," disse Frodo.

Come dicevo, è notevole quanto la struttura della storia sia stata in sostanza raggiunta sin dall'inizio, mentre le differenze nelle *dramatis personae* sono molto consistenti. È molto curioso che, prima ancora di stendere la prima bozza completa del "Consiglio di Elrond", mio padre avesse deciso che la Compagnia dovesse includere un Elfo e un Nano (p. 494), come ora pare tanto naturale e inevitabile, eppure in "L'Anello va a Sud" si hanno solo Gandalf e Boromir e cinque hobbit (uno dei quali, certo, è Passolesto, il più insolito ed esperto dei viaggiatori).

Ma, come spesso accade nella storia del *Signore degli Anelli*, gran parte dei primi scritti si conservò, ad esempio nei dettagli della conversazione, eppure tale conversazione compare in seguito in nuovi contesti, assegnata a parlanti diversi, e acquisisce una nuova risonanza quando il "mondo" e la sua storia crebbero e si ampliarono. Un esempio lampante è dato nella nota 8, dove nel testo originale "Passolesto era seduto con la testa china sulle ginocchia" mentre aspettavano di partire da Valforra, laddove in CdA "Aragorn era seduto con la testa china sulle ginocchia; *solamente Elrond sapeva appieno che cosa significasse per lui quel momento*". La domanda sorge spontanea: qual è davvero il rapporto tra Passolesto = Peregrino Boffin e Passolungo = Aragorn?

Naturalmente sarebbe falso limitarsi a sostenere che c'era un ruolo da interpretare nella storia, e che all'inizio quel ruolo era interpretato da uno Hobbit, ma poi da un Uomo. In casi particolari, valutati in senso stretto senza un contesto più ampio, questa potrebbe sembrare una considerazione sufficiente o pressoché sufficiente: l'azione necessaria o fissa era che il compagno di Sam Gamgee dicesse: "Sdràiati a terra e non ti muovere!", tirandolo giù all'ombra di un cespuglio di agrifoglio (p. 521; CdA, p. 306). Ma questo dice ben poco. Sarei propenso a pensare che la figura originale (la persona misteriosa che incontra gli hobbit alla locanda di Bree) fosse in grado di evolversi in direzioni diverse senza perdere elementi importanti della sua "identità" di personaggio riconoscibile, anche se la scelta di una direzione o di un'altra avrebbe portato a "identità" storiche e razziali molto diverse nella Terra di Mezzo. Pertanto Passolesto non fu soltanto cambiato da Hobbit a Uomo, anche se un simile cambiamento forse è avvenuto nel caso del signor Farfaraccio con pochissimo impatto. Al contrario, era stato potenzialmente Aragorn per molto tempo; e quando mio padre decise che Passolesto *era* Aragorn e *non* Peregrino Boffin la sua statura e la sua storia furono del tutto cambiate, ma gran parte dell'"indivisibile" Passolesto rimase in Aragorn e determinò la sua natura.

È possibile anche pensare che nella storia del tentativo a Cris-caron, Passolesto sia sminuito rispetto al ruolo che aveva avuto nel racconto del viaggio da Bree a Valforra in cui, sebbene sia uno hobbit, è del tutto separato dagli altri, un capo saggio e intraprendente e di grande esperienza nel quale gli altri ripongono tutte le loro speranze. Ora, in queste condizioni fisiche, accanto a Boromir, è uno degli indifesi della "piccola gente", come dice lo stesso Boromir, da mettere su un cavallino. Naturalmente, questa questione non può essere affrontata senza il senno di poi; se Passolesto fosse rimasto davvero uno hobbit nel *Signore degli Anelli*, non sarebbe sorta. Eppure considerazioni in tal senso possono aver rappresentato un tassello nella decisione che mio padre avrebbe preso di lì a poco su di lui.

[1] Una pagina a parte, sicuramente coeva, presenta un abbozzo preliminare del passo che inizia all'incirca da "La luce sempre più forte" a p. 527. La scrittura è al limite estremo della leggibilità, frettolosa e a matita ormai molto leggera.

La luce grigia crebbe rivelando un mondo......... nevoso in cui il sentiero lungo il quale erano saliti era a stento visibile. La neve aveva smesso di cadere ma il cielo minacciava nuove precipitazioni.

"Prima ci muoviamo e cominciamo a scendere, meglio è," disse Gandalf. Fu più difficile a dirsi che a farsi. Hobbit. Uno per viaggio. [*Cancellato:* Boromir trasporta Frodo (...prezioso fardello).] Boromir e Gandalf avanzano e saggiano la strada. In alcuni punti Boromir scomparve quasi fino al collo. Cominciarono a disperare per la neve soffice......... Con grande fatica erano scesi solo di un quarto di miglio ed erano esausti. Ma all'improvviso trovarono la neve meno alta: "pare che ce la scarichino addosso apposta," disse Gandalf. Boromir proseguì e tornò riferendo che era [?presto soltanto bianco]. Alla fine, quando la luce del giorno fu massima, tornarono in posti quasi sgombri dalla neve.

G. indica il luogo da cui erano partiti la sera prima. Consiglio. Cosa si deve fare. Moria.

La pagina prosegue con alcuni tratti preliminari della scena fuori dalla Porta Occidentale di Moria; vedi p. 548.

[2] Delle date furono inserite a margine accanto a questa frase: "7 nov.?" e "10-11"; e poi "circa quindici giorni" fu cambiato in "3 settimane" e "una settimana o più" in "quasi due settimane".

[3] Dopo "fino alle" mio padre scrisse dapprima *Dimbar*, forse intendendo "Dimbar nelle Vallee-dei-riombrosi". Il nome *Dimbar* era già comparso nel *Quenta Silmarillion* (V.332), per la terra deserta tra i fiumi Sirion e Mindeb.

Per questo uso di *Vallea(/e)-dei-riombrosi* (a nord di Valforra) vedi p. 448. Quando *Vallea-dei-riombrosi* fu collocata a sud e sull'altro lato dei Monti Brumosi fu sostituita a nord da *Valgrigia*, e questo nome fu scritto in seguito a matita nel testo presente.

[4] Questa è la prima occorrenza dei nomi *Iridato* (Fiume) e *Campi Iridati*. Il fiume era stato indicato sulla mappa della Selvalanda nello *Hobbit*, con un terreno paludoso alla confluenza con il Grande Fiume, suggerendo una regione in cui sarebbero cresciuti gli "iris".

A piè di pagina è presente una nota che riguarda i nomi in questo passaggio: "Questi nomi vengono riportati nella [maniera >] traduzione Hobbit. I loro veri nomi erano *Tum Dincelon*; *Arad Dain* (*Annerchin*); *Crandir* Viarossa; e *Palathrin* (*Palath* = Iris)". *Tum Dincelon* è *Vallea-dei-riombrosi*, sua assegnazione originale (nota 3). Non capisco il riferimento ad "*Arad Dain* (*Annerchin*)". Mio padre scrisse dapprima *Tar* e lo cancellò prima di scrivere *Arad*. Per i nomi del Fiume Viarossa vedere nota 15. Nelle *Etimologie* il Noldorin *palath* = "superficie" (V.474).

[5] Vedi la mappa della Selvalanda nello *Hobbit*; "Porta dei Goblin e Nido d'Aquila".

6 Stando alla *Conta degli Anni* in SdA (Appendice B) la Compagnia lasciò Valforra il 25 dicembre.

7 Questo passaggio fu riscritto diverse volte; ed è impossibile interpretare la sequenza con precisione; ma è chiaro che mio padre all'inizio immaginava una Compagnia a cavallo, con il "grande cavallo marrone" di Boromir, il cavallo bianco di Gandalf e sette cavallini, cinque per gli hobbit e due da soma (vedi nota 25). Una tappa intermedia vedeva Boromir da solo a piedi: "C'erano cavallini affinché tutti gli hobbit potessero cavalcare dove la strada lo permetteva, e Gandalf naturalmente aveva il suo cavallo; ma Boromir procedeva a piedi, com'era venuto. Gli uomini della sua razza non montavano cavalli." Il testo pubblicato è sicuramente la versione finale di questa fase ed è diverso da quello in CdA (p. 301) dove l'unica bestia da soma era il cavallino di Bill Felcioso, che Sam chiamava Bill.

8 Vedi CdA, p. 301: "Aragorn era seduto con la testa china sulle ginocchia; solamente Elrond sapeva appieno che cosa significasse per lui quel momento." Vedi p. 532.

9 Si tratta della prima occorrenza di *Agrifoglieto* (Hollin); ma il nome elfico *Eregion* non compare. Nelle *Etimologie* (V.442) il nome elfico di Agrifoglieto è *Regornion*. In CdA (p. 304) Gandalf dice che avevano percorso 45 leghe, ma in linea d'aria: "molte di più sono le lunghe miglia coperte dai nostri piedi."

10 Vedi *Nota sulla Geografia*, pp. 542-544.

11 Alla prima occorrenza il nome della "montagna corno rosso" fu sostituito diverse volte: prima era *Bliscarn*, poi *Carnbeleg* o *Cornorubro*, poi *Taragaer* (vedi *Etimologie*, V.489); ai margini della pagina sono scritti anche *Caradras = Cornorubro*, e *Rhascaron*. Tutti questi nomi compaiono sulla mappa contemporanea (p. 541). All'occorrenza successiva *Carnbeleg* fu sostituito da *Taragaer* e successivamente il nome scritto per primo fu *Caradras*, sostituito da *Taragaer*, e infine *Taragaer*. Leggo sempre *Taragaer* perché in apparenza è in nome preferito in questo stadio. Le modifiche apportate in inchiostro rosso in una fase successiva ripristinarono *Caradras*.

12 Sulla divisione dei Monti Brumosi in un braccio orientale e uno occidentale vedi la *Nota sulla geografia*, p. 540. Mio padre scrisse dapprima "la grande valle" e la parola sostitutiva fu con una certa probabilità ma non totale sicurezza "terra".

13 Il nome della valle fu dapprima *Carndoom la Valle Rossa*; sopra fu scritto *Carondûn* e *Doon-Caron*, ma questi furono cancellati. Altrove in questa pagina si trova *Narodûm = Valle Rossa*; e il nome nel testo fu corretto a inchiostro rosso in *Dimrill-dale* (Vallea-dei-riombrosi): *Nanduhiriath* (in CdA *Nanduhirion*). Riguardo al precedente uso di *Vallea-dei-riombrosi* vedi nota 3. In occorrenze successive il nome è *Carndoom, Caron-doom, Caron-dûn, Dûn Caron*, e alla fine il nome fu sostituito in inchiostro rosso da *Lagovetro* in *Vallea-dei-riombrosi* (nota 37). Tra queste forme che significano tutte "Valle Rossa", ho scelto alquanto arbitrariamente *Caron-dûn* come forma coerente nel testo.

14 Dapprima il nome del passo era *Criscarn*, con *Cris-caron* come alternativa scartata; in occorrenze successive compaiono entrambi, ma con una preferenza per *Cris-caron*

(anche *Cris-carron, Cris Caron*), che adotto io stesso. *Dimrill-stair* (Scalea dei Riombrosi) lo sostituisce due volte in inchiostro rosso, nel presente passaggio: "sul passo che era [*leggi* è] chiamato Dimrill-stair (*Pendrethdulur*) sotto il fianco del Caradras". Il passo fu poi chiamato Cancel Cornorosso, essendo Scalea dei Riombrosi la discesa dal passo sul lato orientale; vedi nota 21. Per *Pendrethdulur* vedi le *Etimologie*, V.475, *pendrath* "passaggio in salita o in discesa, scalinata".

15 Il Fiume Viarossa, poi Roggiargento, fu menzionato in uno schema datato agosto 1939 (p. 475) e alla sua occorrenza all'inizio del capitolo viene dato il nome elfico *Crandir* (nota 4). Qui, sopra *Viarossa*, sono scritti i nomi *Rathgarn* (cancellato), *Rathcarn*, *Nenning* (cancellato); e *Caradras o Viarossa*. A margine è scritto anche *Narosîr = Viarossa*. A quel tempo *Nenning* non era ancora comparso nel *Silmarillion* e negli *Annali del Beleriand* come nome del fiume nel Beleriand a ovest del Narog, che era ancora chiamato *Eglor*. In inchiostro rosso fu sostituito il nome *Celebrin* (*Celebrant* in CdA). Il fiume viene chiamato *Caradras* sulla mappa contemporanea (p. 541).

16 Nello schema a p. 510 era riportato che Beleghir il Grande Fiume si divideva in molti canali nella Foresta di Fangorn. Vedi la mappa a p. 541.

17 Sebbene in CdA (p. 307) Aragorn dica di aver visto i falchi volare in alto, non afferma, come fa in questo caso Passolesto, "Questo spiegherebbe il silenzio".

18 *a sud*: modificato a matita da *a nord*.

19 Ormai era il 28 novembre (dal momento che camminarono tre notti dopo il fatto e provarono ad affrontare il Cris-caron il 2 dicembre, pp. 523, 525). Nelle note sulle fasi lunari (che si trovano sul retro di una pagina nella sezione precedente di questo manoscritto) mio padre dà le seguenti date, a dimostrare che nella notte del 28 la Luna era al suo primo quarto:

Ultimo quarto	*Luna nuova*	*Primo quarto*	*Luna Piena*
18 sett.	25 sett.	2 ott.	10 ott.
17 ott.	24 ott.	31 ott.	8 nov.
15 nov.	22 nov.	29 nov.	7 dic.

20 Questo episodio fu mantenuto in CdA, ma non viene spiegato. I Nazgûl alati non avevano ancora attraversato il fiume (*Le due Torri*, pp. 477, 483).

21 Come scritto a inchiostro, e prima che i cambiamenti a matita dessero origine al passaggio citato, Gandalf disse: "L'inverno è a ridosso. La neve sta arrivando. In effetti è arrivata. Le cime dietro sono più bianche di prima." La risposta di Passolesto è la stessa, ma chiude con: "potremmo rimanere intrappolati in un bufera di neve prima di superare il passo." A margine mio padre scrisse: "? Eliminare la profezia della neve, far sì che capiti all'improvviso." Lo cancellò, ma il passaggio modificato fa sembrare meno certa la minaccia della neve.

Le parole "verso il rosso passo di Cris-caron" furono corrette in inchiostro rosso in "verso la Scalea dei Riombrosi"; vedi nota 14.

22 Mio padre dapprima scrisse (cambiandolo nel testo riportato al momento della stesura): "Ma dobbiamo proseguire e attraversare le montagne qui o tornare indietro. I passi più a sud sono troppo lontani ed erano tutti sorvegliati anni fa... conducono dritti al paese [degli Uomini Imberbi Mani Aroman >] Cavalieri." Nel brano riscritto, il riferimento ai passi più a sud viene eliminato, ma ricompare poco dopo: "più a sud i passi sono custoditi" (vedi CdA, p. 308, "Più a sud non ci sono altri valichi prima del Varco di Rohan").

Prima che si arrivasse al nome *Rohan* ne furono scritti molti altri: *Thanador*, *Ulthanador*, *Borthendor*, *Orothan*[*ador*]. Dopo *Rohan* è scritto: [= *Rochan(dor)* = Terra dei Cavalli]. Si tratta senza dubbio del punto in cui fu concepito il nome *Rohan*. Vedi *Etimologie*, V.480. Quenya *rokko*, Noldorin *roch*, cavallo.

Uno scarabocchio a margine pare modificare "I Signori dei Cavalli sono da tempo al servizio di Sauron" in "Rohan dove sono i Re dei Cavalli o Signori dei Cavalli". CdA, p. 308: "Chissà da quale parte stanno adesso i marescialli dei Signori dei Cavalli."

23 Nella storia originale Passolesto preferiva il passaggio da Moria e Gandalf il passo; in CdA (p. 318) fu Aragorn a prediligere il passo.

24 Questo passaggio, da "io e Passolesto abbiamo dei dubbi riguardo al tempo", è una riscrittura a matita di un passaggio ben più lungo in cui Gandalf introduceva a questo punto l'argomento di Moria. Gandalf dice:

> "Passolesto pensa che probabilmente verremo sorpresi da una forte bufera di neve prima di attraversare [vedi nota 21]. Credo dovremmo tentare ugualmente. Ma esiste un'altra via, o almeno esisteva. Non so se avete sentito parlare delle Miniere di Moria o [del Pozzo >] dell'Abisso Nero?"

Gandalf poi descrive Moria; e poi il testo originale continua:

> A quelle parole, ai viandanti si strinse il cuore. Tutti avrebbero votato subito per il freddo e i pericoli dell'alto passo anziché per i neri abissi di Moria. Ma Gandalf non chiese alcun voto. Dopo una pausa disse: "Non è necessario che vi chieda di decidere. So quale strada prendereste, e anch'io scelgo la stessa. Tenteremo il passo."

L'introduzione di Moria fu rinviata al momento in cui la Compagnia fu costretta a ritirarsi dal passo a causa della bufera di neve; e le parole di Gandalf al riguardo ricompaiono in forma molto simile (vedi p. 531 e nota 38). La seconda occorrenza del brano è scritta a inchiostro e costituisce parte integrante del capitolo.

25 "cavallini da soma" è una correzione a matita di "cavalli e cavallini"; vedi nota 7. Ma quando i viandanti si fermano sotto il dirupo strapiombante il riferimento ai "due cavallini" (p. 526) è nel testo come scritto in prima stesura.

26 Al momento della stesura questa frase fu contrassegnata da un punto di domanda e racchiusa tra parentesi quadre. Più tardi mio padre scrisse: "Non tutte le malvagità sono [di] Sauron" e "I falchi" (probabilmente riferendosi ai falchi visti da Passolesto in alto sopra Agrifoglieto, quando disse "Questo spiegherebbe il silenzio", p. 521); e a margine: "Gimli afferma che il Caradras godeva di pessima nomea anche nei tempi in cui Sauron era di ben poco conto" (vedi CdA, p. 311).

[27] Come scritto in prima stesura (ma subito scartato) il contenuto di questi discorsi (da "'È senza speranza,' disse Gandalf. 'Se volete chiamatelo pure vento...'") era più condensato e assegnato completamente a Gandalf.

[28] Nello stesso passaggio di CdA (p. 312) la data è 12 gennaio; la Compagnia aveva lasciato Valforra il 25 dicembre ed era rimasta nelle lande selvagge per diciannove notti. Nella storia originale però il viaggio era più breve: "a circa dieci giorni dalla partenza il tempo migliorò" (p. 519), mentre in CdA (p. 304) è "due settimane".

[29] Questa frase sostituì (probabilmente subito): "Ma la neve continuava a cadere inesorabile, e alla fine Gandalf dovette ammettere che essere sepolti nella neve era in quel momento il pericolo maggiore." Per le parole *dovette ammettere* vedi note 23 e 30.

[30] "Passolesto" fu cambiato a matita in "Gandalf". Nel contesto della storia in questa fase, era più probabile che fosse Passolesto a dire questo (vedi note 23 e 29), ma nella bozza preliminare data in nota 1 viene detto da Gandalf.

[31] Qui mio padre scrisse: "Boromir conosce la neve dalle Montagne Nere. È un montanaro nato"; ma lo cancellò. Nello schema riportato a p. 510 è scritto che la Foresta di Fangorn si estendeva sino alle Montagne Nere (cambiate da Montagne Azzurre, a cui si fa riferimento nella mappa contemporanea).

[32.] Modifiche apportate a matita cambiarono i parlanti in questo passaggio, ma credo che siano tarde. La domanda "Come ci arriviamo *noi* alla svolta?" viene presa da Passolesto e assegnata a Merry (forse perché mio padre aveva deciso che Passolesto fosse un Uomo), il quale prosegue: "È un peccato che Gandalf non riesca a creare una fiamma sufficiente da sciogliere un sentiero"; ed è Merry, non Boromir, a fare il commento sul drago addomesticato e il mago selvaggio. Ma dato che in seguito è a Boromir che Gandalf chiede scusa per l'irascibilità, questi cambiamenti furono superficiali e non del tutto integrati nella narrazione. In questo momento o in seguito l'osservazione sullo sciogliere un sentiero da parte di Gandalf fu assegnata a Legolas (vedi CdA, p. 313) e si tratta naturalmente di un'aggiunta irrilevante dal punto di vista strutturale, come quella riguardante Gimli in nota 26.

[33] La discesa della Compagnia nella neve alta fu inizialmente raccontata in modo assai diverso, anche se la versione data sostituì l'altra prima che venisse completata. Secondo la prima stesura, Gandalf si calmò subito con Boromir (dopo "Ti starà davvero bene se incontri un drago selvaggio") e dato che sembrava già stanco gli diede un altro sorso del cordiale di Elrond. Boromir doveva portare giù tutti gli hobbit separatamente (vedi l'abbozzo preliminare dato in nota 1) e cominciò con Frodo; poi inciampò in una pietra nascosta e Frodo cadde nella neve alta e scomparve, ma Boromir "presto lo recuperò". Poi fu portato giù Sam ("era assai contrario a che il suo padrone (con l'Anello) fosse stato lasciato solo e senza possibilità di raggiungerlo in caso di pericolo improvviso"). Boromir era allora troppo esausto per ripetere la salita e la discesa altre tre volte, e questa versione si chiude con note frettolose secondo cui Passolesto, Faramondo e Merry furono messi sui cavallini, mentre Gandalf dietro e Boromir davanti, portando i bagagli, "si scavavano la strada, trascinando e spingendo i cavallini in avanti".

Quindi mio padre scrisse: "Oppure modificare tutto sopra", e suggerì che la Compagnia scendesse tutta insieme. Nella seconda versione, riportata nel testo, omise di menzionare che Boromir era tornato ancora per prendere i bagagli. La storia in CdA è naturalmente del tutto diversa, dato che Passolesto è diventato Aragorn.

34 *Moria* è tradotto "Abisso Nero" nella prima occorrenza scartata di questo passaggio (nota 24). Una nota isolata all'inizio del manoscritto riporta "*Moria* = Abisso Nero" con l'etimologia *yagō* e *ia*. Qui "Abisso" è una correzione di qualche altra parola che non riesco a interpretare. Vedi *Etimologie*, V.502, radice YAG, "sbadigliare, restare a bocca aperta", dove *Moria* viene tradotto "Abisso Nero".

35 Non è il primo impiego della parola *Orchi* nelle carte di SdA; Gandalf fa riferimento a "orchi e goblin" tra i servitori dell'Oscuro Signore, pp. 270, 452; vedi anche pp. 239, 398. Ma la rarità di uso in questo stadio è notevole. La parola *Orco* risale ai *Racconti Perduti* ed era stata pervasiva in tutti gli scritti successivi di mio padre. Nei *Racconti Perduti* i due termini erano impiegati come equivalenti, anche se a volte apparentemente distinti (vedi II.426, voce *Goblin*). Un indizio si trova in un passaggio che compare sia nel *Quenta* sia nel *Tardo Quenta* (IV.102; V.291): "Essi possono altresì venire chiamati Goblin, *ma nei tempi antichi erano forti e feroci.*" A questo punto pare che gli "Orchi" vadano considerati una razza di "Goblin" più temibili; così nell'abbozzo preliminare di "Le Miniere di Moria" (p. 546) Gandalf afferma "sono goblin, di una specie assai malvagia, più grandi dei soliti, *veri orchi*". È interessante notare per inciso che nella prima edizione dello *Hobbit* la parola *Orchi* viene usata soltanto una volta (alla fine del capitolo VII, "Strani alloggi"), mentre nella versione pubblicata di SdA *goblin* non è quasi mai usata.

36 Stranamente, questo è non affatto in linea con quanto detto da Glóin a Valforra (p. 488): "Per molti anni tutto andò bene e la colonia prosperò; tornò il viavai tra Moria e la Montagna, e a Dáin furono inviati molti doni d'argento".

37 È a questo punto che viene apportata la modifica a inchiostro rosso di *Lagovetro in Valleadeiriombrosi* (nota 13). Si tratta della prima comparsa del lago a Vallea dei Riombrosi; sulla mappa contemporanea è segnato col nome di *Speculago*.

38 Il racconto di Moria dato da Gandalf qui differisce dalla forma precedente (vedi nota 24) per la sola menzione di Durin, della pace tra Elfi e Nani, e degli Orchi (vedi nota 35); la versione scartata si riferisce solo ai goblin. In quella versione viene detto che i Nani di Caron-dûn "spedivano le loro merci lungo il Grande Fiume".

39 "dieci" cambiato a matita in "20". In CdA (p. 320) Gandalf dice: "C'era una porta a sud-ovest del Caradhras, a una quindicina di miglia a volo d'uccello, e forse venti a passo di lupo."

40 Vedi nota 23. A margine, forse annotata al momento della stesura, è presente una nota: "Passolesto fu catturato laggiù." Questo contrasta con quanto detto in precedenza, al Consiglio di Elrond (p. 499): "Fu così che Frodo apprese di come Passolesto aveva seguito le tracce di Gollum mentre errava verso sud, nella Foresta di Fangorn e oltre le Morte Paludi, finché non era stato egli stesso catturato e imprigionato dall'Oscuro Signore."

Nota sulla geografia e sulla Mappa coeva

La mappa assai frettolosa, approssimativa e ormai lacera riprodotta a p. 541 può con assoluta certezza, credo, essere assegnata al periodo della stesura originale di questo capitolo. Fu la prima rappresentazione di mio padre della Terra di Mezzo a sud della Mappa della Selvalanda nello *Hobbit*, che teneva davanti a sé, come dimostrato dal corso dei fiumi.

Osservando da nord a sud sulla mappa, in alto si trova *Rupetra*; e *Iridato* (Fiume) e *Campi Ir[idati]* (vedi p. 516 e nota 4). *Agrifoglieto* viene nominato e segnato approssimativamente con una linea tratteggiata; e i nomi, cancellati, a destra delle montagne sono *Taragaer*, *Caradras* (con la forma finale *Caradras* accanto a matita), *Carnbeleg* e *Rhascarn* (vedi nota 11). Il passo si chiama *Riombrosi* con (probabilmente) *Cris-Caron* cancellato (nota 14); ed è segnato anche *Speculago*, prima occorrenza del nome (vedi nota 37). A ovest del lago è segnata *Moria*; sotto ci sono due nomi illeggibili e ancora sotto *Bliscarn* (nota 11) e ancora *Carnbeleg*, tutti cancellati.

La divisione dei Monti Brumosi in due rami, cui Gandalf fa riferimento nel presente testo (pp. 520-521) così come Gimli in CdA (p. 305), è mostrata in maniera assai più marcata su questa mappa originale che su quelle successive di mio padre, in cui il braccio orientale è mostrato come meno esteso di quanto lo sia nella mia pubblicata in SdA. Per i nomi della valle tra i rami dei monti, vedi nota 13.

L'ampio arco verso ovest del Grande Fiume (segnato con *grande ansa*) è già in essere, ma la collocazione della *Foresta di Fangorn* (in cui la scrittura della parola *Foresta* è esempio della grafia frettolosa di mio padre) sarebbe stata poi cambiata completamente. Che il Grande Fiume scorresse in mezzo a Fangorn è affermato da Gandalf (p. 520 e nota 16). Il nome *Belfalas* nel nord-est di Fangorn è scritto in inchiostro rosso (l'unico a essere così); in seguito Belfalas fu una regione costiera di Gondor, e dato che *falas* ("costa") era una delle parole elfiche più antiche (vedi I.326) è difficile capire come si potesse usarla per riferirsi a una regione boscosa nell'entroterra. Sospetto che mio padre l'abbia scritta sulla pagina dopo, o prima, della creazione di questa mappa molto frettolosa e senza alcun riferimento a quest'ultima, per cui in questo contesto non ha alcun significato.

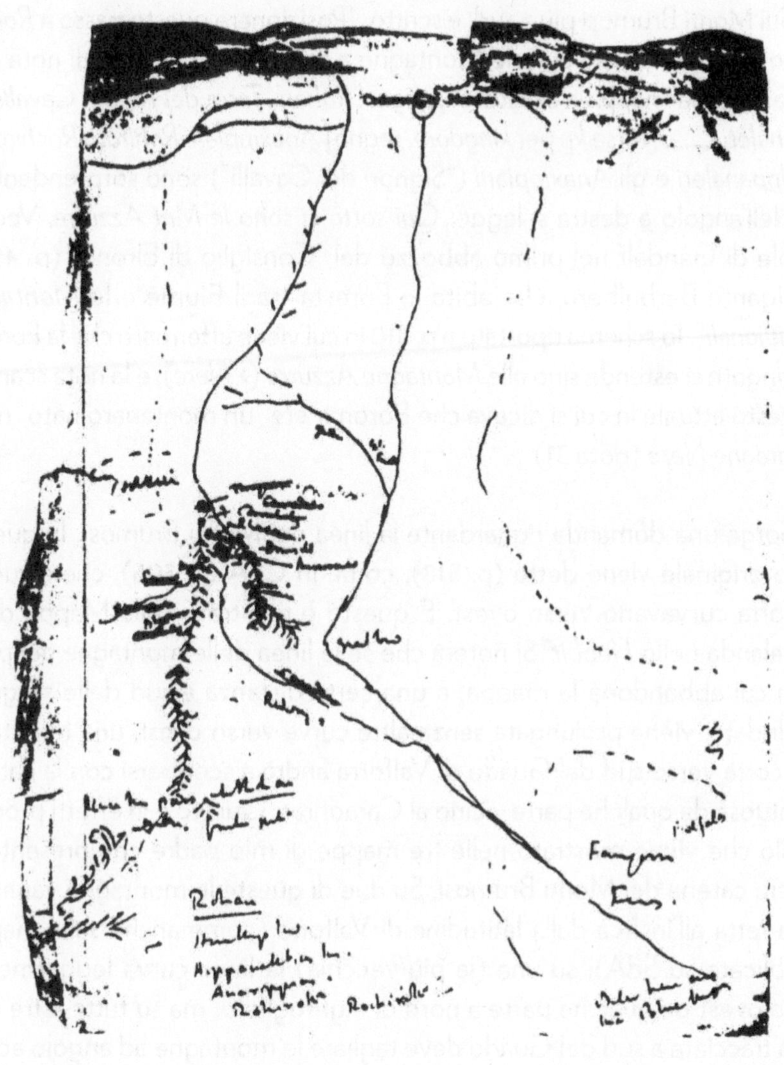

La prima mappa delle lande meridionali della Mappa delle Terre Selvagge dello *Hobbit*

Per i vari nomi proposti per il fiume *Viarossa* vedi nota 15; tra questi c'è *Caradras*, che si trova sulla mappa (sbarrato a matita).

Sui Monti Brumosi più a sud, è scritto: "Posizionare questo passo a *Rohan*, verso sud" (sui passi sopra le Montagne a sud del Caradras vedi nota 22). In basso sulla mappa a sinistra si legge: "*Rohan. Terra dei Re dei Cavalli, gli Ippanaleti*......... [forse *kn* per *kingdom*, regno] *Anaxippiani Rohiroth Rochiroth*". Gli *Ippanaleti* e gli *Anaxippiani* ("Signori dei Cavalli") sono sorprendenti.

Nell'angolo a destra si legge: *Qui sotto ci sono le Mnt Azzurre*. Vedi le parole di Gandalf nel primo abbozzo del "Consiglio di Elrond" (p. 494): il "gigante Barbalbero, che abita la Foresta tra il Fiume e le *Montagne Meridionali*", lo schema riportato a p. 510 in cui viene affermato che la Foresta di Fangorn si estende sino alle *Montagne Azzurre* (> *Nere*), e la nota scartata dal testo attuale in cui si diceva che Boromir era "un montanaro nato" nelle *Montagne Nere* (nota 31).

Sorge una domanda riguardante la linea dei Monti Brumosi. In questo testo originale viene detto (p. 518), come in CdA (p. 305), che a sud di Valforra curvavano verso ovest. E questo è mostrato sulla Mappa della Selvalanda nello *Hobbit*. Si noterà che se la linea delle montagne nel punto in cui abbandona la mappa, a una certa distanza a sud delle sorgenti dell'Iridato, viene prolungata senza altre curve verso ovest, una traiettoria che corra verso sud dal Guado di Valforra andrà a scontrarsi con la catena montuosa da qualche parte vicino al Caradhras. Questo è in effetti proprio quello che viene mostrato nelle tre mappe di mio padre che presentano l'intera catena dei Monti Brumosi. Su due di queste le montagne vanno in linea retta all'incirca dalla latitudine di Valforra (come anche sulla mappa pubblicata su SdA); su una (la più vecchia) la linea curva leggermente verso ovest da qualche parte a nord di Agrifoglieto; ma su tutte e tre una linea tracciata a sud del Guado deve tagliare le montagne ad angolo acuto nella regione di Agrifoglieto, questo semplicemente perché la linea delle montagne è sud-sud-ovest.

È pertanto curioso che la mappa abbozzata qui discussa non sia in reale accordo col testo originale (p. 519). I viandanti si diressero a sud dal Guado; e ai confini di Agrifoglieto, "A sud, molto in lontananza, Frodo intravedeva il vago profilo di alte montagne che ora sembravano ergersi in mezzo al sentiero. A sinistra della distante catena si levava un alto picco dalla foggia di dente", Taragaer, il Cornorosso (Caradhras). E quando Faramondo disse che secondo lui dovevano aver svoltato verso est, dal momento che le montagne erano ora di fronte a loro, Gandalf disse: "No, sono state le montagne a svoltare." Ma sulla vecchia mappa, una linea tracciata a sud del Guado si sarebbe scontrata con le montagne molto a sud di Moria e del Passo Rosso; e questo perché mio padre curvò la linea delle montagne quasi verso il sud pieno nella regione di Agrifoglieto, in modo che il percorso dal Guado e la linea delle montagne divenissero quasi paralleli. Forse questa non è altro che una conseguenza della rapidità e della grossolanità con cui fu disegnata la mappa: una semplice guida; ma è curioso che la linea tratteggiata che segna il percorso dei viandanti svolti effettivamente decisa a sud-est verso il passo, come pensava Faramondo!

Barbara Strachey, nello scrivere sulla questione in *I viaggi di Frodo* (mappa 17), osserva: "Le montagne avevano andamento verso ovest, più accentuato, a mio avviso, di quanto non risulti dalle mappe della Terra di Mezzo, e ciò soprattutto a sud del passo detto Cancello Cornorosso. Frodo ebbe a dire che sembravano 'tagliare la strada' seguita dalla Compagnia" (CdA, p. 304). Questo è opinabile; ma è rafforzato dalla risposta di Gandalf a Pippin, il quale disse che dovevano aver svoltato verso est: "No, ma la luce limpida permette di vedere più lontano. *Oltre quei picchi* [ovvero le Montagne di Moria] *la catena piega verso sud-ovest*" (CdA, p. 304). Su nessuna delle mappe di mio padre è presente un cambiamento nella direzione della principale catena montuosa a sud del Caradhras. Ma tutte mostrano un certo grado di estensione montuosa a ovest della catena principale nel punto in cui il Glanduin fluisce verso il Pienagrigia: molto lieve in una (e così rappresentato nella mia mappa di SdA), più marcato nella seconda, e nella terza (la più vecchia) è pari a una divisione virtuale della catena montuosa, con un ampio ramo di cime che corre verso sud-ovest. Nell'elaborata mappa da me realizzata con gessetti colorati nel 1943 (vedi p. 256) questo è ancora un elemento molto marcato.* Può darsi che fosse questo a cui Gandalf si riferiva.

* La mappa qui indicata come "la prima" (vedi anche p. 258) è l'elaborata mappa originale di lavoro del *Signore degli Anelli* (su cui fu basata la mia del 1943). Questa sarà esaminata nel vol. VII.

A questo proposito si può accennare che sulla mia mappa pubblicata in SdA le cime che si estendono dalla catena principale verso ovest a nord di Agrifoglieto sono esagerate rispetto a quello che intendeva mio padre: "alle pendici della catena principale si apriva un sempre più vasto accozzame di brulle colline e di profonde valli solcate da acque turbolente" (CdA, p. 304).

XXV.
LE MINIERE DI MORIA

Da prove interne ed esterne (le caratteristiche del manoscritto) ho pochi dubbi sul fatto che la prima bozza di questo capitolo sia stata scritta senza soluzione di continuità dalla fine di "L'Anello va a Sud". Ma è presente anche uno schema molto interessante di due pagine: "Abbozzo del capitolo delle Miniere di Moria", che, credo, ne precedette immediatamente la stesura. Questo "Abbozzo" è assai complicato da leggere e alcune parole si possono soltanto intuire.

Dalla Montagna Solitaria le avventure devono andare diversamente. Gallerie che conducono in tutte le direzioni, in salita e in ripida discesa, scale, fosse, rumore d'acqua nell'oscurità.

Gandalf guidato soprattutto dal senso generale dell'orientamento. Avevano portato un fascio di torce in caso di necessità, 2 per ciascuno. Gandalf non le userà finché non sarà necessario. Debole bagliore dal suo bastone. Glamdring non si illumina, quindi non ci sono goblin nelle vicinanze.

Quanto lontano andare. Quanto tempo ci vorrà. Gandalf calcola almeno 2 giorni, forse di più. Il pensiero di una notte (o due!) a Moria li terrorizza. Frodo sente montare la paura. Forse le avventure con l'Anello lo hanno reso sensibile. Mentre gli altri tengono su il morale con discorsi colmi di speranza, lui sente l'inevitabilità del male insinuarsi in lui, ma non dice nulla. Immagina sempre lo scalpiccio dei piedi di [?qualche creatura] dietro; [?questo] è Gollum, come verrà dimostrato molto tempo dopo.

Quando entrarono erano le dieci circa del mattino. Si erano riposati un poco. Proseguirono (con due pause) finché non furono troppo stanchi per continuare. Giunsero a un arco scuro che conduceva a 3 passaggi che portavano tutti nella stessa direzione, ma a sinistra in basso, a destra in alto, e al centro (apparentemente) in piano. Gandalf non riesce a scegliere: non ricorda il posto. Si fermano per la notte in una piccola stanza (quasi come una guardiola che vigila l'ingresso) proprio alla [?loro] sinistra. Una fossa profonda a destra. Una pietra cade dentro. Diversi minuti prima che la sentano cadere in fondo. Dopodiché alcuni di loro immaginano un'eco lontana di piccoli colpi intervallati (simili a segnali?). Ma quella notte non accade altro. Gandalf dorme poco cercando di scegliere la strada. [?Alla fine] sceglie la via di destra verso l'alto. Procedono per quasi 8 ore escluse le soste.[1]

Giungono in una grande stanza. Porta nella parete [?a sud]. Luce fioca, un camino [?alto ?grande] simile a un pozzo inclinato. In alto un barlume di luce del giorno. Il chiarore illumina una grande tavola quadrata di pietra [*scritto sopra:* una tomba].

Nella parete occidentale [*scritto sopra:* orientale] c'è un'altra porta. Ci sono lance e spade [?spezzate, a terra] presso entrambe le porte.

Un barlume di luce mostra lettere incise. Qui giace Balin figlio di Burin, Signore di Moria. Nelle nicchie ci sono forzieri e alcune spade e scudi. Forzieri vuoti eccetto uno. Un libro con scrittura nanica.

Racconta di come Balin giunse a Moria. Poi la scrittura cambia e racconta di come è morto, per [?una] freccia arrivata alla sprovvista. Poi di come dei "nemici" violarono le porte orientali. Non possiamo uscire dalle porte occidentali a causa dell'"abitatore dell'acqua". Breve racconto dell'assedio. L'ultimo scarabocchio dice "stanno arrivando".

Penso faremo meglio ad andare, disse Gandalf. In quel momento si sente un rumore simile a un grande rombo in lontananza. Poi un fragore terribile, simile a un corno, echeggiò all'infinito. Gandalf corre alla porta. Rumore come fossero piedi di goblin.

Gandalf libera un lampo accecante e grida Chi è là? Mormorii di........ risate e alcune voci profonde.

Gandalf dice che sono goblin, di una specie assai malvagia, più grandi dei soliti, veri orchi.[2] Di certo anche una qualche sorta di troll li guida.

Piano di difesa. Si riuniscono alla porta orientale. Ma la porta [?meridionale] è mantenuta socchiusa con dei cunei. Una spalla e un grosso braccio appaiono vicino alla......... porta. Gandalf lo taglia con Glamdring. Frodo trafigge il piede con Pungiglione. Grido terribile. Frecce fischiano dalla fessura.

Gli orchi balzano dentro ma vengono uccisi.

[?Boato] di rocce che colpiscono la porta.

Si precipitano fuori dalla porta orientale (che si apre verso l'esterno) e la sbattono. [?Scappano] per una lunga e ampia galleria. Il rumore presto rivela che la porta orientale è sfondata. Gli inseguitori sono alle calcagna.

Segue la perdita di Gandalf.

A matita, a margine del racconto dell'attacco alla sala, è scritto:

L'orco dalla cotta nera balza dentro e attacca Frodo con la lancia: viene salvato dalla maglia elfica e abbatte l'orco.

Si tratta di un esempio notevole di un importante passaggio narrativo del *Signore degli Anelli* nel momento preciso in cui emerge. Qui come altrove, molti degli elementi essenziali erano presenti sin dall'inizio: l'incrocio di tre strade, il dubbio di Gandalf, la sala delle guardie, la pietra caduta e i successivi colpetti sotterranei, la sala della tomba di Balin, il libro, il troll e molto altro. Che Gollum li seguisse a Moria era stato proposto nello schema riportato a p. 510: "Gollum deve riapparire a Moria o dopo. Frodo sente uno scalpiccio."

La spada di Gandalf *Glamdring* (Battinemici) che egli prese nella tana dei troll e (così gli disse Elrond) un tempo "era cinta dal re di Gondolin", ora ricompare dallo *Hobbit*.

Il padre di Balin (Fundin nello *Hobbit*, come in SdA) qui è stranamente Burin; questo nome nanico (riscontrato in antico nordico) era stato in precedenza assegnato al figlio di Balin, nelle prime bozze del "Consiglio di Elrond" (pp. 492, 494), prima che venisse sostituito da Gimli figlio di Glóin (p. 496).

La storia secondo cui Bilbo consegnò Pungiglione e la sua "maglia elfica" a Frodo prima che lasciasse Valforra (p. 301) è inclusa nell'abbozzo riportato a p. 494.

Questo non è il primo riferimento alla perdita di Gandalf; vedi p. 476 e per una prima dell'evento vedi p. 568.

Questo "Abbozzo" inizia quando la compagnia è già a Moria. Per quanto riguarda la storia dell'avvicinamento alla Porta Occidentale e dell'apertura della porta pare esserci solo quello che segue sotto forma di schema preparatorio (sebbene l'"abitatore dell'acqua" davanti alla Porta Occidentale compaia nell'"Abbozzo", p. 546, secondo le parole del libro trovato nella camera della tomba di Balin), successivo e scritto in contemporanea all'abbozzo della discesa del Passo Rosso nella neve (p. 534, nota 1).

Le porte occidentali di Moria sono porte naniche (chiuse come la Montagna Solitaria); non apribili in un momento prestabilito ma tramite un incantesimo con una [?parola ?speciale]. Gandalf sa o [?pensa] sia una delle [?tre] nella lingua antica, dato che sono stati gli Elfi di Agrifoglieto a gettare l'incantesimo.

Di fronte alle porte crescono cespugli di agrifoglio. Allora Gandalf capisce che si tratta di un incantesimo elfico.

Presento ora la prima bozza del testo del capitolo. Sin dall'inizio era numerato "XIV", forse perché mio padre aveva deciso che "L'Anello va a Sud" era un capitolo separato e pertanto avrebbe dovuto essere numerato "XIII", sebbene non avesse mai scritto quel numero sul manoscritto. La mia descrizione del testo di "L'Anello va a Sud" (p. 515) può essere ripetuta qui in maniera ancora più enfatica. La scrittura, sempre a inchiostro e non a matita, è ancora più rapida e più spesso indecifrabile, la quantità di materiale scartato (sovente non cancellato) ancora maggiore; molti passaggi sono confusi. È presente anche una certa quantità di correzioni a matita, forse apportate in tempi diversi, e alcune di esse appartengono a una fase successiva. In un caso, mio padre effettuò con molta cura un inserimento a inchiostro, affermando che Gimli fu di scarso aiuto a Gandalf nel trovare una via attraverso Moria (vedi CdA, p. 333), sebbene non inserì alcuna menzione di Gimli da nessun'altra parte. Il testo è quindi difficile da interpretare e ancora più da presentare.

Si noterà che l'intera storia dell'attacco dei Warg nella notte dopo la discesa della Compagnia dal passo (CdA, pp. 320-321) è assente.

Le Miniere di Moria

Il giorno dopo il tempo cambiò di nuovo, quasi obbedisse agli ordini di una potenza che ormai aveva rinunciato all'idea di far nevicare, da quando si erano ritirati dal Cris-caron. Nella notte il vento aveva girato verso sud. Al mattino virava verso ovest e la pioggia cominciava a cadere. I viandanti piantarono la tenda in una conca riparata e rimasero tranquilli tutto il giorno finché il pomeriggio volse a sera.

Per tutto il giorno non avevano udito alcun rumore e non avevano visto alcun segno di cosa viva. Appena la luce iniziò a calare, ripresero il cammino. Una pioggerella cadeva ancora, ma sulle prime ciò non li disturbò granché. Gandalf e Passolesto li condussero per una deviazione lontano dalle Montagne, dal momento che progettavano di arrivare a Moria lungo il corso di un ruscello che scorreva dalle pendici delle colline non lontano dalle porte celate. Tuttavia, dal momento che la notte era scura sotto un cielo coperto, pareva che in un modo o nell'altro si fossero smarriti nell'oscurità. Comunque non s'imbatterono nel ruscello e il mattino li sorprese a vagare e ad annaspare in luoghi umidi e paludosi colmi di stagni rossi per la molta argilla presente nelle cavità.[3]

Il cambiamento del tempo un po' li confortò: le nubi si schiusero e la pioggia cessò. Il sole uscì a sprazzi. Ma Gandalf era preoccupato per il ritardo e decise di ripartire di giorno, dopo soltanto poche ore di riposo. Nel cielo non c'erano uccelli o altri segni infausti. Svoltarono ancora verso le montagne, ma sia Gandalf che Passolesto rimasero assai perplessi per non aver trovato il ruscello.

Una volta tornati alle pendici delle colline e ai bassi pendii, s'imbatterono in uno stretto corso d'acqua in un canale profondo; ma era asciutto, e tra [le] pietre rossastre del letto non si vedeva acqua. Sulla sponda sinistra c'era però qualcosa, simile a un sentiero.

"Qui è dove scorreva il ruscello, ne sono sicuro," disse Gandalf. "Lo chiamavano Sirannon il Riocancello.[4] Comunque, il nostro cammino risale questo corso." La notte calava, ma sebbene fossero già esausti, soprattutto gli hobbit, Gandalf li esortò a proseguire.

"Stanotte credi di salire in cima in tempo per vedere l'alba di primo mattino?" chiese Merry.

"Se ci fosse possibilità, ci penserei!" disse Gandalf. "Ma qui nessuno è in grado di scalare le montagne. Le porte non sono lassù, ma in un punto vicino ai piedi di una grande dirupo. Spero di trovarle, ma sembra che tutto sia stranamente cambiato dall'ultima volta che sono stato quaggiù."

Prima che la notte fosse matura la luna, oramai a due giorni dalla fase piena,[5] si levò tra le nubi adagiate sui picchi orientali e rilucé a sprazzi sulle terre occidentali. Arrancarono coi piedi stanchi incespicando tra le pietre, finché d'improvviso giunsero a un muro di roccia alto circa trenta piedi. Sopra scorreva una cascata, il cui flusso un tempo era senza alcun dubbio più forte. "Ah! Ora so dove siamo," gridò Gandalf. "Qui c'erano le Cascate a Scalea. Mi domando che fine abbiano fatto. Ma se ho ragione ci deve essere una scala scolpita nella pietra a sinistra: la via maestra prosegue svoltando su per un declivio. Sopra le cascate c'è o c'era una vasta valle poco profonda in cui scorreva il Sirannon."

Presto trovarono la scala e, seguito da Frodo e Passolesto, Gandalf salì rapido. Giunti in cima scoprirono la ragione per cui il torrente si era prosciugato.

Oramai la luna calava a ovest. Per un breve tempo risplendette luminosa e videro dinanzi ai loro piedi un lago oscuro e calmo, rilucente al chiarore della luna. Il Rio-del-Cancello era stato ostruito e aveva riempito l'intera vallata. Soltanto un rivolo fuoriusciva dalle vecchie cascate, dal momento che lo sbocco principale del lago era ormai lontano, al capo meridionale.[6]

Dinanzi a loro, fioca e grigia al di là dell'acqua scura, si ergeva una rupe. La luce lunare cadeva pallida sulla roccia, che appariva fredda e ostile: un ultimo ostacolo al passaggio. Frodo non vedeva ombra di una porta o di un ingresso nella pietra incombente.

"La via è bloccata!" disse Gandalf. "Almeno per quello che si vede di notte. Suppongo che nessuno voglia provare a nuotare al chiaro di luna o con qualsiasi altra luce. Lo stagno pare alquanto malsano. Quando lo hanno fatto o perché, non ne ho idea, ma credo non per qualche buon proposito."

"Dobbiamo cercare una via d'uscita lungo il sentiero principale," disse Passolesto. "Anche se il lago non ci fosse, non riusciremmo a portare i cavallini su per quella scala angusta."

"E anche ce la facessimo, non entrerebbero nelle Miniere," disse Gandalf. "La strada sotto le montagne ci condurrà su sentieri che non possono percorrere... al contrario nostro."

"Mi domando se avevi pensato a questo inconveniente," disse Passolesto. "Immagino di sì, anche se non ne hai parlato."

"Era inutile menzionarlo, finché non fosse stato necessario," rispose il mago. "Li porteremo quanto più lontano possiamo. Resta da vedere se anche [?l'altra] strada non è sommersa... in quel caso è possibile che non riusciamo a raggiungere le porte."

"Se ci sono ancora," disse Passolesto.

Grandi difficoltà a ritrovare il vecchio sentiero non ne ebbero. Si allontanava dalle cascate e serpeggiava per un certo tratto verso nord, prima di curvare ancora a est e risalire un lungo pendio. Giunti in cima videro il lago sulla destra. Il sentiero costeggiava il margine, ma non era sommerso. Per la maggior parte era appena sopra l'acqua; ma in un punto, all'estremità settentrionale del lago, dove si trovava uno stagno viscido e stagnante, scompariva per un breve tratto, prima di piegare di nuovo a sud verso i piedi della grande rupe.

Raggiunto quel punto, Boromir andò avanti e scoprì che il sentiero era solo appena inondato. Con cautela si fecero strada in fila unica dietro di lui. Il terreno era scivoloso e traditore; Frodo provò uno strano disgusto alla sola sensazione dell'acqua scura sui piedi.

Quando Faramondo, ultimo del gruppo, mise piede sulla terra asciutta, udì un rumore sommesso, un fruscio seguito da un tonfo, come se un pesce avesse agitato la superficie placida dell'acqua. Nel voltarsi in fretta videro al chiarore della luna increspature sottili [?con] ombre scure: grandi anelli si allargavano verso l'esterno da un punto vicino al centro dello stagno.[7] Si fermarono; e in quello stesso istante la luce se ne andò, mentre la luna calava e svaniva tra le basse nubi. Si udì un lieve gorgoglio nel lago e poi silenzio.

Era troppo buio per cercare la porta in quella valle mutata, e il resto della notte i viandanti la trascorsero infelici, seduti in guardia tra la rupe e l'acqua scura ormai invisibile. Nessuno di loro dormì, se non per poco e con inquietudine.

Ma con il mattino lo spirito si ravvivò. Pian piano la luce raggiunse il lago: la superficie scura era ferma e non increspata da alcuna brezza. Il cielo era limpido, e adagio il sole spuntava sulle montagne alle loro spalle, e splendeva sulle terre occidentali dinanzi a loro. Mangiarono un poco e riposarono per un po' dopo la triste nottata, finché il sole non raggiunse il sud e i raggi caldi caddero obliqui, scacciando le ombre del grande muro alle loro spalle. Allora Gandalf si alzò e disse che era giunto il momento di cercare le porte. La striscia di terra asciutta lasciata dal lago era alquanto stretta e il sentiero li condusse quasi alla base della rupe. Dopo aver percorso quasi un miglio a sud, arrivarono ad alcuni agrifogli. Ceppi e tronchi marcivano nell'acqua: resti di vecchi boschetti o di una siepe che un tempo costeggiava la strada sommersa attraverso la valle inondata. Ma proprio sotto la rupe si vedevano, ancora vivi e forti, due alti alberi con grandi radici che si estendevano dal muro fino al bordo dell'acqua. Da lontano, sotto l'altra sponda, nella luna incostante, Frodo aveva pensato fossero semplici cespugli su mucchi di pietra, ma ora torreggiavano sopra la sua testa: rigidi, silenziosi, scuri tranne che per i grappoli di bacche: ritti come sentinelle o pilastri alla fine di una strada.

"Bene, eccoci arrivati, finalmente!" disse Gandalf. "Qui terminava il sentiero elfico da Agrifoglieto. In antichità gli elfi piantavano gli alberi di agrifoglio per segnare la fine dei loro domini; le porte occidentali furono realizzate soprattutto per essere usate nei commerci coi nani. Qui si conclude il nostro cammino e ora temo che dovremo dire addio ai nostri cavallini. Le brave bestie andrebbero ovunque gli ordinassimo, ma non credo che riusciremmo a convincerle a varcare la soglia degli oscuri passaggi di Moria. E comunque oltre la porta occidentale iniziano molte scale ripide, e molti luoghi ardui e pericolosi in cui i cavallini non ce la farebbero a passare, o rappresenterebbero un pericoloso intralcio. Se vogliamo riuscire ad attraversare, dobbiamo viaggiare più leggeri. Gran parte delle cose che abbiamo portato per proteggerci dal maltempo non ci servirà all'interno, né quando arriveremo dall'altra parte e andremo a sud."

"Ma non abbandonerai mica quelle povere bestie in questo luogo dimenticato, signor Gandalf!" protestò Sam, che era particolarmente affezionato ai cavallini.

"Non preoccuparti, Sam! Col tempo troveranno la strada di casa. Hanno un naso migliore persino della maggior parte della loro specie, e questi due sono già tornati da Elrond da molto lontano. Credo si dirigeranno a ovest e poi andranno di nuovo verso nord per la campagna dove troveranno dell'erba."

"Preferirei riportarli oltre il corso d'acqua e giù alle vecchie cascate," disse Sam, "vorrei dirgli addio e metterli sulla strada, per così dire."

"Molto bene, puoi farlo," disse Gandalf. "Ma prima scarichiamoli e distribuiamo quello che intendiamo tenere."

Dopo che a ciascun membro del gruppo fu assegnata una parte a seconda della stazza – per la maggior parte provviste e otri d'acqua – il resto fu di nuovo assicurato sulla schiena dei cavallini. In ogni fagotto Gandalf mise un breve messaggio per Elrond scritto in rune segrete, per raccontargli della bufera di neve e della deviazione per Moria. Poi Sam e Passolesto portarono via i cavalli.

"Ora diamo un'occhiata a queste porte!" disse Gandalf.[8]

"Io non vedo nessuna porta," disse Merry.

"Le porte dei Nani non sono fatte per essere viste," disse il mago. "Molte sono completamente invisibili e i loro stessi signori non riescono a trovarle se viene perduto il loro segreto. Ma queste porte non sono state create per essere del tutto[9] segrete, e a meno che le cose non siano del tutto cambiate, occhi che sanno cosa cercare sono in grado di scoprirne i segreti. Andiamo a vedere!"

Avanzò verso la parete rocciosa. In mezzo all'ombra degli alberi c'era uno spazio liscio sul quale passò le mani avanti e indietro, mormorando parole sottovoce. Poi indietreggiò. "Guardate!" disse. "Adesso vedete qualcosa?" Il sole splendeva sulla facciata della parete e, intanto che i viandanti la fissavano, sembrava che sulla superfice su cui era passata la mano di Gandalf apparissero linee fioche simili a esili vene d'argento che scorrevano sulla pietra; sulle prime parevano tenui fili di ragnatela tanto fini da essere visti solo di quando in quando dove li colpiva il sole; ma pian piano si allargarono e fu possibile indovinarne il disegno. In alto, fin dove Gandalf arrivava, c'era un arco di lettere intrecciate in caratteri elfici; sotto sembrava (nonostante il disegno fosse sfocato e rovinato in alcuni punti) che ci fosse il contorno di un'incudine e di un martello sormontati da una corona e una falce lunare. Più chiare di tutto brillavano tre pallide stelle dai molti raggi.[10]

"Quelli sono gli emblemi di Durin e degli Elfi," disse Gandalf. "Sono di una sostanza argentea visibile soltanto quando viene toccata da qualcuno che conosce certe parole, di notte alla luce della luna brillano con maggiore intensità.[11] Ora capite che abbiamo trovato senza alcun dubbio la porta occidentale di Moria."

"Che cosa dice la scritta?" domandò Frodo, che cercava di decifrare l'iscrizione. "Credevo di conoscere i caratteri elfici, ma questi non so leggerli, sono molto complessi."

"Le parole sono nella lingua elfica, non nel linguaggio ordinario," disse Gandalf. Ma non dicono niente d'importante per noi. Niente dell'incantesimo di apertura, se è questo che pensate. Dicono solo: Le Porte di Durin, Signore di Moria. Dite amici ed entrate. E sotto, a caratteri piccoli e sbiaditi, sta scritto: Narfi le ha create.[12] Celebrimbor di Agrifoglieto ha disegnato questi segni."

"Che cosa significa: 'dite amici ed entrate'?" chiese Frodo.

"È abbastanza chiaro," disse Gandalf, "se siete amici, pronunciate la parola d'ordine, e poi la porta si aprirà e potrete entrate. Qualche porta dei Nani si apre solo in momenti particolari o per determinate persone; altre hanno chiavi e serrature necessarie anche quando tutte le altre condizioni sono state soddisfatte. All'epoca di Durin non erano segrete: di solito erano aperte e qui si trovavano anche i custodi delle porte. Ma se erano chiuse, chiunque sapesse le parole per aprirle poteva pronunciarle ed entrare."

"Allora tu le conosci?"

"No!" disse Gandalf.

Gli altri furono sorpresi e sgomenti; tutti eccetto Passolesto, che conosceva molto bene Gandalf. "Ma allora a che pro portarci quaggiù?" chiese Boromir in tono rabbioso.

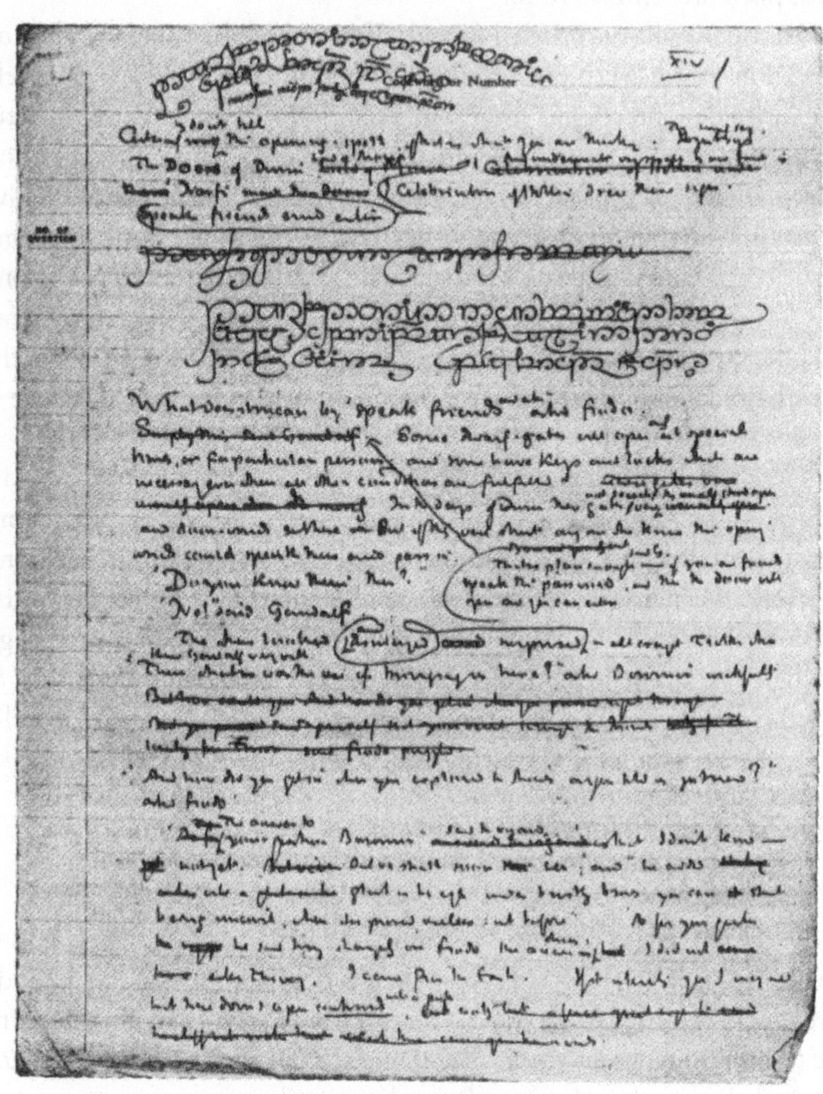

L'iscrizione sulla Porta Occidentale di Moria

"E come ci sei entrato quando hai esplorato le Miniere, come ci hai detto poco fa?" chiese Frodo.

"La risposta alla tua prima domanda, Boromir," disse il mago, "è che non le so... non ancora. Ma presto si vedrà. E," aggiunse con un lampo negli occhi sotto le ispide sopracciglia, "puoi cominciare a essere scortese quando tutto si rivela inutile, non prima. Quanto alla tua domanda," disse rivolgendosi brusco a Frodo, "la risposta è ovvia: non sono entrato da questa parte. Venivo da Est. In caso ti interessasse, posso aggiungere che queste porte si aprono verso *l'esterno* con una spinta, ma niente può aprirle verso l'interno. Possono ruotare verso l'esterno, o possono essere spezzate se si ha abbastanza forza."

"Che cosa hai intenzione di fare allora?" chiese Merry,[13] non granché disturbato dalle sopracciglia irte di Gandalf; e in cuor suo sperava che le porte si rivelassero impossibili da aprire.

"Cercherò le parole per aprirle. Un tempo conoscevo ogni formula e incantesimo in tutte le lingue di elfi, nani e goblin che fosse mai stata impiegata per tali scopi. Ne ricordo ancora due o trecento senza arrovellarmi il cervello. Ma penso basteranno solo pochi tentativi. Le parole per aprire erano elfiche, come l'iscrizione... ne sono certo, dai segni sulle porte, dagli agrifogli e a causa dello scopo per cui strada e porte sono state costruite." Si avvicinò di nuovo alla roccia e toccò leggermente con la bacchetta la stella d'argento che era vicino al centro degli stemmi, appena sopra la corona.

Annon porennin diragas·venwed
diragath·telwen porannin nithrad[14]

disse. Le lettere d'argento svanirono, ma la nuda roccia grigia non si mosse. Molte volte provò altre formule una dopo l'altra, ma non accadde altro. Poi provò con parole singole pronunciate in tono di comando, e infine (sembrando perdere la pazienza) gridò *Édro, édro!*, seguito da *apriti!* in tutte le lingue che ricordava. Poi sedette in silenzio.

Alle sue spalle, Boromir sfoggiava un ampio sorriso. "Ho come l'impressione che presto potremmo rivolere indietro i cavallini," disse sottovoce. "Sarebbe stato più prudente tenerli finché le porte non fossero state aperte."[15] Se Gandalf sentì, non ne diede alcun segno.

D'improvviso, nel silenzio, Frodo udì un lieve fruscio e un gorgoglio nell'acqua,[16] lo stesso della sera precedente, soltanto più sommesso. Si girò di scatto e scorse tenui increspature sulla superficie del lago, e al contempo in lontananza vide Sam e Passolesto che [stavano] attraversando di ritorno le acque sciabordanti. Le increspature parevano muoversi nella loro direzione.

"Questo posto non mi piace affatto," disse Merry, che aveva visto pure lui le increspature. "Vorrei tornassimo indietro, o che Gandalf facesse qualcosa e andassimo avanti, se proprio dobbiamo."

"Ho una strana sensazione," disse Frodo, "paura delle porte o di qualcos'altro. Ma non credo che Gandalf si dia per vinto, si spremerà le meningi, penso."

Fu evidente che Frodo aveva ragione, perché il mago balzò di colpo in piedi ridendo. "Ci sono!" gridò. "Ma certo! Certo! Assurdamente semplice, quando ci si pensa!" Alzò la bacchetta e si piantò davanti alla roccia e disse con voce chiara: *Mellyn!* (o *Meldir!*)[17]

Le tre stelle brillarono per un attimo e poi si spensero di nuovo. Allora silenziosamente si delineò una grande porta, anche se prima non si vedevano i minimi spiragli o commessure. Lentamente cominciò a ruotare verso l'esterno, poco a poco, finché non poggiò contro la parete.[18] Dietro, si scorgeva la base di una scala buia che saliva nell'oscurità. Tutto il gruppo era immobile a guardare esterrefatto.

"Mi sbagliavo, dopotutto," disse Gandalf. "La parola per aprire era sempre stata lì. *Dite amici ed entrate* diceva, e quando ho pronunciato la parola elfica per *amici*, si è aperta. Più semplice di così! E ora possiamo entrare."

Ma in quella Frodo si sentì afferrare per la caviglia e cadde. Nello stesso momento Sam e Passolesto, da poco tornati, cacciarono un grido mentre arrivavano di corsa. Gli altri si girarono di scatto e scorsero un lungo braccio, sinuoso come un tentacolo, spuntare dal margine scuro del lago. Era grigioverde pallido e bagnato, l'estremità ramificata teneva stretto il piede di Frodo e lo trascinava in acqua.

Sam si lanciò in avanti con il coltello sguainato e lo colpì. Le dita mollarono la presa su Frodo e Sam lo trascinò via; ma subito le acque del lago iniziarono a sollevarsi e ribollire, e altre venti o più braccia contorte uscirono guizzanti, puntando ai viandanti quasi fossero guidate da qualcosa nelle profondità del lago in grado di vederli tutti.

"Nel vano della porta! Presto! Su per le scale!" gridò Gandalf, ridestandoli dal terrore che li aveva inchiodati.

Fecero appena in tempo. Gandalf vide che erano entrati tutti, poi scattò alle calcagna di Passolesto, ma neanche riuscì a fare quattro passi che le dita striscianti dell'abitatore dello stagno raggiunsero la parete rocciosa.[19]

Si fermò. Ma se stava riflettendo su come chiudere la porta o su quale parola l'avrebbe smossa dall'interno, non ce ne fu bisogno. Le braccia infatti afferrarono la porta e la ruotarono con forza spaventosa. Quella sbatté alle loro spalle con un'eco da far tremare; e sgomenti si bloccarono sulle scale fra rumori di lacerazioni e schianti che giungevano sordi dall'esterno attraverso la pietra. Gandalf corse alla porta e spinse......... e pronunciò le parole.........;[20] ma nonostante la porta scricchiolasse, non si mosse.

"Temo che la porta sia bloccata dietro di noi," disse. "Se ho ragione, gli alberi le sono stati scaraventati addosso e i massi fatti rotolare contro. Mi spiace per gli alberi, erano belli e antichi ed erano......... così a lungo.[21] Be', ora possiamo solo proseguire, non resta altro da fare."

"Sono assai contento di aver visto quelle bestie in salvo," disse Sam.

"Sentivo che qualcosa di malvagio era vicino," disse Frodo. "Gandalf, cos'era?"

"Non saprei," disse Gandalf, "non ho avuto abbastanza tempo per osservare le braccia. Dal modo in cui si muovevano, direi che appartengono tutte a una sola creatura, ma è l'unica cosa che sono in grado di dire. Qualcosa che......... si è insinuato o è stato scacciato dalle acque scure del sottosuolo, immagino. Esistono esseri più antichi e ripugnanti dei goblin nei luoghi oscuri del mondo." Non diede voce allo spiacevole pensiero che l'Abitatore dello Stagno tra tutti loro non si fosse avventato su Frodo per puro caso.[22]

Gandalf avanzò e fece brillare la bacchetta debolmente per evitare che si imbattessero in pericoli invisibili nell'oscurità. L'ampia scalea era solida e intatta. I gradini erano duecento, larghi e bassi; e in cima si trovarono dinanzi il pavimento pianeggiante.

"Mangiamo qualcosa qui sul pianerottolo, visto che non troviamo una sala da pranzo," disse Frodo. Si era liberato dal terrore di quel tentacolo artigliante e gli era venuta una fame smodata. L'idea fu gradita a tutti. Dopo mangiato, Gandalf diede a tutti un sorso di cordiale.

"Non durerà più a lungo, temo," disse, "ma secondo me ne abbiamo bisogno dopo la faccenda alla porta. E avremo bisogno di tutto quello che resta prima di passare, a meno che non abbiamo fortuna. Andateci piano anche con l'acqua! Molti sono i pozzi e i ruscelli nelle Miniere, ma non è il caso di attingervi. Non avremo modo di riempire gli otri finché non arriviamo a Dunruin."[23]

"Quanto ci metteremo ad attraversare?" chiese Frodo.

"Non lo so," rispose Gandalf. "Dipende. Ma se andiamo dritto (senza incidenti e senza smarrirci) ci vorranno tre o quattro tappe. Non devono esser meno di quaranta miglia dalle Porte Occidentali al Cancello Orientale in linea retta, e potremmo non trovare passaggi diretti."

Riposarono solo per un breve tempo, perché avevano tutti una gran voglia di portare a termine al più presto il viaggio ed erano disposti, pur stanchi com'erano, a proseguire per parecchie ore. Combustibile non ne avevano, né materiali per fabbricare torce, e sarebbero stati costretti a trovare la strada perlopiù al buio.[24] Gandalf era in testa reggendo nella mano sinistra la bacchetta, la cui luce fioca era sufficiente a mostrare il terreno davanti ai piedi. Nella destra impugnava Glamdring, che aveva tenuto con sé da quando era stata rinvenuta nella tana dei troll.[25] Da questa non promanava guizzo, il che era di un certo conforto; poiché essendo un'antica spada elfica brillava di una luce fredda, se c'erano goblin nei paraggi.

Li condusse lungo il passaggio in cui si erano fermati. Intanto che la luce della bacchetta illuminava fioca le scure aperture, si scorgevano o immaginavano altri passaggi e gallerie, in salita o ripida discesa, o che svoltavano di colpo dietro angoli nascosti. Era davvero disorientante. Gandalf era guidato soprattutto dal suo generale senso dell'orientamento, e chiunque si fosse messo in viaggio con lui sapeva che non si perdeva mai, né di notte né di giorno, sottoterra o sopra: era più bravo di un goblin a svoltare nei tunnel, e si sarebbe perso meno di uno hobbit in un bosco, e più sicuro nel trovare la strada in una notte buia quanto il Pozzo rispetto ai gatti della Regina Beruthiel.[26] Se così non fosse stato, è alquanto improbabile che il gruppo avrebbe percorso un miglio senza qualche disastro. Questo perché non solo i sentieri tra cui scegliere erano molti, ma in molti punti ai lati della galleria c'erano fosse e pozzi oscuri, dove in lontananza si udiva il gorgoglio dell'acqua. Sopra pendevano fili di corda marciti, appesi ad argani rotti. C'erano abissi e fenditure pericolose nella roccia, e talvolta attraverso il loro stesso cammino si spalancava un abisso. Uno era largo a tal punto che lo stesso Gandalf quasi vi incespicò dentro. Era largo almeno dieci piedi, e Sam inciampò saltando e se Frodo non gli avesse afferrato la mano e lo avesse [?tirato] avanti, sarebbe ricaduto indietro sulla sponda di partenza.

La marcia fu lenta e cominciò a sembrare infinita. Erano molto stanchi; eppure non trovavano conforto al pensiero di fermarsi da qualche parte. L'umore di Frodo si era risollevato per un po' dopo essere sfuggito al mostro delle acque; ma ora un profondo senso di inquietudine, che maturava in terrore, si insinuò in lui ancora una volta. Pur se a Valforra era guarito dalla pugnalata, era probabile che quella triste avventura avesse lasciato il segno, e che fosse particolarmente sensibile; in ogni caso era lui a portare l'Anello appeso alla catena sul petto.[27] Sentiva la certezza del male che lo aspettava e del male che lo seguiva; ma non disse nulla.

I viandanti parlavano poco e solo in sussurri affrettati. Non c'era altro rumore che il rumore dei loro piedi. Se si fermavano un attimo non udivano alcunché, tranne di tanto in tanto un fioco scroscio e gocciolio di acqua invisibile. Il solo Frodo cominciò a sentire o immaginare di sentire altro, come il fioco tonfo di morbidi piedi scalzi alle spalle. Mai abbastanza forte né abbastanza forte o vicino da esser certo di averlo udito; ma una volta avviato non aveva più smesso, a meno che non si fermassero loro. Non era però un'eco perché, quando si fermavano (come capitava di tanto in tanto), seguitava a scalpicciare ancora per un po' da solo, per poi arrestarsi.

Erano circa le 10 del mattino quando si erano addentrati nelle Miniere.[28] Procedevano da parecchie ore (con brevi soste) quando a Gandalf sovvenne il primo serio dubbio. Erano giunti a un ampio arco buio che dava su tre passaggi che grossomodo andavano tutti nella stessa direzione, est; quello di sinistra però si inabissava, mentre quello di destra s'inerpicava, e quello centrale sembrava correre pianeggiante (però era assai angusto).

"Non ricordo minimamente questo posto!" disse Gandalf, esitante sotto l'arco. Sollevò la bacchetta nella speranza di trovare qualche indicazione o iscrizione che lo aiutasse nella scelta. Non scorse però niente del genere.

"Sono troppo stanco per decidere," disse, scuotendo il capo. "E ho idea che siate tutti stanchi come me, se non di più. Sarà meglio fermarci qui per il resto della notte, se capite cosa intendo. Qua dentro è sì sempre notte fonda, ma fuori immagino che il buio sia calato. Sono passate quasi dieci ore da quando abbiamo passato la porta."[29]

Brancolavano nel buio alla ricerca di un posto in cui riposare con l'impressione di essere al sicuro. A sinistra del grande arco trovarono una bassa apertura, e quando la esaminarono da vicino scoprirono che si trattava di una porta di pietra socchiusa, ma che si apriva senza tante difficoltà con una leggera spinta. Dietro sembravano esserci una o più stanze scavate nella roccia.

"Piano! Piano!" disse Gandalf a Merry e Faramondo che si erano spinti avanti, contenti di trovare un posto dove riposare con un certo senso di sicurezza. "Piano! Ancora non sapete che cosa c'è all'interno. Andrò io per primo."

Entrò con cautela, seguito dagli altri, indicando con la bacchetta il centro del pavimento. Davanti ai suoi piedi videro un grande foro circolare simile alla bocca di un pozzo. Sul bordo giacevano fili di corda marciti che calavano nella fossa buia; accanto frammenti di pietre rotte.

"Se ci finiva dentro uno di voi, starebbe ancora ad aspettare di toccare il fondo," disse il mago a Merry. "Guardate davanti ai piedi! Pare che questo fosse una specie di posto di guardia per sorvegliare quei passaggi," proseguì. "Il buco credo sia un pozzo e senza dubbio un tempo era chiuso da un coperchio di pietra. Ma adesso è rotto, e fareste meglio a stare attenti a non cadere."

Sam[30] si sentiva curiosamente attratto dal pozzo; e mentre gli altri facevano letti di coperte negli angoli bui della stanza, il più lontano possibile dal pozzo, lui strisciò fino all'orlo e sbirciò dentro. Un'aria gelida montata da abissi invisibili sembrò colpirlo in faccia. Preso da un improvviso impulso, cercò a tentoni un sasso e lo lasciò cadere. Prima di sentire un rumore passò quasi un minuto, poi molto in basso si udì un *plof*, come se il sasso fosse piombato nelle acque profonde di qualche luogo cavernoso, assai distante, ma amplificato e ripetuto nella vacuità della roccia.

"Che cos'è?" gridò Gandalf. Fu sollevato quando Sam confessò quel che aveva fatto; ma era in collera e Sam gli vedeva fiammeggiare gli occhi nel buio. "Che idiota!" ringhiò. "Questo è un viaggio serio, non una festina scolastica da hobbit. La prossima volta buttatici tu, così non darai più fastidio. E ora sta' buono!"

Per parecchi minuti non si udì nulla; ma poi dagli abissi emersero fiochi colpetti, che si fermarono, ed echeggiarono deboli, e poi dopo un breve silenzio si ripeterono. Pareva stranamente un segnale di qualche tipo. Ma dopo un poco i colpi cessarono del tutto e più si udirono.

"Magari non ha niente a che fare con quel sasso," disse Gandalf, "e comunque potrebbe non avere a che fare con noi, ma con qualsiasi altra cosa. Non fare più niente del genere. Speriamo di riposare un po' senza essere disturbati. Tu Sam puoi fare il primo turno di guardia. E sta' vicino alla porta, lontano dal pozzo," grugnì, avvolgendosi in una coperta.

Sam sedeva sconsolato vicino alla porta nel buio pesto, ma continuava a girarsi per timore che qualche creatura sconosciuta risalisse strisciando fuori dal pozzo. Avrebbe desiderato coprire il foro, anche solo con una coperta, ma non osava avvicinarvisi, pur se Gandalf sembrava russare.

Gandalf in realtà non dormiva, era Boromir, sdraiato accanto a lui, a russare. Il mago si spremeva ancora le meningi, cercava di riesumare ogni ricordo del precedente viaggio nelle Miniere per tentare di prendere una decisione sulla prossima strada da prendere. Dopo un'ora si alzò e si avvicinò a Sam.

"Avvolgiti in una coperta e fatti una dormita, ragazzo mio!" disse in tono più gentile. "Puoi dormire, credo. Io non ci riesco, tanto vale perciò che monti la guardia."

"So che cos'ho," mormorò. "Ho bisogno di una pipa; e credo che correrò il rischio." L'ultima cosa che vide Sam prima che il sonno lo cogliesse fu l'immagine del vecchio mago accovacciato sul pavimento che con le mani nodose tra le ginocchia faceva scudo a una scheggia accesa. Il guizzo mostrò un istante il naso affilato, e gli sbuffi di fumo.

Fu Gandalf a destar tutti dal sonno. Aveva vegliato da solo per circa sei ore, lasciando riposare gli altri. "E nel frattempo ho preso una decisione," disse. "Non mi piace l'atmosfera del percorso centrale, e non mi piace l'odore del percorso a sinistra: là dentro l'aria è immonda, o io non sono una guida. Prenderò la via a destra. È ora di ricominciare a salire."

Marciarono per otto buie ore, a parte due brevi soste, senza incontrar pericoli né udire niente né vedere altro che il fioco bagliore della luce del mago ballonzolare innanzi a loro come un fuoco fatuo. Il passaggio scelto serpeggiava regolarmente verso l'alto, procedendo, per quanto potevano giudicare, in grandi curve e facendosi sempre più ampio. Su nessuno dei due lati c'erano aperture verso altri tunnel o gallerie e il suolo, benché accidentato in molti punti, era solido, senza buche né fenditure. Procedettero più veloci del giorno precedente e dovevano aver percorso una ventina di miglia o oltre, forse quindici in linea retta verso est. Mentre salivano, Frodo si riprese un poco d'animo; ma si sentiva ancora angosciato e a volte udiva ancora, o credeva di udire in lontananza, dietro e oltre lo scalpiccio dei loro piedi, un passo che li seguiva e che non era un'eco.

Avevano camminato così a lungo che gli hobbit non ce la facevano più a proseguire senza riposo e sonno, e stavano tutti pensando a un posto adatto per dormire quando, all'improvviso, a destra e a sinistra le pareti scomparvero. Si fermarono. Gandalf sembrava contento. "Credo siamo giunti nelle zone abitabili," disse, "e che non siamo molto lontani dal versante orientale. Ma sento l'aria cambiare e immagino siamo in un grande salone. Ora mi arrischierò a fare un po' di vera luce."[31]

Sollevò la bacchetta e per un breve istante quella sfavillò con un bagliore simile a un lampo. Grandi ombre balzarono in alto e sfrecciarono, e per un paio di secondi scorsero un ampio soffitto sopra le loro teste. Su ogni lato si apriva un immenso salone vuoto con pareti squadrate e diritte. Intravidero quattro ingressi, archi bui nelle pareti, uno a ovest da dove erano venuti, uno davanti a est e uno su ciascun lato. Poi la luce si spense.

"Per il momento mi limiterò a questo," disse il mago. "Una volta c'erano grandi finestre sul fianco della montagna e condotti che portavano fuori, alla luce, negli strati superiori delle miniere. Penso dovremmo essere in quel punto. Ma fuori è di nuovo notte e, per dirlo, bisogna aspettare il mattino. Se ho ragione, domani potremmo vedere il giorno far capolino. Nel frattempo, però, sarà meglio non andare oltre, senza aver esplorato. Di strada da fare ce n'è ancora un bel po' prima di uscirne, le Porte Orientali sono ben più in basso rispetto a qui, e per scendere il tragitto è lungo. Riposiamoci, se riusciamo."

Passarono la notte nel grande salone deserto, raccolti in un cantuccio per evitare la corrente; attraverso l'arcata a oriente sembrava arrivare un flusso costante d'aria gelida. La vastità e l'immensità dei tunnel e degli scavi colmavano gli hobbit di sconcerto.[32] "Qui una volta dev'esserci stata una gran tribù di nani," disse Sam; "e ognuno di loro più operoso di un tasso per un centinaio d'anni se hanno ottenuto questo, per giunta quasi tutto nella roccia dura! Perché l'hanno fatto? Non avranno mica vissuto in questi buchi tenebrosi?"

"Non per molto," disse Gandalf;[33] "nonostante i minatori spesso trascorressero lunghi periodi sottoterra, credo. Trovarono metalli preziosi e gioielli, in grande abbondanza nei giorni antichi. Ma le miniere erano conosciute soprattutto per il metallo che soltanto qui si trova in quantità: l'argento di Moria, o l'argento-vero, come lo chiamano alcuni. *Ithil*[34] lo chiamano gli Elfi e lo apprezzano ancor più dell'oro.[35] È pesante quasi quanto il piombo e malleabile come il rame, ma i nani, grazie a qualche loro segreto, sono in grado di farlo duro come l'acciaio. Batte l'argento comune in tutto tranne che per bellezza, anche se è suo eguale. Al loro tempo i signori dei nani di Uruktharbun[36] erano più ricchi di qualsiasi Re degli Uomini."

"Eppure, da quando siamo entrati non abbiamo visto l'ombra di argento," grugnì Sam, "e nemmeno di gioielli. Né di nani."

"Non credo succederà finché non saliremo[37] e saremo più vicini agli ingressi orientali," disse Gandalf.

"Spero che alla fine troveremo i nani," disse Frodo. "Cosa darei per vedere il vecchio Balin. Bilbo gli era affezionato e sarebbe stato felice di avere sue notizie. Gli ha fatto visita a Hobbiton una volta, molto tempo fa, ma è successo prima che andassi a vivere là."

Queste parole allontanarono i pensieri dalle tenebre; e i ricordi di Casa Baggins, di quando Bilbo era ancora lì, si stiparono [?fitti] nella mente. Desiderava con tutto il cuore di essere lì, a falciare il prato, o a lavoricchiare in mezzo ai fiori, e non sapere niente dell'Anello.[38] Era il suo turno di guardia. Il silenzio calò e quando gli altri si addormentarono uno dopo l'altro, sentì lo strano terrore assalirlo di nuovo. Ma sebbene ascoltasse senza posa durante le lente ore finché non si sentì sollevato, non udì alcun rumore di passi. Soltanto una volta, in lontananza dove immaginava fosse l'arcata occidentale, gli parve di scorgere due pallide macchie di luce, come occhi luminosi. Trasalì. "Devo essermi quasi addormentato," pensò. "Ero sull'orlo di un sogno." Si strofinò gli occhi e si alzò, e rimase in piedi a scrutare le tenebre finché non venne Merry a dargli il cambio. Si addormentò rapidamente, ma dopo poco gli parve di udire sussurri in sogno e di vedere due pallide macchie di luce avvicinarsi. Si svegliò e si accorse che gli altri stavano parlottando sottovoce accanto a lui e che una luce fioca gli scendeva sul viso. In alto sopra l'arco orientale, attraverso un condotto vicino al soffitto, veniva un lungo raggio pallido. E anche all'altro capo del salone una luce fioca e distante baluginava attraverso l'arco settentrionale.

Frodo si sollevò a sedere. "Buongiorno!" disse Gandalf. "Perché finalmente è di nuovo giorno. Visto? Avevo ragione. Entro oggi dovremmo raggiungere la Porta Orientale e vedere le acque di Helevorn innanzi a noi nella Valleadeiriombrosi."[39]

Tuttavia il mago aveva qualche dubbio sulla loro esatta posizione, forse erano molto a nord o a sud delle Porte. L'arco orientale era probabilmente l'uscita da seguire, e la corrente d'aria che soffiava prometteva un passaggio che conducesse in breve tempo all'esterno; ma oltre l'apertura non si scorgeva traccia di luce. "Se riuscissi a vedere qualcosa da uno di questi condotti" disse "saprei meglio cosa fare. Rischiamo di girovagare avanti e indietro all'infinito e perdere la via d'uscita. Faremo meglio a esplorare un po' prima di partire. E prima andiamo verso la luce."

Passarono sotto l'arco settentrionale, percorsero un largo corridoio e man mano lo spiraglio di luce si faceva più forte. Svoltarono un angolo stretto e giunsero a una grande porta sulla loro destra. Era socchiusa e al di là si trovava una grande stanza quadrata. Era fiocamente illuminata ma ai loro occhi, dopo tutto quel tempo al buio, parve di un fulgore abbagliante, tanto che, entrando, chiusero gli occhi. I loro piedi disturbarono uno spesso strato di polvere e inciamparono su alcuni oggetti all'ingresso che sulle prime non riuscirono a distinguere dalla forma.

Videro che la stanza era illuminata da un largo condotto sulla parete opposta: era inclinato verso l'alto e, molto più su, si scorgeva un piccolo riquadro di cielo azzurro. La luce finiva direttamente su un tavolo al centro della stanza: un unico blocco oblungo, alto circa tre spanne, sul quale era posata una grande lastra di pietra bianca.

"Sembra una tomba," [mormorò >] pensò Frodo, e si avvicinò con uno strano senso di premonizione per osservarla più da presso. Gandalf gli si mise prontamente accanto. Rune erano profondamente incise sulla lastra:[40]

BALIN FIGLIO DI BURIN SIGNORE DI MORIA

Gandalf e Frodo si guardarono. "Allora è morto. In un certo senso, lo temevo," disse Frodo.

Sebbene lo schema del racconto del passaggio a Moria prosegua ben oltre questo punto (p. 546), questa prima stesura si ferma qui. Mio padre appuntò a matita leggera alcune note sulla parte della pagina rimasta vuota, e anni dopo (quando, credo, la pagina si era staccata dal resto del capitolo: vedi nota 40) le decifrò come segue.

Balin figlio di *Burin* fu cambiato in Balin figlio di *Fundin*, come nello *Hobbit* (vedi p. 547).

Alla fine del racconto è scritto a inchiostro, come in CdA: "Gimli si coprì il viso col cappuccio."

"Rune ?naniche"

"si guardano intorno e vedono spade spezzate e ?ferri d'ascia e scudi spaccati"

"Il libro ?calpestato è macchiato di sangue e gettato in un angolo. Solo in parte leggibile. Balin fu ucciso in ?uno scontro nella vallea dei Riombrosi. Hanno preso le porte arrivano"

Sul rovescio del foglio è presente un primo abbozzo scarabocchiato di una "Pagina del Libro di Balin" (vedi nota 40).

È possibile che in quel momento mio padre non avesse la sensazione di essere arrivato alla conclusione del capitolo e volesse continuare la storia; ma si capisce dalle stesse parole della *Prefazione* alla seconda edizione (1966), in cui annotò alcuni ricordi delle tappe di stesura del libro, che si bloccò a lungo proprio in questo punto. Lì disse che sul finire del 1939 "il racconto non era ancora arrivato al termine del Libro Primo" (ed è chiaro che si riferiva al libro I di CdA, non al volume I del *Signore degli Anelli*) e

> Malgrado il buio dei cinque anni seguenti scoprii che la storia non poteva più essere del tutto accantonata e proseguii a rilento, per lo più di notte, finché non mi trovai davanti alla tomba di Balin a Moria. Lì mi fermai a lungo. Passò quasi un anno prima che mi rimettessi in moto e così verso la fine del 1941 giunsi a Lothlórien e al Grande Fiume.

Questo può soltanto significare che la storia si interruppe a Moria alla fine del 1940.

Pare impossibile far combaciare queste date con le altre prove esistenti sull'argomento. Ritengo assai probabile, addirittura praticamente certo, che questi ultimi capitoli, che portano la storia da Valforra a Moria, appartengano al periodo finale del 1939; e in effetti mio padre disse, in una lettera a Stanley Unwin datata 19 dicembre 1939, di non aver "mai smesso" di lavorare sul *Signore degli Anelli* e di aver "raggiunto il capitolo XVI" (*Lettere*, pp. 71-72). I numeri dei capitoli in questa fase, purtroppo, sono irregolari a tal punto che le prove fornite sono assai difficili da adoperare; ma se si osserva che il numero "XV" era scritto a matita sul manoscritto originale del "Consiglio di Elrond", e che il capitolo che poi proseguì la storia dal punto in cui termina il testo attuale – in origine intitolato "Le Miniere di Moria (II)" e in seguito "Il Ponte di Khazad-dûm – è numerato "XVII", è probabile che nella lettera del dicembre 1939 mio padre si riferisse a "Le Miniere di Moria". Comunque, il "capitolo XVI" non potrebbe in nessun caso essere uno dei capitoli del libro I di CdA. Sono sicuro, pertanto, che (più di un quarto di secolo dopo), avesse commesso un errore nel ricordare l'anno. Ma è fuori questione che sbagliasse nel ricordare di essersi "fermato a lungo alla tomba di Balin a Moria". Prove interne in ogni caso suggeriscono che "l'onda" compositiva che aveva portato la storia dal Consiglio di Elrond alla sala della tomba di Balin si arrestò qui. Tutti i testi successivi si basano su una versione sviluppata del Consiglio e su una diversa composizione della Congrega dell'Anello.

Qui si ferma anche questa storia. Ma prima di concludere, resta un altro pezzetto di contorno, ritrovato nella stessa pagina isolata che mostra gli abbozzi preliminari per la discesa dal Passo Rosso (p. 534, nota 1) e dell'incantesimo della Porta Occidentale di Moria (p. 547). Si tratta infatti del proseguimento dell'"Abbozzo del capitolo di Moria" riportato alle pp. 545-547, che termina con le parole: "Gli inseguitori sono alle calcagna. Segue la perdita di Gandalf." Scritto in maniera frettolosa e a matita leggera, è assai difficile da leggere.

Goblin e Cav[alieri] N[eri] [*scritto sopra:* un Balrog] li inseguono dopo la fuga dalla Tomba di Balin; giungono a un esile ponte di pietra sopra un abisso.

Gandalf si volta indietro e tiene a bada [? il nemico], attraversano il ponte ma il Cav[aliere] N[ero] balza in avanti e lotta con Gandalf. Il ponte si rompe sotto i loro piedi ed è l'ultima volta che vedono Gandalf, che cade nella fossa con il Cav[aliere] N[ero]. Un lampo di fuoco e luce blu dagli abissi.

Sofferenza di tutti. Passolesto ora è a capo del gruppo.

(Naturalmente Gandalf dovrà riapparire più tardi... con tutta probabilità la caduta non è profonda quanto si credeva. Gandalf spinge il Balrog sotto di sé e così......... e alla fine seguendo il corso d'acqua sotterraneo nell'abisso trova una via d'uscita, ma non si palesa finché gli altri non hanno vissuto molte avventure: in realtà non finché gli altri non arrivano ai [?confini] di Mordor e il Re di Ond sta per essere sconfitto in battaglia.)

Questo sembra dimostrare chiaramente che prima ancora che la storia della caduta di Gandalf dal Ponte di Khazad-dûm fosse scritta, mio padre voleva assolutamente il suo ritorno.

1 A questo punto il testo di questo "Abbozzo" fu cancellato, ma il resto no.

2 Vedi p. 539, nota 35; e vedi il passaggio corrispondente in CdA (p. 348), dove Gandalf dice: "'Ci sono gli Orchi, una caterva,' disse. 'Alcuni grossi e malvagi: i neri Uruk di Mordor.'"

3 In CdA (p. 322) la Congrega si mosse a sud verso Moria di giorno e "scarpinava in un terreno spoglio di pietre rosse. Di acqua in giro non si scorgeva luccichio né si udiva rumore".

[4] Qui mio padre scrisse per la prima volta (cambiandolo subito): "*Caradras dilthen* il Piccolo Viarossa". Per *Caradras* come nome del fiume Viarossa (poi Roggiargento) sull'altro lato dei Monti, vedi p. 536, nota 15.

[5] Era ormai la notte del 5 dicembre e la luna piena era il 7 (vedi p. 536, nota 19).

[6] Questa frase fu racchiusa tra parentesi quadre e le parole conclusive "da cui udirono lo sciabordio dell'acqua corrente" cancellate. Questi cambiamenti appartengono al momento della stesura del manoscritto.

[7] Nonostante venga usata la parola "stagno", si riferisce senza dubbio al lago e non allo "stagno" che avevano appena attraversato. Il "lieve gorgoglio" proviene dal "lago".

[8] Tutto il brano da "Bene, eccoci arrivati!" a p. 552 fino a questo punto è una postilla su un foglietto, che va a sostituire il testo originale che segue:

> "Ecco la porta," disse Gandalf. "Qui finiva la strada da Agrifoglieto e in tempi antichi gli elfi piantarono questi alberi; le porte occidentali furono infatti costruite soprattutto per essere usate nei commerci coi nani."

La sostituzione risale senza dubbio alla prima stesura del capitolo, visto che l'invio dei cavallini da parte di Sam e Passolesto viene poi menzionato nel testo.

[9] Le parole "del tutto" sono racchiuse tra parentesi quadre.

[10] In CdA (p. 327) il martello e l'incudine sono "sormontati da una corona con sette stelle" e "Più chiara di tutto il resto spiccava radiosa al centro della porta un'unica stella dalle numerose punte". La bozza originale non menziona i due alberi con le lune crescenti.

[11] In CdA l'iscrizione sulle porte è in *ithildin*, che riflette solo la luce delle stelle e della luna (p. 327). In questa bozza originale, naturalmente, lo schema temporale è differente: metà giornata, non sera tardi (vedi nota 28).

[12] Dapprima era scritto: "Narfi creò le Porte."

[13] Merry sostituì Frodo, che sostituì Boromir; sembra che si dica di Boromir che non era turbato dalle sopracciglia irte di Gandalf e che desiderasse segretamente che le porte restassero chiuse.

[14] Fatico a interpretarlo. In CdA (p. 329) l'invocazione di Gandalf significa: "Porta elfica apriti ora per noi; entrata del popolo dei Nani ascolta la parola [*beth*] delle mie labbra."

[15] Il testo di questo passaggio da "Poi sedette in silenzio", come scritto in prima stesura, recita:

> Solo Passolesto era inquieto. Boromir sfoggiava un sorriso ampio alle sue spalle. Sam si azzardò a sussurrare all'orecchio di Frodo: "Mai visto il vecchio Gandalf a corto di parole prima d'ora," disse. "Pare che non fossimo *destinati* a oltrepassare questa porta, per una qualche ragione."
>
> "Ho una brutta sensazione," disse Frodo, "paura delle porte o di qualcos'altro. Ma non credo che Gandalf si dia per vinto, si spremerà le meningi, penso."

In seguito il discorso sussurrato di Sam a Frodo fu assegnato a Merry, con l'aggiunta: "Non avrebbe dovuto mandare via i cavallini finché non le avesse aperte."

[16] Scritto a matita: "Rumore di lupi lontani insieme al fruscio dell'acqua." Ma l'aggiunta sarebbe stata apportata dopo la modifica dell'ora della loro entrata nelle Miniere. Vedi CdA, p. 330 e nota 28.

[17] Queste parole furono cancellate a matita e sostituite dalla forma *Melin*. Nelle *Etimologie* (V.464) radice MEL, sono riportati il Noldorin *mellon* e *meldir* "amico", e anche il Quenya *melin* "caro".

[18.] In CdA ci sono due porte; e nonostante qui ne sia descritta una soltanto, l'iscrizione reca le parole "Le Porte di Durin"; Gandalf dice loro: "queste porte si aprono verso l'esterno, ma niente può aprirle verso l'interno. Possono ruotare verso l'esterno, o possono essere spezzate..."

[19] Come scritto in prima battuta (e non cancellato) questo passaggio recita: "Fecero appena in tempo; Passolesto, che giunse per ultimo, non era salito per più di quattro gradini quando le braccia della creatura acquatica arrivarono a tastare e sfregare il muro."

[20] Nella prima di queste lacune sembra si legga *su di essa*, o forse *con* (nel qual caso fu omesso *la sua bacchetta*; vedi CdA, p. 332 "scagliare il bastone contro le porte"). Nella seconda la parola sembra *aperta* (forse per *aprirla*).

[21] La parola illeggibile è solo una serie di segnetti; di certo non *stood* [stati], la parola in CdA. Forse *sopravvissuti*.

[22] Qui si legge "... non per caso". La frase fu racchiusa tra parentesi quadre al momento della stesura, ma una frase simile rimane in CdA.

[23] *Dunruin* sostituì, probabilmente al momento della stesura, *Carondoom* (vedi p. 535, nota 13). Poi *Valleadeiriombrosi* venne scritto a matita.

[24] Questa frase era una sostituzione (pare al momento della stesura; vedi nota 31) di: "Nel marasma dell'attacco alla Porta Occidentale alcuni dei fagotti e dei pacchi erano stati abbandonati a terra; ma avevano ancora un fascio di torce che avevano portato con sé in caso di necessità, ma mai usate."

[25] Le parole che seguono *Glamdring* sono racchiuse tra parentesi quadre. *Glamdring* era comparso nell'"Abbozzo" del capitolo, vedi pp. 545-547.

[26] Questa frase fu modificata durante la stesura, senza cancellare gli stadi successivi: "rispetto a qualsiasi gatto mai esistito", "rispetto al gatto di Benish Armon", "rispetto ai gatti della Regina [?Tamar >] Margoliantë Beruthiel"; entrambi questi nomi furono lasciati in essere.

[27] Il brano originale che segue fu racchiuso tra parentesi quadre e poi cancellato a matita:

> Mentre gli altri cercavano di tenere alto il morale con discorsi colmi di speranza e facevano domande sussurrate riguardo alle terre [*cancellato:* di Dunruin e Fangorn] oltre i monti, la valle del Viarossa, la foresta di Fangorn, e oltre, egli sentiva la certezza...

Questo deriva dall'"Abbozzo" del capitolo (vedi p. 545).

[28] Nell'"Abbozzo" si dice, come qui, che "erano circa le 10 del mattino" quando entrarono nelle Miniere. Questo non concorda con quanto detto a p. 552, che quando "il sole

raggiunse il sud" Gandalf "si alzò e disse che era giunto il momento di cercare le porte", e il sole splendeva sulla faccia della parete rocciosa quando fece comparire i segni. Questo suggerisce che la porta fu aperta nel primo pomeriggio. La frase nel testo fu cambiata a matita in "cinque di sera", ma è difficile dire a quale versione di storia questo si riferisca. In CdA era buio pesto, "stelle innumeri erano accese", quando entrarono nelle Miniere (pp. 327, 335), e sebbene fosse l'inizio di dicembre, erano di sicuro le cinque passate. Poche righe più sotto, nel presente testo, un'altra modifica introduce quella di CdA; vedi nota 29.

[29] Le parole "il buio sia calato" furono cambiate a matita in "la notte era già matura"; e la frase seguente, chiusa tra parentesi quadre, fu cancellata. Secondo quanto scritto, il testo concorda con la storia secondo cui entrarono nelle Miniere verso le dieci del mattino, e ora sarebbero state circa le 8 della sera (vedi nota 28). La versione modificata concorda con CdA, p. 335 ("fuori la Luna tarda cavalca verso occidente e metà della notte è trascorsa").

[30] "Sam" sostituì "Merry" al momento della stesura, dal momento che alla fine di questo episodio è Sam, non cambiato da Merry, a fare il primo turno di guarda come punizione per aver gettato il sasso nel pozzo.

[31] Questo passaggio fu molto modificato nel corso della composizione. Dapprima "Gandalf permise di accendere due torce affinché l'esplorazione fosse più facile. La luce non rivelò alcun soffitto, ma fu sufficiente a mostrare che erano entrati (come avevano intuito) in un ampio spazio, alto e largo, simile a una grande sala". È stato però detto, per via di una modifica che pare apportata al momento della stesura primaria (vedi nota 24), che non avevano né torce né mezzi per fabbricarle.

[32] Il passo in CdA, p. 338, da "Tutt'intorno a loro, stesi in terra, incombeva l'oscurità, vuota e immensa...", a "all'altezza del terrore e dello stupore di fronte alla realtà di Moria" fu abbozzato dapprima a margine del manoscritto, forse subito dopo la stesura del testo principale.

[33] "Gandalf" è una modifica precoce a "Passolesto", anche nel discorso successivo.

[34] *Ithil* è una modifica precoce, forse immediata, da *Erceleb*.

[35] Questo brano fu modificato in prima stesura da:

> ... in grande abbondanza nei giorni antichi, e soprattutto l'argento. L'argento di Moria era (ed è tuttora) celeberrimo; e molti lo consideravano prezioso.

È a questo punto che emerse per la prima volta il concetto di *mithril*, seppure non il nome (vedi nota 34). Il riferimento al *mithril* nello *Hobbit* (capitolo XIII, "Nessuno in casa") entrò nella terza edizione del 1966; fino ad allora il testo recitava: "Era d'acciaio argenteo e ornato di perle, ed era accompagnata da una cintura di perle e cristalli." Fu poi cambiato in: "Era fatta di quell'argento-acciaio che gli elfi chiamano *mithril*, ed era accompagnata da una cintura di perle e cristalli."

[36] Accanto a *Uruktharbun* è scritto a matita *Azanulbizâr*, che in CdA è il nome nanico di Vallea-dei-riombrosi. Se *Uruktharbun* è Moria (e la revisione successiva del testo parla dei "signori dei nani di Khazad-dûm"), *Azanulbizâr* potrebbe essere stato pensato come

sostituzione ed essersi riferito inizialmente a Moria; d'altra parte mio padre forse voleva citare i "signori dei nani" quali signori di Vallea-dei-riombrosi. Si può menzionare che in questo manoscritto, nonostante sia scritto su una carta diversa e presumibilmente appartenga a una fase successiva in cui Gimli era già membro della Compagnia, è presente un foglio di bozza primaria della sua canzone a Moria; e in questi ricorrono i versi:

Quando ad Azanûl Durin sopraggiunse
il lago ignoto trovò e nome vi impose.

In appunti risalenti ad anni dopo (successivi alla pubblicazione del *Signore degli Anelli*) mio padre osservò che "l'interpretazione dei nomi dei Nani (a causa della scarsa conoscenza del Khuzdul) è in larga parte incerta eccetto per il fatto che, dal momento che questa regione [ovvero Moria e Vallea-dei-riombrosi] era in principio una casa dei Nani cui fu dato nome innanzitutto da questi ultimi, i nomi in Sindarin e Ovestron hanno probabilmente in origine significati simili." Egli intese dunque (con una certa esitazione) che *Azanulbizar*, contenendo ZN "oscuro, buio", *ûl* "torrenti", e *bizar* una valletta o valle, significasse "Valle dei Torrenti Oscuri".

Il nome *Khazad-dûm* era già comparso nel *Quenta Silmarillion* (V.340), in cui era il nome della città dei Nani sulle Montagne Azzurre, che gli Elfi chiamavano *Nogrod*.

37 La parola *saliremo* qui è strana (e mio padre in seguito vi pose a margine un punto di domanda), dato che l'affermazione che le Porte Orientali erano a un livello molto più basso rispetto alla grande sala in cui si trovavano è parte della stesura originale.

38 Questo passaggio rimane in CdA (p. 341), ma lì i pensieri di Frodo vanno a Bilbo e a Casa Baggins per una ragione diversa: Gandalf menziona il corsaletto di *mithril* di Bilbo. L'argento di Moria era appena emerso (nota 35) e il collegamento con la cotta di maglia di Bilbo non ancora stabilito.

39 Nel capitolo precedente il nome *Valleadeiriombrosi* compare come correzione (p. 535, nota 13), insieme alla prima menzione del lago nella valle, lì chiamato *Lagovetro*; *Speculago* viene nominato sulla mappa riprodotta a p. 541. Il nome in elfico *Helevorn* (nelle *Etimologie*, V.454 tradotto "vetro nero") qui attribuitogli era comparso nel *Quenta Silmarillion* come nome del lago in Thargelion accanto al quale dimorava Cranthir, figlio di Fëanor. Nessun altro nome elfico di Speculago è registrato in scritti pubblicati, ma nelle note cui si fa riferimento nella nota 36, mio padre disse che il nome Sindarin, non dato in SdA, era *Nen Cenedril* "Speculago". Traducendo *Kheled-zâram* con "probabilmente 'vetro-lago'", mio padre osservò: "*kheled* è senz'altro una parola nanica per 'vetro' e pare essere l'origine del Sindarin *heleð* 'vetro'. Vedi Lago *Hele(ð)vorn* vicino alle regioni naniche nel nord del Dor Caranthir [Thargelion]: significa 'vetro nero', con tutta probabilità anche traduzione di un nome nanico (dato dai Nani: stesso caso probabilmente nella regione di Moria) come *Narag-zâram* (che NRG fosse il Khuzdul per 'nero' si nota nel nome nanico per Mordor, *Nargûn*)."

40 Quando il manoscritto di questo capitolo fu ritrovato tra le carte di mio padre, terminava in fondo alla pagina con le parole "una grande lastra di pietra bianca" a p. 566. Io avevo presunto che si trattasse del punto in cui mio padre si era fermato, finché pochi

giorni prima che il dattiloscritto di questo libro andasse in stampa, mi imbattei in modo del tutto inaspettato in un'altra pagina, che iniziava con le parole "'Sembra una tomba!' pensò Frodo", che chiaramente era stata separata dal resto del capitolo molto tempo fa, a giudicare dalle iscrizioni. Naturalmente era troppo tardi per riprodurle in questo libro, ma un resoconto degli alfabeti runici come pensati da mio padre in quel periodo e delle iscrizioni sulla tomba di Balin e del Libro di Mazarbul saranno, spero, pubblicati nel volume VII.

Tuttavia, si può notare che fu a questo punto che mio padre decise di abbandonare le rune anglosassoni (o "Hobbit") e di usare le vere rune del Beleriand, allora già in una forma avanzata. L'iscrizione sulla tomba (*Balin figlio di Burin Signore di Moria*) fu inizialmente scritta nelle prime rune, e poi subito sotto in "Angerthas", per due volte, con le medesime parole ma in rune che differiscono in alcuni punti.

Sul retro di questa pagina, e come credo molto probabilmente risalente allo stesso periodo, è presente un disegno a matita molto grossolano di una "Pagina del Libro di Balin", in rune che rappresentano l'inglese scritto foneticamente, che recita in questo modo:

Abbiamo scacciato gli Orchi (da)...... guardia
......(p)rima sala. Ne abbiamo uccisi molti sotto il sole splendente
nella valle. Flói fu ucciso da una freccia......................
Noi abbiamo..
...... Abbiamo occupato la ventunesima sala di
.........estremità settentrionale. Lì c'è...........
................condotto è.........................
(B)alin ha messo il proprio scanno nella camera di Mazar
bul....................................... Balin è Signore di
Moria...

E nell'angolo in basso a destra della pagina, staccato dal resto, c'è il nome *Kazaddûm*.

INDICE DEI NOMI

Questo Indice è redatto sulla falsariga di quelli dei volumi precedenti, ma l'estrema variabilità dei nomi, soprattutto tra gli Hobbit, si è rivelata gravosa, come si può notare dando uno sguardo alle voci sotto la voce *Took*. La complessità della materia da indicizzare consente difficilmente una rappresentazione coerente.

Alcuni nomi compaiono costantemente in tutto il libro e, ove possibile, ho ridotto i blocchi di riferimenti più macchinosi utilizzando la parola *passim* per indicare che un nome manca solo in una singola pagina qua e là in una lunga serie.

Le forme sono standardizzate e non si è tenuto conto delle innumerevoli varianti di maiuscole, sillabazioni e separazione degli elementi che ricorrono nei testi.

I nomi che compaiono nelle riproduzioni delle pagine dei manoscritti originali non vengono indicizzati.

INDICE

LA SECONDA FASE

LA TERZA FASE

LA STORIA CONTINUA

ILLUSTRAZIONI